#홈스쿨링
#혼자공부하기

우등생
과학

Chunjae
Makes
Chunjae

우등생 과학 6-2

기획총괄 박상남
편집개발 김성원, 박나현, 배정이
디자인총괄 김희정
표지디자인 윤순미, 김효민
내지디자인 박희춘
본문 사진 제공 셔터스톡, 게티이미지코리아
제작 황성진, 조규영

발행일 2023년 7월 1일 초판 2023년 7월 1일 1쇄
발행인 (주)천재교육
주소 서울시 금천구 가산로9길 54
신고번호 제2001-000018호
고객센터 1577-0902

※ 정답 분실 시에는 천재교육 홈페이지에서 내려받으세요.
※ KC 마크는 이 제품이 공통안전기준에 적합하였음을 의미합니다.
※ 주의
책 모서리에 다칠 수 있으니 주의하시기 바랍니다.
부주의로 인한 사고의 경우 책임지지 않습니다.
8세 미만의 어린이는 부모님의 관리가 필요합니다.

스마트폰으로 QR코드를 스캔해 주세요

우등생 온라인 학습 활용법

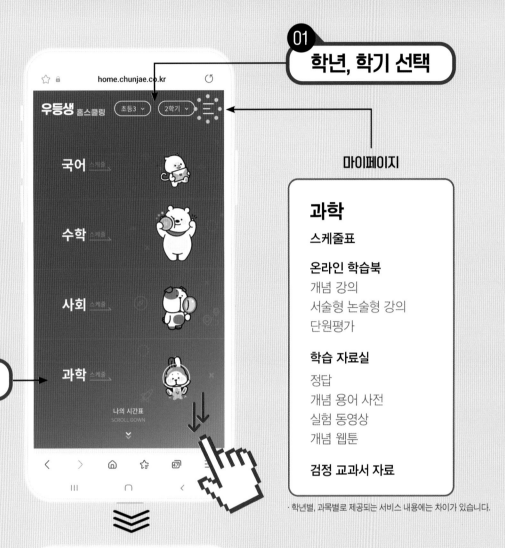

01 학년, 학기 선택

02 과목 선택

마이페이지

과학

스케줄표

온라인 학습북
개념 강의
서술형 논술형 강의
단원평가

학습 자료실
정답
개념 용어 사전
실험 동영상
개념 웹툰

검정 교과서 자료

· 학년별, 과목별로 제공되는 서비스 내용에는 차이가 있습니다.

스케줄표

꼼꼼

꼼꼼
우등생 과학을 한 학기 동안 차근차근 공부하기 위한 스케줄표

1회~10회

1회

과학
1. 과학탐구
교과서진도북 6~9쪽

2회   단원평가

과학
1. 과학탐구
온라인학습북 4~7쪽

마이페이지에서 첫 화면에 보일
스케줄표의 종류를 선택할 수 있어요.

통합 스케줄표
우등생 국어, 수학, 사회, 과학 과목이 함께 있는 12주 스케줄표

꼼꼼 스케줄표
과목별 진도를 회차에 따라 나눈 스케줄표

스피드 스케줄표
온라인 학습북 전용 스케줄표

과목 클릭

온라인 학습북 클릭

개념강의 / 서술형 논술형 강의 / 단원평가

❶ 개념 강의

*온라인 학습북 단원별 주요 개념 강의

❷ 서술형 논술형 강의

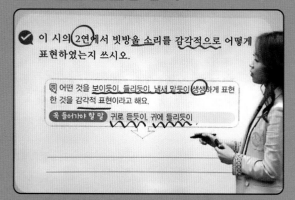

*온라인 학습북 서술형 논술형 강의

❸ 단원평가

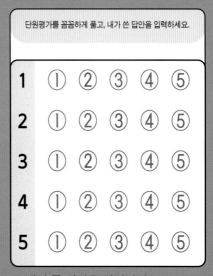

① 내가 푼 답안을 입력하면

② 채점과 분석이 한번에

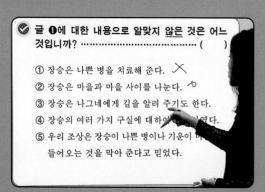

③ 틀린 문제는 동영상으로 꼼꼼히 확인하기!

· 스마트폰의 동영상 구동이 느릴 경우, 기본으로 설정된 비디오 재생 프로그램을 다른 앱으로 교체해 보세요.

· 사용자 사용 환경에 따라 서비스가 원활하지 않을 시에는 컴퓨터를 통한 접속을 권장합니다. 우등생 홈스쿨링 홈페이지(https://home.chunjae.co.kr)로 접속하거나 검색 엔진에서 우등생 홈스쿨링을 입력하여 접속해 주세요.

홈스쿨링 꼼꼼 스케줄표(24회)
우등생 과학 6-2

꼼꼼 스케줄표는 교과서 진도북과 온라인 학습북을 24회로 나누어 꼼꼼하게 공부하는 학습 진도표입니다.

● 교과서 진도북 ● 온라인 학습북

1. 전기의 이용

1회	교과서 진도북 8~15쪽	**2**회	교과서 진도북 16~23쪽	**3**회	온라인 학습북 4~11쪽
월 일		월 일		월 일	

1. 전기의 이용 / 2. 계절의 변화

4회	교과서 진도북 24~27쪽	**5**회	온라인 학습북 12~15쪽	**6**회	교과서 진도북 30~37쪽
월 일		월 일		월 일	

2. 계절의 변화

7회	교과서 진도북 38~45쪽	**8**회	온라인 학습북 16~23쪽	**9**회	교과서 진도북 46~49쪽
월 일		월 일		월 일	

2. 계절의 변화 / 3. 연소와 소화

10회	온라인 학습북 24~27쪽	**11**회	교과서 진도북 52~59쪽	**12**회	교과서 진도북 60~67쪽
월 일		월 일		월 일	

절취선

● 교과서 진도북   ● 온라인 학습북

3. 연소와 소화

13회 온라인 학습북 28~35쪽	**14**회 교과서 진도북 68~71쪽	**15**회 온라인 학습북 36~39쪽
월 일	월 일	월 일

4. 우리 몸의 구조와 기능

16회 교과서 진도북 74~83쪽	**17**회 교과서 진도북 84~89쪽	**18**회 온라인 학습북 40~47쪽
월 일	월 일	월 일

4. 우리 몸의 구조와 기능   5. 에너지와 생활

19회 교과서 진도북 90~93쪽	**20**회 온라인 학습북 48~51쪽	**21**회 교과서 진도북 96~105쪽
월 일	월 일	월 일

5. 에너지와 생활   전체 범위

22회 교과서 진도북 106~108쪽	**23**회 온라인 학습북 52~59쪽	**24**회 온라인 학습북 60~63쪽
월 일	월 일	월 일

절취선

온라인 학습이 강화된

우등생 과학 사용법

1
단원

진도 완료
체크

QR로 학습 스케줄을 편하게 관리!

공부하고 나서 날개에 있는 QR 코드를 스캔하면
온라인 스케줄표에 학습 완료 자동 체크!

※ 스케줄표에 따라 해당 페이지 날개에
[진도 완료 체크] QR 코드가 있어요!

 동영상 강의
개념 / 서술형 · 논술형 평가 / 단원평가

 온라인 채점과 성적 피드백
정답을 입력하면 채점과 성적 분석이 자동으로

 온라인 학습 스케줄 관리
나에게 맞는 내 스케줄표로 꼼꼼히 체크하기

우등생 온라인 학습

구성과 특징

교과서
진도북

1 쉽고 재미있게 개념을 익히고 다지기

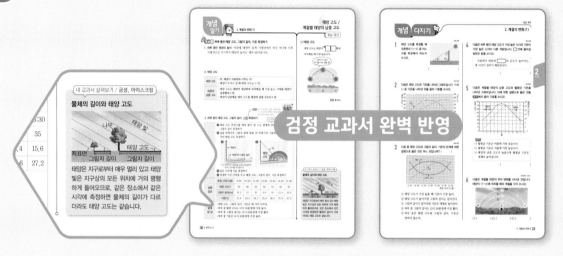

검정 교과서 완벽 반영

2 Step ①, ②, ③ 단계로 단원 실력 쌓기

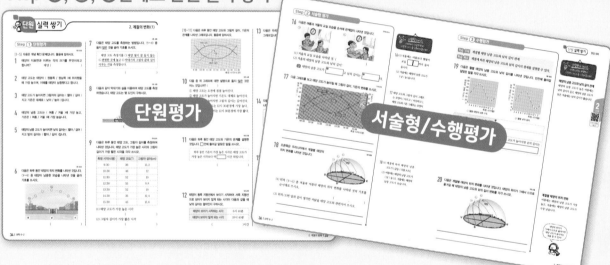

단원평가

서술형/수행평가

3 대단원 평가로 단원 마무리하기

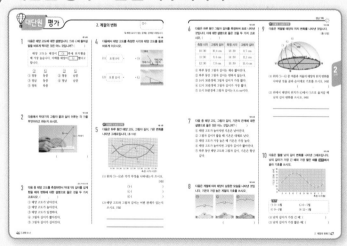

온라인 학습북

1 온라인 개념 강의

2 실력 평가

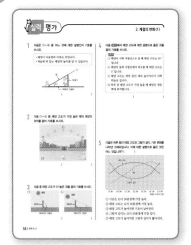

3 온라인 서술형·논술형 강의

4 단원평가 온라인 피드백

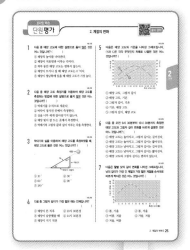

✓ 채점과 성적 분석이 한번에!

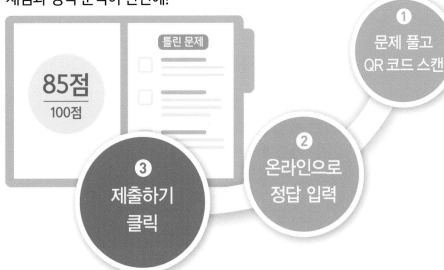

차례

4 우리 몸의 구조와 기능

5 에너지와 생활

등장인물 소개

소년탐정 코비

13세 소년
명석한 두뇌로 수많은 사건을
해결하는 탐정이지만, 덜렁대고
성급해 위기를 자초하기도 한다.

써니

13세 소녀
차분한 성격이지만,
탐정 코비가 사고를 칠 때마다
불같이 화를 내는 두 얼굴을 가졌다.

괴도 팡팡

20세 청년
베일에 가려진 도둑으로,
번번이 탐정 코비와 써니의
활약에 실패한다.

페로

괴도 팡팡을 도와 보물을
훔치는 도우미 새

연관 학습 안내

초등 3학년	이 단원의 학습	중학교
자석의 이용	전기의 이용	전기와 자기

초등 3학년
자석의 이용
자석에 붙는 물체는 철로 만들어져 있다는 것을 배웠어요.

이 단원의 학습
전기의 이용
전기 회로, 전지와 전구의 연결 방법, 전자석 등에 대해 배워요.

중학교
전기와 자기
마찰 전기와 자기장 등에 대해 배울 거예요.

만화로 단원 미리보기

전기의 이용

1

 단원 안내

(1) 전구에 불이 켜지는 조건 / 전구의 연결 방법에 따른 전구의 밝기
(2) 전자석의 성질과 이용 / 전기의 안전과 절약

1. 전기의 이용(1)

개념 ① 전구에 불이 켜지는 조건

1. 여러 가지 전기 부품의 쓰임새

전지	전지 끼우개	스위치
→ (+)극과 (−)극이 있습니다.		
전기 회로에 전기를 흐르게 함.	전선을 쉽게 연결할 수 있도록 전지를 넣어 사용함.	전기가 흐르는 길을 끊거나 연결함.

전구	전구 끼우개	집게 달린 전선
필라멘트 / 꼭지쇠 / 꼭지		
빛을 내는 전기 부품임. 전구에 전기가 흐르면 필라멘트에서 빛이 납니다.	전선에 쉽게 연결할 수 있도록 전구를 끼워서 사용함.	전기 부품을 쉽게 연결할 수 있음.

☑ **전기 부품**

전기 부품은 ❶ [ㅈ][ㄱ] 가 잘 흐르는 부분과 ❷ [ㅈ][ㄱ] 가 잘 흐르지 않는 부분으로 이루어져 있습니다.

난 전기가 흘러.

난 전기가 흐르지 않아.

정답 ❶ 전기 ❷ 전기

2. 전지, 전구, 전선을 연결하여 전구에 불 켜기

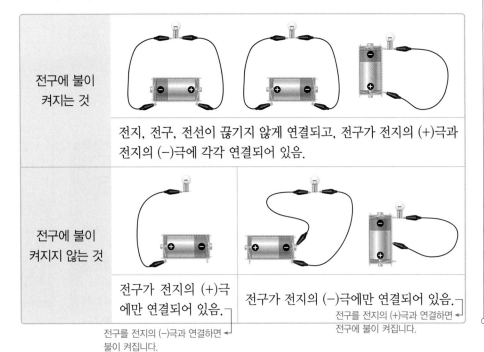

전구에 불이 켜지는 것	전지, 전구, 전선이 끊기지 않게 연결되고, 전구가 전지의 (+)극과 전지의 (−)극에 각각 연결되어 있음.
전구에 불이 켜지지 않는 것	전구가 전지의 (+)극에만 연결되어 있음. 전구를 전지의 (−)극과 연결하면 불이 켜집니다. · 전구가 전지의 (−)극에만 연결되어 있음. 전구를 전지의 (+)극과 연결하면 전구에 불이 켜집니다.

내 교과서 살펴보기 / 지학사

전기 부품이 전기가 잘 흐르는 물질과 전기가 잘 흐르지 않는 물질로 되어 있는 까닭

전기 부품의 모든 부분에 전기가 흐르게 되면 감전 위험이 있을 뿐만 아니라, 제대로 작동하지 않을 가능성이 있기 때문입니다.

용어 여러 가지 전기 부품을 연결하여 전기가 흐르도록 한 것

3. **전기 회로**: 스위치를 닫지 않으면 전구에 불이 켜지시 않고, 스위치를 닫으면 전구에 불이 켜집니다.

△ 전기 회로: 스위치를 닫았을 때

4. **전기 회로에서 전구에 불이 켜지는 조건** → 전지, 전구, 전선의 전기가 잘 흐르는 부분끼리 끊어짐 없이 연결되어야 전기가 흘러 전구에 불이 켜집니다.

① 전지, 전구, 전선이 끊기지 않게 연결되어 있습니다.
② 전구가 전지의 (+)극과 전지의 (−)극에 각각 연결되어 있습니다.

☑ **전기 회로의 스위치를 닫았을 때 전구에 불이 켜지는 까닭**

전기 회로의 스위치를 닫으면 전기 회로에 ❸ [ㅈ] [ㄱ] 가 흘러서 전구에 불이 켜집니다.

전기야. 고마워. 네 덕에 빛이 나네.

정답 ❸ 전기

개념 ② **전구의 연결 방법에 따른 전구의 밝기**

1. **전구의 연결 방법에 따른 전구의 밝기 비교하기**

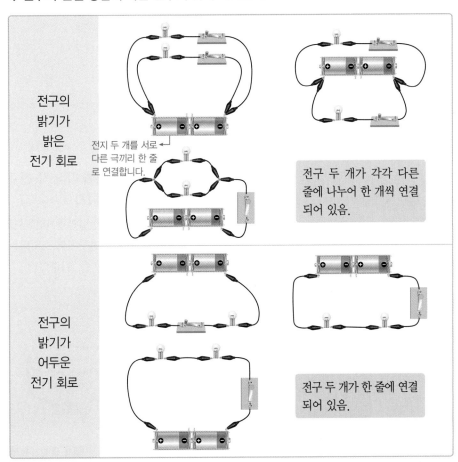

전구의 밝기가 밝은 전기 회로	전지 두 개를 서로 다른 극끼리 한 줄로 연결합니다. / 전구 두 개가 각각 다른 줄에 나누어 한 개씩 연결되어 있음.
전구의 밝기가 어두운 전기 회로	전구 두 개가 한 줄에 연결되어 있음.

내 교과서 살펴보기 / **천재교과서, 금성**

전지의 수에 따른 전구의 밝기

전기 회로에서 전지 두 개를 연결할 때 한 전지의 (+)극을 다른 전지의 (−)극에 연결하면 전지 한 개를 연결할 때보다 전구의 밝기가 더 밝습니다.

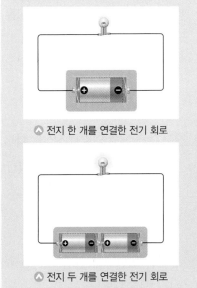

△ 전지 한 개를 연결한 전기 회로

△ 전지 두 개를 연결한 전기 회로

2. 전구 끼우개에 연결된 전구 한 개를 빼내고 스위치를 닫았을 때 나머지 전구의 변화

┌ 전구의 밝기가 밝은 전기 회로	전구의 밝기가 어두운 전기 회로 ┐
나머지 전구에 불이 켜짐.	나머지 전구에 불이 켜지지 않음.

↳ 전구 두 개가 각각 다른 줄에 나누어 한 개씩 연결되어 있습니다.

전구 두 개가 한 줄로 연결되어 있습니다.↵

3. 전구의 연결 방법

전구의 직렬연결	전구의 병렬연결

• 전기 회로에서 전구 두 개 이상을 한 줄로 연결하는 방법 • 같은 수의 전구를 병렬연결할 때보다 전구의 밝기가 어두움. • 전구를 병렬연결할 때보다 전지를 더 오래 사용할 수 있음. • 전구 한 개의 불이 꺼지면 나머지 전구의 불도 꺼짐.	• 전기 회로에서 전구 두 개 이상을 여러 개의 줄에 나누어 한 개씩 연결하는 방법 • 같은 수의 전구를 직렬연결할 때보다 전구의 밝기가 밝음. • 전구를 직렬연결할 때보다 전지를 더 오래 사용할 수 없음. • 전구 한 개의 불이 꺼져도 나머지 전구의 불이 꺼지지 않음.

> 내 교과서 살펴보기 / 김영사, 동아
>
> **전구의 연결 방법에 따른 전구의 사용 기간**
> 같은 전지를 사용하는 경우 여러 개의 전구를 직렬연결하면 병렬연결할 때보다 전구를 더 오래 사용할 수 있습니다. → 여러 개의 전구를 직렬연결할 때가 전지를 더 오래 사용할 수 있기 때문입니다.

4. 전구 여러 개를 연결한 장식용 나무

① 장식용 나무의 전구는 직렬연결과 병렬연결을 혼합하여 사용합니다.
② 전구를 직렬로만 연결하여 나무를 장식하면 전구 하나가 고장이 났을 때 전체 전구가 모두 꺼지고, 전구를 병렬로만 연결하면 전기와 전선이 많이 소비되기 때문입니다.

⬆ 장식용 나무

☑ **전구의 연결 방법에 따른 차이점**

전구의 연결 방법에 따라 전구의 ❹ [ㅂ][ㄱ]와 전지의 사용 기간이 다릅니다.

☑ **전구의 연결 방법에 따라 각 전구에서 소비되는 에너지**

여러 개의 전구를 병렬연결하면 직렬연결할 때보다 각 전구에서 소비되는 에너지가 ❺(작습 / 큽)니다.

개념 다지기

9종 공통

1 다음 전기 부품의 이름을 각각 쓰시오.

모습	이름
	(1)
	(2)

천재교과서, 미래엔, 지학사

4 다음 보기 에서 전구의 밝기가 밝은 전기 회로를 두 가지 골라 기호를 쓰시오.

보기

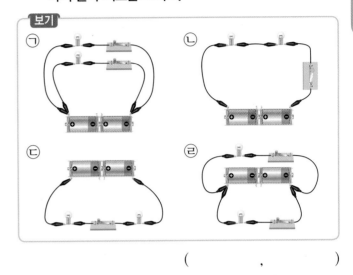

(,   )

천재교육, 천재교과서, 금성, 김영사, 동아, 미래엔, 지학사

2 다음 중 전구에 불이 켜지는 것을 골라 기호를 쓰시오.

(   )

천재교과서, 동아, 지학사

5 다음 중 전구 끼우개에 연결된 전구 한 개를 빼내고 스위치를 닫았을 때의 결과를 줄로 바르게 이으시오.

(1)

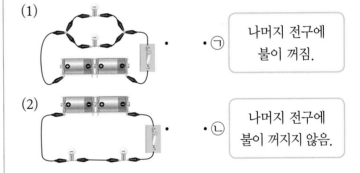

· ㉠   나머지 전구에 불이 꺼짐.

(2)

· ㉡   나머지 전구에 불이 꺼지지 않음.

9종 공통

3 다음은 전기 회로에 대한 설명입니다. ☐ 안에 들어갈 알맞은 말을 쓰시오.

> 여러 가지 전기 부품을 연결하여 ☐ 이/가 흐르도록 한 것을 전기 회로라고 합니다.

(   )

9종 공통

6 다음은 전구의 연결 방법에 대한 설명입니다. ( ) 안의 알맞은 말에 각각 ○표를 하시오.

> 전기 회로에서 전구 두 개 이상을 한 줄로 연결하는 방법을 전구의 (직렬 / 병렬)연결이라고 하고, 전구 두 개 이상을 여러 개의 줄에 나누어 한 개씩 연결하는 방법을 (직렬 / 병렬)연결이라고 합니다.

9종 공통

[1~5] 다음은 개념 확인 문제입니다. 물음에 답하시오.

1 전기 회로에 전기를 흐르게 하는 전기 부품은 무엇입니까? ( )

2 여러 가지 전기 부품을 연결하여 전기가 흐르도록 한 것을 무엇이라고 합니까?
( )

3 같은 수의 전구를 (직렬 / 병렬)연결한 전기 회로의 전구가 (직렬 / 병렬)연결한 전기 회로의 전구보다 더 밝습니다.

4 전구를 병렬연결한 전지는 전구를 직렬연결한 전지보다 오래 사용할 수 (없습 / 있습)니다.

5 전기 회로에서 전구 여러 개를 (직렬 / 병렬)연결하였을 때는 전구 한 개의 불이 꺼지면 나머지 전구의 불이 꺼지지 않습니다.

9종 공통

6 다음 전기 부품의 이름에 맞게 줄로 바르게 이으시오.

(1) 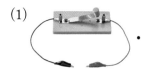 · · ㉠ 전구 끼우개

(2)  · · ㉡ 스위치

(3)  · · ㉢ 전지 끼우개

천재교육, 천재교과서, 금성, 동아, 아이스크림

7 다음 설명과 관계있는 전기 부품은 어느 것입니까?
( )

전기가 흐르는 길을 끊거나 연결합니다.

① 전지 　　　　② 전구
③ 스위치 　　　④ 전지 끼우개
⑤ 집게 달린 전선

천재교육, 천재교과서, 김영사, 미래엔, 비상

8 다음과 같이 전지, 전선, 전구를 연결했을 때, 결과가 나머지와 다른 하나는 어느 것입니까? ( )

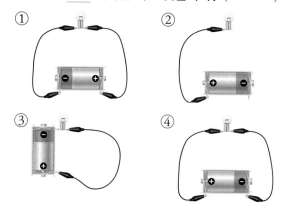

9종 공통

9 다음 중 전기 회로에서 전구에 불이 켜지는 조건으로 옳은 것은 어느 것입니까? ( )

① 전선과 전구만 서로 연결해야 한다.
② 전지와 전선만 서로 연결해야 한다.
③ 전기 회로의 스위치를 닫지 않는다.
④ 전기 부품의 전기가 잘 흐르지 않는 부분끼리 연결해야 한다.
⑤ 전구는 전지의 (+)극과 전지의 (−)극에 각각 연결해야 한다.

[10~11] 다음과 같이 전지와 전구를 연결하여 전기 회로를 만들어 보았습니다. 물음에 답하시오.

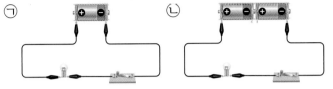

천재교과서, 금성

10 위 전기 회로에서 다르게 한 조건은 무엇인지 쓰시오.

( )

천재교과서, 금성

11 위 전기 회로에서 스위치를 닫았을 때, 전구의 밝기가 더 밝은 것을 골라 기호를 쓰시오.

( )

[12~13] 다음과 같이 전구 두 개의 연결 방법을 다르게 하여 여러 가지 전기 회로를 만들었습니다. 물음에 답하시오.

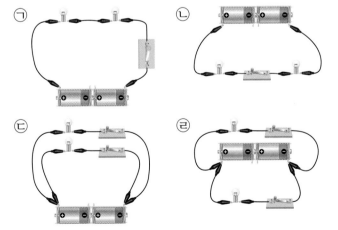

천재교육, 천재교과서, 미래엔, 지학사

12 위 전기 회로 중 전구의 직렬연결에 해당하는 것을 두 가지 골라 기호를 쓰시오.

(,)

천재교육, 천재교과서, 미래엔, 지학사

13 앞의 전기 회로에서 스위치를 닫았을 때 전구가 더 밝은 전기 회로끼리 바르게 짝지은 것은 어느 것입니까?

( )

① ㉠, ㉡ ② ㉠, ㉣

③ ㉡, ㉢ ④ ㉡, ㉣

⑤ ㉢, ㉣

천재교과서, 동아

14 다음의 전기 회로에서 전구 끼우개에 연결된 전구 한 개를 빼내고 스위치를 닫으면 나머지 전구는 어떻게 됩니까? ( )

① 불빛의 색깔이 바뀐다.

② 나머지 전구에 불이 켜진다.

③ 나머지 전구에 불이 켜지지 않는다.

④ 전구 한 개를 빼내기 전보다 전구가 더 밝아진다.

⑤ 전구 한 개를 빼내기 전보다 전구가 더 어두워 진다.

천재교과서, 금성, 김영사, 미래엔

15 다음 중 전구의 연결 방법에 대한 설명으로 옳은 것에는 ○표를, 옳지 않은 것에는 ×표를 하시오.

(1) 전기 회로에서 전구 두 개 이상을 한 줄로 연결 하는 방법을 전구의 병렬연결이라고 합니다.

( )

(2) 같은 수의 전구를 병렬연결한 전기 회로의 전구가 직렬연결한 전기 회로의 전구보다 더 밝습니다.

( )

(3) 전구를 병렬연결한 전기 회로의 전지는 전구를 직렬연결한 전기 회로의 전지보다 오래 사용할 수 없습니다.

( )

천재교육, 천재교과서, 김영사, 미래엔, 비상

16 다음과 같이 전지, 전선, 전구를 여러 가지 방법으로 연결하였습니다.

(1) 위 전기 회로 중 전구에 불이 켜지지 않는 것을 골라 기호를 쓰시오.

(   )

(2) 위 (1)번의 답과 같이 생각한 까닭을 쓰시오.

답 전구가 전지의 ❶ [   ] 에만 연결되어 있고, ❷ [   ] 에는 연결되어 있지 않기 때문이다.

천재교육, 천재교과서, 미래엔, 비상, 지학사

17 다음의 전기 회로에서 ㉠과 같이 연결하였던 전구 두 개를 ㉡과 같이 바꾸어 연결하였습니다.

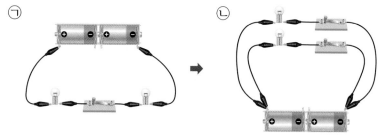

(1) 위 전기 회로에서 전구 두 개는 각각 어떤 방법으로 연결되어 있는지 쓰시오.

㉠ (   )

㉡ (   )

(2) 위의 ㉠에서 스위치를 닫았을 때와 전구의 연결 방법을 ㉡과 같이 바꾸어 연결하고 스위치를 닫았을 때 전구의 밝기는 어떻게 되는지 쓰시오.

16 (1) 전지, 전구, 전선이 끊기지 않고 연결되어야 전구에 불이 (켜집 / 켜지지 않습)니다.

(2) 전구가 전지의 [   ][   ]과 전지의 (−)극에 각각 연결될 때 전구에 불이 켜집니다.

17 (1) • 전구 두 개를 한 줄로 연결하는 것: 전구의 (직렬 / 병렬)연결

• 전구 두 개를 여러 개의 줄에 나누어 한 개씩 연결하는 것: 전구의 (직렬 / 병렬)연결

(2) 전구 두 개는 직렬연결할 때보다 병렬연결할 때 전구의 밝기가 더 (밝 / 어둡)습니다.

학습 주제 전구의 연결 방법에 따른 전구의 밝기 비교하기

학습 목표 전구의 연결 방법에 따른 특징을 설명할 수 있다.

[18~20] 다음은 전구의 연결 방법을 다르게 하여 전기 회로를 만든 모습입니다.

ㄱ

ㄴ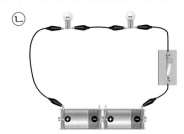

천재교육, 천재교과서, 미래엔, 지학사

18 다음은 위의 ㉠과 ㉡ 전기 회로에서 전구 두 개의 연결 방법에 대한 설명입니다. (개)와 (내)에 들어갈 알맞은 말을 각각 쓰시오.

> ㉠ 전기 회로는 전구 두 개가 [(개)](으)로 연결되어 있고, ㉡ 전기 회로는 전구 두 개가 [(내)](으)로 연결되어 있습니다.

(개) (   )

(내) (   )

전구의 연결 방법

전구의 직렬연결	전구 두 개 이상을 한 줄로 연결하는 방법
전구의 병렬연결	전구 두 개 이상을 여러 개의 줄에 나누어 한 개씩 연결하는 방법

천재교과서, 미래엔

19 위의 ㉠과 ㉡ 중 전지를 더 오래 사용할 수 있는 것을 골라 기호를 쓰시오.

(   )

전지를 오래 사용하려면 각 전구에서 소비되는 에너지가 작아야 해.

천재교육, 천재교과서, 미래엔, 지학사

20 위의 ㉠과 ㉡ 중 전구의 밝기가 더 밝은 것을 골라 기호를 쓰고, 그렇게 생각한 까닭을 쓰시오.

_____

_____

전구의 연결 방법에 다른 전구의 밝기

전구를 직렬연결할 때보다 병렬연결할 때 전구의 밝기가 더 밝습니다.

전자석의 성질과 이용 / 전기의 안전과 절약

개념 1 전자석의 성질과 이용

> **용어** 전기가 흐르는 전선 주위에 자석의 성질이 나타나는 것을 이용해 만든 자석

실험 동영상

1. 전자석 만들기

전선과 전선이 겹쳐지거나 벌어지지 않도록 촘촘하게 한 방향으로 감습니다.

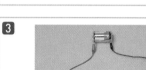

1

양 끝의 겉면이 벗겨진 전선을 사용합니다.

전선
볼트
빵 끈

전선의 한쪽 끝부분을 10cm 정도 남기고 빵 끈으로 볼트의 한쪽 끝에 전선 고정하기

2

전선의 다른 쪽 끝부분이 10 cm 정도 남을 때까지 볼트에 전선을 촘촘하게 감은 뒤 빵 끈으로 전선 고정하기

3

집게 달린 전선으로 전지, 스위치, 볼트에 감은 전선의 끝을 연결하여 전자석 완성하기

4

짧은 빵 끈이 전자석에 붙습니다.

완성한 전자석의 스위치를 닫은 뒤 전자석의 한쪽 끝부분을 짧은 빵 끈에 가까이 가져가 보기

✓ 전자석

철심에 전선을 감아 전기를 흐르게 하면 전선 주위에 **❶** ㅈ ㅅ 의 성질이 나타납니다.

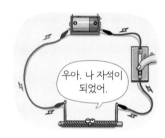

우아. 나 자석이 되었어.

정답 ❶ 자석

---

2. 전자석의 성질 알아보기

① 전자석의 끝부분을 짧은 빵 끈에 가까이 가져간 결과

> 침핀, 클립, 둥근 철 고리 등을 사용할 수도 있습니다.

실험 동영상

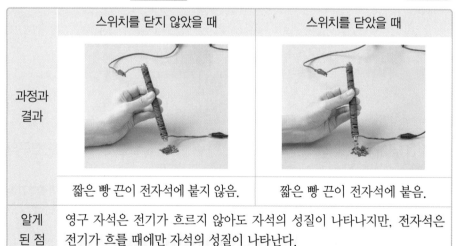

	스위치를 닫지 않았을 때	스위치를 닫았을 때
과정과 결과	짧은 빵 끈이 전자석에 붙지 않음.	짧은 빵 끈이 전자석에 붙음.
알게 된 점	영구 자석은 전기가 흐르지 않아도 자석의 성질이 나타나지만, 전자석은 전기가 흐를 때에만 자석의 성질이 나타난다.	

내 교과서 살펴보기 / 금성

전선 주위에 놓인 나침반 바늘의 움직임

· 전선을 나침반 바늘과 나란하게 나침반 위에 올리고, 전선에 전기를 흐르게 하면 나침반 바늘이 움직입니다. ➡ 전기가 흐르는 전선 주위에 자석의 성질이 생기기 때문입니다.

· 전지의 연결 방향을 바꾸면 나침반 바늘이 반대 방향으로 움직입니다.

(−) 전지의 연 (+)
결 방향을 바꿀 때

(+) ➡ (−)

· 전지 한 개를 연결할 때보다 전지 두 개를 한 줄로 연결할 때 나침반 바늘이 움직이는 각도가 커집니다.

② 전자석에 연결한 전지의 수를 다르게 하여 스위치를 닫았을 때 전자석 끝부분에 붙은 짧은 빵 끈의 개수를 센 결과

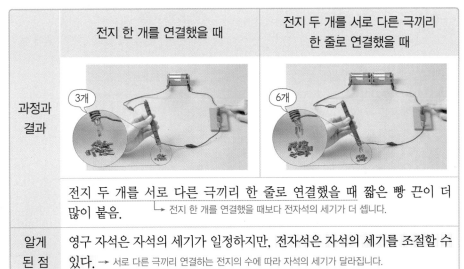

	전지 한 개를 연결했을 때	전지 두 개를 서로 다른 극끼리 한 줄로 연결했을 때
과정과 결과	3개	6개
	전지 두 개를 서로 다른 극끼리 한 줄로 연결했을 때 짧은 빵 끈이 더 많이 붙음. → 전지 한 개를 연결했을 때보다 전자석의 세기가 더 셉니다.	
알게 된 점	영구 자석은 자석의 세기가 일정하지만, 전자석은 자석의 세기를 조절할 수 있다. → 서로 다른 극끼리 연결하는 전지의 수에 따라 자석의 세기가 달라집니다.	

③ 전자석의 양 끝에 나침반을 놓고 스위치를 닫았을 때 나침반 바늘이 가리키는 방향과 전자석의 극을 표시한 결과

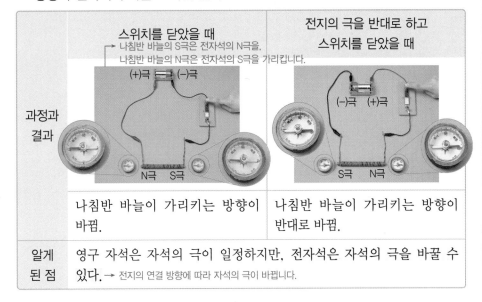

	스위치를 닫았을 때 → 나침반 바늘의 S극은 전자석의 N극을, 나침반 바늘의 N극은 전자석의 S극을 가리킵니다.	전지의 극을 반대로 하고 스위치를 닫았을 때
과정과 결과	(+)극 (−)극 N극 S극	(−)극 (+)극 S극 N극
	나침반 바늘이 가리키는 방향이 바뀜.	나침반 바늘이 가리키는 방향이 반대로 바뀜.
알게 된 점	영구 자석은 자석의 극이 일정하지만, 전자석은 자석의 극을 바꿀 수 있다. → 전지의 연결 방향에 따라 자석의 극이 바뀝니다.	

✓ 전자석의 극

전자석에 연결한 ❷ [ㅈ][ㅈ] 의 연결 방향을 반대로 바꾸면 전자석의 극도 바뀝니다.

내 연결 방향을 바꾸면

내 극도 바뀌지.

✓ 전자석 기중기

전자석을 이용하여 ❸(철 / 유리)로 된 제품을 붙여 다른 장소로 쉽게 옮길 수 있습니다.

난 철로 된 물체를 옮길 수 있어.

3. 전자석을 이용하는 예 → 이외에도 전동 휠체어, 머리말리개, 자기 공명 영상 장치, 세탁기, 전기 자동차 등이 있습니다.

⚙ 전자석 기중기	⚙ 자기 부상 열차	⚙ 선풍기	⚙ 스피커

정답 ❷ 전지 ❸ 철

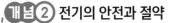

개념2 전기의 안전과 절약

1. 전기를 위험하게 사용하는 모습과 낭비하는 모습을 찾은 뒤 고친 행동 → 전기를 안전하게 사용하는 방법은 붉은색으로, 전기를 절약하는 방법은 초록색으로 나타내었습니다.

학교

낮에는 전등 끄기

창문을 닫고 에어컨 켜기

플러그의 머리 부분을 잡고 플러그 뽑기

전선 주위에서 뛰거나 장난치지 않기

젓가락을 콘센트에 넣지 않기 → 감전의 위험이 있습니다.

집

냉장고 문을 닫고 물 마시기

콘센트 한 개에 플러그 한 개만 꽂습니다. ←

물 묻은 손을 수건으로 닦은 뒤 플러그 꽂기

콘센트 한 개에 플러그 여러 개를 한꺼번에 꽂아서 사용하지 않기

정리되지 않은 전선을 줄로 묶거나 정리하기

2. 전기를 안전하게 사용하고 절약하는 방법

전기를 안전하게 사용하는 방법	• 가구 밑에 전선이 깔리지 않도록 함. • 학교에 있는 전기 스위치로 장난치지 않음. • 전기 제품 위에 젖은 수건을 올려놓지 않음.
전기를 절약하는 방법	• 냉장고 문을 자주 여닫지 않음. • 외출할 때 전등이 켜져 있는지 확인함. • 컴퓨터와 텔레비전을 사용하는 시간을 줄임.

3. 전기를 안전하게 사용하고 절약해야 하는 까닭

① 전기를 안전하게 사용하지 않으면 감전 사고나 전기 화재 등이 발생할 수 있습니다.

② 전기를 절약하지 않으면 자원이 낭비되고 환경 문제가 발생할 수 있습니다.

개념 체크

내 교과서 살펴보기 / 지학사

전기를 안전하게 사용할 수 있도록 개발한 제품

과전류 차단 장치, 퓨즈, 콘센트 덮개 등

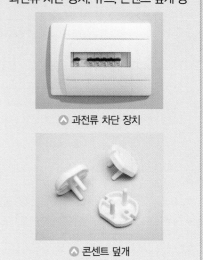

⬆ 과전류 차단 장치

⬆ 콘센트 덮개

☑ **전기를 절약하는 방법**

우리 생활에서 불필요한 전기 사용을 줄이고 외출할 때는 전기 제품을 ❹(켜 / 꺼) 둡니다.

나 좀 꺼 줘.

나도

정답 ❹ 꺼

개념 다지기

1 _{9종 공통}

다음은 전자석에 대한 설명입니다. ☐ 안에 공통으로 들어갈 알맞은 말을 쓰시오.

> 전자석은 전기가 흐르는 전선 주위에 ☐ 의 성질이 나타나는 것을 이용해 만든 ☐ 입니다.

(   )

2 _{금성, 김영사, 미래엔, 비상, 아이스크림}

다음은 스위치를 닫지 않았을 때와 닫았을 때 전자석의 끝부분을 클립에 가까이할 때의 결과입니다. 이 중 스위치를 닫았을 때의 결과로 옳은 것을 골라 기호를 쓰시오.

㉠	㉡
클립이 전자석에 붙지 않음.	클립이 전자석에 붙음.

(   )

3 _{9종 공통}

다음은 전자석의 양 끝에 나침반을 놓고 스위치를 닫았을 때의 모습입니다. 전지의 극을 반대로 하고 스위치를 닫았을 때의 모습으로 옳은 것을 보기 에서 골라 기호를 쓰시오.

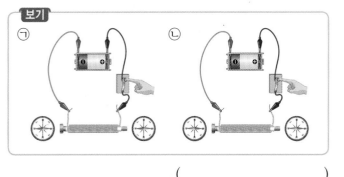

보기

(   )

4 _{9종 공통}

다음 중 전자석에 대한 설명으로 옳지 않은 것은 어느 것입니까? (   )

① 자석의 극이 있다.

② 전자석의 세기를 조절할 수 있다.

③ 전기가 흐르지 않으면 극이 바뀐다.

④ 전기가 흐르면 철로 된 물체가 붙는다.

⑤ 전기가 흐르는 동안에만 극이 나타난다.

5 _{9종 공통}

다음 중 전기를 안전하게 사용하기 위해 플러그를 안전하게 뽑은 경우를 골라 기호를 쓰시오.

㉠	㉡

⚠ 플러그의 머리 부분을 잡고 뽑음.	⚠ 플러그의 전선을 잡고 잡아당김.

(   )

6 _{9종 공통}

다음 보기 에서 전기를 절약하는 방법으로 옳은 것을 두 가지 골라 기호를 쓰시오.

보기

㉠ 사용하지 않는 노트북을 켜 둡니다.

㉡ 냉장고 문을 자주 여닫지 않습니다.

㉢ 에어컨을 켤 때 창문을 열어 둡니다.

㉣ 외출할 때 전등이 켜져 있는지 확인합니다.

(,   )

Step 1 단원평가

9종 공통

[1~5] 다음은 개념 확인 문제입니다. 물음에 답하시오.

1 전기가 흐르는 전선 주위에 자석의 성질이 나타나는 것을 이용해 만든 자석을 무엇이라고 합니까?

( )

2 (영구 자석 / 전자석)은 자석의 세기를 조절할 수 있습니다.

3 전자석은 자석의 극을 바꿀 수 (있습 / 없습)니다.

4 플러그의 (머리 / 전선) 부분을 잡고 플러그를 뽑습니다.

5 창문을 (열고 / 닫고) 냉방 기구를 켭니다.

금성

6 다음은 아래의 전기 회로에서 스위치를 닫았을 때 나침반 바늘이 움직이는 까닭입니다. ☐ 안에 들어갈 알맞은 말을 쓰시오.

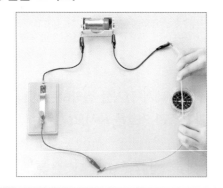

전기가 흐르는 전선 주위에 ☐ 의 성질이 생기기 때문입니다.

( )

천재교과서

7 다음은 전자석을 만드는 방법입니다. 순서에 맞게 기호를 쓰시오.

> ㉠ 집게 달린 전선으로 전지, 스위치, 볼트에 감은 전선의 끝을 연결합니다.
> ㉡ 전선 한쪽 끝부분을 10 cm 정도 남기고 빵 끈으로 볼트의 한쪽 끝에 전선을 고정합니다.
> ㉢ 전선의 다른 쪽 끝부분이 10 cm 정도 남을 때까지 볼트에 전선을 감은 뒤 빵 끈으로 전선을 고정합니다.

(, ,)

금성, 김영사, 미래엔, 비상, 아이스크림

8 다음은 전자석의 끝부분을 클립에 가까이 가져갈 때의 결과입니다. 이를 통해 알 수 있는 전자석의 성질로 옳은 것에 ○표를 하시오.

스위치를 닫지 않았을 때	스위치를 닫았을 때
클립이 전자석에 붙지 않음.	클립이 전자석에 붙음.

(1) 자석의 극을 바꿀 수 있습니다. ( )
(2) 자석의 세기를 조절할 수 있습니다. ( )
(3) 전기가 흐를 때만 자석의 성질이 나타납니다. ( )

천재교육

9 다음은 전지 한 개와 전지 두 개를 연결한 전자석 끝에 각각 침핀을 가까이 한 결과입니다. 전지 두 개를 서로 다른 극끼리 한 줄로 연결한 전자석을 골라 기호를 쓰시오.

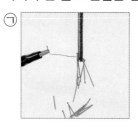 

( )

10 다음과 같이 전자석 양 끝에 놓은 나침반 바늘이 가리키는 방향을 반대로 할 수 있는 방법으로 옳은 것은 어느 것입니까? (   )

① 전지의 극을 반대로 연결한다.
② 스위치 대신 전구를 연결한다.
③ 전자석 주위에 철로 된 물체를 놓는다.
④ 전지를 두 개를 서로 같은 극끼리 한 줄로 연결한다.
⑤ 전지를 두 개를 서로 다른 극끼리 한 줄로 연결한다.

11 다음 보기 에서 전자석을 이용한 예로 옳은 것을 두 가지 골라 기호를 쓰시오.

> **보기**
> ㉠ 전지   ㉡ 선풍기
> ㉢ 나침반   ㉣ 자기 부상 열차

(,   )

12 다음 중 전기를 낭비하는 경우로 옳은 것을 골라 기호를 쓰시오.

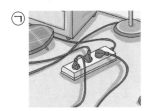 

⚠ 콘센트 한 개에 플러그 여러 개를 한꺼번에 꽂아서 사용하기

⚠ 낮에 전등 켜 두기

(   )

13 다음 중 전기를 안전하게 사용하는 친구는 누구입니까? (   )

① 연수: 콘센트에 젓가락을 넣어봐야지.
② 민지: 콘센트에 플러그를 한 개만 꽂아 사용해야지.
③ 수근: 물에 젖은 행주를 전기 제품에 걸쳐 놓아야지.
④ 지성: 물 묻은 손으로 전기가 흐르는 전기 제품을 만져야지.
⑤ 민호: 콘센트에서 플러그를 뽑을 때는 전선을 잡아당기면서 뽑아야지.

14 다음 중 전기를 절약하는 방법으로 옳지 <u>않은</u> 것은 어느 것입니까? (   )

① 컴퓨터의 사용 시간을 줄인다.
② 에어컨을 켤 때 창문을 닫는다.
③ 냉장고 문을 자주 여닫지 않는다.
④ 냉장고 문을 열어 놓고 물을 마신다.
⑤ 사용하지 않는 전기 제품은 플러그를 뽑아 놓는다.

15 다음 중 전기를 안전하게 사용해야 하는 까닭으로 옳은 것을 두 가지 고르시오. (,   )

① 감전될 수 있기 때문이다.
② 전기 화재가 일어날 수 있기 때문이다.
③ 전기를 사용하는 시간이 제한적이기 때문이다.
④ 전기를 만드는 데 적은 비용이 필요하기 때문이다.
⑤ 전기를 만드는 데 적은 시간이 필요하기 때문이다.

천재교육

16 다음과 같이 전자석에 전지를 한 개 연결했을 때와 두 개를 서로 다른 극끼리 한 줄로 연결했을 때 전자석 끝에 붙은 침핀의 개수를 비교해 보았습니다.

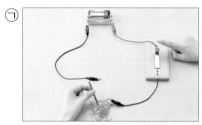
ㄱ

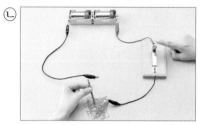
ㄴ

△ 전지를 한 개 연결했을 때   △ 전지 두 개를 연결했을 때

(1) 위 두 전자석의 스위치를 닫았을 때, 전자석의 끝에 붙은 침핀의 개수가 더 많은 것을 골라 기호를 쓰시오.

(   )

(2) 위 실험을 통해 알 수 있는 전자석의 성질을 쓰시오.

답 전자석은 나란히 연결한 ❶ [   ] 의 개수를 달리하여 자석의

❷ [   ] 을/를 조절할 수 있다.

9종 공통

17 다음은 전기를 사용하고 있는 모습입니다.

ㄱ

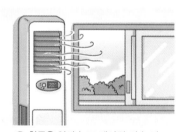
ㄴ

△ 전선을 잡아당겨 플러그 뽑기   △ 창문을 열어 놓고 에어컨 켜 놓기

(1) 위의 ㄱ과 ㄴ 중 전기를 위험하게 사용하는 모습을 골라 기호를 쓰시오.

(   )

(2) 위 (1)번 답에 해당하는 모습에서 전기를 안전하게 사용하려면 어떻게 해야 하는지 쓰시오.

_____

_____

서술형 가이드
어려워하는 서술형 문제!
서술형 가이드를 이용하여 풀어 봐!

16 (1) 전자석의 세기가 세질수록 전자석 끝에 침핀이 (적게 / 많이) 붙습니다.

(2) 전자석은 나란히 연결한 전지의 개수에 따라 [ ][ ] 이/가 달라집니다.

17 (1) 플러그를 잡아당겨 전선을 뽑으면 위험하고, 창문을 열어 놓고 에어컨을 켜 놓으면 전기가 [ ][ ] 됩니다.

(2) 플러그를 뽑을 때에는 [ ][ ] 부분을 잡아야 합니다.

학습 주제 진자석의 성질 알아보기

학습 목표 나침반을 이용하여 전자석의 성질을 알 수 있다.

[18~20] 다음은 전자석의 양 끝에 나침반을 놓고 스위치를 닫았을 때의 결과입니다.

9종 공통

18 위 실험에서 ㉠과 ㉡은 각각 무슨 극인지 쓰시오.

㉠ (   )극

㉡ (   )극

9종 공통

19 다음은 위 실험에서 전지의 극을 반대로 연결하고 스위치를 닫았을 때의 결과와 알게 된 점입니다. ☐ 안에 공통으로 들어갈 알맞은 말을 쓰시오.

> 나침반 바늘이 가리키는 방향이 처음과 ☐이/가 되므로 전자석의 극도 ☐이/가 된다는 것을 알 수 있습니다.

(   )

9종 공통

20 위 **19**번 실험을 통해 알 수 있는 전자석의 성질을 오른쪽 영구 자석과 비교하여 쓰시오.

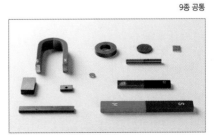

▲ 여러 가지 영구 자석

___

___

수행평가 가이드
다양한 유형의 수행평가!
수행평가 가이드를 이용해 풀어 봐!

1 단원

진도 완료 체크

자석 주위의 나침반 바늘이 가리키는 방향

나침반 바늘의 N극은 자석의 S극을 가리키고, 나침반 바늘의 S극은 자석의 N극을 가리킵니다.

> 전지의 두 극을 연결한 방향에 따라 극의 위치가 달라져.

영구 자석
막대자석과 같이 자석의 성질이 계속 유지되는 자석입니다.

Q 배점 표시가 없는 문제는 문제당 4점입니다.

1 오른쪽의 전구에서 ㉠과 ㉡의 이름을 각각 쓰시오.

천재교육, 동아, 지학사

㉠ (   )

㉡ (   )

2 다음 중 여러 가지 전기 부품의 쓰임새로 옳은 것은 어느 것입니까? (   )

천재교육, 천재교과서, 금성, 동아, 아이스크림

① 전지: 빛을 낸다.

② 전구: 전기 회로에 전기를 흐르게 한다.

③ 스위치: 전기가 흐르는 길을 끊거나 연결한다.

④ 전구 끼우개: 전선을 쉽게 연결할 수 있도록 전지를 넣어 사용한다.

⑤ 전지 끼우개: 전선에 쉽게 연결할 수 있도록 전구를 넣어 사용한다.

3 다음과 같이 전지, 전선, 전구를 연결했을 때 전구에 불이 켜지지 않는 것은 어느 것입니까? (   )

천재교육, 천재교과서, 미래엔

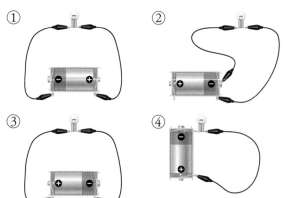

4 다음은 앞 3번 답에서 전구에 불이 켜지지 않는 까닭에 대한 설명입니다. ☐ 안에 들어갈 알맞은 말을 쓰시오.

천재교육, 천재교과서, 미래엔

> 전구가 전지의 ☐☐극에만 연결되어 있기 때문입니다.

(   )

5 다음의 전기 회로에 대한 설명으로 옳지 <u>않은</u> 것은 어느 것입니까? (   )

9종 공통

① 스위치를 닫으면 전구에 불이 켜진다.

② 스위치를 닫으면 전기가 흐르지 않는다.

③ 전구, 전지, 전선, 스위치를 연결하여 만든 것이다.

④ 스위치를 닫으면 전지, 전구, 전선이 끊기지 않게 연결된다.

⑤ 전구가 전지의 (+)극과 전지의 (−)극에 각각 연결 되어 있다.

천재교과서, 금성

6 다음의 두 전기 회로에 대한 설명으로 옳지 <u>않은</u> 것은 어느 것입니까? (　　　)

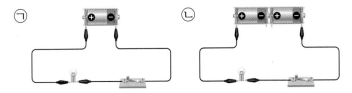

① 전구의 수와 전지의 종류는 같게 한다.
② 스위치를 닫으면 ㉡은 ㉠보다 전구의 밝기가 밝다.
③ ㉡에서 전지는 서로 같은 극끼리 한 줄로 연결되어 있다.
④ 전지의 수에 따른 전구의 밝기를 비교하기 위한 실험이다.
⑤ 전지의 수에 따라 전구의 밝기가 달라진다는 것을 알 수 있다.

[7~8] 다음과 같이 전구의 연결 방법을 다르게 하여 전기 회로를 만들었습니다. 물음에 답하시오.

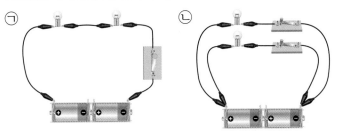

천재교육, 천재교과서, 금성, 김영사, 동아, 미래엔, 비상, 지학사

7 다음 중 위 전기 회로에서 스위치를 닫았을 때 전구의 밝기를 바르게 비교하여 말한 친구의 이름을 쓰시오.

> 현수: ㉠과 ㉡에서 전구의 밝기가 같아.
> 서민: ㉠이 ㉡보다 전구의 밝기가 밝아.
> 규진: ㉡이 ㉠보다 전구의 밝기가 밝아.

(　　　　　)

김영사, 동아

8 위 전기 회로 중 전구를 더 오래 사용할 수 있는 것을 골라 기호를 쓰시오.

(　　　　　)

서술형·논술형 문제

천재교과서, 미래엔

9 다음과 같이 전구의 연결 방법을 다르게 하여 전기 회로를 만들었습니다. [총 12점]

(1) 위의 전기 회로에서 전구 두 개를 직렬연결한 것을 골라 기호를 쓰시오. [4점]

(　　　　　)

(2) 위의 전기 회로에서 전지의 사용 기간을 비교하여 쓰시오. [8점]

천재교과서

10 다음의 두 전기 회로에 대한 설명으로 옳지 <u>않은</u> 것은 어느 것입니까? (　　　)

① 전구의 연결 방법이 다르다.
② ㉠은 ㉡보다 전구의 밝기가 밝다.
③ ㉡은 전구가 한 줄로 연결되어 있다.
④ ㉡은 ㉠보다 전지를 더 오래 사용할 수 없다.
⑤ ㉠은 전구가 병렬연결, ㉡은 전구가 직렬연결되어 있다.

11 오른쪽의 전기 회로에서 나침반 바늘이 반대 방향으로 회전하게 하려면 어떻게 해야 합니까? (   )

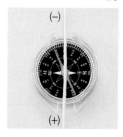

금성

① 전지의 극을 반대로 연결한다.
② 전선을 더 굵은 것으로 바꾼다.
③ 전선을 더 얇은 것으로 바꾼다.
④ 전지를 서로 같은 극끼리 한 개 더 연결한다.
⑤ 전지를 서로 다른 극끼리 한 개 더 연결한다.

금성, 김영사, 미래엔, 비상, 아이스크림

12 다음은 스위치를 닫았을 때만 전자석의 끝부분에 클립이 붙는 까닭입니다. ㉠, ㉡에 들어갈 알맞은 말을 각각 쓰시오.

> 전자석은 [㉠]이/가 흐를 때만 [㉡]의 성질이 나타나기 때문입니다.

㉠ (   )
㉡ (   )

📚 서술형·논술형 문제

천재교육

13 다음과 같이 전지 한 개를 연결한 전자석과 전지 두 개를 서로 다른 극끼리 한 줄로 연결한 전자석의 스위치를 닫았을 때, 전자석 끝에 붙은 침핀의 개수를 비교하여 쓰시오. [8점]

 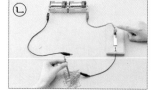

🔺 전지를 한 개 연결했을 때   🔺 전지 두 개를 연결했을 때

_____

_____

[14~15] 다음과 같이 전자석의 양 끝에 나침반을 놓아 두었습니다. 물음에 답하시오.

9종 공통

14 위 실험에서 스위치를 닫았을 때 나침반의 움직임으로 옳은 것을 보기 에서 골라 기호를 쓰시오.

> **보기**
> ㉠ 나침반 바늘이 계속 돌아갑니다.
> ㉡ 나침반 바늘이 움직이지 않습니다.
> ㉢ 나침반 바늘이 가리키는 방향이 바뀝니다.

(   )

9종 공통

15 위 실험에서 전지의 극을 반대로 하고 스위치를 닫았더니 다음과 같았습니다. ㉠과 ㉡의 전자석의 극을 각각 쓰시오.

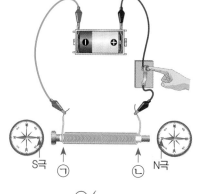

S극 ㉠   N극 ㉡

㉠ (   )
㉡ (   )

16

다음의 전자석이 영구 자석과 다른 점으로 옳은 것을 두 가지 고르시오. (,)

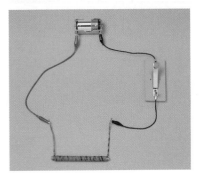

① N극과 S극이 있다.
② 철로 된 물체가 붙는다.
③ 자석의 세기가 일정하다.
④ 전지의 연결 방향에 따라 극이 바뀐다.
⑤ 전기가 흐를 때만 자석의 성질이 나타난다.

17

천재교육, 미래엔

다음을 전자석을 이용할 때와 이용하지 않은 것으로 분류할 때, 아래의 자기 부상 열차와 같은 무리에 속하지 않는 것은 어느 것입니까? ( )

① 선풍기   ② 나침반
③ 스피커   ④ 머리말리개
⑤ 전자석 기중기

18

다음은 친구들이 전기를 안전하게 사용하는 방법에 대해 이야기한 내용입니다. [총 12점]

> 경수: 물 묻은 손으로 전기 제품을 만져도 돼.
> 미나: 전선을 길게 늘어뜨리거나 어지럽게 꼬아서 사용하면 안 돼.
> 민서: 콘센트 한 개에 플러그 여러 개를 한꺼번에 꽂아 사용하면 안 돼.

(1) 위의 대화에서 전기를 위험하게 사용한 친구의 이름을 쓰시오. [4점]

( )

(2) 위 (1)번 답의 친구가 전기를 안전하게 사용하려면 어떻게 해야 하는지 쓰시오. [8점]

_____

_____

19

다음 중 전기를 절약하는 방법으로 옳은 것에는 ○표를, 옳지 않은 것에는 ×표를 하시오.

(1) 사용하지 않는 전등을 끕니다. ( )
(2) 에어컨을 켤 때 창문을 닫습니다. ( )
(3) 사용하지 않는 전기 제품의 플러그를 콘센트에 꽂아 놓습니다. ( )

20

다음 보기 에서 전기를 절약하지 않을 때 일어날 수 있는 점으로 옳은 것을 두 가지 골라 기호를 쓰시오.

> 보기
> ㉠ 자원이 낭비됩니다.
> ㉡ 환경 문제가 발생할 수 있습니다.
> ㉢ 감전 사고가 발생할 수 있습니다.
> ㉣ 전기 화재가 발생할 수 있습니다.

(,)

 연관 학습 안내

초등 5학년	이 단원의 학습	중학교
날씨와 우리 생활 습도, 구름, 기압, 공기 덩어리의 성질 등에 대해 배웠어요.	계절의 변화 태양의 남중 고도, 계절의 변화 원인 등에 대해 배워요.	태양계 태양과 태양계의 구성원에 대해 배울 거예요.

계절의 변화

🌸 단원 안내

(1) 태양 고도 / 계절별 태양의 남중 고도
(2) 계절에 따라 기온이 달라지는 까닭 / 계절 변화의 원인

이어서
개념 웹툰

개념① 하루 동안 태양 고도, 그림자 길이, 기온 측정하기

1. 하루 동안 태양의 높이: 아침에 태양이 동쪽 지평선에서 떠서 저녁에 서쪽 지평선으로 지기까지 태양의 높이는 계속 달라집니다.

2. 태양 고도

태양 고도	• 뜻: 태양이 지표면과 이루는 각 • 태양이 뜨거나 질 때 태양 고도는 0 °임.
태양의 남중 고도	• 태양 고도는 태양이 정남쪽에 위치했을 때 가장 높고, 이때를 태양이 남중했다고 함. • 태양이 남중했을 때의 고도를 태양의 남중 고도라고 함.

실험 동영상

용어 공기의 온도로, 보통 지표면에서 1.5 m 높이의 백엽상 속에 놓인 온도계로 측정한 온도임.

3. 하루 동안 태양 고도, 그림자 길이, 기온 측정하기

내 교과서 살펴보기 / 천재교육

실험 방법	❶ 태양 고도 측정기를 태양 빛이 잘 드는 편평한 곳에 놓고 막대기의 그림자 길이 측정하기 ❷ 실을 막대기의 그림자 끝에 맞춘 뒤 막대기의 그림자와 실이 이루는 각인 태양 고도 측정하기 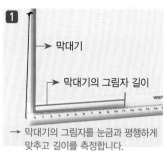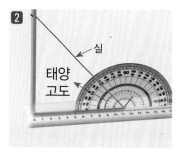 → 막대기의 그림자를 눈금과 평행하게 맞추고 길이를 측정합니다. ❸ 같은 시각에 기온 측정하기 ❹ 일정한 시간 간격을 두고 태양 고도, 그림자 길이, 기온 측정하기

	측정 시각(시:분)	9:30	10:30	11:30	12:30	13:30	14:30	15:30
실험 결과	태양 고도(°)	36	46	52	55	52	45	35
	그림자 길이(cm)	15.2	12	10	8.8	10	12.4	15.6
	기온(℃)	21.8	23.5	24.7	25.9	26.8	27.6	27.2
알게 된 점	• 태양 고도, 그림자 길이, 기온은 매 시각 다르다. • 하루 중 태양 고도는 12시 30분경에 가장 높다. • 하루 중 그림자 길이는 12시 30분경에 가장 짧다. • 하루 중 기온은 14시 30분경에 가장 높다.							

☑ **태양 고도**

태양 고도는 태양이 ❶ ㅈ ㄴ 쪽에 위치했을 때 가장 높습니다.

나보다 더 높이 떠 있을 수는 없을 걸!

동　　　남　　　서

정답 ❶ 정남

내 교과서 살펴보기 / 금성, 아이스크림

물체의 길이와 태양 고도

나무　　태양 빛

지표면　　태양 고도

그림자 길이　그림자 길이

태양은 지구로부터 매우 멀리 있고 태양 빛은 지구상의 모든 위치에 거의 평행하게 들어오므로, 같은 장소에서 같은 시각에 측정하면 물체의 길이가 다르더라도 태양 고도는 같습니다.

개념 2 하루 동안 태양 고도, 그림자 길이, 기온의 관계

1. 태양 고도, 그림자 길이, 기온 그래프 그리기

용어 가로축과 세로축의 눈금이 만나는 곳에 점을 찍은 다음, 이웃한 두 점을 선분으로 이어 그린 그래프

탐구 과정	**1** 투명 모눈종이 세 장의 가로축에 측정 시각을 각각 쓰기 **2** 측정한 태양 고도를 꺾은선그래프로 나타내기 **3** 색깔이 다른 유성 펜을 사용하여 그림자 길이와 기온을 꺾은선그래프로 나타내기 → 꺾은선그래프로 나타내면 시간에 따른 측정값의 변화를 쉽게 알 수 있습니다. **4** 꺾은선그래프가 서로 겹쳐지도록 셀로판테이프로 붙이기
탐구 결과	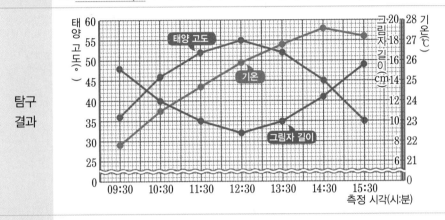
알게 된 점	• 태양 고도가 가장 높은 때와 기온이 가장 높은 때는 시간 차이가 있다. • 태양 고도가 높아지면 그림자 길이는 짧아지고 기온은 대체로 높아진다. • 기온 그래프는 태양 고도 그래프와 모양이 비슷하고, 그림자 길이 그래프는 태양 고도 그래프와 모양이 다르다.

2. 하루 동안 태양 고도, 그림자 길이, 기온 변화

태양 고도	오전에는 점점 높아지다가 12시 30분경에 가장 높고, 오후에는 낮아짐.
그림자 길이	오전에는 점점 짧아지다가 12시 30분경에 가장 짧고, 오후에는 길어짐.
기온	오전에 점점 높아지다가 14시 30분경에 가장 높고, 이후 서서히 낮아짐.

3. 하루 동안 태양 고도, 그림자 길이, 기온의 관계

① 태양 고도가 높아지면 그림자의 길이는 짧아지고 기온은 대체로 높아집니다.

② 태양 고도가 가장 높은 시각과 기온이 가장 높은 시각이 서로 다른 까닭: 지표면이 데워져 공기의 온도가 높아지는 데 시간이 걸리기 때문입니다.
→ 약 두 시간 정도 차이가 있습니다.

개념 체크

☑ **하루 동안 태양 고도, 그림자 길이, 기온의 관계**

태양 고도가 높아질수록 그림자 길이는 **❷** ㅉ ㅇ 지고 지표면은 더 강한 빛을 받으므로 기온이 높아집니다.

태양 고도가 다르니까 그림자 길이도 달라.

☑ **태양 고도가 가장 높은 시각과 기온이 가장 높은 시각이 다른 까닭**

지표면이 데워져 공기의 온도가 높아지는 데 시간이 걸리므로 기온이 가장 높은 시각은 태양이 남중한 시각보다 약 **❸** ㄷ 시간 뒤입니다.

태양 고도가 가장 높을 때 기온이 가장 높은 것은 아니구나.

정답 ❷ 짧아 ❸ 두

개념 알기

용어 태양이 지평선 위로 보이기 시작하여 지평선 아래로 져서 보이지 않게 될 때까지의 시간

개념 ③ 계절별 태양의 남중 고도, 낮의 길이, 기온의 변화

1. 계절별 태양의 남중 고도, 낮의 길이 비교하기

① 월별 태양의 남중 고도와 낮의 길이 비교

월별 태양의 남중 고도	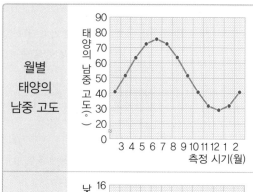	• 태양의 남중 고도가 가장 높은 계절: 여름 • 태양의 남중 고도가 가장 낮은 계절: 겨울 • 태양의 남중 고도는 6~7월에 가장 높고, 12~1월에 가장 낮음.
월별 낮의 길이	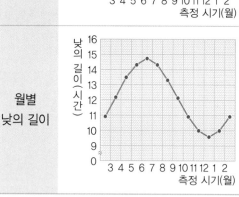	• 낮의 길이가 가장 긴 계절: 여름 • 낮의 길이가 가장 짧은 계절: 겨울 • 낮의 길이는 6~7월에 가장 길고, 12~1월에 가장 짧음.

② 태양의 남중 고도와 낮의 길이, 월평균 기온의 관계
 • 계절에 따라 태양의 남중 고도가 달라집니다.
 • 태양의 남중 고도가 높은 여름에는 낮의 길이가 길고 기온이 높습니다.
 • 태양의 남중 고도가 낮은 겨울에는 낮의 길이가 짧고 기온이 낮습니다.

2. 계절별 태양의 위치 변화

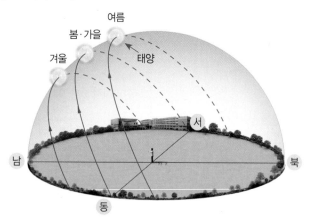

태양의 남중 고도 비교	여름 > 봄·가을 > 겨울
낮의 길이 비교	여름 > 봄·가을 > 겨울
기온 비교	여름 > 봄·가을 > 겨울

☑ 계절별 태양의 남중 고도

태양의 남중 고도가 ❹ ㄴ 은 여름에는 햇빛이 교실 안쪽으로 조금 들어오지만, 태양의 남중 고도가 ❺ ㄴ 은 겨울에는 햇빛이 더 깊게 들어옵니다.

정답 ❹ 높 ❺ 낮

내 교과서 살펴보기 / 천재교과서, 미래엔

태양의 남중 고도는 6월경에 가장 높지만 월평균 기온은 8월경에 가장 높은 까닭: 지표면이 데워져 공기의 온도가 높아지는 데 시간이 걸리기 때문입니다.

내 교과서 살펴보기 / 천재교육, 김영사

계절별 태양의 위치 변화
여름에는 태양의 남중 고도가 높고, 겨울에는 태양의 남중 고도가 낮습니다.

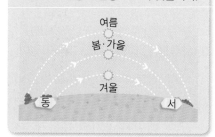

1 태양 고도를 측정할 때 오른쪽의 ㄱ~ㄷ 중 어느 각을 측정해야 하는지 쓰시오.

9종 공통

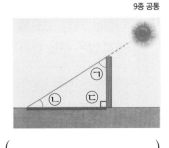

( )

2 다음은 태양 고도와 기온을 나타낸 그래프입니다. ㄱ과 ㄴ 중 기온을 나타낸 것을 골라 기호를 쓰시오.

9종 공통

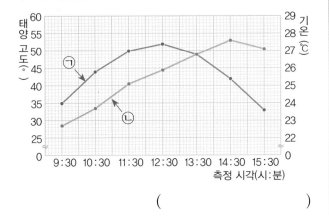

( )

3 다음 중 태양 고도와 그림자 길이, 기온의 관계에 대한 설명으로 옳은 것은 어느 것입니까? ( )

9종 공통

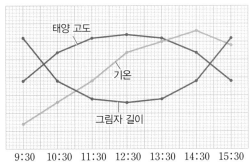

① 태양 고도가 가장 높을 때 기온이 가장 높다.
② 태양 고도가 높아지면 그림자 길이는 길어진다.
③ 그림자 길이가 길어지면 기온은 대체로 높아진다.
④ 하루 중 그림자 길이는 12시 30분경에 가장 짧다.
⑤ 하루 동안 태양 고도와 그림자 길이, 기온은 변하지 않는다.

4 다음은 하루 동안 태양 고도가 가장 높은 시각과 기온이 가장 높은 시각이 다른 까닭입니다. ☐ 안에 들어갈 알맞은 말을 쓰시오.

9종 공통

> 지표면이 데워져 ☐의 온도가 높아지는 데 시간이 걸리기 때문입니다.

( )

5 다음은 계절별 태양의 남중 고도와 월평균 기온을 나타낸 그래프입니다. 이에 대한 설명으로 옳은 것을 보기 에서 골라 기호를 쓰시오.

9종 공통

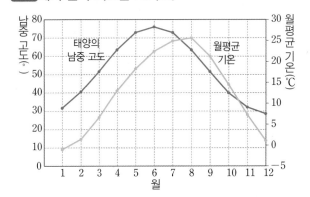

보기
ㄱ 월평균 기온은 여름에 가장 낮습니다.
ㄴ 월평균 기온은 겨울에 가장 높습니다.
ㄷ 태양의 남중 고도가 높을수록 월평균 기온은 대체로 높아집니다.

( )

6 다음은 계절별 태양의 위치 변화를 나타낸 것입니다. 태양이 ㄱ~ㄷ에 위치할 때의 계절을 각각 쓰시오.

천재교육, 김영사

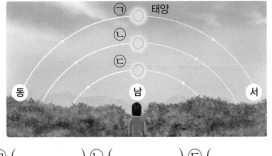

ㄱ ( ) ㄴ ( ) ㄷ ( )

9종 공통

[1~5] 다음은 개념 확인 문제입니다. 물음에 답하시오.

1 태양이 지표면과 이루는 각의 크기를 무엇이라고 합니까?　　　　　　　　태양 (　　　　　　　　　)

2 태양 고도는 태양이 (정동쪽 / 정남쪽)에 위치했을 때 가장 높으며, 이때를 태양이 남중했다고 합니다.

3 태양 고도가 높아지면 그림자의 길이는 (짧아 / 길어) 지고 기온은 대체로 (낮아 / 높아)집니다.

4 태양의 남중 고도는 (여름 / 겨울)에 가장 높고, 기온은 (여름 / 겨울)에 가장 높습니다.

5 태양의 남중 고도가 높아지면 낮의 길이는 (짧아 / 길어) 지고 밤의 길이는 (짧아 / 길어)집니다.

9종 공통

6 다음은 하루 동안 태양의 위치 변화를 나타낸 것입니다. ㉠~㉢ 중 태양이 남중한 모습을 나타낸 것을 골라 기호를 쓰시오.

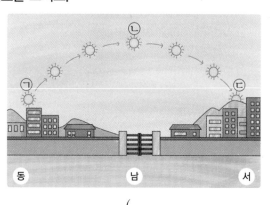

(　　　　　　　　　)

9종 공통

7 다음은 태양 고도를 측정하는 방법입니다. ㉠~㉢ 중 옳지 **않은** 것을 골라 기호를 쓰시오.

> 태양 고도 측정기를 ㉠ 태양 빛이 잘 들지 않는 ㉡ 편평한 곳에 놓고 ㉢ 막대기의 그림자 끝과 실이 이루는 각을 측정합니다.

(　　　　　　　　　)

9종 공통

8 다음과 같이 막대기와 실을 이용하여 태양 고도를 측정 하였습니다. 태양 고도는 몇 도인지 구하시오.

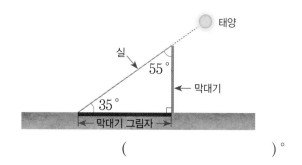

(　　　　　　　　　)°

천재교육

9 다음은 하루 동안 태양 고도, 그림자 길이를 측정하여 나타낸 것입니다. 태양 고도가 가장 높은 시각과 그림자 길이가 가장 짧은 시각을 각각 쓰시오.

측정 시각(시:분)	태양 고도(°)	그림자 길이(cm)
9:30	36	15.2
10:30	46	12
11:30	52	10
12:30	55	8.8
13:30	52	10
14:30	35	12.4
15:30	45	15.6

(1) 태양 고도가 가장 높은 시각

(　　　　　　　　　)

(2) 그림자 길이가 가장 짧은 시각

(　　　　　　　　　)

[10~11] 다음은 하루 동안 태양 고도와 그림자 길이, 기온의 관계를 나타낸 그래프입니다. 물음에 답하시오.

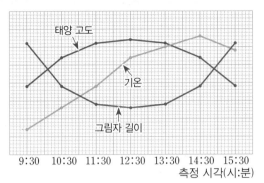

9종 공통

10 다음 중 위 그래프에 대한 설명으로 옳지 <u>않은</u> 것은 어느 것입니까? ( )

① 태양 고도는 오전에 점점 높아진다.

② 태양 고도가 높아지면 기온도 대체로 높아진다.

③ 태양 고도가 높아지면 그림자 길이는 길어진다.

④ 하루 중 태양 고도는 12시 30분경에 가장 높다.

⑤ 하루 중 그림자 길이는 12시 30분경에 가장 짧다.

9종 공통

11 다음은 하루 동안 태양 고도와 기온의 관계를 설명한 것입니다. ☐ 안에 들어갈 알맞은 말을 쓰시오.

> 하루 동안 기온이 가장 높은 시각은 태양 고도가 가장 높은 시각보다 약 ☐ 시간 뒤입니다.

( )

9종 공통

12 태양이 동쪽 지평선에서 보이기 시작하여 서쪽 지평선으로 넘어가 보이지 않게 되는 시각이 다음과 같을 때 낮의 길이는 얼마인지 구하시오.

태양이 보이기 시작하는 시각	6시 40분
태양이 보이지 않게 되는 시각	18시 40분

( )시간

9종 공통

13 다음은 우리나라에서 측정한 월별 태양의 남중 고도 그래프입니다. ㉠과 ㉡에 알맞은 계절을 쓰시오.

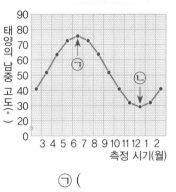

㉠ ( )

㉡ ( )

9종 공통

14 다음은 태양의 남중 고도와 낮의 길이에 대한 설명입니다. ㉠과 ㉡에 들어갈 알맞은 말을 각각 쓰시오.

> 태양의 남중 고도가 높아지면 낮의 길이가 ㉠ 지고, 태양의 남중 고도가 낮아지면 낮의 길이가 ㉡ 집니다.

㉠ ( )

㉡ ( )

9종 공통

15 다음은 계절별 태양의 위치 변화를 나타낸 것입니다. 태양의 남중 고도가 가장 높은 계절을 나타낸 것의 기호와 계절을 바르게 짝지은 것은 어느 것입니까?

( )

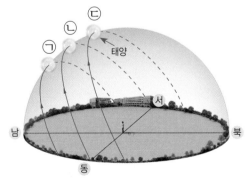

① ㉠, 여름 ② ㉠, 겨울

③ ㉡, 봄·가을 ④ ㉢, 여름

⑤ ㉢, 겨울

천재교과서

16 다음은 여름과 겨울의 교실 모습을 순서에 관계없이 나타낸 것입니다.

(1) 겨울의 교실 모습을 나타낸 것: (　　　　　　　　)

(2) 겨울의 태양의 남중 고도와 낮의 길이:

답 태양의 남중 고도가 ❶ [　　　　]고 낮의 길이는 ❷ [　　　　]다.

천재교육

17 다음 그래프를 보고 태양 고도가 높아질 때 그림자 길이, 기온의 변화를 쓰시오.

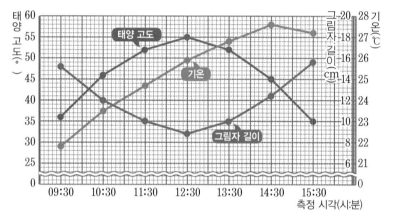

_____

_____

9종 공통

18 오른쪽은 우리나라에서 계절별 태양의 위치 변화를 나타낸 것입니다.

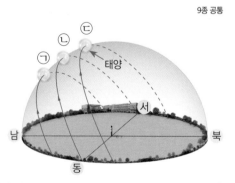

(1) 위의 ㉠~㉢ 중 겨울과 여름의 태양의 위치 변화를 나타낸 것의 기호를 순서대로 쓰시오.

(　　　,　　　)

(2) 위의 (1)번 답과 같이 생각한 까닭을 태양 고도와 관련지어 쓰시오.

_____

_____

서술형 가이드
어려워하는 서술형 문제!
서술형 가이드를 이용하여 풀어 봐!

16 (1) 겨울에는 여름보다 햇빛이 교실 [　][　]까지 들어옵니다.

(2) 겨울에는 태양의 남중 고도가 (낮 / 높)습니다.

17 태양 고도와 그림자 길이 그래프는 모양이 (다르고 / 비슷하고), 태양 고도와 기온 그래프는 모양이 (다릅 / 비슷합)니다.

18 (1) 계절에 따라 태양의 남중 고도가 (같습 / 다릅)니다.

(2) 여름에는 태양의 남중 고도가 (낮 / 높)고, 겨울에는 태양의 남중 고도가 낮습니다.

Step 3 수행평가

학습 주제 계절별 태양 남중 고도와 낮의 길이 관계

학습 목표 계절에 따른 태양의 남중 고도와 낮의 길이의 관계를 설명할 수 있다.

9종 공통

19 다음은 월별 태양의 남중 고도와 낮의 길이를 나타낸 것입니다. 빈칸에 들어갈 알맞은 말을 각각 쓰시오.

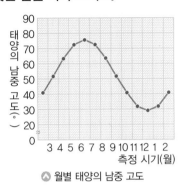
△ 월별 태양의 남중 고도

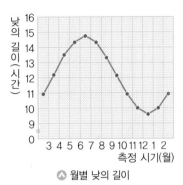
△ 월별 낮의 길이

태양의 남중 고도가 가장 높은 계절	❶
낮의 길이가 가장 긴 계절	❷
태양의 남중 고도와 낮의 길이 관계	태양의 남중 고도가 높아지면 낮의 길이는 ❸

9종 공통

20 다음은 계절별 태양의 위치 변화를 나타낸 것입니다. 태양의 위치가 ㉠에서 ㉢으로 옮겨갈 때 태양의 남중 고도와 낮의 길이 변화를 각각 쓰시오.

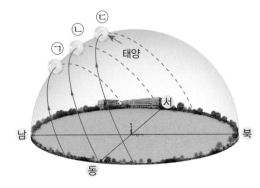

수행평가 가이드
다양한 유형의 수행평가!
수행평가 가이드를 이용해 풀어 봐!

태양의 남중 고도와 낮의 길이 관계
태양의 남중 고도가 높은 여름에는 낮의 길이가 길고, 태양의 남중 고도가 낮은 겨울에는 낮의 길이가 짧습니다.

2 단원

진도 완료 체크

계절별 태양의 위치 변화
여름에는 태양의 남중 고도가 가장 높고, 겨울에는 태양의 남중 고도가 가장 낮습니다.

태양의 위치가 ㉠에서 ㉢으로 옮겨가면 태양 고도가 높아지는 것을 알 수 있어!

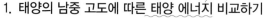
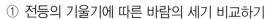

개념 ① 계절에 따라 기온이 달라지는 까닭 ▸용어 태양으로부터 오는 열과 빛 형태의 에너지

실험 동영상

1. 태양의 남중 고도에 따른 태양 에너지 비교하기

① 전등의 기울기에 따른 바람의 세기 비교하기

내 교과서 살펴보기 / 천재교육

실험 방법	**1** 태양 전지판에 프로펠러 달린 전동기를 연결하고 검은색 도화지 위에 올려놓기 **2** 전등과 태양 전지판이 이루는 각을 하나는 크게, 나머지 하나는 작게 하여 전등 설치하기 → 다른 조건은 모두 같게 하고 전등의 기울기만 다르게 하여 실험합니다. **3** 태양 전지판과 전등 사이의 거리가 25 cm가 되게 조절하기 **4** 동일한 밝기의 두 전등을 동시에 켜고 전등의 기울기에 따른 빛이 닿는 면적과 바람의 세기 비교하기 → 프로펠러의 회전 빠르기가 빠를수록 바람의 세기가 셉니다. 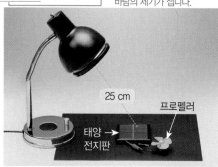

내 교과서 살펴보기 / 천재교과서

태양 전지판을 기울여 태양 고도를 조절하는 방법

🔺 그림자 길이가 짧음. 🔺 그림자 길이가 김.

태양 전지판의 기울기를 다르게 하여 태양 빛을 비출 때, 태양 전지판에 생긴 막대기의 그림자 길이가 짧을수록 태양 고도가 높습니다.

실험 결과		각이 클 때	각이 작을 때
	전등과 태양 전지판이 이루는 각		
	빛이 닿는 면적	좁음.	넓음.
	바람의 세기	셈.	약함.

알게 된 점	• 전등과 태양 전지판이 이루는 각이 클 때: 일정한 면적의 태양 전지판에 도달하는 에너지양이 많기 때문에 바람의 세기가 더 세다. • 전등과 태양 전지판이 이루는 각이 작을 때: 일정한 면적의 태양 전지판에 도달하는 에너지양이 적기 때문에 바람의 세기가 더 약하다.

② 모형실험과 실제 비교하기

모형 실험	전등	태양 전지판	전등과 태양 전지판이 이루는 각
실제	태양	지표면	태양의 남중 고도

✔ 태양의 남중 고도와 태양 에너지 양의 관계

태양의 남중 고도가 **❶** ⬜ ⬜ 질수록 일정한 면적의 지표면이 받는 태양 에너지양이 많아집니다.

태양이 높이 떠 있어야 힘이 더 세져!

으쌰!

2. 태양의 남중 고도와 지표면이 받는 태양 에너지양의 관계: 태양의 남중 고도가 높아 지면 일정한 면적의 지표면은 더 많은 태양 에너지를 받습니다.

정답 ❶ 높아

3. 계절에 따라 기온이 달라지는 까닭

① 태양의 남중 고도가 높을수록 기온이 높아지는 까닭

- 태양의 남중 고도가 높아지면 일정한 면적의 지표면에 도달하는 태양 에너지 양이 많아져 지표면이 많이 데워지므로 기온이 높아집니다.
- 태양의 남중 고도가 높아지면 낮의 길이도 길어져 기온이 높아지는 데 영향을 줍니다.

② 계절에 따른 태양의 남중 고도와 기온 변화

여름	태양의 남중 고도가 높아 같은 면적의 지표면에 도달하는 태양 에너지 양이 많고 낮의 길이가 길어 기온이 높음.
겨울	태양의 남중 고도가 낮아 같은 면적의 지표면에 도달하는 태양 에너지 양이 적고 낮의 길이가 짧아 기온이 낮음.

빛이 좁은 면적을 비추기 때문에 일정한 면적에 도달하는 에너지 양이 많아요.

빛이 넓은 면적을 비추기 때문에 일정한 면적에 도달하는 에너지 양이 적어요.

⌃ 태양의 남중 고도가 높을 때 　　　⌃ 태양의 남중 고도가 낮을 때

개념 ② 계절 변화가 생기는 까닭

실험 동영상

1. 계절이 변화하는 원인 알아보기

① 실험 방법 → 다른 조건은 모두 같게 하고, 지구본의 자전축 기울기만 다르게 하여 실험합니다.

1 태양 고도 측정기를 지구본의 우리나라 위치에 붙이기
2 지구본의 자전축을 수직으로 세우고, 전등으로부터 30 cm 떨어진 거리에 두기
3 전등의 높이를 태양 고도 측정기와 비슷하게 조절하고 전등 켜기
4 지구본을 시계 반대 방향으로 공전시켜 (가)~(라) 위치에서 각각 태양의 남중 고도 측정하기 → 태양 고도 측정기가 항상 전등을 바라보게 합니다.
5 지구본의 자전축을 23.5 ° 기울이고 **3**~**4**와 같은 방법으로 태양의 남중 고도 측정하기

☑ **계절에 따라 기온이 달라지는 까닭**

계절에 따라 태양의 ❷ ㄴ ㅈ 고도가 달라지기 때문입니다.

태양의 남중 고도가 높아서 더워.

정답 ❷ 남중

내 교과서 살펴보기 / **천재교육**

전등을 태양, 지구본을 지구라고 할 때 실험과 실제의 다른 점

- 실제 태양과 지구 사이의 거리는 전등과 지구본 사이의 거리보다 훨씬 멉니다.

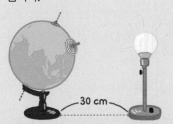

30 cm

- 실험에서는 지구본이 공전만 하지만 실제로 지구는 자전을 하면서 태양 주위를 돕니다.

② 실험 결과

구분	지구본의 자전축을 기울이지 않은 채 공전시킬 때				지구본의 자전축을 기울인 채 공전시킬 때			
모습	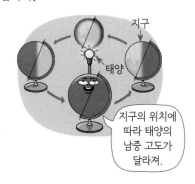							
지구본의 위치	(가)	(나)	(다)	(라)	(가)	(나)	(다)	(라)
태양의 남중 고도	52°	52°	52°	52°	52°	76°	52°	29°
실험 결과	지구본의 위치에 따라 태양의 남중 고도가 달라지지 않음.				지구본의 위치에 따라 태양의 남중 고도가 달라짐.			

③ 알게 된 점

- 지구의 자전축이 기울어지지 않은 채 태양 주위를 공전하면, 지구의 위치에 따라 태양의 남중 고도가 달라지지 않습니다.
- 지구의 자전축이 기울어진 채 태양 주위를 공전하면, 지구의 위치에 따라 태양의 남중 고도가 달라집니다. → 지구의 자전축이 기울어진 채 자전만 한다면 낮과 밤은 생기지만 태양의 남중 고도가 달라지지 않으므로 계절 변화가 생기지 않습니다.

2. 계절 변화가 생기는 까닭 용어 지구가 태양 주위를 주기적으로 도는 길

① 지구의 자전축이 공전 궤도면에 대하여 기울어진 채 태양 주위를 공전하기 때문입니다. ➡ 그 결과 지구의 위치에 따라 태양의 남중 고도가 달라져서 일정한 면적의 지표면에 도달하는 태양 에너지양이 달라집니다.

② 우리나라의 여름과 겨울의 태양의 남중 고도

└→ 지구의 자전축이 기울어진 방향이 태양을 향하는 위치에서는 태양의 남중 고도가 높아 여름이 됩니다.

지구 ❸ [ㅈ][ㅈ][ㅊ]이 기울어진 채 공전하면 태양의 남중 고도가 달라집니다.

지구의 위치에 따라 태양의 남중 고도가 달라져.

정답 ❸ 자전축

내 교과서 살펴보기 / 천재교과서, 금성, 김영사, 미래엔, 아이스크림

남반구에 있는 뉴질랜드의 계절은 우리나라와 어떻게 다를까요?

- 북반구에 있는 우리나라의 태양의 남중 고도가 높을 때 남반구에 있는 뉴질랜드는 태양의 남중 고도가 낮습니다.
- 따라서 우리나라가 여름일 때 뉴질랜드는 겨울입니다.

개념 다지기

[1~3] 다음은 태양의 남중 고도에 따른 태양 에너지양을 비교하기 위한 실험입니다. 물음에 답하시오.

(가) 프로펠러

(나) 프로펠러

⚠ 전등과 태양 전지판이 이루는 각이 클 때

⚠ 전등과 태양 전지판이 이루는 각이 작을 때

천재교육

1 위 실험에서 각각의 요소가 실제로 나타내는 것을 줄로 바르게 이으시오.

(1) 전등 · · ㉠ 지표면

(2) 태양 전지판 · · ㉡ 태양 고도

(3) 전등과 태양 전지판이 이루는 각 · · ㉢ 태양

천재교육

2 위 (가), (나) 중 프로펠러의 바람의 세기가 더 센 것의 기호를 쓰시오.

( )

천재교육

3 위 2번과 같은 결과가 나타나는 까닭입니다. ( ) 안의 알맞은 말에 각각 ○표를 하시오.

전등에서 나오는 빛의 양은 일정하지만 전등이 태양 전지판을 비추는 각이 커질수록 빛이 닿는 면적이 (좁아 / 넓어)지므로 같은 면적의 태양 전지판에 도달하는 빛의 양은 (적어 / 많아)지기 때문입니다.

9종 공통

4 다음 지구본의 자전축 기울기와 태양의 남중 고도 변화를 줄로 바르게 이으시오.

(1) 지구본의 자전축이 기울어지지 않은 채 공전할 때 · · ㉠ 태양의 남중 고도가 달라지지 않음.

(2) 지구본의 자전축이 기울어진 채 공전할 때 · · ㉡ 태양의 남중 고도가 달라짐.

9종 공통

5 다음 보기 에서 계절 변화가 생기는 까닭에 대한 설명으로 옳은 것을 골라 기호를 쓰시오.

보기
㉠ 지구는 공전하지 않고 자전만 하기 때문입니다.
㉡ 지구의 자전축이 기울어진 채 공전하여 태양의 남중 고도가 달라지기 때문입니다.
㉢ 지구의 자전축이 기울어지지 않은 채 공전하여 태양의 남중 고도가 달라지기 때문입니다.

( )

9종 공통

6 다음과 같이 지구가 ㉠ 위치에 있을 때 우리나라에서의 계절로 옳은 것은 어느 것입니까? ( )

① 봄
② 여름
③ 가을
④ 겨울
⑤ 알 수 없다.

9종 공통

[1~5] 다음은 개념 확인 문제입니다. 물음에 답하시오.

1 전등과 태양 전지판이 이루는 각이 클 때 프로펠러의 바람 세기가 더 (약합 / 셉)니다.

2 태양의 남중 고도가 높을수록 같은 면적의 지표면이 받는 태양 에너지양이 (적어 / 많아)져 기온이 (낮아 / 높아)집니다.

3 여름과 겨울 중 태양의 남중 고도가 낮아 같은 면적의 지표면에 도달하는 태양 에너지양이 적고 낮의 길이가 짧아 기온이 낮은 계절은 언제입니까?

( )

4 계절 변화가 생기는 까닭은 지구의 자전축이 (수직인 / 기울어진) 채 태양 주위를 공전하여 태양의 남중 고도가 달라지기 때문입니다.

5 북반구에서는 여름에는 태양의 남중 고도가 (낮고 / 높고), 겨울에는 태양의 남중 고도가 (낮습 / 높습)니다.

9종 공통

6 다음 ( ) 안의 알맞은 말에 각각 ○표를 하시오.

태양의 남중 고도가 (낮은 / 높은) 여름에는 기온이 높아 얇은 옷을 입고 시원한 음식을 먹지만, 태양의 남중 고도가 (낮은 / 높은) 겨울에는 기온이 낮아서 두꺼운 옷을 입고 따뜻한 음식을 많이 먹습니다.

[7~8] 다음과 같이 전등과 태양 전지판이 이루는 각을 다르게 하여 프로펠러의 바람 세기를 비교하였습니다. 물음에 답하시오.

프로펠러

프로펠러

🔆 전등과 태양 전지판이 이루는 각이 클 때

🔆 전등과 태양 전지판이 이루는 각이 작을 때

천재교육

7 위 실험은 무엇을 알아보기 위한 것인지 다음 보기 에서 골라 기호를 쓰시오.

보기
㉠ 전등의 종류와 태양 에너지양의 관계
㉡ 프로펠러의 종류와 태양 에너지양의 관계
㉢ 태양의 남중 고도와 태양 에너지양의 관계

( )

천재교육

8 다음 중 위 실험에서 전등과 태양 전지판이 이루는 각이 클 때의 결과에 대한 설명으로 옳은 것을 두 가지 고르시오. (,)
① 프로펠러의 바람 세기가 더 세다.
② 프로펠러의 바람 세기가 더 약하다.
③ 전등에서 나오는 에너지양이 더 많아진다.
④ 태양 전지판이 더 많은 태양 에너지를 받는다.
⑤ 태양 전지판이 더 적은 태양 에너지를 받는다.

천재교과서

9 다음에서 모눈종이에 비추는 손전등 빛의 밝기가 더 밝은 것을 골라 기호를 쓰시오.

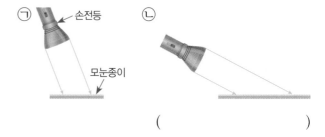
㉠ 손전등 ㉡

모눈종이

( )

9종 공통

10 다음 보기 에서 계절에 따라 기온이 달라지는 까닭에 대한 설명으로 옳지 않은 것을 골라 기호를 쓰시오.

> **보기**
> ㉠ 태양의 남중 고도와 관련이 있습니다.
> ㉡ 태양의 남중 고도가 높을수록 같은 면적의 지표면에 도달하는 태양 에너지양이 적어집니다.
> ㉢ 같은 면적의 지표면에 도달하는 태양 에너지 양이 많을수록 기온이 높아집니다.

(   )

[11~13] 다음은 지구본의 자전축 기울기를 다르게 하여 전등 주위를 공전시키는 모습입니다. 물음에 답하시오.

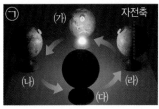

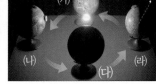

△ 지구본의 자전축을 기울이지 않은 채 공전시킬 때   △ 지구본의 자전축을 기울인 채 공전시킬 때

9종 공통

11 다음은 위 실험을 할 때 주의할 점입니다. ( ) 안의 알맞은 말에 ○표를 하시오.

> 전등의 높이를 태양 고도 측정기와 비슷하게 조절하고, 지구본을 (시계 / 시계 반대) 방향으로 공전시킵니다.

9종 공통

12 다음은 위의 ㉠에서 측정한 태양의 남중 고도입니다. 빈칸에 들어갈 알맞은 숫자를 각각 쓰시오.

지구본의 위치	(가)	(나)	(다)	(라)
태양의 남중 고도(°)		52		52

9종 공통

13 다음에서 앞의 ㉠ 실험 결과를 바르게 이야기한 친구의 이름을 쓰시오.

> 연호: (가)와 (나)에서 측정한 태양의 남중 고도는 같아.
> 민진: 지구본의 위치에 따라 태양의 남중 고도가 달라져.

(   )

9종 공통

14 다음 중 지구가 자전축이 기울어진 채 태양 주위를 공전하기 때문에 나타나는 현상으로 옳지 않은 것은 어느 것입니까? (   )

① 계절 변화가 생긴다.
② 낮의 길이가 변한다.
③ 그림자 길이가 일정하다.
④ 계절에 따라 기온이 달라진다.
⑤ 태양의 남중 고도가 달라진다.

9종 공통

15 다음은 지구가 태양 주위를 공전하는 모습을 나타낸 것입니다. 지구가 ㉠ 위치에 있을 때에 대한 설명으로 옳지 않은 것은 어느 것입니까?(   )

① 우리나라는 여름이다.
② 뉴질랜드는 겨울이다.
③ 기온은 남반구가 더 높다.
④ 낮의 길이는 북반구가 더 길다.
⑤ 태양의 남중 고도는 북반구가 더 높다.

천재교육

16 다음은 태양의 남중 고도에 따른 태양 에너지양을 알아보기 위한 실험입니다.

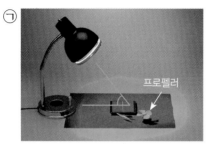

△ 전등과 태양 전지판이 이루는 각이 클 때

△ 전등과 태양 전지판이 이루는 각이 작을 때

(1) 프로펠러의 바람 세기가 더 센 것: (   )

(2) 실험 결과 알게 된 점

> **답** 태양의 남중 고도가 ❶ [   ] 아지면 일정한 면적의 지표면에
>
> 도달하는 ❷ [   ] 이/가 많아진다.

9종 공통

17 오른쪽은 여름과 겨울일 때 태양의 남중 고도를 나타낸 것입니다. 겨울과 비교하여 여름에 기온이 높은 까닭을 태양 에너지양과 관련지어 쓰시오.

△ 여름   △ 겨울

_____

_____

9종 공통

18 다음과 같이 지구가 ㉠과 ㉡ 위치에 각각 있을 때 남반구에서 태양의 남중 고도를 비교하여 쓰시오.

_____

_____

서술형 가이드
어려워하는 서술형 문제!
서술형 가이드를 이용하여 풀어 봐!

16 (1) 태양 전지판이 받는 태양 에너지양이 많을수록 바람 세기가 더 (셉 / 약합)니다.

　(2) 지표면이 받는 태양 에너지양은 태양의 남중 [   ][   ] 와 관련이 있습니다.

17 우리나라는 (여름 / 겨울)에 태양의 남중 고도가 가장 높습니다.

18 남반구에 있는 나라는 북반구에 있는 우리나라와 계절이 (같습 / 반대입)니다.

학습 주제 계절 변화가 생기는 까닭

학습 목표 모형실험을 통해 계절 변화가 생기는 까닭을 알 수 있다.

9종 공통

19 다음은 지구의 자전축이 기울어진 채 태양 주위를 공전하는 모습을 모형실험으로 나타낸 것입니다.

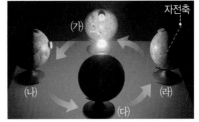

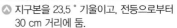

▲ 지구본을 23.5° 기울이고, 전등으로부터 30 cm 거리에 둠.

▲ 지구본의 자전축을 기울인 채 전등 주위를 공진시킴.

(1) 지구본의 (가)~(라) 위치에서 태양의 남중 고도는 달라지는지, 달라지지 않는지 쓰시오.

(   )

(2) 다음은 위 (1)번의 실험 결과 알 수 있는 계절이 변하는 까닭입니다. ☐ 안에 들어갈 알맞은 말을 쓰시오.

> 지구의 자전축이 기울어진 채 태양 주위를 공전하면 ☐이/가 달라지기 때문에 계절 변화가 생깁니다.

(   )

9종 공통

20 다음은 지구와 태양의 모습입니다. 지구가 ㉠ 위치에 있을 때 우리나라의 기온을 ㉡ 위치에 있을 때와 비교하여 쓰고, 그 까닭을 태양의 남중 고도와 관련지어 쓰시오.

─────────────────────────────

─────────────────────────────

수행평가 가이드
다양한 유형의 수행평가!
수행평가 가이드를 이용해 풀어 봐!

모형실험이 나타내는 것

전등	태양
지구본	지구
지구본을 회전시키는 것	지구의 공전

2 단원

진도 완료 체크

> 지구의 자전축이 수직인 채 공전한다면 태양의 남중 고도는 달라지지 않아.

지구의 북반구와 남반구의 계절
북반구와 남반구는 계절이 반대이므로 북반구가 여름일 때 남반구는 겨울입니다.

Q 배점 표시가 없는 문제는 문제당 4점입니다.

9종 공통

1 다음은 태양 고도에 대한 설명입니다. ㉠과 ㉡에 들어갈 말을 바르게 짝지은 것은 어느 것입니까? (   )

> 태양 고도는 태양이 ㉠ 쪽에 위치했을 때 가장 높습니다. 이때를 태양이 ㉡ 했다고 합니다.

	㉠	㉡		㉠	㉡
①	정동	동중	②	정동	남중
③	정남	동중	④	정남	남중
⑤	정북	북중			

9종 공통

2 다음에서 막대기의 그림자 끝과 실이 이루는 각 ㉠을 무엇이라고 하는지 쓰시오.

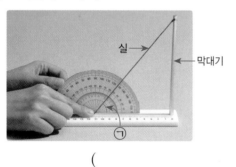

(   )

금성, 아이스크림

3 다음 중 태양 고도를 측정하면서 막대기의 길이를 길게 했을 때의 변화에 대한 설명으로 옳은 것을 두 가지 고르시오. (,   )

① 태양 고도가 낮아진다.
② 태양 고도가 높아진다.
③ 태양 고도가 일정하다.
④ 그림자 길이가 짧아진다.
⑤ 그림자 길이가 길어진다.

9종 공통

4 다음에서 태양 고도를 측정한 시각과 태양 고도를 줄로 바르게 이으시오.

(1) 오전 8시 ·

(2) 오전 11시 ·

· ㉠

· ㉡

📋 서술형·논술형 문제   9종 공통

5 다음은 하루 동안 태양 고도, 그림자 길이, 기온 변화를 나타낸 그래프입니다. [총 10점]

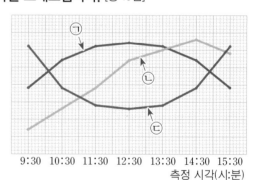

측정 시각(시:분)

(1) 위의 ㉠~㉢은 각각 무엇을 나타내는지 쓰시오.
[3점]

㉠ (   )
㉡ (   )
㉢ (   )

(2) 태양 고도와 그림자 길이는 어떤 관계가 있는지 쓰시오. [7점]

_____

_____

6 다음은 하루 동안 그림자 길이를 측정하여 표로 나타낸 것입니다. 이에 대한 설명으로 옳은 것을 두 가지 고르시오. (,   )

9종 공통

측정 시각	그림자 길이	측정 시각	그림자 길이
10:30	10.4 cm	13:30	8.7 cm
11:30	8.4 cm	14:30	11.1 cm
12:30	7.8 cm	15:30	15.4 cm

① 하루 동안 그림자 길이는 계속 짧아진다.
② 하루 동안 그림자 길이는 변하지 않는다.
③ 14시 30분경에 그림자 길이가 가장 짧다.
④ 12시 30분경에 그림자 길이가 가장 짧다.
⑤ 11시 30분경에 그림자 길이는 8.4 cm이다.

9종 공통

7 다음 중 태양 고도, 그림자 길이, 기온의 관계에 대한 설명으로 옳은 것은 어느 것입니까? (   )

① 태양 고도가 높아지면 기온은 낮아진다.
② 그림자 길이가 짧을 때 기온은 대체로 낮다.
③ 태양 고도가 가장 높은 때 기온은 가장 높다.
④ 태양 고도가 높아지면 그림자 길이가 짧아진다.
⑤ 하루 동안 태양 고도와 그림자 길이, 기온은 항상 같다.

9종 공통

8 다음은 계절에 따라 태양이 남중한 모습을 나타낸 것입니다. 기온이 가장 높은 계절의 기호를 쓰시오.

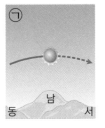  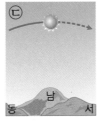

(   )

서술형·논술형 문제

9종 공통

9 다음은 계절별 태양의 위치 변화를 나타낸 것입니다.

[총 12점]

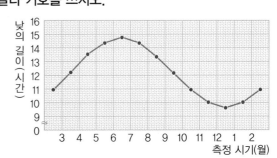

(1) 위의 ㉠~㉢ 중 여름과 겨울의 태양의 위치 변화를 나타낸 것을 골라 순서대로 기호를 쓰시오. [4점]

(,   )

(2) 위에서 태양의 위치가 ㉢에서 ㉠으로 옮겨갈 때 낮의 길이 변화를 쓰시오. [8점]

_____

_____

9종 공통

10 다음은 월별 낮의 길이 변화를 나타낸 그래프입니다. 낮의 길이가 가장 긴 때와 가장 짧은 때를 보기 에서 골라 기호를 쓰시오.

보기
㉠ 3~4월   ㉡ 6~7월
㉢ 9~1월   ㉣ 12~1월

(1) 낮의 길이가 가장 긴 때: (   )
(2) 낮의 길이가 가장 짧은 때: (   )

[11~12] 다음은 태양의 남중 고도에 따른 태양 에너지양을 비교하기 위한 실험입니다. 물음에 답하시오.

(가)

⬆ 전등과 태양 전지판이 이루는 각이 클 때

(나)

⬆ 전등과 태양 전지판이 이루는 각이 작을 때

천재교육

11 위 실험에 대한 설명으로 옳지 <u>않은</u> 것을 보기 에서 골라 기호를 쓰시오.

> 보기
> ㉠ (가)는 태양의 남중 고도가 높은 때를 나타냅니다.
> ㉡ 전등은 태양, 태양 전지판은 지표면에 해당합니다.
> ㉢ (나)에서는 전등이 넓은 면적을 비추기 때문에 일정한 면적에 도달하는 에너지양이 많습니다.

( )

천재교육

12 다음은 위의 (가)와 (나) 중 어느 실험의 결과에 대한 설명인지 기호를 쓰시오.

> 일정한 면적의 태양 전지판에 도달하는 태양 에너지양이 더 많기 때문에 프로펠러의 바람 세기가 더 셉니다.

( )

9종 공통

13 다음 보기 에서 여름에 기온이 높아지는 까닭에 대한 설명으로 옳지 <u>않은</u> 것을 골라 기호를 쓰시오.

> 보기
> ㉠ 여름에는 낮의 길이가 길어집니다.
> ㉡ 여름에는 태양의 남중고도가 낮습니다.
> ㉢ 여름에는 겨울보다 같은 면적의 지표면에 도달하는 태양 에너지양이 많습니다.

( )

천재교과서

14 다음 ㉠~㉢ 중 일정한 면적의 지표면에 도달하는 태양 에너지양이 가장 많은 것을 골라 기호를 쓰시오.

㉠ 태양

㉡

㉢

( )

🗂 서술형·논술형 문제

9종 공통

15 다음은 지구본의 자전축이 기울어지지 않은 채 전등 주위를 공전시키면서 태양의 남중 고도를 비교하는 실험의 모습입니다. [총 10점]

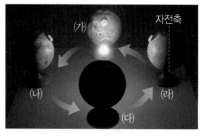

(1) 위 실험에서 전등을 태양이라고 할 때 (가)~(라) 각 위치에서 측정해야 하는 것을 쓰시오. [2점]

( )

(2) 위의 (가)~(라) 각 위치에서 측정한 태양의 남중 고도는 어떠한지 쓰시오. [8점]

_____

_____

[16~17] 다음은 지구본의 자전축의 기울기를 다르게 하여 전등 주위를 공전시키는 모습입니다. 물음에 답하시오.

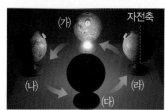

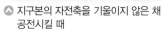
▲ 지구본의 자전축을 기울이지 않은 채 공전시킬 때

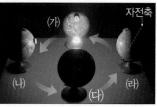
▲ 지구본의 자전축을 기울인 채 공전시킬 때

16 다음은 위 실험의 결과입니다. ㉠과 ㉡에 들어갈 말을 각각 쓰시오.

※ 지구본의 자전축을 [㉠] 채 공전시킬 때

지구본의 위치	(가)	(나)	(다)	(라)
태양의 남중 고도(°)	52	52	52	25

※ 지구본의 자전축을 [㉡] 채 공전시킬 때

지구본의 위치	(가)	(나)	(다)	(라)
태양의 남중 고도(°)	52	76	52	29

㉠ (   )

㉡ (   )

17 다음은 위 실험을 통해 알게 된 점을 정리한 것입니다. ☐ 안에 들어갈 알맞은 말을 각각 쓰시오.

지구의 자전축이 기울어진 채 태양 주위를 공전할 때	지구의 위치에 따라 태양의 남중 고도가 ❶
지구의 자전축이 기울어지지 않은 채 태양 주위를 공전할 때	지구의 위치에 따라 태양의 남중 고도가 ❷

18 다음 보기에서 계절에 따라 달라지는 것이 <u>아닌</u> 것을 골라 기호를 쓰시오.

> 보기
> ㉠ 기온
> ㉡ 낮의 길이
> ㉢ 지구의 공전 방향
> ㉣ 태양의 남중 고도

(   )

19 다음은 계절 변화가 생기는 까닭입니다. ㉠과 ㉡에 들어갈 알맞은 말을 각각 쓰시오.

> 지구의 자전축이 기울어진 채 태양 주위를 [㉠] 하여 [㉡] 이/가 달라지기 때문입니다.

㉠ (   )

㉡ (   )

20 다음은 지구가 ㉠과 ㉡ 중 어느 위치에 있을 때 북반구에서 나타나는 모습인지 쓰시오.

> • 기온이 낮습니다.
> • 낮의 길이가 짧습니다.
> • 태양의 남중 고도가 낮습니다.

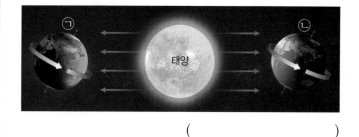

(   )

연관 학습 안내

초등 6학년 1학기	이 단원의 학습	중학교
여러 가지 기체 여러 가지 기체가 생활 속에서 다양하게 이용되는 것을 배웠어요.	연소와 소화 연소, 소화, 화재 안전 대책 등에 대해 배워요.	재해·재난과 안전 재해와 재난의 뜻과 재해·재난에 대처하는 방안 등에 대해 배울 거예요.

만화로 단원 미리보기

연소와 소화

개념 ① 물질이 탈 때 나타나는 현상

실험 동영상

1. 초와 알코올이 탈 때 나타나는 현상 관찰하기

구분	초가 탈 때	알코올이 탈 때
불꽃이 타는 모습	(사진)	(사진)
	• 불꽃의 모양은 위아래로 길쭉한 모양임. • 불꽃의 색깔은 노란색, 붉은색 등 다양함.	• 불꽃의 모양은 위아래로 길쭉한 모양임. • 불꽃의 색깔은 푸른색, 붉은색 등 다양함.
불꽃의 밝기	불꽃의 위치에 따라 밝기가 다름.	불꽃의 위치에 따라 밝기가 다름.
손을 가까이 했을 때	손이 따뜻해짐.	손이 따뜻해짐.
그 밖에 관찰한 것	• 심지 주변이 움푹 팸. • 시간이 지날수록 초의 길이가 줄어듦. • 초가 녹아 촛농이 흘러내리고, 흘러내린 촛농이 굳어 고체가 됨.	• 시간이 지날수록 알코올의 양이 줄어듦. • 불꽃이 흔들림.

→ 불꽃의 윗부분은 밝고 아랫부분은 어둡습니다.
→ 불꽃의 아랫부분이나 옆 부분보다 윗부분이 더 뜨겁습니다.

알게 된 점 »
• 초와 알코올이 탈 때 나타나는 공통적인 현상: 물질이 빛과 열을 내면서 타고, 물질의 양이 변한다. → 빛이 나기 때문에 주변이 밝아지고 열이 나기 때문에 따뜻해집니다.

2. 물질이 탈 때 발생하는 빛이나 열을 이용하는 예 → 불꽃놀이, 숯불, 모닥불 등

주로 빛을 이용한 예	주로 열을 이용한 예

⌃ 케이크 위의 촛불 ⌃ 강물 위에 뜬 유등	⌃ 가스레인지의 불꽃 ⌃ 벽난로의 장작불

용어 기름으로 켜는 등불

☑ **물질이 탈 때 나타나는 현상을 이용하는 예**

물질이 탈 때 발생하는 ❶ [ㅂ]으로 어두운 곳을 밝힐 수 있고, ❷ [ㅇ]로 난방이나 요리를 할 수 있습니다.

물질이 탈 때 발생하는 여러 가지 색깔의 빛을 이용했지.

정답 ❶ 빛 ❷ 열

내 교과서 살펴보기 / **미래엔, 지학사**

탈 물질
빛과 열을 발생하며 타는 물질을 탈 물질이라고 합니다.

⌃ 성냥불   ⌃ 점화기 불

개념② 물질이 탈 때 필요한 것

1. 초가 탈 때 필요한 기체 알아보기
실험에서 같게 해야 할 조건은 초의 크기, 심지의 길이, 아크릴 통으로 촛불을 덮는 시간 등입니다.

① 초 두 개에 불을 붙이고 아크릴 통으로 덮은 후 촛불 관찰하기

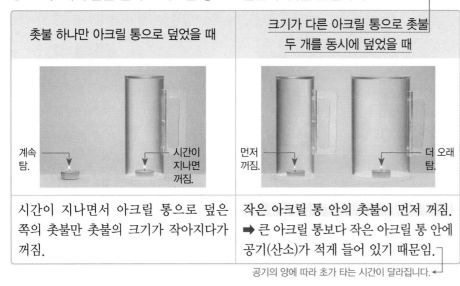

촛불 하나만 아크릴 통으로 덮었을 때	크기가 다른 아크릴 통으로 촛불 두 개를 동시에 덮었을 때
계속 탐. / 시간이 지나면 꺼짐.	먼저 꺼짐. / 더 오래 탐.
시간이 지나면서 아크릴 통으로 덮은 쪽의 촛불만 촛불의 크기가 작아지다가 꺼짐.	작은 아크릴 통 안의 촛불이 먼저 꺼짐. ➡ 큰 아크릴 통보다 작은 아크릴 통 안에 공기(산소)가 적게 들어 있기 때문임.

공기의 양에 따라 초가 타는 시간이 달라집니다.

② 초가 타기 전과 탄 후의 아크릴 통 안에 들어 있는 공기 중의 산소 비율 측정하기

실험 방법

기체 채취기의 손잡이를 당기면 기체가 검지관을 통과하면서 검지관의 색깔이 변해 아크릴 통 안의 산소 비율을 알 수 있음.

초가 타기 전과 타고 난 후의 산소 비율을 각각 측정해.

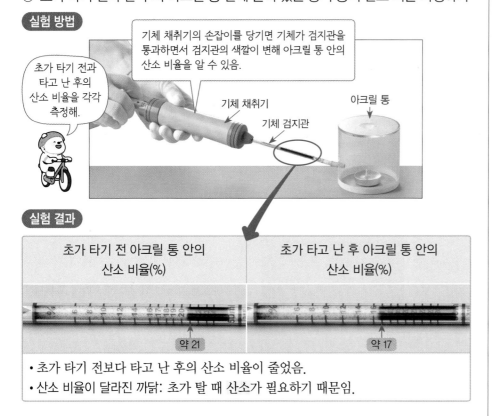

기체 채취기 / 기체 검지관 / 아크릴 통

실험 결과

초가 타기 전 아크릴 통 안의 산소 비율(%)	초가 타고 난 후 아크릴 통 안의 산소 비율(%)
약 21	약 17

• 초가 타기 전보다 타고 난 후의 산소 비율이 줄었음.
• 산소 비율이 달라진 까닭: 초가 탈 때 산소가 필요하기 때문임.

산소는 물질이 잘 타게 도와줍니다.

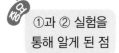

①과 ② 실험을 통해 알게 된 점 ≫
• 물질이 타기 위해서는 산소가 필요하다.
• 산소가 없으면 탈 물질이 있더라도 타지 않는다.

공기(산소)의 양이 ❸(많을 / 적을) 수록 초가 더 오래 탑니다.

공기가 부족해.

난 아직 괜찮은데……

정답 ❸ 많을

3 단원

내 교과서 살펴보기 / 미래엔

크기가 다른 초가 탈 때 변화 관찰

• 방법: 크기가 다른 초 두 개에 불을 동시에 붙인 뒤 촛불의 변화를 관찰합니다.
• 결과: 크기가 작은 초의 촛불이 먼저 꺼집니다. ➡ 초가 타는 데 탈 물질이 필요함을 알 수 있습니다.

2. 불을 직접 붙이지 않고 물질 태워 보기

① 구리판의 가운데를 알코올램프로 가열하기 → 구리판 대신 철판을 사용할 수 있습니다.

실험 동영상

성냥 머리 부분을 구리판의 가운데에 올려놓고 가열할 때	 
	성냥 머리 부분에 불이 붙음.
성냥 머리 부분과 향을 구리판의 원 위에 올려놓고 가열할 때	 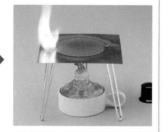
	성냥 머리 부분에 먼저 불이 붙음. ➡ 성냥 머리 부분이 향보다 불이 붙는 온도가 낮기 때문임.

알게 된 점 ≫
- 물질의 온도를 높이면 불을 직접 붙이지 않고도 물질을 태울 수 있다.
- 물질에 따라 불이 붙는 데 걸리는 시간이 다르다.

② 발화점: 어떤 물질이 불에 직접 닿지 않아도 스스로 타기 시작하는 온도

③ 물질에 따라 불이 붙는 데 걸리는 시간이 다른 까닭: 물질의 종류에 따라 발화점이 다르기 때문입니다. → 성냥 머리 부분이 향보다 발화점이 낮고, 발화점이 낮으면 불이 잘 붙습니다.

④ 불을 직접 붙이지 않고 물질을 태우는 방법 예

⚠ 볼록 렌즈로 햇빛을 모아 태우기 ⚠ 성냥갑에 성냥 머리를 마찰하여 불 켜기 ⚠ 부싯돌에 철을 마찰하여 태우기

용어 두 물체를 서로 닿게 하여 비비는 것

산소가 없는 달에서는 물질이 연소할 수 없고, 철, 구리와 같은 금속 물질도 발화점에 도달하면 연소할 수 있어.

3. 연소와 연소의 조건

연소	물질이 산소와 만나 빛과 열을 내는 현상
연소의 조건	연소가 일어나려면 탈 물질, 산소, 발화점 이상의 온도가 필요함.

어떤 물질이 불에 직접 닿지 않아도 스스로 ❹ ☐ ☐ 시작하는 온도를 발화점이라고 합니다.

힘 내! 온도를 더 높여야 한다고!

☑ 연소

물질이 ❺ ☐ ☐ 와 만나 빛과 열을 내는 현상을 연소라고 합니다.

세 가지 조건이 모두 있어야 연소가 일어나.

탈 물질

발화점 이상의 온도   산소

정답 ❹ 타기 ❺ 산소

[1~3] 다음은 초와 알코올이 타는 모습입니다. 물음에 답하시오.

△ 초

△ 알코올

9종 공통

1 초가 탈 때 나타나는 현상으로 옳은 것을 보기 에서 골라 기호를 쓰시오.

보기
ㄱ 불꽃의 모양은 동그란 모양입니다.
ㄴ 불꽃의 색깔은 붉은색으로만 보입니다.
ㄷ 불꽃에 손을 가까이 하면 손이 따뜻해집니다.

(   )

9종 공통

2 다음은 알코올이 탈 때 나타나는 현상에 대한 설명입니다. (   ) 안의 알맞은 말에 ○표를 하시오.

시간이 지날수록 알코올의 양이 (늘어납니다 / 줄어듭니다).

9종 공통

3 다음 중 초와 알코올이 탈 때 공통적으로 나타나는 현상으로 옳지 않은 것은 어느 것입니까? (   )
① 주변이 밝아진다.
② 주변이 따뜻해진다.
③ 빛과 열이 발생한다.
④ 물질의 양이 변하지 않는다.
⑤ 불꽃의 위치에 따라 밝기가 다르다.

천재교육, 천재교과서, 동아, 지학사

4 다음과 같이 초 두 개에 불을 붙이고 크기가 다른 아크릴 통으로 촛불을 동시에 덮었을 때 촛불이 먼저 꺼지는 것의 기호를 쓰시오.

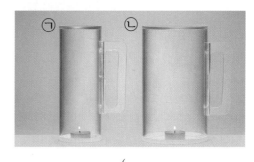

(   )

천재교과서, 지학사

5 오른쪽과 같이 성냥 머리 부분과 향을 구리판의 원 위에 올려놓고 알코올램프로 구리판의 가운데 부분을 가열하였습니다. 불이 붙는 순서에 맞게 줄로 바르게 이으시오.

성냥 머리 부분   향

(1) 향 •   • ㄱ 먼저 불이 붙음.

(2) 성냥 머리 부분 •   • ㄴ 나중에 불이 붙음.

9종 공통

6 다음은 연소의 조건에 대한 설명입니다. ☐ 안에 들어갈 알맞은 말을 쓰시오.

연소가 일어나려면 탈 물질, 산소, ☐ 이상의 온도가 필요합니다.

(   )

Step 1 단원평가

9종 공통

[1~5] 다음은 개념 확인 문제입니다. 물음에 답하시오.

1 초가 탈 때 불꽃의 윗부분과 아랫부분 중 더 밝은 부분은 어느 것입니까? (   )

2 물질이 탈 때에는 (빛 / 열)이 나기 때문에 주변이 밝아지고, (빛 / 열)이 나기 때문에 따뜻해집니다.

3 물질이 타려면 공기 중의 (산소 / 이산화 탄소)가 필요합니다.

4 어떤 물질이 불에 직접 닿지 않아도 스스로 타기 시작하는 온도를 그 물질의 무엇이라고 합니까?
(   )

5 물질이 산소와 만나 빛과 열을 내는 현상을 무엇이라고 합니까? (   )

6 다음 중 오른쪽과 같이 초가 탈 때 관찰할 수 있는 현상으로 옳은 것을 두 가지 고르시오.
(,   )

① 심지 주변이 평평해진다.
② 불꽃의 모양은 동그랗다.
③ 불꽃의 위치에 관계없이 밝기가 일정하다.
④ 불꽃의 색깔은 붉은색, 노란색 등 다양하다.
⑤ 불꽃 옆으로 손을 가까이 하면 손이 따뜻해진다.

9종 공통

7 다음 보기에서 물질이 탈 때 공통적으로 나타나는 현상으로 옳은 것을 골라 기호를 쓰시오.

보기
㉠ 빛과 열이 발생합니다.
㉡ 불꽃의 색깔은 붉은색만 보입니다.
㉢ 시간이 지나도 물질의 양은 변하지 않습니다.

(   )

9종 공통

8 다음 중 물질이 탈 때 나타나는 현상을 이용하는 예가 아닌 것은 어느 것입니까? (   )

①
▲ 케이크 위의 촛불

②
▲ 가스레인지의 불꽃

③
▲ 네온사인

④
▲ 숯불

미래엔

9 다음 중 양초 점토 4.8 g으로 만든 큰 초와 1.2 g으로 만든 작은 초에 불을 동시에 붙였을 때의 결과로 옳은 것은 어느 것입니까? (   )

① 큰 초의 촛불이 먼저 꺼진다.
② 작은 초의 촛불이 먼저 꺼진다.
③ 두 초의 촛불이 동시에 꺼진다.
④ 작은 초의 촛불은 꺼지지 않고 계속 탄다.
⑤ 두 초의 촛불 모두 꺼지지 않고 계속 탄다.

천재교육, 천재교과서, 동아, 지학사

[10~11] 다음과 같이 초 두 개에 불을 붙이고 크기가 다른 아크릴 통으로 촛불을 동시에 덮었습니다. 물음에 답하시오.

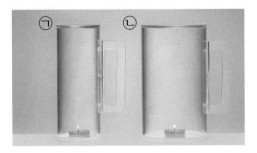

천재교육, 천재교과서, 동아, 지학사

10 위 실험에서 다르게 한 조건을 보기 에서 골라 기호를 쓰시오.

> 보기
> ㉠ 초의 길이
> ㉡ 심지의 길이
> ㉢ 아크릴 통의 크기
> ㉣ 아크릴 통으로 촛불을 덮는 시간

( )

천재교육, 천재교과서, 동아, 지학사

11 다음 중 위 실험 결과에 대한 설명으로 옳은 것은 어느 것입니까? ( )

① ㉠과 ㉡의 촛불이 동시에 꺼진다.
② ㉠의 촛불이 ㉡의 촛불보다 더 오래 탄다.
③ ㉡의 촛불이 ㉠의 촛불보다 더 오래 탄다.
④ ㉠과 ㉡의 촛불 모두 꺼지지 않고 계속 탄다.
⑤ ㉠의 촛불은 꺼지지만, ㉡의 촛불은 꺼지지 않고 계속 탄다.

천재교과서, 지학사

12 다음은 초가 타기 전과 초가 타고 난 후 아크릴 통 안에 들어 있는 공기 중의 산소 비율을 측정한 결과입니다. 이것으로 알 수 있는 초가 탈 때 필요한 기체는 무엇인지 쓰시오.

초가 타기 전 아크릴 통 안의 산소 비율	초가 타고 난 후 아크릴 통 안의 산소 비율
약 21 %	약 17 %

( )

동아, 미래엔, 아이스크림

13 다음과 같이 성냥의 머리 부분과 나무 부분을 철판의 가운데로부터 같은 거리에 올려놓고 철판 가운데 부분을 가열하였을 때의 결과로 옳은 것은 어느 것입니까?

( )

① 성냥의 머리 부분에 먼저 불이 붙는다.
② 성냥의 나무 부분에 먼저 불이 붙는다.
③ 성냥의 머리 부분에는 불이 붙지 않는다.
④ 성냥의 머리 부분과 나무 부분에 동시에 불이 붙는다.
⑤ 성냥의 나무 부분이 머리 부분보다 더 낮은 온도에서 불이 붙는다.

천재교육, 천재교과서, 금성, 김영사, 동아, 비상, 지학사

14 다음 보기 에서 불을 직접 붙이지 않고 물질을 태우는 방법이 아닌 것을 골라 기호를 쓰시오.

> 보기
> ㉠ 점화기로 불을 붙여 태우기
> ㉡ 부싯돌에 철을 마찰하여 태우기
> ㉢ 볼록 렌즈로 햇빛을 모아 태우기

( )

9종 공통

15 다음 중 연소에 대한 설명으로 옳은 것을 두 가지 고르시오. (,)

① 물질이 산소와 만나 빛과 열을 내는 현상이다.
② 연소가 일어나려면 탈 물질과 산소만 있으면 된다.
③ 산소가 없어도 물질의 온도를 높이면 연소가 일어난다.
④ 연소가 일어나려면 탈 물질에 불을 직접 붙여야 한다.
⑤ 연소가 일어나려면 탈 물질, 산소, 발화점 이상의 온도가 필요하다.

3 단원

9종 공통

16 다음과 같이 초와 알코올이 탈 때 공통적으로 나타나는 현상을 두 가지 쓰시오.

⚠ 초

⚠ 알코올

답 물질이 빛과 ^❶ [   ]을/를 내면서 타고, 시간이 지날수록 물질의

양이 ^❷ [   ].

서술형 가이드
어려워하는 서술형 문제!
서술형 가이드를 이용하여 풀어 봐!

16 물질이 탈 때에는 [ ]이 나
기 때문에 주변이 밝아지고,
[ ]이 나기 때문에 따뜻해집
니다.

천재교과서, 지학사

17 다음은 초가 타기 전과 타고 난 후 아크릴 통 안에 들어 있는 공기 중의 산소 비율을 측정한 기체 검지관의 모습입니다.

초가 타기 전 아크릴 통 안의 산소 비율(%)	초가 타고 난 후 아크릴 통 안의 산소 비율(%)
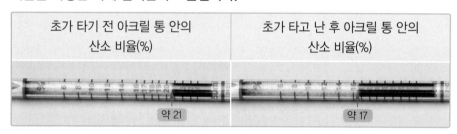약 21	약 17

(1) 초가 타고 난 후 아크릴 통 안에 들어 있는 산소 비율은 초가 타기 전에 비해 어떻게 변하였는지 쓰시오.

(   )

(2) 위 (1)번 답과 같은 결과가 나타나는 까닭을 쓰시오.

_____

_____

17 (1) 초가 타기 전 아크릴 통 안
의 산소 비율이 초가 타고
난 후 아크릴 통 안의 산소
비율보다 (높습 / 낮습)니다.
(2) 물질이 타기 위해서는 공기
중의 [ ][ ]가 필요합
니다.

천재교육, 천재교과서, 금성, 김영사, 동아, 비상, 아이스크림, 지학사

18 오른쪽과 같이 불을 직접 붙이지 않고도 성냥갑에 성냥 머리를 마찰하여 불을 켤 수 있는 까닭을 연소의 조건과 관련지어 쓰시오.

성냥갑 →

_____

18 연소가 일어나려면 탈 물질,
산소, [ ][ ][ ] 이상의
온도가 필요합니다.

Step ③ 수행평가

학습 주제 물질이 탈 때 필요한 것 알아보기

학습 목표 연소의 조건을 설명할 수 있다.

천재교육, 천재교과서, 동아, 지학사

19 다음과 같이 초 세 개에 불을 붙이고 ⓒ과 ⓒ의 촛불만 크기가 다른 아크릴 통으로 동시에 덮었습니다.

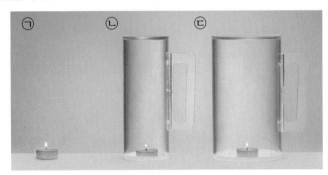

(1) 위 실험에서 촛불이 먼저 꺼지는 것부터 순서대로 기호를 쓰시오.

(   ) → (   ) → (   )

(2) 위 ⓒ과 ⓒ에서 아크릴 통 안에 들어 있는 공기(산소)의 양을 >, =, <를 이용하여 비교하시오.

ⓒ 아크릴 통 안에 들어 있는 공기(산소)의 양	◯	ⓒ 아크릴 통 안에 들어 있는 공기(산소)의 양

천재교과서, 지학사

20 오른쪽과 같이 성냥 머리 부분과 향을 구리판의 원 위에 올려놓고 알코올램프로 구리판의 가운데 부분을 가열하였습니다.

성냥 머리 부분   향

(1) 성냥 머리 부분과 향 중 불이 먼저 붙는 것은 어느 것인지 쓰시오.

(   )

(2) 위 (1)번 답과 같은 결과가 나타나는 까닭을 연소의 조건과 관련지어 쓰시오.

_____

_____

수행평가 가이드
다양한 유형의 수행평가!
수행평가 가이드를 이용해 풀어 봐!

초가 탈 때 필요한 기체 알아보기

초가 타기 전과 타고 난 후의 산소 비율을 비교해 보면 초가 타기 전보다 타고 난 후의 산소 비율이 줄어듭니다. ➡ 초가 탈 때 산소가 필요하기 때문입니다.

3
단원

진도 완료 체크

물질이 산소와 만나 빛과 열을 내는 현상을 연소라고 하고, 연소가 일어나려면 연소의 조건이 모두 있어야 해.

발화점

• 어떤 물질이 불에 직접 닿지 않아도 스스로 타기 시작하는 온도를 그 물질의 발화점이라고 합니다.

• 발화점은 물질의 종류에 따라 다르며, 물질이 타려면 온도가 발화점 이상이 되어야 합니다.

6
연소 후 생성되는 물질 / 소화 방법 / 화재 안전 대책

☑ **푸른색 염화 코발트 종이의 색깔 변화**

푸른색 염화 코발트 종이는 물에 닿으면 **❶** ㅂ ㅇ 색으로 변합니다.

앗, 색깔이 변했어.

푸른색 염화 코발트 종이

물

정답 **❶** 붉은

개념 ❶ 물질이 연소한 후 생기는 것

1. 초가 연소한 후 생성되는 물질 확인하기

실험 동영상

└ 용어 염화 코발트 용액을 종이에 흡수시켜 말려 놓은 것

① 초가 연소한 후 푸른색 염화 코발트 종이의 색깔 변화 알아보기

실험 방법과 결과	**1** 큰 아크릴 통의 안쪽 벽면에 셀로판테이프로 푸른색 염화 코발트 종이를 붙이기 **2** 초에 불을 붙이고 **1**의 아크릴 통으로 촛불을 덮기 **3** 촛불이 꺼지면 푸른색 염화 코발트 종이의 색깔 변화 관찰해 보기 ➡ 푸른색 염화 코발트 종이가 붉은색으로 변함.  ➡ 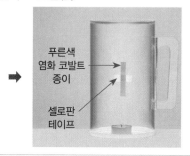 푸른색 염화 코발트 종이 / 셀로판 테이프　　푸른색 염화 코발트 종이 / 셀로판 테이프
알게 된 점	초가 연소한 후에 물이 생성되었다.

② 초가 연소한 후 석회수의 변화 알아보기 → 석회수는 이산화 탄소와 만나면 뿌옇게 흐려집니다.

실험 방법과 결과	**1** 초에 불을 붙이고 작은 아크릴 통으로 촛불 덮기 **2** 촛불이 꺼지면 아크릴 통을 들어 올려 아크릴판으로 입구를 막기 **3** 아크릴 통에 석회수를 붓고 아크릴판으로 입구를 다시 덮은 후 살짝 흔들면서 변화 관찰해 보기 ➡ 석회수가 뿌옇게 흐려짐.  ➡  ➡  아크릴판　　　　석회수　　　　　　석회수
알게 된 점	초가 연소한 후에 이산화 탄소가 생성되었다.

2. 물질이 연소한 후 생성되는 물질

① 물질이 연소하면 물과 이산화 탄소 등이 생성됩니다. ➡ 연소 전의 물질은 연소 후에 다른 물질로 변합니다.

② 초가 연소한 후 생성되는 물질: 물, 이산화 탄소 → 알코올이 연소한 후에도 물과 이산화 탄소가 생성됩니다.

③ 물질이 연소한 후 무게가 줄어드는 까닭: 연소 후 생성된 물질이 공기 중으로 날아갔기 때문입니다.

초가 연소할 때 집기병 안쪽 벽면의 변화

벽면이 뿌옇게 흐려지면서 작은 액체 방울이 맺힙니다.

개념② 불을 끄는 방법

1. 다양한 방법으로 촛불 꺼 보기

① 촛불이 꺼지는 까닭을 연소의 조건과 관련지어 보기
→ 탈 물질, 산소, 발화점 이상의 온도

촛불을 끄는 방법	촛불이 꺼지는 까닭
촛불을 입으로 불기	탈 물질을 없앰.
촛불을 컵으로 덮기	산소 공급을 막음.
촛불에 분무기로 물 뿌리기	발화점 미만으로 온도를 낮춤.
촛불에 휴대용 선풍기 바람을 쏘이기	탈 물질을 없앰.
촛불을 물수건으로 덮기	산소 공급을 막고 발화점 미만으로 온도를 낮춤.
초의 심지를 핀셋으로 집기	탈 물질을 없앰.
촛불에 모래 뿌리기	산소 공급을 막음.

② 소화: 연소가 일어날 때 한 가지 이상의 연소 조건을 없애 불을 끄는 것

촛불을 물수건으로 덮어 끌 때와 같이 불을 끌 때 연소의 조건 중 두 가지 이상을 한꺼번에 없애는 경우도 있습니다.

2. 일상생활에서 불을 끄는 방법

△ 연료 조절 밸브 잠그기

탈 물질 없애기

△ 알코올램프의 뚜껑 덮기

산소 공급 막기

△ 핀셋으로 향초의 심지 집기

△ 소화제 뿌리기

발화점 미만으로 온도 낮추기

△ 소화전을 이용하여 물 뿌리기

△ 살수기로 물 뿌리기

용어 물을 흩어서 뿌리는 기구

✓ 소화 방법

연소가 일어날 때 연소의 조건 중 ❶ [ㅎ] 가지 이상을 없애면 소화가 일어납니다.

탈 물질 제거

연소의 조건 중 한 가지라도 없으면 불이 꺼져.

발화점 미만의 온도

산소

정답 ❷ 한

3 단원

향불에 부채질을 약하게 할 때와 세게 할 때의 차이점

• 부채질을 약하게 할 때: 산소가 공급되어 향불이 잘 탑니다.

• 부채질을 세게 할 때: 탈 물질이 제거되어 향불이 꺼집니다.

개념 알기

개념 ③ 화재가 발생했을 때 대처 방법

1. 다양한 연소 물질에 따른 소화 방법

연소 물질	소화 방법
나무, 종이, 섬유	물이나 소화기로 불을 끌 수 있음.
기름, 가스, 전기	• 소화기를 사용하거나 마른 모래로 덮어 불을 끌 수 있음. • 물을 사용하면 불이 더 크게 번지거나 감전이 될 수 있어 위험함.

용어 전기가 통하고 있는 도체에 신체의 일부가 닿아서 순간적으로 충격을 받는 것

2. 소화기의 종류와 사용 방법 → 소화기를 살펴보면 불을 끌 수 있는 화재의 종류가 표시되어 있습니다.

① 소화기의 종류: 소화기는 용도와 약품 재료 등에 따라 종류가 다양합니다. 예 분무식 소화기, 투척용 소화기, 분말 소화기, 이산화 탄소 소화기

⚠ 분무식 소화기

⚠ 투척용 소화기
→ 화재가 난 곳에 던져 줍니다.

② 소화기의 사용 방법

⚠ "불이야!"를 외치고, 불이 난 곳으로 소화기 옮기기

⚠ 손잡이 부분의 안전핀을 뽑기

⚠ 바람을 등지고 선 후 호스의 끝부분을 잡고 불이 난 방향을 향해 손잡이를 힘껏 움켜쥐기

⚠ 빗자루로 마당을 쓸듯이 앞에서부터 골고루 뿌리기

분말 소화기는 거의 모든 화재에 사용할 수 있어.

3. 화재 안전 대책 → 화재를 예방하기 위한 노력: 소화기 갖추어 두기, 비상구의 통로 막지 않기, 불에 잘 타지 않는 커튼이나 벽지 등을 사용하기 등

① 불을 발견하면 "불이야!"라고 큰 소리로 외치거나 비상벨을 누릅니다.
② 방문이나 손잡이를 살짝 만져 보아 뜨거우면 문을 열지 않습니다.
③ 젖은 수건으로 코와 입을 막고 몸을 낮춰 대피하고 119에 신고합니다.
④ 아래층으로 대피할 때에는 승강기를 이용하지 말고 계단을 이용합니다.
⑤ 아래층으로 대피할 수 없을 때에는 옥상으로 대피합니다.
⑥ 밖으로 대피하기 어려울 때에는 연기가 방 안에 들어오지 못하도록 물을 적신 옷이나 이불로 문틈을 막아야 합니다.

개념 체크

☑ 연소 물질에 따른 소화 방법

화재가 발생하면 연소 물질에 따라 알맞은 방법으로 불을 꺼야 하며, ❸(나무 / 기름)에 의한 화재는 물로 불을 끌 수 있습니다.

출동! 물로 끌 수 없는 불이라면 나에게 맡겨.

☑ 화재 발생 시 대처 방법

화재가 발생했을 때는 젖은 수건으로 코와 ❹ ☐ 을 막고 몸을 낮춰 대피하고, 119에 신고합니다.

승강기 말고 계단을 이용해 대피해야 해.

정답 ❸ 나무 ❹ 입

9종 공통

1 다음 중 푸른색 염화 코발트 종이가 물에 닿았을 때 나타나는 변화로 옳은 것은 어느 것입니까? (   )

① 흰색으로 변한다.

② 노란색으로 변한다.

③ 검은색으로 변한다.

④ 붉은색으로 변한다.

⑤ 푸른색 그대로이다.

9종 공통

2 다음 실험 결과를 통해 알 수 있는 초가 연소한 후 생성되는 물질에 맞게 줄로 바르게 이으시오.

(1)

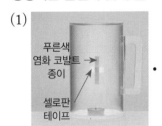

▲ 푸른색 염화 코발트 종이가 붉게 변함.

• ㉠ 이산화 탄소

(2)

▲ 석회수가 뿌옇게 흐려짐.

• ㉡ 물

천재교육, 천재교과서, 미래엔, 지학사

3 다음 보기 에서 알코올이 연소한 후 생성되는 물질을 두 가지 골라 기호를 쓰시오.

보기
㉠ 물   ㉡ 산소
㉢ 질소   ㉣ 이산화 탄소

(,   )

9종 공통

4 다음과 같이 촛불을 입으로 불었을 때 촛불이 꺼지는 까닭으로 옳은 것은 어느 것입니까? (   )

① 산소가 공급되기 때문이다.

② 탈 물질이 없어지기 때문이다.

③ 산소가 공급되지 않기 때문이다.

④ 온도가 발화점 이상으로 높아지기 때문이다.

⑤ 온도가 발화점 미만으로 낮아지기 때문이다.

9종 공통

5 일상생활에서 불을 끄는 방법으로 옳은 것을 다음 보기 에서 세 가지 골라 기호를 쓰시오.

보기
㉠ 산소 공급하기
㉡ 산소 공급 막기
㉢ 탈 물질 없애기
㉣ 탈 물질 공급하기
㉤ 발화점 이상으로 온도 높이기
㉥ 발화점 미만으로 온도 낮추기

(,   ,   )

천재교육, 천재교과서, 금성, 미래엔, 지학사

6 다음은 분말 소화기의 사용 방법 중 일부입니다. (   ) 안의 알맞은 말에 ○표를 하시오.

바람을 (마주 보고 / 등지고) 선 후 소화기 호스의 끝부분을 잡고 불이 난 방향을 향해 손잡이를 힘껏 움켜쥡니다.

3 단원

Step 1 단원평가

9종 공통

[1~5] 다음은 개념 확인 문제입니다. 물음에 답하시오.

1 푸른색 염화 코발트 종이는 물에 닿으면 (뿌옇게 / 붉게) 변합니다.

2 초가 연소한 후 생성되는 물질 두 가지는 무엇입니까?

(,   )

3 촛불을 컵으로 덮으면 (산소 / 이산화 탄소)가 공급되지 않기 때문에 촛불이 꺼집니다.

4 연소가 일어날 때 한 가지 이상의 연소 조건을 없애 불을 끄는 것을 무엇이라고 합니까?

(   )

5 화재가 발생하였을 때 화재 신고를 하는 전화번호는 몇 번입니까? (   )

9종 공통

6 다음은 푸른색 염화 코발트 종이의 성질에 대한 설명입니다. □ 안에 들어갈 알맞은 말을 쓰시오.

푸른색 염화 코발트 종이

푸른색 염화 코발트 종이는 염화 코발트 용액을 종이에 흡수시켜 말려 놓은 것으로, □ 에 닿으면 붉은색으로 변합니다.

(   )

[7~8] 오른쪽은 안쪽 벽면에 푸른색 염화 코발트 종이를 붙인 아크릴 통으로 촛불을 덮은 모습입니다. 물음에 답하시오.

푸른색 염화 코발트 종이

셀로판 테이프

9종 공통

7 위 실험에서 촛불이 꺼진 후 푸른색 염화 코발트 종이를 관찰한 모습으로 옳은 것의 기호를 쓰시오.

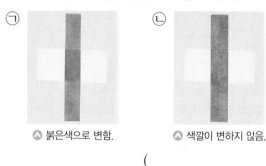

ⓐ 붉은색으로 변함.   ⓐ 색깔이 변하지 않음.

(   )

9종 공통

8 위 7번 답과 같은 결과가 나타나는 까닭으로 옳은 것은 어느 것입니까? (   )

① 초가 연소할 때 물이 필요하기 때문이다.
② 초가 연소한 후 물이 생성되었기 때문이다.
③ 초가 연소할 때 산소가 필요하기 때문이다.
④ 초가 연소한 후 산소가 생성되었기 때문이다.
⑤ 초가 연소한 후 이산화 탄소가 생성되었기 때문이다.

9종 공통

9 다음 실험을 통해 확인할 수 있는 초가 연소한 후 생성되는 물질은 무엇인지 쓰시오.

초에 불을 붙이고 아크릴 통으로 덮은 후, 촛불이 꺼지고 나서 아크릴 통에 석회수를 붓고 살짝 흔들었더니 석회수가 뿌옇게 흐려졌습니다.

석회수

(   )

9종 공통

10 촛불을 끄는 방법과 촛불이 꺼지는 까닭에 맞게 줄로 바르게 이으시오.

(1)
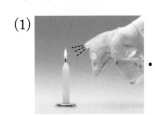
⬆ 촛불에 물 뿌리기

• ㉠ 탈 물질 없애기

(2)

⬆ 촛불을 컵으로 덮기

• ㉡ 산소 공급 막기

(3)

⬆ 촛불을 입으로 불기

• ㉢ 발화점 미만으로 온도 낮추기

9종 공통

11 오른쪽은 향초의 심지를 핀셋으로 집어 불을 끄는 모습입니다. 이와 같은 방법으로 불을 끄는 경우는 어느 것입니까? ( )

①

⬆ 가스레인지의 연료 조절 밸브 잠그기

②

⬆ 알코올램프의 뚜껑 덮기

③

⬆ 소화전으로 물 뿌리기

④
⬆ 살수기로 물 뿌리기

9종 공통

12 다음 중 화재가 발생했을 때 물로 불을 끌 수 있는 연소 물질을 두 가지 고르시오. (,)
① 종이 ② 기름
③ 가스 ④ 나무
⑤ 전기 기구

천재교육, 천재교과서, 금성, 미래엔, 지학사

13 다음은 소화기 사용 방법을 순서에 관계없이 나타낸 것입니다. 순서에 맞게 기호를 쓰시오.

㉠

⬆ "불이야!"를 외치고, 불이 난 곳으로 소화기 옮기기

㉡

⬆ 호스의 끝부분을 잡고 불이 난 방향을 향해 손잡이 움켜쥐기

㉢

⬆ 손잡이 부분의 안전핀 뽑기

㉣

⬆ 빗자루로 마당을 쓸듯이 앞에서부터 골고루 뿌리기

( ) → ( ) → ( ) → ( )

9종 공통

14 다음 중 화재가 발생했을 때의 대처 방법으로 옳지 않은 것은 어느 것입니까? ( )
① 119에 신고한다.
② 화재 경보 비상벨을 누른다.
③ 아래로 대피할 수 없을 때에는 옥상으로 대피한다.
④ 젖은 수건으로 코와 입을 막고 몸을 낮춰 대피한다.
⑤ 밖으로 대피할 때 승강기를 이용해 빠르게 이동한다.

3 단원

15 오른쪽과 같이 안쪽 벽면에 푸른색 염화 코발트 종이를 붙인 아크릴 통으로 촛불을 덮었습니다. 촛불이 꺼졌을 때 염화 코발트 종이의 색깔 변화를 색깔 변화가 나타나는 까닭과 함께 쓰시오.

9종 공통

푸른색 염화 코발트 종이

셀로판 테이프

답 초가 연소한 후에는 **❶** _____ 이/가 생성되기 때문에 푸른색 염화

코발트 종이가 **❷** _____ (으)로 변한다.

서술형 가이드
어려워하는 서술형 문제!
서술형 가이드를 이용하여 풀어 봐!

15 초가 ☐☐한 후에는 물과 이산화 탄소가 생깁니다.

16 오른쪽은 타고 있는 초의 심지를 핀셋으로 집으려는 모습입니다.

9종 공통

(1) 위와 같이 초의 심지를 핀셋으로 집었을 때 촛불은 어떻게 되는지 쓰시오.
(_____)

(2) 위 (1)번 답과 같은 결과가 나타나는 까닭을 쓰시오.

_____

_____

16 (1) 초가 탈 때 초의 심지를 핀셋으로 집으면 (탈 물질 / 산소)이/가 이동하지 못합니다.

(2) 불을 끄는 방법에는 산소 공급 막기, ☐☐☐ 없애기, 발화점 미만으로 온도 낮추기가 있습니다.

17 오른쪽과 같이 전기 기구에서 화재가 발생했을 때의 소화 방법을 쓰시오.

9종 공통

_____

_____

17 기름, 가스, 전기에 의한 화재는 ☐을/를 사용하면 불이 더 크게 번지거나 감전이 될 수 있어 위험합니다.

학습 주제 불을 끄는 방법

학습 목표 연소의 조건과 관련지어 여러 가지 소화 방법을 설명할 수 있다.

[18~20] 다음은 여러 가지 방법으로 촛불을 끄는 모습입니다.

ⓐ

ⓑ

ⓒ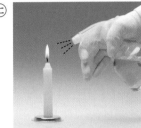

⚠ 촛불을 입으로 불기

⚠ 촛불을 컵으로 덮기

⚠ 촛불에 물 뿌리기

9종 공통

18 위 ⓐ~ⓒ 중 산소 공급을 막아 촛불을 끄는 경우를 골라 기호를 쓰시오.

(　　　　　)

9종 공통

19 다음은 일상생활에서 여러 가지 방법으로 불을 끄는 모습입니다. 위 ⓐ~ⓒ 중 아래와 같은 방법으로 불을 끄는 경우를 골라 각각 기호를 쓰시오.

(1)

(2)

(3)

⚠ 가스레인지의 연료 조절 밸브 잠그기

⚠ 소화전을 이용해 물 뿌리기

⚠ 알코올램프의 뚜껑 덮기

(　　　　) (　　　　) (　　　　)

9종 공통

20 위 ⓐ~ⓒ을 바탕으로 연소의 조건 세 가지와 관련지어 소화의 정의를 쓰시오.

_____

_____

수행평가 가이드

다양한 유형의 수행평가! 수행평가 가이드를 이용해 풀어 봐!

촛불을 끄는 방법 예

• 촛불에 모래 뿌리기
• 촛불을 물수건으로 덮기
• 초의 심지를 핀셋으로 집기
• 초의 심지를 촛농에 담그기
• 촛불에 휴대용 선풍기 바람을 쏘이기

산소가 없으면 탈 물질이 있더라도 타지 않아.

소화 방법

연소가 일어날 때 한 가지 이상의 연소 조건을 없애면 불을 끌 수 있습니다.

Q 배점 표시가 없는 문제는 문제당 4점입니다.

[1~3] 다음은 초와 알코올이 타는 모습입니다. 물음에 답하시오.

△ 초

△ 알코올

9종 공통

1 위와 같이 초가 탈 때 나타나는 현상을 관찰한 결과를 정리한 것입니다. ㉠~㉣ 중 옳지 <u>않은</u> 내용을 골라 기호를 쓰시오.

불꽃이 타는 모습	㉠ 불꽃의 모양은 위아래로 길쭉한 모양임. ㉡ 불꽃의 색깔은 노란색, 붉은색 등 다양함.
불꽃의 밝기	㉢ 불꽃의 윗부분은 어둡고, 아랫부분은 밝음.
손을 가까이 했을 때의 느낌	㉣ 손이 따뜻해짐.

(   )

9종 공통

2 위와 같이 알코올이 탈 때 알코올 양의 변화를 관찰한 결과로 옳은 것을 보기에서 골라 기호를 쓰시오.

> 보기
> ㉠ 시간이 지날수록 알코올의 양이 늘어납니다.
> ㉡ 시간이 지날수록 알코올의 양이 줄어듭니다.
> ㉢ 시간이 지나도 알코올의 양은 변하지 않습니다.

(   )

9종 공통

3 다음 중 앞의 초와 알코올이 탈 때의 공통점을 두 가지 고르시오. (,   )
① 촛농이 생긴다.   ② 빛이 발생한다.
③ 열이 발생한다.   ④ 불꽃의 색깔이 같다.
⑤ 불꽃이 흔들리지 않는다.

9종 공통

4 다음 중 물질이 탈 때 나타나는 현상을 이용하는 예가 <u>아닌</u> 것은 어느 것입니까? (   )
① 가스레인지의 불꽃을 이용해 음식을 익힌다.
② 생일 케이크에 촛불을 켜면 주변이 밝아진다.
③ 추울 때 벽난로에 장작불을 지펴 따뜻하게 한다.
④ 어두운 밤에 방 안을 밝히기 위해 형광등을 켠다.
⑤ 어두운 밤에 강물 위에 유등을 띄우면 주변이 밝아진다.

📚 서술형·논술형 문제   천재교육, 천재교과서, 동아, 지학사

5 다음과 같이 초 두 개에 불을 붙이고 크기가 다른 아크릴 통으로 촛불을 동시에 덮었습니다. [총 12점]

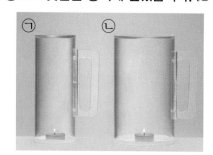

(1) 위 실험에서 초가 더 오래 타는 것의 기호를 쓰시오. [4점]

(   )

(2) 위 (1)번 답과 같은 결과가 나타나는 까닭을 쓰시오. [8점]

_____

_____

6 다음은 초가 타기 전과 타고 난 후 아크릴 통 안에 들어 있는 공기 중의 산소 비율을 측정한 기체 검지관의 모습입니다. 초가 타고 난 후 공기 중의 산소 비율에 해당하는 것을 골라 기호를 쓰시오.

약 21 %

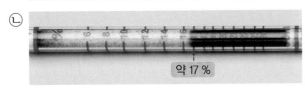
약 17 %

(   )

7 다음 ☐ 안에 공통으로 들어갈 알맞은 기체를 쓰시오.

> • 물질이 타려면 탈 물질과 ☐이/가 필요 합니다.
> • 탈 물질이 없으면 ☐이/가 아무리 많아도 타지 않고, ☐이/가 없으면 탈 물질이 있더라도 타지 않습니다.

(   )

8 오른쪽과 같이 성냥 머리 부분을 핫플레이트 위의 철판에 올려놓고 가열하였을 때의 결과에 대한 설명입니다. ☐ 안에 들어갈 알맞은 말을 쓰시오.

성냥 머리 부분

> 성냥 머리 부분에 직접 불을 붙이지 않았지만 성냥 머리 부분의 온도가 ☐ 이상으로 높아 지기 때문에 불이 붙습니다.

(   )

서술형·논술형 문제

9 다음과 같이 성냥 머리 부분과 향을 구리판의 원 위에 올려놓고 알코올램프로 구리판의 가운데 부분을 가열해 보았습니다. [총 12점]

성냥 머리 부분   향

(1) 위 실험에서 성냥 머리 부분과 향 중 불이 먼저 붙는 것부터 순서대로 쓰시오. [4점]

(   ) → (   )

(2) 위 (1)번 답과 같은 결과가 나타나는 까닭을 쓰시오. [8점]

_____

_____

3 단원

10 다음 중 불을 직접 붙이지 않고 물질을 태우는 방법이 아닌 것은 어느 것입니까? (   )

①
볼록 렌즈
볼록 렌즈로 햇빛 모으기

②
성냥갑
성냥갑에 성냥 머리 마찰 하기

③
점화기로 불 붙이기

④
부싯돌
부싯돌에 철 마찰하기

9종 공통

11 다음 ☐ 안에 들어갈 알맞은 말을 보기 에서 골라 각각 쓰시오.

> **보기**
> 연소, 산소, 소화, 발화점, 탈 물질

(1) 물질이 ☐ 와/과 만나 빛과 열을 내는 현상을 ☐ (이)라고 합니다.

(2) 연소가 일어나려면 ☐ , 산소, 발화점 이상의 온도가 필요합니다.

(3) 어떤 물질이 불에 직접 닿지 않아도 스스로 타기 시작하는 온도를 ☐ (이)라고 합니다.

(4) 연소가 일어날 때 한 가지 이상의 연소 조건을 없애 불을 끄는 것을 ☐ (이)라고 합니다.

[12~13] 다음은 초가 연소한 후 생성되는 물질을 확인하는 실험입니다. 물음에 답하시오.

1️⃣ 큰 아크릴 통의 안쪽 벽면에 셀로판테이프로 푸른색 염화 코발트 종이 붙이기

2️⃣ 초에 불을 붙이고 1️⃣의 아크릴 통으로 촛불 덮기

3️⃣ 촛불이 꺼지면 푸른색 염화 코발트 종이의 색깔 변화를 관찰하기

푸른색 염화 코발트 종이
셀로판 테이프

9종 공통

12 다음 중 위 실험 결과 푸른색 염화 코발트 종이의 색깔 변화로 옳은 것은 어느 것입니까? ( )

① 흰색으로 변한다.
② 노란색으로 변한다.
③ 검은색으로 변한다.
④ 붉은색으로 변한다.
⑤ 색깔이 변하지 않는다.

9종 공통

13 다음 중 앞의 실험을 통해 알 수 있는 점으로 옳은 것은 어느 것입니까? ( )

① 초가 연소할 때에는 물이 필요하다.
② 초가 연소한 후에는 물이 생성된다.
③ 초가 연소한 후에는 산소가 생성된다.
④ 초가 연소한 후에는 이산화 탄소가 생성된다.
⑤ 초가 연소한 후에는 아무것도 생성되지 않는다.

[14~15] 초에 불을 붙이고 아크릴 통으로 촛불을 덮은 후, 촛불이 꺼지고 나서 다음과 같이 아크릴 통에 석회수를 붓고 살짝 흔들면서 변화를 관찰하였습니다. 물음에 답하시오.

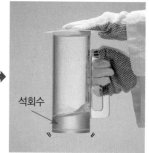

아크릴판
석회수

9종 공통

14 다음 중 위 실험 결과로 옳은 것은 어느 것입니까?
( )

① 석회수가 뿌옇게 흐려진다.
② 석회수가 푸른색으로 변한다.
③ 석회수가 붉은색으로 변한다.
④ 석회수가 노란색으로 변한다.
⑤ 석회수는 아무런 변화가 없다.

9종 공통

15 다음은 위 14번 답과 같은 결과가 나타난 까닭입니다. ☐ 안에 들어갈 알맞은 말을 쓰시오.

> 초가 연소한 후에 ☐ 이/가 생성되었기 때문입니다.

( )

16 다음과 같이 촛불에 분무기로 물을 뿌리면 촛불이 꺼지는 까닭을 연소의 조건과 관련지어 쓰시오. [8점]

17 다음은 여러 가지 방법으로 불을 끄는 모습입니다. 소화 방법에 해당하는 것을 골라 각각 기호를 쓰시오.

△ 향초의 심지를 핀셋으로 집기

△ 알코올램프의 뚜껑 덮기

△ 소화전을 이용해 물 뿌리기

△ 소화제 뿌리기

△ 연료 조절 밸브 잠그기

△ 살수기로 물 뿌리기

(1) 탈 물질 없애기: (　　　　,　　　　)

(2) 산소 공급 막기: (　　　　,　　　　)

(3) 발화점 미만으로 온도 낮추기:

(　　　　,　　　　)

18 다음 중 전기 기구에 의한 화재가 발생했을 때 불을 끄는 방법에 대해 <u>잘못</u> 말한 친구의 이름을 쓰시오.

> 지원: 물로 불을 끌 수 있어.
> 준재: 소화기를 사용해 불을 꺼야 해.
> 서연: 마른 모래로 덮어 불을 끌 수 있어.

(　　　　　　　　　　)

19 오른쪽은 분말 소화기의 구조를 나타낸 것입니다. ㉠~㉢ 중 안전핀을 골라 기호를 쓰시오.

(　　　　　　　　　　)

20 다음 중 화재가 발생했을 때 대처 방법으로 옳지 <u>않은</u> 것은 어느 것입니까? (　　　　)

①
△ 큰 소리로 "불이야!"라고 외침.

②
△ 젖은 수건으로 코와 입을 막음.

③
△ 연기가 방 안에 들어오도록 문틈이 막히지 않게 함.

④
△ 아래로 대피하기 어려울 때에는 옥상으로 대피함.

연관 학습 안내

이 단원의 학습	중학교
우리 몸의 구조와 기능 우리 몸속의 여러 기관과 기관이 서로 주고받는 영향에 대해 배워요.	자극과 반응 감각 기관으로 받아들인 자극과 신경계를 통한 반응에 대해 배울 거예요.

우리 몸의 구조와 기능

4

🌀 **단원 안내**

(1) 운동 기관
(2) 소화 기관 / 호흡 기관 / 순환 기관 / 배설 기관
(3) 감각 기관과 자극의 전달 / 운동할 때 일어나는 몸의 변화

너무 뛰었나 봐. 숨쉬기가 힘들어.

호흡 기관도 약하군. 심호흡을 해봐.

숨을 크게 들이마셔. 그럼 공기가 코, 기관, 기관지, 폐의 순서로 들어가서 안정이 될 거야.

이제야 편하군. 그럼 본격적으로 움직여 볼까?

맛있다. 먹으니 이제 힘이 솟는군.

다 먹었으면 괴도 팡팡을 잡으러 가자.

몸이 이상해. 심장이 빨리 뛰고 있어. 혹시 여기에 독약을……

아니. 그건 심장이 빨리 뛰어서 많은 혈액을 이동시켜서 그래.

그럼 다행이야. 소화도 빠른 거 같아.

윽, 냄새!

에잇, 더러워!

이어서
개념 웹툰

개념① **우리 몸의 운동 기관** → 우리가 살아가는 데 필요한 일을 하는 몸속 부분

1. 운동 기관: 몸을 움직이는 뼈와 근육 등

2. 운동 기관의 생김새

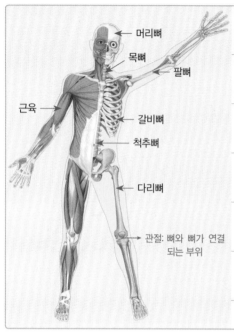

머리뼈	위쪽은 둥글고, 아래쪽은 각이 져 있음. → 바가지 모양입니다.
목뼈	모양이 비슷한 여러 개의 조각으로 이루어져 있음.
팔뼈	길이가 길고, 아래쪽 뼈는 긴뼈 두 개로 이루어져 있음.
갈비뼈	휘어 있고, 여러 개가 있으며 좌우로 둥글게 연결되어 안쪽에 공간을 만듦.
척추뼈	짧은뼈 여러 개가 세로로 이어져 기둥을 이룸.
다리뼈	팔뼈보다 길고 굵으며, 아래쪽 뼈는 긴뼈 두 개로 이루어져 있음.
근육	뼈에 연결되어 있음.

관절: 뼈와 뼈가 연결되는 부위

3. 뼈와 근육 모형 만들기

내 교과서 살펴보기 / **천재교과서, 동아, 미래엔, 비상, 아이스크림**

실험 방법	**1** 오른쪽과 같이 모형을 만들기 **2** 주름 빨대로 비닐봉지에 공기를 불어 넣어 손 그림의 움직임과 비닐봉지의 길이 변화 알아보기  손 그림 / 비닐봉지 / 주름 빨대 / 뼈 모형
실험 결과	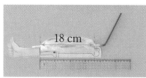 ⬆ 공기를 불어 넣기 전 (18 cm)  ⬆ 공기를 불어 넣은 후 (14 cm) 비닐봉지가 부풀어 오릅니다. ➡ 공기를 불어 넣으면 비닐봉지의 길이가 줄어들고, 손 그림이 위로 올라옴.
알게 된 점	팔을 구부리고 펴는 원리 • 팔 안쪽 근육의 길이가 줄어들면 아래팔뼈가 올라와 팔이 구부러진다. • 팔 안쪽 근육의 길이가 늘어나면 아래팔뼈가 내려가 팔이 펴진다.

4. 뼈와 근육이 하는 일

뼈	• 우리 몸의 형태를 만들고 몸을 지탱함. • 심장, 폐, 뇌 등 몸속 기관을 보호함.
근육	뼈에 연결되어 길이가 줄어들거나 늘어나면서 뼈를 움직이게 함.

우리 몸의 뼈와 **❶** [ㄱ][ㅇ] 을 운동 기관이라고 합니다.

내 근육 어때?

백열하나 / 백열둘 / 오~

정답 **❶** 근육

뼈 모형은 우리 몸의 뼈를, 비닐봉지는 우리 몸의 근육을 나타내지.

내 교과서 살펴보기 / **천재교과서, 금성, 김영사**

팔을 폈을 때와 구부렸을 때의 뼈와 근육의 움직임

팔 안쪽 근육 / 아래팔뼈

• 팔을 폈을 때: 팔 안쪽 근육이 펴지고, 아래팔뼈는 내려감.
• 팔을 구부렸을 때: 팔 안쪽 근육이 오므라들고, 아래팔뼈는 올라옴.

개념 다지기

9종 공통

1 다음은 우리 몸에 대한 설명입니다. □ 안에 공통으로 들어갈 알맞은 말을 쓰시오.

> • 우리가 살아가는 데 필요한 일을 하는 몸속 부분을 □□□(이)라고 합니다.
> • 뼈와 근육은 우리 몸의 운동 □□입니다.

( )

9종 공통

2 다음 중 뼈에 대한 설명으로 옳지 <u>않은</u> 것은 어느 것입니까? ( )

① 크기와 모양이 다양하다.
② 몸을 움직이는 데 필요하다.
③ 목뼈와 팔뼈의 생김새는 다르다.
④ 갈비뼈는 휘어 있고, 좌우로 둥글게 연결되어 있다.
⑤ 머리뼈는 길이가 길고, 세로로 이어져 기둥을 이룬다.

천재교육, 금성, 김영사, 동아

3 다음의 우리 몸의 뼈를 생김새에 알맞게 줄로 바르게 이으시오.

(1) 목뼈 • • ㉠ 길이가 길고, 아래쪽 뼈는 긴 뼈 두 개로 이루어져 있음.

(2) 팔뼈 • • ㉡ 모양이 비슷한 여러 개의 조각으로 이루어져 있음.

[4~6] 다음은 뼈 모형, 비닐봉지, 주름 빨대 등을 사용하여 만든 뼈와 근육 모형입니다. 물음에 답하시오.

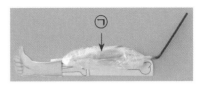

천재교과서, 동아, 미래엔, 비상, 아이스크림

4 다음 중 위 모형의 ㉠이 나타내는 것은 우리 몸의 어느 부분입니까? ( )

① 뼈 ② 관절 ③ 근육
④ 지방 ⑤ 아래팔뼈

천재교과서, 동아, 미래엔, 비상, 아이스크림

5 다음 중 위 모형의 주름 빨대로 공기를 불어 넣기 전과 후의 비닐봉지의 길이에 대해 바르게 설명한 친구의 이름을 쓰시오.

> 선영: 비닐봉지의 길이는 공기를 불어 넣기 전이 공기를 불어 넣은 후보다 길어.
> 서진: 비닐봉지의 길이는 공기를 불어 넣은 후가 공기를 불어 넣기 전보다 길어.
> 민아: 비닐봉지의 길이는 공기를 불어 넣기 전과 후가 같아.

( )

천재교과서, 동아, 미래엔, 비상, 아이스크림

6 다음은 위 모형에 공기를 불어 넣는 실험을 통해 알게 된 팔을 구부리는 원리입니다. ( ) 안의 알맞은 말에 ○표를 하시오.

> 팔 안쪽 (뼈 / 근육)의 길이가 줄어들면 아래 팔뼈가 올라와 팔이 구부러집니다.

4 단원

개념 알기

6 소화 기관 / 호흡 기관 / 순환 기관 / 배설 기관

개념 체크

개념① 우리 몸의 소화 기관

1. **소화**: 음식물의 영양소를 몸속으로 흡수할 수 있게 음식물을 잘게 쪼개고 분해하는 과정 → 우리가 생활하는 데 필요한 에너지와 영양소를 음식물에서 얻는 과정입니다.

2. **소화 기관**: 음식물의 소화와 흡수 등을 담당하는 입, 식도, 위, 작은창자, 큰창자, 항문 등

3. 소화 기관의 생김새와 하는 일

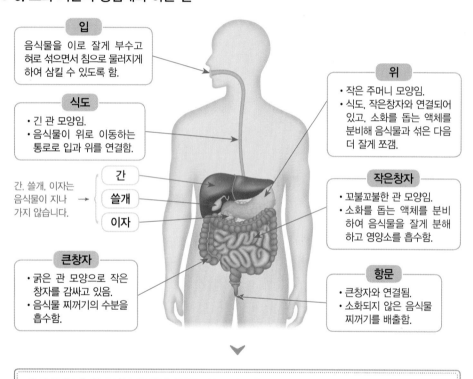

입
음식물을 이로 잘게 부수고 혀로 섞으면서 침으로 물러지게 하여 삼킬 수 있도록 함.

식도
• 긴 관 모양임.
• 음식물이 위로 이동하는 통로로 입과 위를 연결함.

간, 쓸개, 이자는 음식물이 지나 → 간 / 쓸개 / 이자 가지 않습니다.

위
• 작은 주머니 모양임.
• 식도, 작은창자와 연결되어 있고, 소화를 돕는 액체를 분비해 음식물과 섞은 다음 더 잘게 쪼갬.

작은창자
• 꼬불꼬불한 관 모양임.
• 소화를 돕는 액체를 분비하여 음식물을 잘게 분해하고 영양소를 흡수함.

큰창자
• 굵은 관 모양으로 작은창자를 감싸고 있음.
• 음식물 찌꺼기의 수분을 흡수함.

항문
• 큰창자와 연결됨.
• 소화되지 않은 음식물 찌꺼기를 배출함.

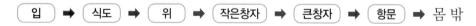

음식물을 잘게 쪼개고 분해하여 영양소와 수분을 흡수하고, 나머지는 항문으로 배출함. 이 과정에서 간, 쓸개, 이자가 소화를 도움.
→ 소화를 돕는 액체를 분비합니다.

4. 음식물이 이동하는 소화 기관의 순서

입 ➡ 식도 ➡ 위 ➡ 작은창자 ➡ 큰창자 ➡ 항문 ➡ 몸 밖

5. 음식물을 더 잘 소화할 수 있는 방법: 음식물이 더 잘게 부서질 수 있도록 입에서 음식물을 꼭꼭 잘 씹어야 합니다.

☑ **소화**

음식물의 ❶(영양소 / 찌꺼기)를 몸속으로 흡수할 수 있게 음식물을 잘게 쪼개고 분해하는 과정입니다.

소화 잘 되게 꼭꼭 씹어 먹어.

정답 ❶ 영양소

내 교과서 살펴보기 / **천재교과서**

우리가 하루 동안 먹은 음식물의 무게와 항문으로 배출한 대변의 무게 비교

• 음식물의 무게 > 대변의 무게
• 대변보다 음식물이 더 무거운 까닭: 우리가 먹은 음식물은 소화 기관을 거치면서 음식물의 영양소와 수분이 몸으로 많이 흡수되기 때문입니다.

개념② 우리 몸의 호흡 기관

1. 호흡: 숨을 들이마시고 내쉬는 활동

2. 호흡 기관: 호흡을 담당하는 코, 기관, 기관지, 폐 등

3. 호흡 기관의 생김새와 하는 일

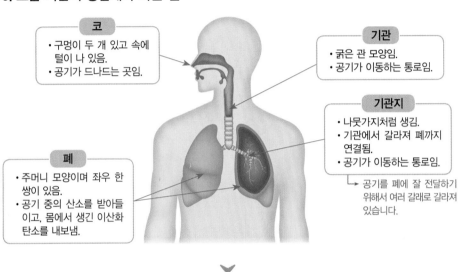

코
- 구멍이 두 개 있고 속에 털이 나 있음.
- 공기가 드나드는 곳임.

기관
- 굵은 관 모양임.
- 공기가 이동하는 통로임.

기관지
- 나뭇가지처럼 생김.
- 기관에서 갈라져 폐까지 연결됨.
- 공기가 이동하는 통로임.

→ 공기를 폐에 잘 전달하기 위해서 여러 갈래로 갈라져 있습니다.

폐
- 주머니 모양이며 좌우 한 쌍이 있음.
- 공기 중의 산소를 받아들이고, 몸에서 생긴 이산화 탄소를 내보냄.

⌄

코로 들어온 공기는 기관, 기관지를 통해 이동하며, 폐는 몸 밖에서 들어온 산소를 받아들이고 몸 안에서 생긴 이산화 탄소를 몸 밖으로 내보냄.

4. 숨을 들이마시고 내쉴 때 몸속에서의 공기의 이동

① 숨을 들이마실 때 공기의 이동: 코 ➡ 기관 ➡ 기관지 ➡ 폐

② 숨을 내쉴 때 공기의 이동: 폐 ➡ 기관지 ➡ 기관 ➡ 코

내 교과서 살펴보기 / **천재교육, 금성, 아이스크림, 지학사**

숨을 들이마시고 내쉴 때 폐의 크기와 가슴둘레의 변화

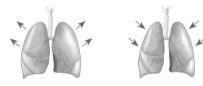

🔺 숨을 들이마실 때의 폐　　🔺 숨을 내쉴 때의 폐

- 숨을 들이마실 때: 폐의 크기와 가슴 둘레가 커집니다.
- 숨을 내쉴 때: 폐의 크기와 가슴둘레가 작아집니다.

☑ **호흡 기관**

호흡을 담당하는 코, 기관, 기관지, ❷[ㅍ]를 호흡 기관이라고 합니다.

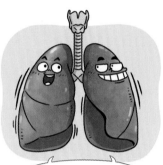

우리는 공기 중의 산소를 받아들이고, 몸속의 이산화 탄소를 몸 밖으로 내보내지.

산소는 우리가 몸을 움직이고 기관이 일을 하는 데 사용돼. 그 결과 이산화 탄소가 생기지.

☑ **몸속에서 공기의 이동**

숨을 들이마실 때 ❸(코 / 폐)로 들어온 공기는 기관, 기관지를 거쳐 ❹(코 / 폐)에 도달합니다.

야~ 상쾌하다.

맑은 공기가 폐까지 잘 도달하겠지?

정답 ❷ 폐 ❸ 코 ❹ 폐

4

단원

개념 ③ 우리 몸의 순환 기관

1. **혈액 순환**: 혈액이 소화 기관에서 흡수한 영양소와 호흡 기관에서 흡수한 산소 등을 싣고 온몸을 도는 것

2. **순환 기관**: 혈액의 이동에 관여하는 심장과 혈관 등

3. **순환 기관의 생김새**

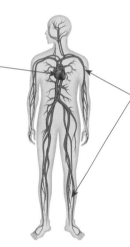

심장
- 가슴 가운데에서 약간 왼쪽으로 치우쳐 있음.
- 둥근 주머니 모양임.
- 자신의 주먹만 한 크기임.
- 펌프 작용으로 혈액을 순환시킴.
  └→ 심장은 오므라들었다 부풀었다를 반복하면서 혈액을 온몸으로 보냅니다.

혈관
- 온몸에 복잡하게 퍼져 있음.
- 굵기가 굵은 것부터 매우 가는 것까지 여러 가지임.
- 혈액이 이동하는 통로임.

4. **순환 기관이 하는 일 알아보기**

① 실험 방법

내 교과서 살펴보기 / 천재교육, 천재교과서, 동아, 비상, 지학사

실험 동영상

1 오른쪽과 같이 장치하고 펌프를 **빠르게** 누르거나 느리게 누르면서 붉은 색소 물이 이동하는 모습을 관찰하기 → 한쪽 관으로 붉은 색소 물을 빨아들이고 다른 쪽 관으로 내보냅니다.

2 주입기의 펌프와 관, 붉은 색소 물은 각각 우리 몸의 어느 부분에 해당하는지 알아보기

펌프
관
수조
붉은 색소 물

② 실험 결과

주입기의 펌프	붉은 색소 물의 이동 빠르기	붉은 색소 물의 이동량
빠르게 누를 때	빠르게 움직임.	많아짐.
느리게 누를 때	느리게 움직임.	적어짐.

③ 주입기의 펌프와 관, 붉은 색소 물이 우리 몸에 해당하는 부분

구분	주입기의 펌프	주입기의 관	붉은 색소 물
우리 몸	심장	혈관	혈액

④ **알게 된 점**: 심장의 펌프 작용으로 심장에서 나온 혈액이 혈관을 통해 온몸으로 이동하여 영양소와 산소를 공급하고, 다시 심장으로 돌아오는 과정을 반복합니다.

☑ **심장**

심장은 펌프 작용으로 우리 몸의 ⑤ ⬜⬜ 을 순환시킵니다.

펌프 작용으로 혈액을 순환시키고 있나 봐.

두근 두근

정답 ⑤ 혈액

심장이 빨리 뛸 때는 혈액이 이동하는 빠르기가 빨라지고, 혈액의 이동량이 많아져.

심장이 느리게 뛸 때는 혈액이 이동하는 빠르기가 느려지고, 혈액의 이동량이 적어지지.

내 교과서 살펴보기 / 지학사

우리 몸 전체에 혈관이 퍼져 있는 까닭
- 혈액 속 산소와 영양소를 몸 전체에 골고루 전달하기 위해서입니다.
- 몸에서 생긴 이산화 탄소와 노폐물을 운반하여 몸 밖으로 내보내기 위해서입니다.

개념④ 우리 몸의 배설 기관

1. 배설: 혈액 속의 노폐물을 오줌으로 만들어 몸 밖으로 내보내는 것

➥ **용어** 우리 몸에서 에너지를 만들고 사용하는 과정에서 생긴 필요 없는 것

2. 배설 기관: 배설을 담당하는 콩팥, 오줌관, 방광, 요도 등

3. 배설 기관의 생김새

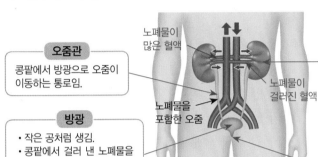

오줌관
콩팥에서 방광으로 오줌이 이동하는 통로임.

방광
· 작은 공처럼 생김.
· 콩팥에서 걸러 낸 노폐물을 모아 두었다가 몸 밖으로 내보냄.

노폐물이 많은 혈액
노폐물이 걸러진 혈액
노폐물을 포함한 오줌

콩팥
· 주먹만 한 크기의 강낭콩 모양으로 등허리에 좌우 한 쌍이 있음.
· 혈액을 운반하는 혈관과 연결되어 있고, 혈액 속의 노폐물을 걸러 오줌으로 만듦.

요도
오줌이 몸 밖으로 이동하는 통로임.

⌄

┌───┐
노폐물은 혈액에 실려 이동하다가 콩팥에서 걸러지고, 걸러진 노폐물은 오줌이 됨.
노폐물이 걸러진 혈액은 다시 온몸을 순환함.
└───┘

4. 배설 기관이 하는 일 알아보기

① 실험 방법

내 교과서 살펴보기 / **천재교과서**

1 거름망을 비커에 걸쳐 놓기
2 다른 비커에 노란 색소 물과 붉은색 모래를 넣고 잘 섞어 **1**의 거름망 위에 붓기
3 거름망, 노란 색소 물, 붉은색 모래는 각각 우리 몸의 어느 부분에 해당하는지 알아보기

거름망

노란 색소 물과 붉은색 모래

② 실험 결과

· 노란 색소 물만 거름망을 통과하여 비커에 모이고, 붉은색 모래는 거름망 위에 남아 있습니다.

· 노란 색소 물과 붉은색 모래가 분리됩니다.

③ 거름망, 노란 색소 물, 붉은색 모래가 우리 몸에 해당하는 부분

구분	거름망	노란 색소 물	붉은색 모래
우리 몸	콩팥	오줌(노폐물)	노폐물이 걸러진 혈액

④ 알게 된 점: 콩팥에서 혈액 속의 노폐물을 걸러 오줌을 만듭니다.

혈액 속의 노폐물을 **❻**

으로 만들어 몸 밖으로 내보내는 것을 배설이라고 합니다.

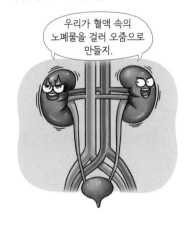

우리가 혈액 속의 노폐물을 걸러 오줌으로 만들지.

정답 ❻ 오줌

4
단원

내 교과서 살펴보기 / **천재교과서, 지학사**

우리 몸의 배설 기관 중 방광이 없을 때 생길 수 있는 일

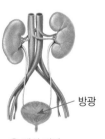

방광

△ 배설 기관

· 방광이 없다면 콩팥에서 만들어진 오줌이 바로바로 몸 밖으로 나와 계속 오줌이 마려울 것입니다.

· 방광이 없으면 오줌이 쉴 새 없이 나오기 때문에 어떤 일을 하거나 돌아다니기도 힘들 것입니다.

9종 공통

[1~5] 다음은 개념 확인 문제입니다. 물음에 답하시오.

1 뼈에 연결되어 길이가 줄어들거나 늘어나면서 뼈를 움직이게 하는 운동 기관은 무엇입니까?

( )

2 음식물의 영양소를 몸속으로 흡수할 수 있게 음식물을 잘게 쪼개고 분해하는 과정을 무엇이라고 합니까?

( )

3 위와 식도 중에서 작은창자와 연결되어 있고, 소화를 돕는 액체를 분비하는 기관은 어느 것입니까?

( )

4 숨을 들이마실 때 코로 들어온 공기는 기관, 기관지를 거쳐 어느 기관에 도달합니까?

( )

5 콩팥과 방광 중에서 혈액 속의 노폐물을 걸러 오줌을 만드는 것은 어느 것입니까?

( )

9종 공통

6 다음 중 우리 몸의 뼈가 하는 일을 바르게 말한 친구의 이름을 쓰시오.

세현: 숨을 들이마시는 일을 해.
연진: 우리 몸의 형태를 만들어.
정민: 음식물을 소화시키고 흡수해.

( )

천재교과서, 금성, 김영사

7 다음과 같이 팔을 구부렸을 때 팔 안쪽 근육의 변화에 대한 설명으로 옳은 것을 두 가지 고르시오.

(,)

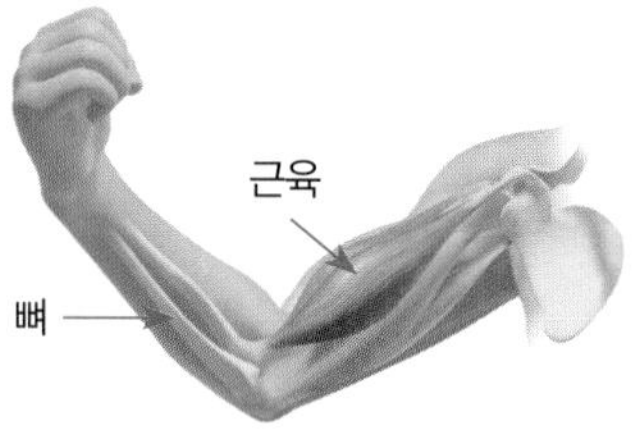

근육

뼈

△ 팔을 구부렸을 때 뼈와 근육의 모습

① 팔 안쪽 근육이 펴진다.
② 팔 안쪽 근육이 오므라든다.
③ 팔 안쪽 근육의 길이가 줄어든다.
④ 팔 안쪽 근육의 길이가 늘어난다.
⑤ 팔 안쪽 근육에 아무런 변화가 없다.

9종 공통

8 다음은 소화 기관에 대한 설명입니다. ☐ 안에 들어갈 알맞은 말을 쓰시오.

소화 기관에는 음식물의 소화와 ☐ 등을 담당하는 입, 식도, 위, 작은창자, 큰창자, 항문 등이 있습니다.

( )

9종 공통

9 다음은 음식물이 이동하는 소화 기관의 순서입니다. ㉠과 ㉡에 들어갈 알맞은 기관을 각각 쓰시오.

입 → ㉠ → 위 → ㉡ → 큰창자 → 항문

㉠ ( )

㉡ ( )

천재교육, 천재교과서, 김영사, 동아, 미래엔

9종 공통

10 다음 중 호흡에 대한 설명으로 옳지 <u>않은</u> 것은 어느 것입니까? (   )

① 숨을 들이마실 때 코로 공기가 들어온다.

② 호흡은 숨을 들이마시고 내쉬는 활동이다.

③ 호흡 기관에는 코, 기관, 기관지, 폐 등이 있다.

④ 호흡 기관은 호흡할 때 우리 몸에서 일을 하는 기관이다.

⑤ 숨을 들이마시고 내쉴 때 몸속에서는 공기가 이동하지 않는다.

9종 공통

11 다음은 호흡 기관에 대한 설명입니다. 설명에 해당하는 기관을 보기 에서 골라 기호를 쓰시오.

> • 주머니 모양이며 좌우 한 쌍이 있습니다.
> • 공기 중의 산소를 받아들이고, 몸에서 생긴 이산화 탄소를 내보냅니다.

보기
ㄱ 코   ㄴ 폐   ㄷ 기관지

(   )

9종 공통

12 다음 중 심장에 대한 설명으로 옳지 <u>않은</u> 것은 어느 것입니까? (   )

① 순환 기관이다.

② 둥근 주머니 모양이다.

③ 온몸에 복잡하게 퍼져 있다.

④ 자신의 주먹만 한 크기이다.

⑤ 펌프 작용으로 혈액을 순환시킨다.

9종 공통

13 다음과 같이 장치하고 주입기의 펌프를 누르면서 한 쪽 관으로 붉은 색소 물을 빨아들이고 다른 쪽 관으로 내보내는 실험을 하였습니다. 이 실험에 대한 설명으로 옳지 <u>않은</u> 것은 어느 것입니까? (   )

① 펌프를 빠르게 누르면 붉은 색소 물이 빠르게 움직인다.

② 펌프를 느리게 누르면 붉은 색소 물이 빠르게 움직인다.

③ 펌프를 빠르게 누르면 붉은 색소 물의 이동량이 많아진다.

④ 펌프를 느리게 누르면 붉은 색소 물의 이동량이 적어진다.

⑤ 펌프는 심장, 관은 혈관, 붉은 색소 물은 혈액을 나타낸다.

9종 공통

14 다음 중 콩팥에서 걸러 낸 노폐물을 모아 두었다가 몸 밖으로 내보내는 기관은 어느 것입니까? (   )

① 간   ② 이자   ③ 방광
④ 식도   ⑤ 오줌관

9종 공통

15 다음은 노폐물이 오줌이 되는 과정에 대한 설명입니다. □ 안에 들어갈 알맞은 말을 쓰시오.

> 노폐물은 □ 에 실려 이동하다가 콩팥에서 걸러지고, 걸러진 노폐물은 오줌이 됩니다.

(   )

9종 공통

16 다음은 소화 기관의 모습입니다.

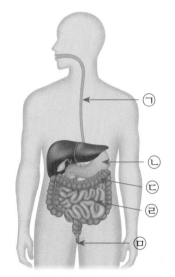

(1) 위의 ㉠~㉤ 중 음식물을 위로 이동시키는 일을 하는 소화 기관의 기호를 쓰시오.

( )

(2) 위의 ㉡ 기관이 하는 일을 쓰시오.

답 소화를 돕는 **❶**[   ]을/를 분비하여 **❷**[   ]와/과 섞은

다음 더 잘게 쪼갠다.

서술형 가이드
어려워하는 서술형 문제!
서술형 가이드를 이용하여 풀어 봐!

16 (1) 우리 몸의 식도는 음식물을
[   ]로 이동시키는 일을
합니다.

(2) 위는 소화를 돕는 액체를
(흡수 / 분비)하여 음식물과
섞은 다음 더 잘게 쪼갭니다.

9종 공통

17 다음은 순환 기관에 대해 정리한 표입니다.

구분	심장	혈관
생김새와 위치	둥근 주머니 모양으로 가슴 가운데에서 약간 왼쪽으로 치우쳐 있음.	굵기가 다양하고 온몸에 복잡하게 퍼져 있음.
하는 일	[㉠] 작용으로 혈액을 순환시킴.	㉡

(1) 위의 ㉠에 들어갈 알맞은 말을 쓰시오.

( )

(2) 위의 ㉡에 들어갈 혈관이 하는 일을 쓰시오.

_____

_____

17 (1) 펌프 작용으로 (혈액 /
혈관)을 순환시키는 것은
심장입니다.

(2) 혈관은 굵기가 굵은 것부터
매우 가는 것까지 여러 가지
이고, 혈액이 [ ][ ]
하는 통로입니다.

단원 실력 쌓기 정답 12쪽

수행평가 가이드
다양한 유형의 수행평가!
수행평가 가이드를 이용해 풀어 봐!

| 탐구 주제 | 뼈와 근육이 하는 일 알아보기 |
| 탐구 목표 | 뼈와 근육 모형으로 팔이 구부러지고 펴지는 원리를 알 수 있다. |

[18~20] 다음은 뼈와 근육 모형을 만드는 과정입니다.

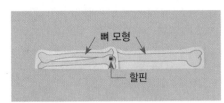

1 뼈 모형을 반으로 접고 양면테이프로 붙인 뒤 구멍에 할핀을 꽂아 연결하기

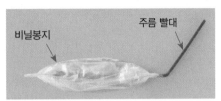

2 비닐봉지 안에 주름 빨대의 한쪽 끝을 넣고, 비닐봉지의 양 끝을 셀로판테이프로 감기

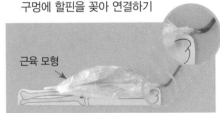

3 근육 모형의 비닐봉지 양 끝을 뼈 모형의 위쪽 가장자리에 셀로판테이프로 붙이기

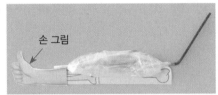

4 **3**의 모형에 손 그림을 붙이고, 비닐봉지에 공기를 불어 넣기 전과 후의 모형의 변화 알아보기

천재교과서, 동아, 미래엔, 비상, 아이스크림

18 다음은 위 모형의 비닐봉지에 공기를 불어 넣기 전과 후의 비닐봉지의 길이와 손 그림의 움직임을 측정한 결과입니다. ☐ 안에 알맞은 말을 쓰시오.

구분	공기를 불어 넣기 전	공기를 불어 넣은 후
비닐봉지의 길이	18 cm	14 cm

➡ 비닐봉지에 공기를 불어 넣으면 비닐봉지가 부풀어 오르면서 비닐봉지의 길이가 ☐, 손 그림이 위로 올라옵니다.

천재교과서, 동아, 미래엔, 비상, 아이스크림

19 위의 뼈 모형과 비닐봉지가 우리 몸에 해당하는 부분에 맞게 ㉠과 ㉡에 알맞은 말을 각각 쓰시오.

구분	뼈 모형	비닐봉지
우리 몸	㉠	㉡

천재교과서, 동아, 미래엔, 비상, 아이스크림

20 위 실험 결과를 참고하여 팔을 구부리고 펴는 원리를 쓰시오.

_____

_____

뼈와 근육
우리 몸에는 생김새와 크기가 다양한 뼈가 여러 개 있습니다. 뼈는 단단하여 우리 몸의 형태를 만들고 몸을 지탱합니다. 또, 심장, 폐, 뇌 등 몸속 기관을 보호합니다. 근육은 뼈에 연결되어 있습니다.

모형을 이용하여 우리 몸이 움직이는 원리를 생각해 볼 수 있어.

진도 완료 체크

뼈와 근육의 움직임
뼈는 스스로 움직일 수 없고, 뼈를 움직이게 하는 것은 뼈에 붙어 있는 근육입니다. 근육의 길이가 줄어들거나 늘어나면서 뼈를 움직이게 합니다.

6 감각 기관과 자극의 전달 / 운동할 때 일어나는 몸의 변화

개념① 우리 몸의 감각 기관과 자극의 전달

1. **감각 기관**: 주변에서 발생한 자극을 받아들이는 눈, 귀, 코, 혀, 피부 등

2. **신경계**: 자극을 전달하며 반응을 결정하여 명령을 내리는 부분

3. **감각 기관의 생김새와 하는 일**

귀	얼굴 양 옆에 하나씩 귓바퀴가 튀어나와 있고, 소리를 들음.
눈	얼굴 윗부분에 두 개가 있고, 사물을 봄.
코	얼굴 가운데에 튀어나와 구멍이 두 개 뚫려 있고, 냄새를 맡음.
혀	입속에 있고 길쭉한 모양이며, 맛을 느낌.
피부	몸 표면을 감싸며 차가움, 뜨거움, 아픔, 촉감 등을 느낌.

4. 자극이 전달되어 반응하는 과정 → 자극이 같아도 사람마다 반응이 다르게 나타날 수 있습니다.

└→ 온몸에 퍼져 있습니다.

신경계

감각 기관	자극을 전달하는 신경	뇌(행동을 결정하는 신경)	명령을 전달하는 신경	운동 기관
눈으로 날아오는 공을 봄.	자극을 뇌로 전달함.	팔을 뻗어 공을 받아치라고 명령함.	명령을 운동기관으로 전달함.	팔을 뻗어 공을 받아침.

감각 기관에서 자극을 받아들임. → 신경이 자극을 뇌로 전달 → 뇌에서 자극을 해석하여 반응을 결정하고 명령을 내림. → 신경이 뇌의 명령을 운동 기관에 전달 → 운동 기관은 명령에 따라 반응함.

주변에서 발생한 자극을 받아들이는 눈, 귀, 코, ❶⬚ⓗ, 피부 등을 감각 기관이라고 합니다.

와~ 달다.

정말 맛있어.

정답 ❶ 혀

내 교과서 살펴보기 / **천재교육**

자극이 전달되어 반응하는 과정의 예

| 얼음이 담긴 음료수가 보이고(눈), 날씨가 무척 더움(피부). |

신경이 ⬇ 자극 전달

| 뇌에서 음료수를 마시라고 명령함. |

신경이 ⬇ 명령 전달

| 팔(운동 기관)을 뻗어 음료수를 마심. |

개념 ② 운동할 때 일어나는 몸의 변화

1. 운동할 때 몸에서 일어나는 변화 알아보기

실험 방법	❶ 운동을 하지 않은 안정된 상태와 1분 동안 팔 벌려 뛰기를 한 직후, 5분 동안 휴식을 취했을 때의 체온과 1분 동안의 맥박 수를 측정하기 ❷ ❶에서 측정한 체온과 1분 동안의 맥박 수를 그래프로 나타내기 ❸ 운동할 때 체온과 맥박 수가 변하는 까닭을 몸속 기관이 하는 일과 관련하여 알아보기

실험 결과	구분	평상시	운동 직후	5분 휴식 후
	체온(℃)	36.7	36.9	36.6
	맥박 수(회)	65	102	69

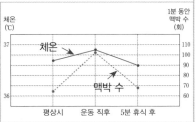

알게 된 점	• 운동을 하면 체온이 올라가고 맥박이 **빨라진다.** → 땀이 나기도 합니다. • 운동을 하고 시간이 지나면 체온이 내려가고 맥박이 느려져 운동 전 상태로 돌아간다.
체온과 맥박 수가 변하는 까닭	• 운동을 하면 몸에서 에너지를 많이 내면서 열이 많이 나기 때문에 체온이 올라간다. • 산소와 영양소를 많이 이용하므로 심장이 빠르게 뛰어 맥박이 빨라지고, 호흡도 빨라진다.

2. 몸을 움직이기 위해 각 기관이 하는 일 → 서로 영향을 주고받기 때문에 조화를 이뤄야 합니다.

 운동 기관 영양소와 산소를 이용하여 몸을 움직임.

 소화 기관 음식물을 소화하여 영양소를 흡수함.

 호흡 기관 산소를 흡수하고, 이산화 탄소를 내보냄.

 순환 기관 영양소와 산소를 온몸에 전달하고, 이산화 탄소와 노폐물을 각각 호흡 기관과 배설 기관에 전달함.

 배설 기관 혈액 속의 노폐물을 걸러 내어 오줌으로 배설함.

 감각 기관 주변의 자극을 받아들임.

내 교과서 살펴보기 / 천재교육, 천재교과서, 지학사

맥박 수 측정하기

🔺 맥박 수를 측정하는 모습

맥박은 심장이 뛰는 것이 혈관에 전달되어 나타나는 것으로 손가락으로 손목을 살짝 누르면 맥박을 느낄 수 있습니다.

4 단원

☑️**운동할 때 순환 기관이 하는 일**

❷ ㅅ ㅈ 이 빠르게 뛰어 영양소와 산소를 온몸에 전달합니다.

심장이 엄청 빠르게 뛰네.

정답 ❷ 심장

Step 1 단원평가

9종 공통

[1~5] 다음은 개념 확인 문제입니다. 물음에 답하시오.

1 소리와 같은 자극을 받아들이는 감각 기관은 무엇입니까?　(　　　　　)

2 감각 기관에서 받아들인 자극을 뇌로 전달하는 것은 무엇입니까?　(　　　　　)

3 자극을 해석하여 반응을 결정하고 명령을 내리는 것은 무엇입니까?　(　　　　　)

4 운동하기 전과 운동한 직후 중 체온이 더 높을 때는 언제입니까?　(　　　　　)

5 산소와 이산화 탄소 중 운동할 때 우리 몸이 많이 이용하는 기체는 어느 것입니까?

(　　　　　)

9종 공통

6 다음은 자극을 받아들이는 기관에 대한 설명입니다. ☐ 안에 들어갈 알맞은 말을 쓰시오.

날아오는 공을 ☐ (으)로 보는 것과 같이 주변으로부터 전달된 자극을 느끼고 받아들이는 기관을 감각 기관이라고 합니다.

(　　　　　)

9종 공통

7 다음 중 감각 기관이 아닌 것은 어느 것입니까?

(　　　　　)

① 혀　　　　② 뇌　　　　③ 귀
④ 코　　　　⑤ 피부

9종 공통

8 다음 감각 기관에 대한 설명 중 옳은 것은 어느 것입니까? (　　　　　)

① 혀로 맛을 알 수 있다.
② 코로 소리를 들을 수 있다.
③ 눈으로 온도를 느낄 수 있다.
④ 피부로 냄새를 맡을 수 있다.
⑤ 귀로 주변의 사물을 볼 수 있다.

9종 공통

9 다음은 빵을 먹을 때의 자극과 반응을 정리한 것입니다. ㉠과 ㉡에 들어갈 알맞은 말을 각각 쓰시오.

구분	상황
㉠	• 고소한 냄새를 맡음. • 접시 위의 빵을 봄.
㉡	빵을 먹음.

㉠ (　　　　　) ㉡ (　　　　　)

9종 공통

10 다음은 자극이 전달되어 반응하는 과정입니다. □ 안에 공통으로 들어갈 알맞은 말을 쓰시오.

> 감각 기관 → 자극을 전달하는 □ → 뇌 → 명령을 전달하는 □ → 운동 기관

( )

9종 공통

11 다음 보기 에서 1분 동안 운동을 할 때 나타나는 변화로 옳지 <u>않은</u> 것을 골라 기호를 쓰시오.

> **보기**
> ㉠ 호흡이 빨라집니다.
> ㉡ 심장이 느리게 뜁니다.
> ㉢ 체온이 올라가고, 맥박이 빨라집니다.

( )

9종 공통

12 다음은 운동할 때 나타나는 변화를 몸속 여러 기관의 기능과 관련지어 설명한 것입니다. □ 안에 공통으로 들어갈 알맞은 말은 어느 것입니까? ( )

> 운동할 때 우리 몸은 에너지를 내기 위해 많은 □ 이/가 필요합니다. 호흡이 빨라지면 □ 을/를 많이 공급할 수 있습니다.

① 질소 　② 산소 　③ 수증기
④ 수소 　⑤ 이산화 탄소

9종 공통

13 다음 중 운동 전, 운동 직후, 5분 동안 휴식한 후의 우리 몸에 대한 설명으로 옳은 것을 두 가지 고르시오.

(,)

① 운동하기 전보다 운동한 직후의 체온이 더 높다.
② 운동하기 전보다 운동한 직후의 맥박이 더 빠르다.
③ 운동하기 전과 운동한 직후의 체온과 맥박 수는 같다.
④ 운동한 직후보다 5분 동안 휴식한 후의 체온이 더 높다.
⑤ 운동한 직후보다 5분 동안 휴식한 후의 맥박이 더 빠르다.

9종 공통

14 다음 우리 몸의 기관과 몸을 움직이기 위해 각 기관이 하는 일을 바르게 줄로 이으시오.

(1) 감각 기관 ・　　・㉠ 산소를 흡수하고, 이산화 탄소를 몸 밖으로 내보냄.

(2) 배설 기관 ・　　・㉡ 주변의 자극을 받아들임.

(3) 호흡 기관 ・　　・㉢ 혈액에 있는 노폐물을 걸러 내어 오줌으로 내보냄.

(4) 운동 기관 ・　　・㉣ 영양소와 산소를 이용하여 몸을 움직임.

4 단원

9종 공통

15 다음은 감각 기관의 생김새와 하는 일에 대해 정리한 표입니다.

구분	㉠	피부
생김새	얼굴 윗부분에 두 개가 있음.	몸 표면을 감싸고 있음.
하는 일	사물을 봄.	㉡

(1) 위의 ㉠에 들어갈 알맞은 감각 기관을 쓰시오.

(   )

(2) 위의 ㉡에 들어갈 피부가 하는 일을 쓰시오.

답 피부는 차가움과 ❶ [   ] 등의 온도와 피부에 닿는 ❷ [   ],

아픔 등을 느낀다.

9종 공통

16 오른쪽은 은재와 어머니가 자전거를 타는 모습입니다.

(1) 위와 같이 자전거를 타면 심장이 빠르게 뜁니다. 생활 속에서 심장이 빠르게 뛰는 예를 한 가지 쓰시오.

(   )

(2) 위와 같이 자전거를 탈 때 심장이 빠르게 뛰는 까닭을 쓰시오.

_____

_____

9종 공통

17 오른쪽은 평상시와 운동한 직후, 5분 동안 휴식한 후의 체온과 1분 동안의 맥박 수를 나타낸 그래프입니다. 운동할 때와 휴식을 취했을 때의 체온과 맥박의 변화에 대해 쓰시오.

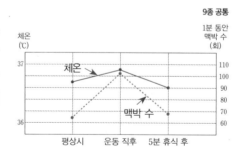

_____

서술형 가이드
어려워하는 서술형 문제!
서술형 가이드를 이용하여 풀어 봐!

15 (1) 눈은 얼굴 윗부분에 두 개가 있고 사물을 [ ][ ] 기관입니다.

(2) 몸 표면을 감싸는 (피부 / 폐)는 차가움, 뜨거움, 촉감, 아픔 등을 느낍니다.

16 (1) 생활 속에서 심장이 빨리 뛰는 경우는 (앉아 있을 / 운동할) 때입니다.

(2) 심장이 빨리 뛰면 [ ][ ] 순환이 빨라져서 우리 몸에 많은 양의 산소와 영양소가 공급됩니다.

17 운동하면 체온이 (올라 / 내려) 가고, 맥박이 (빨라 / 느려) 집니다.

Step ③ 수행평가

탐구 **주제** 운동할 때 몸에서 일어나는 변화 관찰하기

탐구 **목표** 운동할 때 몸에 일어나는 변화를 관찰하여 여러 기관이 관련이 있음을 설명할 수 있다.

[18~20] 다음은 운동할 때 몸에서 일어나는 변화를 알아보기 위한 방법과 결과입니다.

[실험 방법]

❶ 운동을 하지 않은 안정된 상태와 1분 동안 팔 벌려 뛰기를 한 직후, 5분 동안 휴식을 취했을 때의 체온과 1분 동안의 맥박 수를 측정하기

❷ ❶에서 측정한 체온과 1분 동안의 맥박 수를 그래프로 나타내기

❸ 운동할 때 체온과 맥박 수가 변하는 까닭을 몸속 기관이 하는 일과 관련하여 알아보기

[실험 결과]

구분	체온(℃)	1분 동안 맥박 수(회)
평상시	36.7	65
운동 직후	36.9	102
5분 휴식 후	36.6	69

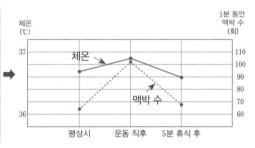

9종 공통

18 다음은 위와 같이 몸을 움직이기 위해 세 기관이 하는 일을 정리한 것입니다. ☐ 안에 알맞은 말을 쓰시오.

호흡 기관	❶ [ ]을/를 받아들이고, 이산화 탄소를 몸 밖으로 내보냄.
순환 기관	영양소와 산소를 온몸에 전달하고, 이산화 탄소와 노폐물을 각각 호흡 기관과 배설 기관에 전달함.
배설 기관	혈액에 있는 ❷ [ ]을/를 걸러 내어 오줌으로 배설함.

9종 공통

19 다음은 위 탐구를 통해 알게 된 점입니다. ☐ 안에 알맞은 말을 쓰시오.

• 체온에 비해 ❶ [   ]의 변화가 뚜렷하게 보인다.

• 운동할 때는 평소보다 맥박과 호흡이 ❷ [   ].

9종 공통

20 위와 같이 운동을 할 때 체온과 맥박 수가 변하는 까닭을 쓰시오.

_____

_____

수행평가 가이드

다양한 유형의 수행평가!
수행평가 가이드를 이용해 풀어 봐!

운동할 때의 몸의 변화

운동할 때 우리 몸은 평소보다 더 많은 산소와 영양소가 필요합니다. 따라서 더 많은 산소와 영양소를 공급하기 위해 호흡과 심장 박동이 빨라집니다. 또 운동을 하면 체온이 올라가고 땀이 나기도 합니다.

운동을 하면 체온과 맥박 수가 변해. 변한 체온과 맥박 수는 휴식을 취하면 평소와 비슷해져.

4 단원

진도 완료 체크

우리 몸의 기관

우리 몸의 기관들은 각각의 일을 하면서도 서로 영향을 주고받습니다. 예를 들어 호흡 기관에서 받아들인 산소는 순환 기관을 통해 온몸으로 전달됩니다. 따라서 한 기관이 제대로 기능을 하지 못하면 다른 기관도 제대로 기능을 하지 못하게 됩니다.

Q 배점 표시가 없는 문제는 문제당 4점입니다.

9종 공통

1 다음은 뼈와 근육에 대한 설명입니다. ☐ 안에 들어갈 알맞은 말을 쓰시오.

> 우리 몸속 기관 중에서 움직임에 관여하는 뼈와 근육을 ☐ (이)라고 합니다.

( )

[2~3] 다음은 뼈와 근육의 움직임을 알아보기 위해 만든 뼈와 근육 모형입니다. 물음에 답하시오.

비닐봉지

⚠ 뼈와 근육 모형

천재교과서, 동아, 미래엔, 비상, 아이스크림

2 위의 뼈와 근육 모형에 공기를 불어 넣었을 때 나타나는 비닐봉지 길이의 변화로 옳은 것을 **보기**에서 골라 기호를 쓰시오.

> **보기**
> ㉠ 비닐봉지의 길이가 늘어납니다.
> ㉡ 비닐봉지의 길이가 줄어듭니다.
> ㉢ 비닐봉지의 길이는 변화가 없습니다.

( )

📝 서술형·논술형 문제   천재교과서, 동아, 미래엔, 비상, 아이스크림

3 위 모형의 비닐봉지는 우리 몸의 어느 부분을 나타내는지 쓰고, 2번의 답을 참고하여 팔이 구부러지는 원리는 무엇인지 쓰시오. [8점]

_____

_____

9종 공통

4 다음 중 소화에 대해 바르게 말한 친구의 이름을 쓰시오.

> 연수: 우리 몸을 지탱하고 몸속의 내부 기관을 보호하는 것을 말해.
> 정이: 뼈를 움직이기 위해서 근육의 길이가 늘어나거나 줄어드는 것을 말해.
> 혜인: 음식물을 잘게 쪼개 몸에 흡수될 수 있는 형태로 분해하는 과정을 말해.

( )

9종 공통

5 다음 중 소화 기관에 대한 설명으로 옳지 <u>않은</u> 것은 어느 것입니까? ( )

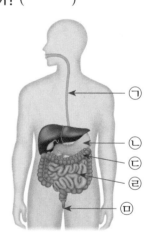

① ㉠은 식도로, 음식물이 위로 이동하는 통로이다.
② ㉡은 위로, 소화를 돕는 액체를 분비해 음식물을 더 잘게 쪼갠다.
③ ㉢은 큰창자로, 작은창자를 감싸고 있고 음식물 찌꺼기의 수분을 흡수한다.
④ ㉣은 작은창자로, 소화를 돕는 액체를 분비하여 음식물을 잘게 분해하고 영양소를 흡수한다.
⑤ ㉤은 항문으로, 큰창자와 연결되어 있으며 소화되지 않은 음식물 찌꺼기를 다시 흡수한다.

6 다음 중 떡이 입으로 들어가 이동하는 소화 기관을 순서대로 바르게 나타낸 것은 어느 것입니까? (   )

① 입 → 큰창자 → 위 → 작은창자 → 식도 → 항문
② 입 → 위 → 식도 → 큰창자 → 작은창자 → 항문
③ 입 → 식도 → 큰창자 → 작은창자 → 위 → 항문
④ 입 → 식도 → 위 → 큰창자 → 작은창자 → 항문
⑤ 입 → 식도 → 위 → 작은창자 → 큰창자 → 항문

7 다음 중 우리 몸의 호흡에 관여하는 기관으로 옳은 것은 어느 것입니까? (   )

① 위   ② 폐
③ 식도   ④ 항문
⑤ 작은창자

8 다음은 폐의 기능에 대한 설명입니다. ㉠, ㉡에 들어갈 알맞은 기체를 각각 쓰시오.

> 폐는 몸 밖에서 들어온 [㉠] 을/를 받아들이고, 몸 안에서 생긴 [㉡] 을/를 몸 밖으로 내보냅니다.

㉠ (   )
㉡ (   )

🛠 **서술형·논술형 문제**

9 다음은 우리 몸의 호흡 기관의 모습입니다. [총 12점]

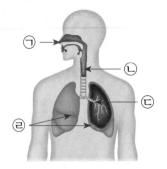

(1) 위의 ㉠~㉣ 중 기관지를 골라 기호를 쓰시오.
[4점]

(   )

(2) 기관지가 하는 일을 쓰시오. [8점]

_____

_____

10 다음 중 혈관에 대한 설명으로 옳은 것을 두 가지 골라 기호를 쓰시오. (,   )

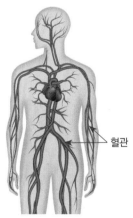

혈관

① 혈관의 굵기는 모두 같다.
② 혈액이 이동하는 통로이다.
③ 온몸에 복잡하게 퍼져 있다.
④ 펌프 작용으로 혈액을 순환시킨다.
⑤ 산소는 혈관을 통해 이동할 수 없다.

[11~12] 다음은 주입기로 붉은 색소 물을 한쪽 관으로 빨아들이고 다른 쪽 관으로 내보내는 모습입니다. 물음에 답하시오.

펌프
관
붉은 색소 물

천재교육, 천재교과서, 김영사, 동아, 미래엔

11 위의 주입기의 펌프, 주입기의 관, 붉은 색소 물은 우리 몸에서 어떤 부분을 나타내는 것인지 각각 쓰시오.

주입기의 펌프	㉠
주입기의 관	㉡
붉은 색소 물	㉢

천재교육, 천재교과서, 김영사, 동아, 미래엔

12 위의 주입기의 펌프를 느리게 누를 때, 다음 중 붉은 색소 물의 이동 빠르기와 이동량의 변화를 바르게 짝지은 것은 어느 것입니까? (   )

	이동 빠르기	이동량
①	느려짐.	많아짐.
②	느려짐.	적어짐.
③	빨라짐.	많아짐.
④	빨라짐.	적어짐.
⑤	변화 없음.	변화 없음.

9종 공통

13 다음 보기 에서 배설과 배설 기관에 대한 설명으로 옳지 않은 것을 골라 기호를 쓰시오.

> **보기**
> ㉠ 노폐물을 몸 밖으로 내보내는 과정을 배설이라고 합니다.
> ㉡ 요도는 콩팥에서 방광으로 오줌이 이동하는 통로입니다.
> ㉢ 배설 기관에는 콩팥, 방광, 오줌관, 요도 등이 있습니다.

(   )

[14~15] 다음은 배설 기관이 하는 일을 알아보는 실험 방법입니다. 물음에 답하시오.

> **1** 거름망을 비커에 걸쳐 놓기
> **2** 다른 비커에 노란 색소 물과 붉은색 모래를 넣고 잘 섞어 **1**의 거름망 위에 붓기
>
>
>
> 거름망
> 노란 색소 물과
> 붉은색 모래

천재교과서

14 다음 보기 에서 위 실험의 결과에 대한 설명으로 옳은 것을 골라 기호를 쓰시오.

> **보기**
> ㉠ 붉은색 모래만 거름망을 통과합니다.
> ㉡ 노란 색소 물만 거름망을 통과합니다.
> ㉢ 노란 색소 물과 붉은색 모래 모두 거름망을 통과합니다.

(   )

천재교과서

15 다음은 위 실험의 거름망과 노란 색소 물, 붉은색 모래에 해당하는 우리 몸의 부분을 정리한 표입니다. ☐ 안에 들어갈 알맞은 기관의 기호를 골라 쓰시오.

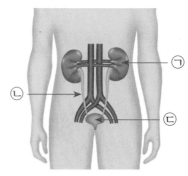

㉠
㉡
㉢

거름망	
노란 색소 물	오줌(노폐물)
붉은색 모래	노폐물이 걸러진 혈액

(   )

16 다음의 자극을 받아들이는 알맞은 감각 기관을 보기에서 골라 기호를 각각 쓰시오.

보기
ㄱ 코   ㄴ 귀
ㄷ 혀   ㄹ 피부

(1)
피아노 소리
(   )

(2)
꽃 향기
(   )

(3)
과일의 맛
(   )

(4)
얼음의 차가움
(   )

🖋️ 서술형·논술형 문제

17 다음은 배드민턴을 하는 모습입니다. [총 12점]

(1) 위의 모습을 자극과 반응으로 나누어 쓰시오.

[4점]

• 날아오는 공을 보기: (   )

• 공을 치기: (   )

(2) 위와 같이 감각 기관으로 자극을 받아들여 반응하는 예를 한 가지 쓰시오. [8점]

_____

_____

18 다음 보기에서 운동할 때 몸에 나타나는 변화로 옳은 것끼리 바르게 짝지은 것은 어느 것입니까? (   )

보기
ㄱ 호흡이 느려집니다.
ㄴ 체온이 올라갑니다.
ㄷ 맥박이 빨라집니다.
ㄹ 심장이 느리게 뜁니다.

① ㄱ, ㄴ   ② ㄱ, ㄷ
③ ㄱ, ㄹ   ④ ㄴ, ㄷ
⑤ ㄴ, ㄹ

19 다음은 운동할 때 몸에 나타나는 변화를 설명한 것입니다. ☐ 안에 공통으로 들어갈 알맞은 말을 쓰시오.

• 운동 기관을 움직이는 데 필요한 영양소는 소화 기관에서 얻고, ☐은/는 호흡 기관에서 얻습니다.

• 심장 박동이 빨라져 혈액 순환이 빨라지면 많은 양의 ☐와/과 영양소가 우리 몸에 공급되어 많은 에너지를 낼 수 있습니다.

(   )

4
단원

진도 완료
체크

20 다음 중 몸을 움직이기 위해 각 기관이 하는 일에 대해 잘못 말한 친구의 이름을 쓰시오.

정은: 운동 기관은 영양소와 산소를 이용해 몸을 움직여.
하영: 소화 기관은 음식물을 소화하여 영양소를 흡수하지.
현지: 배설 기관은 냄새나 촉감 같은 주변의 자극을 받아들여.

(   )

연관 학습 안내

이 단원의 학습	중학교

에너지와 생활
자연 현상이나 우리 생활에서 에너지는 다른 형태의 에너지로 전환된다는 것을 배워요.

에너지 전환과 보존
에너지 전환과 에너지 보존 법칙 등에 대해 배울 거예요.

만화로 단원 미리보기

에너지와 생활 5

🌸 **단원 안내**

(1) 에너지의 필요성 / 에너지 형태 / 에너지 전환
(2) 효율적인 에너지 활용 방법

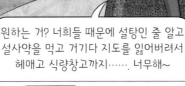

개념① 에너지의 필요성

1. 에너지가 필요한 까닭과 에너지를 얻는 방법 → 에너지는 눈에 보이지 않습니다.

△ 생물이 에너지를 얻는 방법

△ 기계가 에너지를 얻는 방법

구분		에너지가 필요한 까닭	에너지를 얻는 방법
생물	식물	자라서 열매를 맺는 데 필요함.	햇빛을 받아 광합성을 해 스스로 양분을 만들어 에너지를 얻음.
	동물	살아가는 데 필요함.	식물이나 다른 동물을 먹고 그 양분으로 에너지를 얻음.
기계	자동차	움직이는 데 필요함.	기름(연료)을 넣거나 전기를 충전함.
	텔레비전	텔레비전을 볼 때 필요함.	콘센트에 텔레비전의 전선을 연결함.
	가스 보일러	물을 데우거나 집 안을 따뜻하게 하는 데 필요함.	가스를 공급함.

↳ 기계가 에너지를 얻는 방법은 다양합니다.

2. 일상생활에서 에너지가 필요한 까닭과 에너지를 얻는 방법

에너지가 필요한 까닭	에너지를 얻는 방법
생물이 살아가거나 기계가 작동할 때 에너지가 꼭 필요하기 때문임.	석탄, 석유, 천연가스, 햇빛, 바람, 물 등 여러 가지 에너지 자원에서 얻음.

3. 우리 생활에서 가스를 사용하지 못한다면 생기는 일 예

① 가스레인지를 사용하지 못하면 음식을 끓여 먹을 수 없습니다.
② 추운 겨울에 보일러를 사용하지 못해 집 안을 따뜻하게 하기 어렵고, 물을 데울 수가 없어서 찬물로 씻어야 할 것입니다.

☑ **에너지를 얻는 방법**

식물과 동물 모두 양분에서
❶ [ㅇ][ㄴ][ㅈ] 를 얻습니다.

에너지를 얻는 중이야.

나도!

정답 ❶ 에너지

식물은 빛을 이용해 이산화 탄소와 물로 양분을 만드는데, 이것을 광합성이라고 해.

내 교과서 살펴보기 / 금성

식물, 동물, 사람이 에너지를 얻는 방법 비교 예

풀은 햇빛을 받아 광합성을 해 에너지를 얻습니다.

➡ 소는 풀을 먹고 에너지를 얻습니다.
➡ 사람은 소고기, 우유 등의 음식물을 먹고 에너지를 얻습니다.

개념 ② 여러 가지 형태의 에너지

1. 에너지 형태 → 에너지는 물질과 달리 눈에 보이지 않고 만질 수도 없지만 우리 생활 곳곳에 존재합니다.

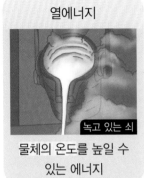

열에너지
녹고 있는 쇠
물체의 온도를 높일 수 있는 에너지

전기 에너지
전기로 작동하는 밥솥
전기 기구를 작동하게 하는 에너지

빛에너지
주위를 밝히는 가로등
주위를 밝게 비출 수 있는 에너지

화학 에너지
음식물, 석유, 석탄 등
음식물, 석유, 석탄 등이 가진 에너지

└→ 물질 안에 저장되어 있는 에너지로, 생물의 생명 활동에 필요합니다.

운동 에너지
공을 차는 아이들
움직이는 물체가 가진 에너지

위치 에너지
말뚝을 박을 때 높은 곳에서 추를 떨어뜨립니다.
추
말뚝
높은 곳의 추
높은 곳에 있는 물체가 가진 에너지

집에서는 전기 에너지로 전기 기구가 작동하고,

화학 에너지로 가스레인지에 불을 붙이며, 열에너지로 음식을 익혀.

2. 주변에서 찾을 수 있는 에너지 형태 ㉿

열에너지	태양, 사람의 체온, 영상이 나오는 텔레비전, 모닥불, 끓는 물, 작동 중인 온풍기, 전기다리미의 열 등
전기 에너지	불이 들어온 신호등, 영상이 나오는 텔레비전, 충전 중인 자동차, 작동 중인 선풍기 등
빛에너지	태양, 불이 들어온 신호등, 영상이 나오는 텔레비전, 가로등, 등대, 모닥불, 전광판 등
화학 에너지	광합성하는 식물, 음식물, 자동차 연료, 보일러에 공급하는 가스, 휴대 전화의 배터리, 건전지, 석탄, 석유 등
운동 에너지	날고 있는 새, 뛰고 있는 강아지, 달리는 자동차, 굴러가는 공, 공을 차는 아이들 등
위치 에너지	날고 있는 새, 미끄럼틀 위의 아이, 높이 올라간 시소, 댐이나 폭포에 있는 물 등

└→ 한 물체에서 여러 가지 에너지 형태를 찾을 수도 있습니다.

✓ 에너지 형태

우리가 이용하는 에너지 형태에는 열에너지, 전기 에너지, 빛에너지, 화학 에너지, 위치 에너지, ❷ ☐ ☐ 에너지 등이 있습니다.

신나게 달려 볼까?

솟아라, 운동 에너지!

정답 ❷ 운동

내 교과서 살펴보기 / 김영사, 미래엔

6학년 2학기 「과학」에서 각 단원의 내용과 관련된 에너지 형태

단원	에너지 형태
전기의 이용	화학 에너지, 빛에너지, 전기 에너지 등
계절의 변화	열에너지, 빛에너지, 운동 에너지 등
연소와 소화	열에너지, 빛에너지, 화학 에너지 등
우리 몸의 구조와 기능	열에너지, 화학 에너지, 운동 에너지 등

5 단원

개념 알기

개념③ 다른 형태로 바뀌는 에너지

> 용어 다른 방향이나 상태로 바뀌거나 바꿈.

1. 에너지 전환: 에너지 형태가 바뀌는 것

① 에너지를 전환하여 생활에서 필요한 여러 가지 형태의 에너지를 얻습니다.

② 태양에서 온 에너지 전환 예

→ 사람이 화학 에너지를 가진 식물을 먹고 에너지를 얻습니다.

태양의 빛에너지	➡ 식물의 화학 에너지(광합성) ➡ 사람의 운동 에너지
	➡ 전기 에너지(태양 전지) ➡ 가전제품 작동
태양의 열에너지	➡ 물의 증발 ➡ 눈, 비 등 ➡ 높은 곳(댐)의 물의 위치 에너지 ➡ 발전기의 전기 에너지(수력 발전)

└ 우리가 이용하는 대부분의 에너지는 태양에서 온 에너지 형태가 전환된 것입니다.

2. 에너지 형태가 바뀌는 예 찾아보기

① 롤러코스터에서 열차가 이동할 때의 각 구간별 에너지 전환

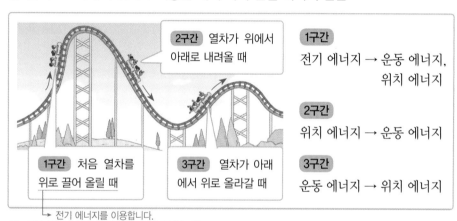

2구간 열차가 위에서 아래로 내려올 때

1구간 처음 열차를 위로 끌어 올릴 때 └ 전기 에너지를 이용합니다.

3구간 열차가 아래에서 위로 올라갈 때

1구간
전기 에너지 → 운동 에너지, 위치 에너지

2구간
위치 에너지 → 운동 에너지

3구간
운동 에너지 → 위치 에너지

② 에너지 형태가 바뀌는 다양한 예

빔 투사기의 영화
🔺 운동 에너지 → 전기 에너지 → 빛에너지, 열에너지
└ 발전기

떨어지는 폭포의 물
🔺 위치 에너지 → 운동 에너지

손전등의 불빛
🔺 화학 에너지 → 전기 에너지 → 빛에너지, 열에너지
└ 건전지

눈썰매를 타는 모습
🔺 위치 에너지 → 운동 에너지

뛰어노는 아이와 강아지
🔺 화학 에너지 → 운동 에너지
└ 음식물

모닥불
🔺 화학 에너지 → 빛에너지, 열에너지
└ 나무

개념 체크

☑ **에너지 전환**

에너지 ③[ㅎ][ㅌ]가 바뀌는 것을 에너지 전환이라고 합니다.

전기 에너지가 운동 에너지로 바뀌어.

샤아아

정답 ③ 형태

에너지 형태가 바뀌지 않는다면 우리 생활에 필요한 에너지를 얻기 어려울거야.

내 교과서 살펴보기 / 금성, 김영사, 미래엔, 아이스크림

태양광 장난감(로봇)이 움직일 때의 에너지 전환 과정

태양의 빛에너지

⬇ 태양 전지

전기 에너지

⬇ 전동기

태양광 장난감(로봇)의 운동 에너지

개념 다지기

9종 공통

1 다음 ☐ 안에 공통으로 들어갈 알맞은 말을 쓰시오.

> • 생물이 살아가려면 ☐☐☐이/가 필요합니다.
> • 자동차, 텔레비전, 보일러와 같은 기계가 움직이려면 ☐☐☐이/가 필요합니다.

( )

9종 공통

2 다음 생물이 에너지를 얻는 방법에 맞게 바르게 줄로 이으시오.

(1)
▲ 귤나무

• • ㉠ 다른 생물을 먹고 그 양분으로 에너지를 얻음.

(2)
▲ 살쾡이

• • ㉡ 햇빛을 이용해 스스로 양분을 만들어 에너지를 얻음.

9종 공통

3 다음 중 여러 가지 에너지 형태에 대한 설명으로 옳은 것은 어느 것입니까? ( )

① 열에너지: 주위를 밝게 비출 수 있는 에너지이다.
② 운동 에너지: 움직이는 물체가 가진 에너지이다.
③ 위치 에너지: 물체의 온도를 높이는 에너지이다.
④ 화학 에너지: 높은 곳의 물체가 가진 에너지이다.
⑤ 전기 에너지: 음식물, 석유 등이 가진 에너지이다.

9종 공통

4 오른쪽과 같이 추를 떨어뜨려 말뚝을 박을 때, 높은 곳에 있는 추와 가장 관련 있는 에너지 형태를 보기 에서 골라 기호를 쓰시오.

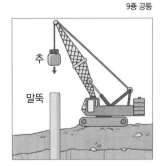

> **보기**
> ㉠ 열에너지   ㉡ 전기 에너지
> ㉢ 위치 에너지   ㉣ 화학 에너지

( )

9종 공통

5 다음은 떨어지는 폭포의 물에서 일어나는 에너지 전환을 나타낸 것입니다. ☐ 안에 들어갈 알맞은 말을 쓰시오.

위치 에너지 ➡ ☐☐ 에너지

( )

9종 공통

6 다음은 각 기구를 사용할 때 일어나는 에너지 전환 과정을 나타낸 것입니다. 옳은 것에는 ○표, 옳지 않은 것에는 ×표를 하시오.

(1) 선풍기: 전기 에너지 → 운동 에너지 ( )
(2) 태양 전지: 전기 에너지 → 빛에너지 ( )

5
단원

개념 ① 효율적인 에너지 활용 방법

1. 식물이나 동물이 에너지를 효율적으로 이용하는 예

식물	동물

  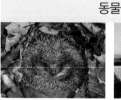 

🔺 잎이 떨어진 나뭇가지   🔺 목련의 겨울눈   🔺 겨울잠을 자는 고슴도치   🔺 이동하는 철새

식물	• 겨울을 준비하기 위해 나무는 가을에 잎을 떨어뜨림. • 겨울눈의 비늘은 추운 겨울에 열에너지가 빠져나가는 것을 줄여 주어 어린 싹이 얼지 않도록 함. → 여러 겹의 비늘 껍질과 털로 싸여 있습니다.
동물	• 곰, 다람쥐, 박쥐, 고슴도치 등은 겨울이 되면 먹이를 구하기 어려우므로 겨울잠을 자면서 자신의 화학 에너지를 효율적으로 이용함. • 철새들은 먼 거리를 날아갈 때 바람을 이용하여 에너지 효율을 높임.

2. 전기 기구와 건축물의 에너지 효율을 높인 예

전기 기구	건축물

🔺 발광 다이오드[LED]등   🔺 에너지 소비 효율 등급 표시   🔺 이중창 ⌐ 건물 안 열 손실을 줄입니다.   🔺 단열재 ⌐ 바깥 온도의 영향을 차단합니다.

전기 기구	• 발광 다이오드[LED]등처럼 에너지 효율이 높은 것을 사용함. • 에너지 소비 효율 등급이 1등급에 가까운 제품, 에너지 절약 표시나 고효율 기자재 표시가 붙어 있는 제품을 사용함.
건축물	• 태양의 빛에너지나 열에너지를 이용하는 장치를 사용함. → 가정용 태양광 발전 장치나 태양열 발전 장치 • 창문 크기를 조절하여 태양 에너지를 많이 이용하도록 함. • 이중창, 단열재 등을 사용함.

↳ 용어 두 물질 사이에서 열의 이동을 줄이는 것

3. 효율적인 에너지 활용의 중요성
우리가 이용하는 에너지를 얻는 데 필요한 석유, 석탄 등의 자원은 양이 정해져 있으므로 에너지를 효율적으로 이용해야 합니다.

---

6 효율적인 에너지 활용 방법

개념 체크

☑ **동물이 에너지를 효율적으로 이용하는 예**

곰, 다람쥐, 고슴도치 등이 겨울에 ❶ ☐ ☐ ☐ 을 자는 것은 환경에 적응하여 에너지를 효율적으로 이용하는 예입니다.

정답 ❶ 겨울잠

창문을 열고 에어컨, 난방기를 작동시키거나 에너지 효율 등급이 낮은 제품을 사용하면 에너지가 낭비돼.

내 교과서 살펴보기 / 천재교육, 천재교과서 동아, 미래엔, 지학사

전등의 에너지 효율 비교

• 전등은 주위를 밝게 하는 도구이므로, 전기 에너지가 빛에너지로 많이 전환될수록 에너지 효율이 높습니다.

• 전기 에너지가 빛에너지로 많이 전환되는 발광 다이오드[LED]등이 백열등보다 에너지 효율이 높습니다.

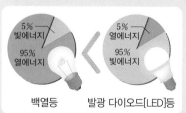

백열등   발광 다이오드[LED]등

🔺 전등에서 전기 에너지(100%)의 전환 비율

9종 공통

1 다음은 식물이 에너지를 효율적으로 이용하는 방법에 대한 설명입니다. ( ) 안의 알맞은 말에 ○표를 하시오.

> 겨울눈의 비늘은 추운 겨울에 (열 / 빛)에너지가 빠져나가는 것을 줄여 어린 싹이 얼지 않도록 합니다.
>
>
> △ 목련의 겨울눈

9종 공통

2 다음은 동물이 에너지를 효율적으로 이용하는 방법에 대한 설명입니다. ☐ 안에 들어갈 알맞은 말을 쓰시오.

> 곰이나 다람쥐, 박쥐 등은 겨울에 먹이를 구하기 어려우므로 ☐☐을/를 자면서 에너지를 효율적으로 이용합니다.

( )

천재교육, 천재교과서, 금성, 김영사, 동아, 미래엔, 비상, 지학사

3 다음은 준재가 가정에서 사용하는 여러 가지 전기 기구에 붙어 있는 에너지 소비 효율 등급을 조사하여 나타낸 것입니다. 에너지를 가장 효율적으로 이용하는 전기 기구는 어느 것인지 쓰시오.

> • 세탁기 – 1등급   • 냉장고 – 2등급
> • 에어컨 – 3등급   • 공기 청정기 – 5등급

( )

9종 공통

4 다음 중 건축물의 에너지 효율을 높이기 위해 설치하는 것으로 적당하지 <u>않은</u> 것은 어느 것입니까? ( )
① 이중창
② 단열재
③ 백열등
④ 가정용 태양열 발전 장치
⑤ 가정용 태양광 발전 장치

[5~6] 다음은 전등의 전기 에너지가 빛에너지와 열에너지로 전환되는 비율을 나타낸 것입니다. 물음에 답하시오.

㉠ 5% 빛에너지 / 95% 열에너지
㉡ 5% 열에너지 / 95% 빛에너지

△ 백열등   △ 발광 다이오드[LED]등

천재교육, 천재교과서, 동아, 미래엔, 지학사

5 위 ㉠과 ㉡ 중 전기 에너지가 빛에너지로 더 많이 전환되는 전등의 기호를 쓰시오.

( )

9종 공통

6 위의 두 전등의 에너지 효율을 바르게 비교한 것을 다음 보기 에서 골라 기호를 쓰시오.

> **보기**
> ㉠ 백열등과 발광 다이오드[LED]등의 에너지 효율은 비슷합니다.
> ㉡ 백열등이 발광 다이오드[LED]등보다 에너지 효율이 더 높습니다.
> ㉢ 발광 다이오드[LED]등이 백열등보다 에너지 효율이 더 높습니다.

( )

9종 공통

[1~5] 다음은 개념 확인 문제입니다. 물음에 답하시오.

1 생물이 살아가거나 기계가 움직이려면 공통적으로 무엇이 필요합니까? (   )

2 (식물 / 동물)은 빛을 이용하여 스스로 양분을 만들어 에너지를 얻고, (식물 / 동물)은 다른 생물을 먹고 그 양분으로 에너지를 얻습니다.

3 움직이는 물체가 가진 에너지 형태를 무엇이라고 합니까? (   )

4 에너지 형태가 바뀌는 것을 무엇이라고 합니까? (   )

5 우리가 사용하는 대부분의 에너지는 무엇에서 온 에너지로부터 전환된 것입니까? (   )

9종 공통

6 다음 중 에너지에 대한 설명으로 옳지 <u>않은</u> 것은 어느 것입니까? (   )

① 자동차가 움직이려면 에너지가 필요하다.
② 기계는 전기나 기름 등에서 에너지를 얻는다.
③ 사람은 음식을 먹어 소화하여 에너지를 얻는다.
④ 식물이 자라 열매를 맺기 위해 에너지가 필요하다.
⑤ 모든 동물은 빛을 이용해 스스로 양분을 만들어 에너지를 얻는다.

9종 공통

7 다음 중 에너지를 다른 생물에서 얻는 생물을 두 가지 고르시오. (,   )

①
△ 토끼

②
△ 토마토

③
△ 귤나무

④
△ 살쾡이

천재교과서

8 다음 중 우리 생활에서 가스를 사용하지 못할 때 생길 수 있는 일을 <u>잘못</u> 말한 친구의 이름을 쓰시오.

정현: 텔레비전을 보지 못해.
준재: 추운 겨울에 보일러를 사용하지 못해.
지윤: 가스레인지를 사용하지 못해 음식을 끓여 먹을 수 없어.

(   )

9종 공통

9 다음 두 상황과 공통으로 관련된 에너지 형태는 어느 것입니까? (   )

달리는 자동차, 뛰고 있는 강아지

① 빛에너지   ② 전기 에너지
③ 운동 에너지   ④ 화학 에너지
⑤ 위치 에너지

천재교과서

10 다음에서 찾을 수 있는 에너지 형태를 나타낸 것으로 옳지 <u>않은</u> 것을 [보기]에서 골라 기호를 쓰시오.

[보기]

㉠ 사람의 체온 – 열에너지

㉡ 먹고 있는 음식 – 화학 에너지

㉢ 광합성을 하는 사과나무 – 위치 에너지

㉣ 날고 있는 새 – 위치 에너지, 운동 에너지

(   )

천재교과서, 금성, 동아, 미래엔, 아이스크림

11 다음은 롤러코스터에서 움직이는 열차의 모습입니다. 롤러코스터에서 위치 에너지가 운동 에너지로 전환되는 구간은 어디인지 숫자를 쓰시오.

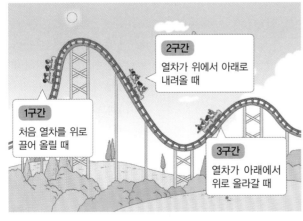

2구간
열차가 위에서 아래로 내려올 때

1구간
처음 열차를 위로 끌어 올릴 때

3구간
열차가 아래에서 위로 올라갈 때

(   )구간

9종 공통

12 다음 중 전기 에너지를 열에너지로 전환하여 사용하는 것을 두 가지 고르시오. (,   )

① 선풍기　　　　　　② 모닥불

③ 태양 전지　　　　　④ 전기밥솥

⑤ 전기다리미

9종 공통

13 다음 중 겨울철 목련에서 볼 수 있는 ㉠에 대한 설명으로 옳지 <u>않은</u> 것은 어느 것입니까? (   )

① 겨울눈이다.

② 겨울에 어린싹이 얼지 않도록 한다.

③ 여러 겹의 비늘 껍질과 털로 싸여 있다.

④ 운동 에너지가 빠져나가는 것을 줄여 준다.

⑤ 식물이 에너지를 효율적으로 활용하기 위한 것이다.

9종 공통

14 다음 중 에너지를 효율적으로 이용하는 방법에 대한 설명으로 옳지 <u>않은</u> 것은 어느 것입니까? (   )

① 창문은 이중창으로 설치한다.

② 태양 에너지를 이용하는 장치를 설치한다.

③ 발광 다이오드[LED]등을 백열등이나 형광등으로 바꾼다.

④ 단열재를 사용하여 건물 안의 열이 빠져나가지 않도록 한다.

⑤ 에너지 소비 효율 등급이 1등급에 가까운 전기 제품을 사용한다.

9종 공통

15 다음 두 생물이 에너지를 얻는 방법을 비교하여 쓰시오.

⬆ 사과나무

⬆ 사자

답 사과나무는 ❶ [   ]을/를 이용하여 스스로 양분을 만들어 에너지를

얻고, 사자는 다른 ❷ [   ]을/를 먹고 그 양분으로 에너지를 얻는다.

9종 공통

16 오른쪽은 불이 켜진 가로등의 모습입니다.

(1) 불이 켜진 가로등이 전기 에너지 이외에 가지고 있는 주위를 밝게 비출 수 있는 에너지 형태를 한 가지 쓰시오.

(   )

(2) 위 (1)번 답을 참고하여 불이 켜진 가로등에서 일어나는 에너지 전환 과정을 쓰시오.

_____

_____

9종 공통

17 오른쪽과 같이 전기 주전자에 물을 넣고 끓일 때 일어나는 에너지 전환 과정을 쓰시오.

_____

_____

Step ③ 수행평가

탐구 주제 다른 형태로 바뀌는 에너지

탐구 목표 자연이나 우리 주변에서 에너지 형태가 바뀌는 예를 찾아 설명할 수 있다.

[18~20] 다음은 에너지 전환이 일어나는 예를 나타낸 것입니다.

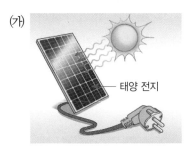
(가) 태양 전지

(나) 물의 순환

천재교육, 천재교과서, 금성, 김영사, 미래엔, 비상, 지학사

18 위 (가)와 (나)에서 일어나는 에너지 전환 과정을 보기 에서 골라 각각 기호를 쓰시오.

보기
ㄱ 태양의 빛에너지 → 열에너지
ㄴ 태양의 빛에너지 → 전기 에너지
ㄷ 태양의 빛에너지 → 운동 에너지
ㄹ 태양의 열에너지 → 전기 에너지
ㅁ 태양의 열에너지 → 위치 에너지
ㅂ 태양의 열에너지 → 화학 에너지

(가) ( ) (나) ( )

9종 공통

19 다음은 위 (가)와 (나)를 통해 알게 된 점을 설명한 것입니다. ☐ 안에 들어갈 알맞은 말을 쓰시오.

우리가 사용하는 대부분의 에너지는 ☐ 에서 온 에너지 형태가 전환된 것입니다.

( )

9종 공통

20 위 (가)와 (나)에서 전환된 에너지 형태가 우리 생활에 어떻게 이용되는지 각각 쓰시오.

(가): _____

(나): _____

에너지 전환

에너지 형태가 다른 에너지 형태로 바뀌는 것입니다.

물의 순환

태양의 열에너지를 받아 바닷물이 증발하여 수증기가 되고, 수증기가 하늘로 올라가 응결하면 구름이 되고, 위치 에너지를 가지고 있는 구름은 비나 눈이 되어 다시 땅으로 내려 옵니다.

5
단원

진도 완료 체크

수력 발전

비가 되어 내린 물이 댐에 저장되면 필요에 따라 물을 아래로 떨어뜨리는데, 이때 위치 에너지가 운동 에너지로 전환되고, 이 운동 에너지가 전기 에너지로 전환됩니다.

Q 배점 표시가 없는 문제는 문제당 4점입니다.

9종 공통

1 다음 ☐ 안에 공통으로 들어갈 알맞은 말을 쓰시오.

> 생물이 살아가거나 기계가 움직일 때 필요한 ☐☐☐은/는 석탄, 석유, 천연가스, 햇빛, 바람 등 여러 가지 ☐☐ 자원에서 얻을 수 있습니다.

( )

9종 공통

2 다음과 같은 방법으로 에너지를 얻는 생물을 두 가지 고르시오. (,)

> 빛을 이용하여 스스로 양분을 만들어 에너지를 얻습니다.

① 토끼　　　　　② 토끼풀
③ 호랑이　　　　④ 고양이
⑤ 사과나무

9종 공통

3 다음은 기계가 필요한 에너지를 얻는 방법에 대한 설명입니다. ☐ 안에 공통으로 들어갈 알맞은 말을 쓰시오.

> • 전기다리미: ☐☐ 에너지로 작동합니다.
> • 자동차: 연료를 넣거나 ☐☐을/를 충전합니다.

( )

9종 공통

4 다음 중 햇빛, 불 켜진 전등과 공통으로 관련된 에너지 형태는 어느 것입니까? ( )

① 빛에너지　　　　② 전기 에너지
③ 화학 에너지　　　④ 위치 에너지
⑤ 운동 에너지

9종 공통

5 다음 중 위치 에너지에 대한 설명으로 옳은 것은 어느 것입니까? ( )

① 움직이는 물체가 가진 에너지이다.
② 주위를 밝게 비출 수 있는 에너지이다.
③ 음식물, 석유, 석탄 등이 가진 에너지이다.
④ 높은 곳에 있는 물체가 가진 에너지이다.
⑤ 물체의 온도를 높일 수 있는 에너지이다.

🗂 서술형·논술형 문제
9종 공통

6 오른쪽은 녹고 있는 쇠의 모습입니다. [총 12점]

(1) 위와 같이 물체의 온도를 높일 수 있는 에너지 형태를 쓰시오. [4점]

( )

(2) 위 (1)번 답의 에너지 형태가 실생활에서 이용되는 예를 한 가지 쓰시오. [8점]

_____

_____

9종 공통

7 다음 중 화학 에너지를 가지고 있지 <u>않은</u> 것은 어느 것입니까? ( )

① 건전지
② 화분의 식물
③ 타오르는 모닥불
④ 높이 올라간 그네
⑤ 휴대 전화의 배터리

[8~9] 다음 놀이터의 모습을 보고, 물음에 답하시오.

천재교과서

8 위 놀이터에서 찾을 수 있는 에너지 형태를 나타낸 것으로 옳은 것을 [보기]에서 골라 기호를 쓰시오.

> [보기]
> ㉠ 달리는 자전거 – 전기 에너지
> ㉡ 휴대 전화의 배터리 – 운동 에너지
> ㉢ 미끄럼틀 위의 아이 – 위치 에너지

(   )

천재교과서

9 다음 중 위 놀이터의 높이 올라간 시소와 같은 에너지 형태를 가지고 있는 것은 어느 것입니까? (   )

① 태양
② 전기다리미
③ 사람의 체온
④ 공을 차는 아이들
⑤ 높은 곳에 있는 추

9종 공통

10 오른쪽의 텔레비전과 같은 전기 기구들을 작동하는 데 이용되는 에너지 형태를 쓰시오.

(   )

11 다음 중 에너지 전환에 대한 설명으로 옳은 것은 어느 것입니까? (   )

① 에너지 형태가 바뀌는 것을 말한다.
② 빛에너지는 열에너지로만 전환된다.
③ 에너지 형태가 계속 유지되는 것을 말한다.
④ 한 에너지는 다른 한 에너지로만 전환된다.
⑤ 위치 에너지가 운동 에너지로 전환되면 다시 위치 에너지로는 전환될 수 없다.

🏷️ 서술형·논술형 문제   천재교과서, 금성, 동아, 미래엔, 아이스크림

12 다음은 롤러코스터에서 움직이는 열차의 모습입니다.

[총 12점]

(1) 위 ㉡ 구간과 ㉢ 구간 중에서 운동 에너지가 위치 에너지로 전환되는 구간의 기호를 쓰시오. [4점]

(   ) 구간

(2) 위 ㉠ 구간에서 일어나는 에너지 전환 과정을 쓰시오. [8점]

_____

_____

5
단원

9종 공통

13 폭포에서 물이 떨어질 때 일어나는 에너지 전환 과정에 맞게 ㉠과 ㉡에 들어갈 알맞은 말을 각각 쓰시오.

> ㉠ 에너지 → ㉡ 에너지

㉠ (   )

㉡ (   )

9종 공통

14 오른쪽과 같이 모닥불을 피워 음식을 익힐 때 일어나는 에너지 전환 과정으로 옳은 것은 어느 것입니까? ( )

① 열에너지 → 위치 에너지
② 열에너지 → 운동 에너지
③ 화학 에너지 → 열에너지
④ 위치 에너지 → 열에너지
⑤ 화학 에너지 → 운동 에너지

천재교육, 천재교과서, 금성, 김영사, 미래엔, 비상, 지학사

15 다음 ☐ 안에 들어갈 알맞은 에너지 형태를 쓰시오.

높은 댐에 고인 물의 위치 에너지가 수력 발전소에서 ☐ 에너지로 전환됩니다.

( )

9종 공통

16 다음은 태양에서 온 에너지의 전환 과정을 나타낸 것입니다. ㉠과 ㉡에 들어갈 알맞은 말을 바르게 짝지은 것은 어느 것입니까? ( )

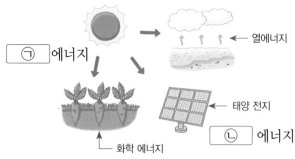

㉠	㉡	㉠	㉡
① 빛	운동	② 빛	전기
③ 위치	운동	④ 운동	위치
⑤ 전기	화학		

9종 공통

17 전기다리미로 옷의 주름을 펼 때 일어나는 에너지 전환 과정에 맞게 ㉠, ㉡에 들어갈 알맞은 말을 각각 쓰시오.

☐ ㉠ 에너지 ➡ ㉡ 에너지 ☐

㉠ ( ) ㉡ ( )

서술형·논술형 문제   천재교과서, 금성, 동아, 미래엔, 비상, 아이스크림, 지학사

18 다음과 같이 동물이 겨울잠을 자는 까닭을 쓰시오. [8점]

⬥ 겨울잠을 자는 북극곰

_____

_____

[19~20] 다음은 두 가지 전등에서 전기 에너지가 빛에너지로 전환되는 비율을 나타낸 것입니다. 물음에 답하시오.

백열등	발광 다이오드[LED]등
약 5 %	약 95 %

천재교육, 천재교과서, 동아, 미래엔, 지학사

19 위와 같은 전등에서 전기 에너지는 빛에너지 이외에 어떤 에너지로 전환되는지 쓰시오.

( )

천재교육, 천재교과서, 동아, 미래엔, 지학사

20 위의 비율로 보아 두 가지 전등 중 에너지를 더 효율적으로 이용할 수 있는 전등은 어느 것인지 쓰시오.

( )

5
단원

진도 완료
체크

문제 읽을 준비는
저절로 되지 않습니다.

문해력을 키우는 시간

하루
10분

똑똑한 하루 국어 시리즈

문제풀이의 핵심, 문해력을 키우는 승부수

예비초~초6 각A·B

교재별14권

예비초A·B, 초1~초6: 1A~4C

총 14권

뭘 좋아할지 몰라 다 준비했어♥
전과목 교재

전과목 시리즈 교재

● 무등생 해법시리즈
– 국어/수학   1~6학년, 학기용
– 사회/과학   3~6학년, 학기용
– 봄·여름/가을·겨울   1~2학년, 학기용
– SET(전과목/국수, 국사과)   1~6학년, 학기용

● 똑똑한 하루 시리즈
– 똑똑한 하루 독해   예비초~6학년, 총 14권
– 똑똑한 하루 글쓰기   예비초~6학년, 총 14권
– 똑똑한 하루 어휘   예비초~6학년, 총 14권
– 똑똑한 하루 한자   예비초~6학년, 총 14권
– 똑똑한 하루 수학   1~6학년, 학기용
– 똑똑한 하루 계산   예비초~6학년, 총 14권
– 똑똑한 하루 도형   예비초~6학년, 총 8권
– 똑똑한 하루 사고력   1~6학년, 학기용
– 똑똑한 하루 사회/과학   3~6학년, 학기용
– 똑똑한 하루 봄/여름/가을/겨울   1~2학년, 총 8권
– 똑똑한 하루 안전   1~2학년, 총 2권
– 똑똑한 하루 Voca   3~6학년, 학기용
– 똑똑한 하루 Reading   초3~초6, 학기용
– 똑똑한 하루 Grammar   초3~초6, 학기용
– 똑똑한 하루 Phonics   예비초~초등, 총 8권

● 독해가 힘이다 시리즈
– 초등 문해력 독해가 힘이다 비문학편   3~6학년
– 초등 수학도 독해가 힘이다   1~6학년, 학기용
– 초등 문해력 독해가 힘이다 문장제수학편   1~6학년, 총 12권

영어 교재

● 초등영어 교과서 시리즈
파닉스(1~4단계)   3~6학년, 학년용
영단어(1~4단계)   3~6학년, 학년용

● LOOK BOOK 영단어   3~6학년, 단행본

● 원서 읽는 LOOK BOOK 영단어   3~6학년, 단행본

국가수준 시험 대비 교재

● 해법 기초학력 진단평가 문제집   2~6학년·중1 신입생, 총 6권

#홈스쿨링

우등생

온라인 성적 피드백

개념 동영상 강의

서술형 문제 동영상 강의

과학 6·2

온라인 학습북
포인트 ③가지

▶ 「**개념 동영상 강의**」로 교과서 핵심만 정리!

▶ 「**서술형 문제 동영상 강의**」로 사고력도 향상!

▶ 「**온라인 성적 피드백**」으로 단원별로 내가 부족한 부분 꼼꼼하게 체크!

우등생 온라인 학습북 활용법

home.chunjae.co.kr

우등생 홈스쿨링

어떤 교과서를 쓰더라도

언제나
우등생
홈스쿨링

풍부한 동영상 · 편한 학습 스케줄링 · 다양한 교구재

온라인 강의
개념 / 서술형 · 논술형 평가 / 단원평가

온라인 학습 스케줄 관리
맞춤형 홈스쿨링 스케줄표 제공

온라인 채점과 성적 피드백
정답을 입력하면 채점과 성적 분석까지

우등생 홈스쿨링   로그아웃

🏠 과학 ▾   온라인 학습북 ▾   단원평가 ▾

단원평가

1단원 단원평가
정답입력 온라인피드백 문제풀이

2단원 단원평가
정답입력 온라인피드백 문제풀이

3단원 단원평가
정답입력 온라인피드백 문제풀이

4단원 단원평가
정답입력 온라인피드백 문제풀이

정답 입력

1	① ② ③ ④ ⑤
2	① ② ③ ④ ⑤
3	① ② ③ ④ ⑤
4	① ② ③ ④ ⑤
5	① ② ③ ④ ⑤
6	① ② ③ ④ ⑤

온라인 피드백

9   문제풀이

어떤 물체를 특정 물질로 만드는 까닭을 알고 있으면 문제를 푸는 데 도움이 됩니다. 집게를 이루고 있는 물질과 물체를 그 물질로 만들었을 때의 좋은 점을 알고 있어야 합니다.

11   문제풀이

물체의 기능에 알맞은 물질을 선택하여 물체를 만드는 경우를 이해하는 데 어려움을 느낄 수 있습니다. 물체의 각 부분을 서로 다른 물질로 만들었을 때의 좋은 점을 알

단원평가의 답을 입력하여 제출하면
틀린 문제에 대한 피드백과 동영상 강의 제공!

우등생 과학 6-2
홈스쿨링 스피드 스케줄표(10회)

스피드 스케줄표는 온라인 학습북을 10회로 나누어
빠르게 공부하는 학습 진도표입니다.

1. 전기의 이용

1회	온라인 학습북 4~11쪽	**2**회	온라인 학습북 12~15쪽
	월 일		월 일

2. 계절의 변화

3회	온라인 학습북 16~23쪽
	월 일

2. 계절의 변화

4회	온라인 학습북 24~27쪽
	월 일

3. 연소와 소화

5회	온라인 학습북 28~35쪽	**6**회	온라인 학습북 36~39쪽
	월 일		월 일

4. 우리 몸의 구조와 기능

7회	온라인 학습북 40~47쪽	**8**회	온라인 학습북 48~51쪽
	월 일		월 일

5. 에너지 생활

9회	온라인 학습북 52~59쪽
	월 일

전체 범위

10회	온라인 학습북 60~63쪽
	월 일

스피드
스케줄표
바로가기

차례

❶ 전구에 불이 켜지는 조건

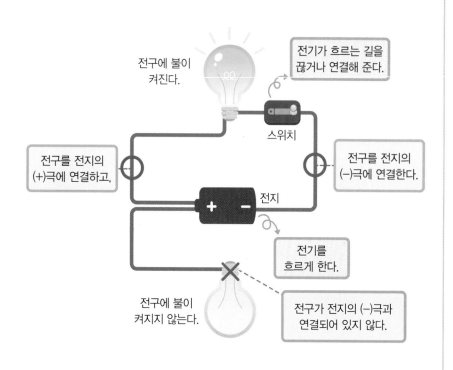

전구에 불이 켜진다.

전기가 흐르는 길을 끊거나 연결해 준다.

스위치

전구를 전지의 (+)극에 연결하고,

전구를 전지의 (−)극에 연결한다.

전지

전기를 흐르게 한다.

전구에 불이 켜지지 않는다.

전구가 전지의 (−)극과 연결되어 있지 않다.

✳ 중요한 내용을 정리해 보세요!

● 전기 회로란?

● 전구에 불이 켜지는 조건은?

개념 확인하기

정답 18쪽

◊ 다음 문제를 읽고 답을 찾아 ☐ 안에 ✔표를 하시오.

1 전기 회로에 전기를 흐르게 하는 전기 부품은 어느 것입니까?

㉠ 전지 ☐   ㉡ 전구 ☐

㉢ 스위치 ☐   ㉣ 전구 끼우개 ☐

2 전기가 흐르는 길을 끊거나 연결하는 전기 부품은 어느 것입니까?

㉠ 전지 ☐   ㉡ 전구 ☐

㉢ 스위치 ☐   ㉣ 집게 달린 전선 ☐

3 여러 가지 전기 부품을 연결하여 전기가 흐르도록 한 것을 무엇이라고 합니까?

㉠ 전기 회로 ☐   ㉡ 전기 연결 ☐

4 전기 회로에서 전구에 불이 켜지는 경우는 어느 것입니까?

㉠ 스위치를 닫았을 때 ☐

㉡ 스위치를 닫지 않았을 때 ☐

5 전구에 불이 켜지는 조건으로 옳은 것은 어느 것입니까?

㉠ 전구를 전지의 양쪽 극에 연결한다. ☐

㉡ 전지, 전구, 전선이 끊기게 연결한다. ☐

❷ 전구의 연결 방법에 따른 전구의 밝기

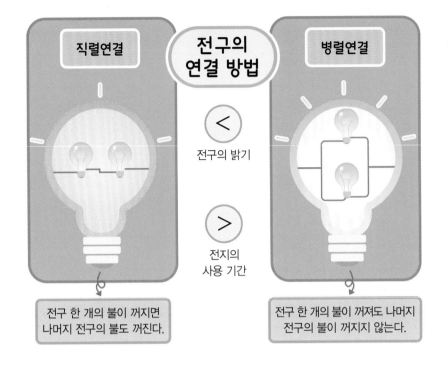

| 직렬연결 | 전구의 연결 방법 | 병렬연결 |

< 전구의 밝기

> 전지의 사용 기간

전구 한 개의 불이 꺼지면 나머지 전구의 불도 꺼진다.

전구 한 개의 불이 꺼져도 나머지 전구의 불이 꺼지지 않는다.

✳ 중요한 내용을 정리해 보세요!

● 전구의 직렬연결과 병렬연결이란?

● 전구의 연결 방법에 따른 전구의 밝기는?

개념 확인하기

정답 18쪽

🖉 다음 문제를 읽고 답을 찾아 ☐ 안에 ✔표를 하시오.

1 전기 회로에서 전구 두 개 이상을 한 줄로 연결하는 방법을 무엇이라고 합니까?

    ㉠ 전구의 직렬연결 ☐
    ㉡ 전구의 병렬연결 ☐

2 전기 회로에서 전구 두 개 이상을 여러 개의 줄에 나누어 한 개씩 연결하는 방법을 무엇이라고 합니까?

    ㉠ 전구의 직렬연결 ☐
    ㉡ 전구의 병렬연결 ☐

3 전구가 더 밝은 전구의 연결 방법은 어느 것입니까?

    ㉠ 전구의 직렬연결 ☐
    ㉡ 전구의 병렬연결 ☐

4 전지를 더 오래 사용할 수 있는 전구의 연결 방법은 어느 것입니까?

    ㉠ 전구의 직렬연결 ☐
    ㉡ 전구의 병렬연결 ☐

5 전구 한 개의 불이 꺼지면 나머지 전구의 불도 꺼지는 전구의 연결 방법은 어느 것입니까?

    ㉠ 전구의 직렬연결 ☐   ㉡ 전구의 병렬연결 ☐

[1~2] 다음과 같이 전지, 전선, 전구를 연결하였습니다. 물음에 답하시오.

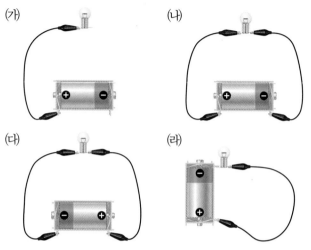

천재교육, 천재교과서, 김영사, 미래엔, 비상

1 위 전기 회로 중 결과가 나머지와 <u>다른</u> 하나를 골라 기호를 쓰시오.

( )

천재교육, 천재교과서, 김영사, 미래엔, 비상

2 다음 보기 에서 위 **1**번 답의 전지, 전선, 전구가 연결되어 있는 방법으로 옳은 것을 골라 기호를 쓰시오.

보기
㉠ 전구가 전지의 (+)극에만 연결되어 있습니다.
㉡ 전구가 전지의 (+)극과 (−)극에 각각 연결되어 있습니다.
㉢ 전구에 연결된 전선이 모두 전지의 (−)극에만 연결되어 있습니다.

( )

3 다음 중 전기 회로에 전기가 흐르는 경우를 골라 기호를 쓰시오.

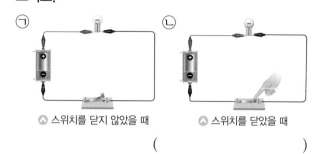

◇ 스위치를 닫지 않았을 때 　　　◇ 스위치를 닫았을 때

( )

4 다음은 전기 회로에서 전구에 불이 켜지는 조건입니다. ☐ 안에 공통으로 들어갈 알맞은 말을 쓰시오.

• 전지, 전선, 전구가 끊기지 않게 연결합니다.
• 전구는 ☐☐의 (+)극과 ☐☐의 (−)극에 각각 연결합니다.

( )

천재교과서, 금성

5 다음의 전기 회로에서 스위치를 닫았을 때 전구의 밝기를 바르게 비교한 사람의 이름을 쓰시오.

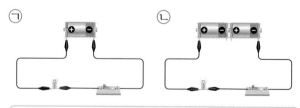

선정: ㉠과 ㉡은 전구의 밝기가 같아.
지현: ㉠은 ㉡보다 전구의 밝기가 밝아.
수진: ㉡은 ㉠보다 전구의 밝기가 밝아.

( )

[6~8] 다음의 두 전기 회로를 보고 물음에 답하시오.

ㄱ  ㄴ

천재교육, 천재교과서, 미래엔, 비상, 지학사

6 위 전기 회로에서 다르게 한 조건은 어느 것입니까?

( )

① 전구의 수   ② 전지의 수

③ 전구의 종류   ④ 전구의 연결 방법

⑤ 전지의 연결 방법

천재교육, 천재교과서, 미래엔, 아이스크림, 지학사

7 위의 두 전기 회로 중 오른쪽의 전기 회로와 전구의 밝기가 같은 것을 골라 기호를 쓰시오.

( )

천재교육, 천재교과서, 미래엔, 비상, 지학사

8 위 전기 회로에 대한 설명으로 옳지 <u>않은</u> 것은 어느 것입니까? ( )

① ㄱ은 전구가 병렬연결되어 있다.

② ㄴ은 전구가 직렬연결되어 있다.

③ ㄱ은 ㄴ보다 전구의 밝기가 밝다.

④ ㄱ은 ㄴ보다 에너지 소비가 더 많다.

⑤ ㄱ은 ㄴ보다 전지를 더 오래 사용할 수 있다.

[9~10] 다음과 같이 전구의 연결 방법을 다르게 하여 연결해 보았습니다. 물음에 답하시오.

ㄱ 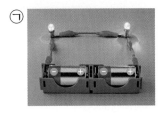 ㄴ

천재교육, 천재교과서, 동아, 비상, 지학사

9 위와 같은 전구의 연결 방법을 각각 무엇이라고 하는지 쓰시오.

ㄱ ( )

ㄴ ( )

천재교육, 천재교과서, 동아, 비상, 지학사

10 위의 각 전기 회로에서 전구 한 개의 불이 꺼졌을 때, 나머지 전구에 대한 설명으로 옳은 것은 어느 것입니까?

( )

	ㄱ	ㄴ
①	불이 꺼짐.	불이 꺼짐.
②	불이 꺼짐.	불이 꺼지지 않음.
③	불이 꺼지지 않음.	불이 켜짐.
④	불이 꺼지지 않음.	불이 꺼지지 않음.
⑤	불이 꺼졌다 켜짐.	불이 꺼졌다 켜짐.

① 전자석의 성질

전자석의 성질

전류가 흐르면 자석의 성질이 나타난다.
└ 철이 붙는다.

한 줄로 연결한 전지의 수에 따라 자석의 세기가 바뀐다.
└ 전자석에 철로 된 물체가 더 많이 붙는다.

전지의 극을 반대로 하면 자석의 극이 바뀐다.
└ 나침반 바늘이 가리키는 방향이 반대로 바뀐다.

✳ 중요한 내용을 정리해 보세요!

● 전자석이란?

● 영구 자석과 다른 전자석의 성질은?

개념 확인하기

정답 18쪽

🍀 다음 문제를 읽고 답을 찾아 ☐ 안에 ✔표를 하시오.

1 철심에 감은 전선에 전기가 흐르면 전선 주위에 자석의 성질이 나타나는 것을 무엇이라고 합니까?

㉠ 전자석 ☐　　㉡ 영구 자석 ☐

2 전자석의 끝부분에 클립이 붙는 경우는 어느 것입니까?

㉠ 전기 회로의 스위치를 닫았을 때 ☐
㉡ 전기 회로의 스위치를 닫지 않았을 때 ☐

3 전자석에 붙은 짧은 빵 끈의 개수가 더 많은 것은 어느 것입니까?

㉠ 전기 회로에 전지 한 개를 연결한 경우 ☐
㉡ 전기 회로에 전지 두 개를 서로 다른 극끼리 한 줄로 연결한 경우 ☐

4 자석의 세기를 조절할 수 있는 것은 어느 것입니까?

㉠ 전자석 ☐　　㉡ 영구 자석 ☐

5 자석의 극을 바꿀 수 있는 것은 어느 것입니까?

㉠ 전자석 ☐　　㉡ 영구 자석 ☐

❷ 전기를 안전하게 사용하고 절약하는 방법

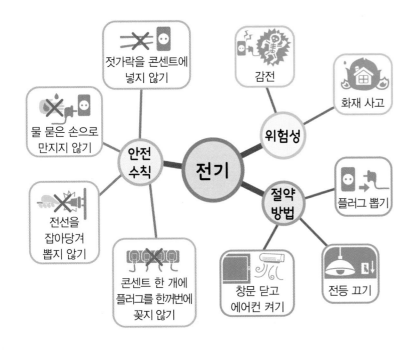

✳ 중요한 내용을 정리해 보세요!

● 전기를 안전하게 사용하는 방법은?

● 전기를 절약하는 방법은?

개념 확인하기

정답 18쪽

✑ 다음 문제를 읽고 답을 찾아 ☐ 안에 ✔표를 하시오.

1 플러그는 어느 부분을 잡고 뽑아야 합니까?

㉠ 머리 부분 ☐   ㉡ 전선 부분 ☐

2 전기를 안전하게 사용하는 방법으로 옳은 것은 어느 것입니까?

㉠ 젓가락을 콘센트에 넣지 않는다. ☐

㉡ 물 묻은 손으로 플러그를 꽂는다. ☐

3 전기를 낭비하는 경우로 옳은 것은 어느 것입니까?

㉠ 낮에 전등을 켜 둔다. ☐

㉡ 창문을 닫고 에어컨을 켠다. ☐

4 전기를 안전하게 사용해야 하는 까닭으로 옳은 것입니까?

㉠ 감전 사고가 발생할 수 있다. ☐

㉡ 홍수나 가뭄이 발생할 수 있다. ☐

5 전기를 절약하는 방법으로 옳은 것은 어느 것입니까?

㉠ 불필요한 전기 사용을 줄인다. ☐

㉡ 효율이 낮은 전기 제품을 사용한다. ☐

[1~2] 다음은 전선 주위에 놓인 나침반 바늘의 움직임을 관찰하기 위한 실험입니다. 물음에 답하시오.

(가) 전지에 전선과 스위치를 연결해서 전기 회로를 만듭니다.
(나) 전선 아래에 나침반을 놓고, 전선이 나침반 바늘과 나란한 방향이 되도록 전선의 위치를 조정합니다.

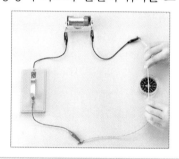

금성

1 다음 보기 에서 위 전기 회로의 스위치를 닫았을 때 나침반에 나타나는 변화로 옳은 것을 골라 기호를 쓰시오.

보기
㉠ 나침반 바늘이 움직입니다.
㉡ 나침반 바늘이 계속 돌아갑니다.
㉢ 나침반 바늘이 가리키는 방향이 바뀌지 않습니다.

(   )

금성

2 위 1번의 답으로 보아 전기가 흐르는 전선 주위에 무엇과 같은 성질이 생겼음을 알 수 있습니까? (   )
① 종이　　　　　② 유리
③ 고무　　　　　④ 자석
⑤ 플라스틱

천재교육

3 다음 중 전자석의 끝부분을 침핀에 가까이한 뒤 스위치를 닫았을 때의 결과로 옳은 것을 골라 기호를 쓰시오.

㉠ 　　㉡
◎ 침핀이 전자석에 붙지 않음.　　◎ 침핀이 전자석에 붙음.

(   )

[4~5] 다음은 전자석에 전지 한 개와 전지 두 개를 각각 연결하여 스위치를 닫았을 때, 전자석 끝부분에 붙은 짧은 빵 끈의 모습입니다. 물음에 답하시오.

㉠ 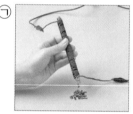 ㉡
◎ 짧은 빵 끈이 3개 붙음.　　◎ 짧은 빵 끈이 6개 붙음.

천재교과서

4 위 실험에서 전지 한 개를 연결했을 때의 결과를 골라 기호를 쓰시오.

(   )

천재교과서

5 위 실험으로부터 알 수 있는 전자석의 성질로 옳은 것은 어느 것입니까? (   )
① 자석의 극이 일정하다.
② 자석의 세기가 일정하다.
③ 자석의 극을 바꿀 수 있다.
④ 자석의 세기를 조절할 수 있다.
⑤ 전기가 흐를 때에만 자석의 성질이 나타난다.

김영사, 비상, 지학사

6 다음과 같이 전자석의 양 끝에 나침반을 놓고 스위치를 닫았을 때의 결과로 옳은 것은 어느 것입니까? ( )

① 나침반 바늘이 빙글빙글 돈다.
② 나침반 바늘에 전기가 흐른다.
③ 나침반 바늘이 움직이지 않는다.
④ 나침반 바늘이 전자석 쪽으로 움직인다.
⑤ 나침반 바늘이 가지고 있는 자석의 성질이 없어진다.

7 다음은 아래의 전자석 기중기에 이용된 전자석의 원리를 설명한 것입니다. ☐ 안에 들어갈 알맞은 말은 어느 것입니까? ( )

전자석 기중기를 사용하면 무거운 ☐ 제품을 전자석에 붙여 다른 장소로 옮길 수 있습니다.

① 철   ② 유리
③ 나무   ④ 고무
⑤ 플라스틱

8 다음 중 전기를 안전하게 사용하고 있는 경우를 골라 기호를 쓰시오.

△ 콘센트 덮개 끼우기

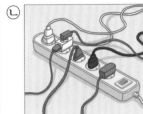
△ 콘센트 한 개에 플러그 여러 개를 꽂아 사용하기

( )

9 다음 보기 의 내용을 전기를 안전하게 사용하는 방법과 절약하는 방법으로 분류하여 기호를 각각 쓰시오.

보기
㉠ 창문을 닫고 에어컨을 켭니다.
㉡ 사용하지 않는 전등을 끕니다.
㉢ 플러그의 머리 부분을 잡고 뽑습니다.
㉣ 물 묻은 손으로 전기 제품을 만지지 않습니다.

(1) 전기를 안전하게 사용하는 방법:
(,)

(2) 전기를 절약하는 방법:
(,)

천재교과서, 금성, 미래엔, 비상, 지학사

10 다음은 전기를 안전하게 사용하고 절약해야 하는 까닭입니다. ㉠, ㉡에 들어갈 알맞은 말을 각각 쓰시오.

• 전기를 안전하게 사용하지 않으면 ㉠ 사고나 전기 화재 등이 발생할 수 있습니다.
• 전기를 절약하지 않으면 자원이 ㉡ 되고 환경 문제가 발생할 수 있습니다.

㉠ ( )
㉡ ( )

연습 🦉 도움말을 참고하여 내 생각을 차근차근 써 보세요.

천재교육, 천재교과서, 김영사, 미래엔, 비상

1 다음과 같이 전지, 전선, 전구를 연결하였습니다.

[총 10점]

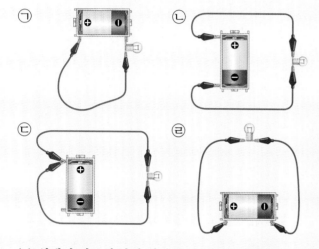

(1) 위에서 전구에 불이 켜지지 않는 것의 기호를 쓰시오.

[2점]

( )

(2) 위 (1)번 답에서 전구에 불이 켜지지 않는 까닭은 전구에 연결되어 있는 전선이 모두 어디에 연결되어 있기 때문인지 쓰시오. [2점]

전지의 ( )극

(3) 전구에 불이 켜지게 하려면 전구는 전지에 어떻게 연결해야 하는지 쓰시오. [6점]

🦉 전구와 전지의 양 극이 모두 연결되어야 해요.

꼭 들어가야 할 말 (+)극 / (−)극

_____

_____

천재교육, 천재교과서, 미래엔, 아이스크림, 지학사

2 다음과 같이 전구의 연결 방법을 다르게 하여 전기 회로를 연결하였습니다. [총 12점]

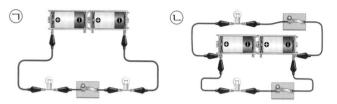

(1) 위에서 전구 두 개를 병렬연결한 것의 기호를 쓰시오.

[4점]

( )

(2) 위의 각 전기 회로의 전구 끼우개에 연결된 전구 하나를 빼내고 스위치를 닫았을 때 ㉠과 ㉡의 전기 회로의 나머지 전구는 어떻게 되는지 각각 쓰시오. [8점]

_____

_____

3 전자석의 성질을 알아보기 위해 다음과 같이 전자석의 양 끝에 나침반을 놓았습니다. [총 12점]

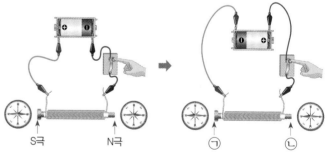

(1) 위 전자석에서 전지의 극을 반대로 하였을 때 ㉠과 ㉡의 전자석의 극을 각각 쓰시오. [4점]

㉠ ( )

㉡ ( )

(2) 위 (1)번의 답을 통해 알게 된 전자석의 성질을 쓰시오.

[8점]

_____

_____

9종 공통

1
천재교과서, 금성, 동아, 아이스크림

오른쪽 스위치의 쓰임새로
옳은 것은 어느 것입니까?
(   )

① 빛을 낸다.
② 전기 회로에 전기를 흐르게 한다.
③ 전기가 흐르는 길을 끊거나 연결한다.
④ 전선을 쉽게 연결할 수 있도록 전구를 넣어 사용
한다.
⑤ 전선을 쉽게 연결할 수 있도록 전지를 넣어 사용
한다.

2
천재교육, 천재교과서, 지학사

다음 보기 에서 전구에 불이 켜지는 전기 회로끼리
바르게 짝지은 것은 어느 것입니까? (   )

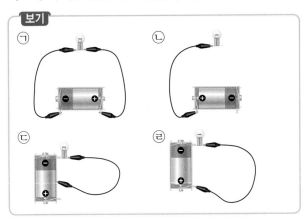

① ㉠, ㉡   ② ㉠, ㉢   ③ ㉠, ㉣
④ ㉡, ㉣   ⑤ ㉢, ㉣

3
천재교육, 천재교과서, 금성, 동아, 미래엔, 지학사

오른쪽의 전기 회로에서 전구에
불이 켜지게 하려면 어떻게 해야
합니까? (   )

① 전지와 전구 사이에 스위치를 연결한다.
② 전구의 한쪽을 전지의 (+)극과 연결한다.
③ 전구의 한쪽을 전지의 (−)극과 연결한다.
④ 전지 두 개를 서로 같은 극끼리 한 줄로 연결한다.
⑤ 전지 두 개를 서로 다른 극끼리 한 줄로 연결한다.

4
다음과 같이 전지, 전선, 전구 등 전기 부품을 서로 연결해
전기가 흐르도록 한 것을 무엇이라고 합니까?
(   )

① 전류   ② 스위치
③ 전기 회로   ④ 전기 부품
⑤ 발광 다이오드

5
천재교과서, 금성

위 4번에서 전구의 밝기를 더 밝게 하는 방법으로 옳은
것은 어느 것입니까? (   )

① 전선의 길이를 길게 한다.
② 전선의 길이를 짧게 한다.
③ 전구를 한 개 더 연결한다.
④ 전지 두 개를 서로 같은 극끼리 한 줄로 연결한다.
⑤ 전지 두 개를 서로 다른 극끼리 한 줄로 연결한다.

6
천재교육, 천재교과서, 미래엔, 지학사

다음은 전구 두 개를 여러 가지 방법으로 연결한 전기
회로입니다. 스위치를 닫았을 때 전구의 밝기가 더 밝은
것끼리 바르게 짝지은 것은 어느 것입니까? (   )

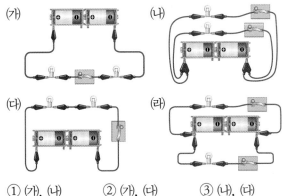

① (가), (나)   ② (가), (다)   ③ (나), (다)
④ (나), (라)   ⑤ (다), (라)

천재교과서, 동아, 비상, 지학사

7 오른쪽 전기 회로의 전구 끼우개에 연결된 전구 한 개를 빼내고 스위치를 닫았을 때의 결과로 옳은 것은 어느 것입니까? (　　　)

① 전지가 더 빨리 소모된다.

② 나머지 전구에 불이 켜진다.

③ 나머지 전구에 불이 켜지지 않는다.

④ 나머지 전구의 밝기가 더 어두워진다.

⑤ 나머지 전구의 불이 켜졌다 꺼졌다 한다.

천재교육, 천재교과서, 금성, 김영사, 동아, 미래엔, 비상, 지학사

8 오른쪽의 전기 회로를 위 7번의 전기 회로와 비교한 것으로 옳은 것은 어느 것입니까? (　　　)

① 전구의 밝기가 더 밝다.

② 전구의 연결 방법이 같다.

③ 전지의 연결 방법이 다르다.

④ 전지를 더 오래 사용할 수 있다.

⑤ 전구 한 개를 빼냈을 때의 결과가 같다.

천재교육, 천재교과서, 금성, 동아, 미래엔, 아이스크림, 지학사

9 다음 보기 에서 전구의 연결 방법에 대한 설명으로 옳은 것을 모두 고른 것은 어느 것입니까? (　　　)

> **보기**
>
> ㉠ 전구 두 개 이상을 한 줄로 연결하는 방법을 전구의 병렬연결이라고 합니다.
>
> ㉡ 같은 수의 전구를 직렬연결하면 병렬연결할 때 보다 전구의 밝기가 어둡습니다.
>
> ㉢ 전구를 병렬연결했을 때 전구 한 개의 불이 꺼져도 나머지 전구의 불이 꺼지지 않습니다.

① ㉠　　　　② ㉠, ㉡　　　　③ ㉠, ㉢

④ ㉡, ㉢　　　　⑤ ㉠, ㉡, ㉢

금성

10 다음 중 전선 주위에서 나침반 바늘이 움직이는 방향에 영향을 주는 것은 어느 것입니까? (　　　)

① 전선의 색깔　　　　② 전선의 길이

③ 전지의 개수　　　　④ 나침반의 크기

⑤ 전지의 연결 방향

금성, 김영사, 미래엔, 비상, 아이스크림

11 다음은 전자석의 끝부분을 클립에 가까이 가져갈 때의 결과입니다. 이와 같은 결과가 나온 까닭으로 옳은 것은 어느 것입니까? (　　　)

스위치를 닫지 않았을 때	스위치를 닫았을 때
클립이 전자석에 붙지 않음.	클립이 전자석에 붙음.

① 전자석은 자석의 세기가 일정하다.

② 전자석은 자석의 극을 바꿀 수 있다.

③ 전자석은 자석의 극을 바꿀 수 없다.

④ 전자석은 항상 자석의 성질을 가지고 있다.

⑤ 전자석은 전기가 흐를 때만 자석의 성질이 나타난다.

천재교과서

12 다음 중 전자석의 끝부분에 붙은 짧은 빵 끈을 더 많이 붙게 하는 방법으로 옳은 것은 어느 것입니까? (　　　)

① 스위치를 연다.

② 전구를 연결한다.

③ 스위치를 열었다 닫았다를 반복한다.

④ 전지 한 개를 서로 다른 극끼리 한 줄로 더 연결한다.

⑤ 전지 한 개를 서로 같은 극끼리 한 줄로 더 연결한다.

9종 공통

13 오른쪽과 같이 전자석의 양 끝에 나침반을 놓아 두는 실험에 대한 설명으로 옳지 않은 것은 어느 것입니까? (　　　)

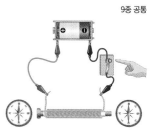

① 스위치를 닫으면 나침반 바늘이 전자석 쪽으로 움직인다.

② 나침반 바늘이 가리키는 방향을 통해 전자석의 극을 알 수 있다.

③ 스위치를 닫았을 때 나침반 바늘의 S극이 가리키는 쪽이 전자석의 N극이다.

④ 스위치를 닫았을 때 나침반 바늘의 N극이 가리키는 쪽이 전자석의 S극이다.

⑤ 전지의 극을 반대로 하고 스위치를 닫아도 나침반 바늘은 처음과 같이 움직인다.

14 다음 중 전자석의 극을 바꿀 수 있는 방법으로 옳은 것은 어느 것입니까? ( )

① 스위치를 열었다 닫는다.

② 전선의 길이를 길게 한다.

③ 전지의 연결 방향을 바꾼다.

④ 서로 다른 극끼리 연결한 전지의 개수를 다르게 한다.

⑤ 서로 같은 극끼리 연결한 전지의 개수를 다르게 한다.

15 다음 보기 에서 영구 자석과 다른 전자석의 성질끼리 바르게 짝지은 것은 어느 것입니까? ( )

보기
㉠ 자석의 세기가 일정합니다.
㉡ 고무로 된 물체가 붙습니다.
㉢ 자석의 세기를 조절할 수 있습니다.
㉣ 전기가 흐를 때만 자석의 성질이 나타납니다.

① ㉠, ㉡   ② ㉠, ㉢   ③ ㉠, ㉣
④ ㉡, ㉣   ⑤ ㉢, ㉣

16 다음 중 우리 생활에서 전자석을 이용한 것이 아닌 것은 어느 것입니까? ( )

① 자기 부상 열차   ② 스피커
③ 나침반   ④ 선풍기
⑤ 머리말리개

17 다음 중 전기를 안전하게 사용하는 방법을 바르게 말하지 못한 친구는 누구입니까? ( )

① 연우: 길게 늘어진 전선은 정리해야 해.

② 석진: 덮개가 있는 콘센트를 사용해야 해.

③ 수영: 젖은 손으로 플러그를 만지면 안 돼.

④ 경석: 물이 있는 곳에서 전기 제품을 사용하면 안 돼.

⑤ 미현: 하나의 콘센트에 여러 전기 제품의 플러그를 꽂아 사용해야 해.

18 다음 중 전기를 위험하게 사용하고 있는 모습으로 옳은 것은 어느 것입니까? ( )

① 젓가락을 콘센트에 넣는다.

② 냉장고 문을 자주 여닫는다.

③ 플러그의 머리 부분을 잡고 뽑는다.

④ 낮에 사용하지 않는 전등을 켜 둔다.

⑤ 물을 마실 때 냉장고 문을 열어 둔다.

19 다음 중 전기를 절약하는 방법으로 옳은 것은 어느 것입니까? ( )

① 빈 교실의 전등도 켜 둔다.

② 에어컨을 켤 때에는 문을 연다.

③ 사용하지 않는 전기 제품을 끈다.

④ 컴퓨터를 사용하는 시간을 늘린다.

⑤ 텔레비전을 사용하는 시간을 늘린다.

20 다음 중 전기를 안전하게 사용하고 절약해야 하는 까닭으로 옳지 않은 것은 어느 것입니까? ( )

① 자원이 낭비될 수 있다.

② 감전 사고가 발생할 수 있다.

③ 전기 화재가 발생할 수 있다.

④ 환경 문제가 발생할 수 있다.

⑤ 풀과 나무가 잘 자랄 수 있다.

• 답안 입력하기   • 온라인 피드백 받기

❶ 태양 고도

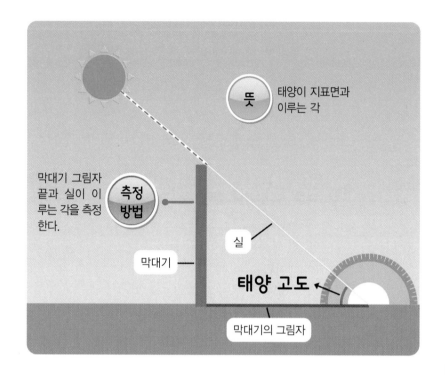

| 뜻 | 태양이 지표면과 이루는 각 |

막대기 그림자 끝과 실이 이루는 각을 측정한다. | 측정 방법 |

실

막대기

태양 고도

막대기의 그림자

✳ 중요한 내용을 정리해 보세요!

● 태양 고도란?

● 하루 동안 태양 고도 변화는?

개념 확인하기

정답 21쪽

🍃 다음 문제를 읽고 답을 찾아 ☐ 안에 ✔표를 하시오.

1 태양 고도란 무엇입니까?

ㄱ 태양이 떠오르는 방향 ☐

ㄴ 태양이 지표면과 이루는 각 ☐

2 태양이 정남쪽에 위치했을 때를 무엇이라고 합니까?

ㄱ 태양이 떴다. ☐

ㄴ 태양이 졌다. ☐

ㄷ 태양이 남중했다. ☐

3 태양이 뜨거나 질 때 태양 고도는 몇 도입니까?

ㄱ 0° ☐   ㄴ 90° ☐

4 하루 중 태양 고도가 가장 높은 때는 언제입니까?

ㄱ 9시 30분경 ☐

ㄴ 12시 30분경 ☐

ㄷ 14시 30분경 ☐

5 하루 동안 태양 고도가 높아지면 기온은 어떻게 변합니까?

ㄱ 대체로 높아진다. ☐

ㄴ 대체로 낮아진다. ☐

❷ 계절별 태양의 남중 고도와 낮의 길이

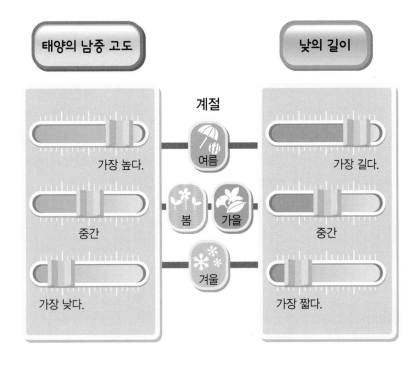

태양의 남중 고도
가장 높다.
중간
가장 낮다.

계절
여름
봄 가을
겨울

낮의 길이
가장 길다.
중간
가장 짧다.

✱ 중요한 내용을 정리해 보세요!

● 계절별 태양의 남중 고도와 낮의 길이 변화는?

● 계절별 태양의 남중 고도와 낮의 길이 변화 관계는?

개념 확인하기

정답 21쪽

🍃 다음 문제를 읽고 답을 찾아 ☐ 안에 ✔표를 하시오.

1 교실 안쪽까지 햇빛이 드는 계절은 언제입니까?

　㉠ 여름 ☐　　　㉡ 겨울 ☐

2 태양의 남중 고도가 가장 높은 계절은 언제입니까?

　㉠ 봄 ☐　　　㉡ 여름 ☐
　㉢ 가을 ☐　　　㉣ 겨울 ☐

3 낮의 길이가 가장 긴 계절은 언제입니까?

　㉠ 봄 ☐　　　㉡ 여름 ☐
　㉢ 가을 ☐　　　㉣ 겨울 ☐

4 여름과 겨울에 낮의 길이는 어떻게 달라집니까?

　㉠ 여름에 낮의 길이가 더 길다. ☐
　㉡ 겨울에 낮의 길이가 더 길다. ☐
　㉢ 계절에 관계없이 낮의 길이는 일정하다. ☐

5 태양의 남중 고도가 높아질수록 낮의 길이는 어떻게 달라집니까?

　㉠ 짧아진다. ☐
　㉡ 길어진다. ☐
　㉢ 변화없다. ☐

1 다음은 ㉠~㉣ 중 어느 것에 대한 설명인지 기호를 쓰시오.

> • 태양이 지표면과 이루는 각입니다.
> • 하늘에 떠 있는 태양의 높이를 알 수 있습니다.

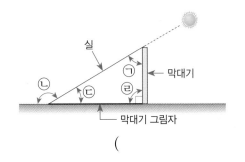

( )

2 다음 ㉠~㉢ 중 태양 고도가 가장 높은 때의 태양의 위치를 골라 기호를 쓰시오.

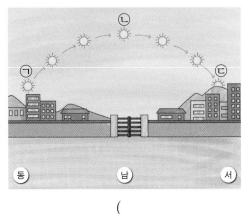

( )

3 다음 중 태양 고도가 더 높은 것을 골라 기호를 쓰시오.

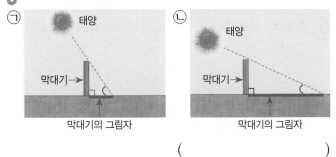

( )

4 다음 보기 에서 태양 고도에 대한 설명으로 옳은 것을 골라 기호를 쓰시오.

> 보기
> ㉠ 태양이 서쪽 지평선으로 질 때 태양 고도는 90°입니다.
> ㉡ 태양이 동쪽 지평선에서 떠오를 때 태양 고도는 0°입니다.
> ㉢ 태양 고도는 하루 동안 계속 높아지다가 서쪽 하늘로 집니다.
> ㉣ 하루 중 태양 고도가 가장 높을 때 태양은 정동쪽에 위치합니다.

( )

5 다음은 하루 동안 태양 고도와 그림자 길이, 기온 변화를 나타낸 그래프입니다. 이에 대한 설명으로 옳은 것은 어느 것입니까? ( )

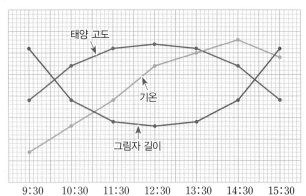

① 기온은 12시 30분경에 가장 높다.
② 태양 고도는 14시 30분경에 가장 높다.
③ 태양 고도가 높아지면 기온이 낮아진다.
④ 그림자 길이는 12시 30분경에 가장 길다.
⑤ 태양 고도가 높아지면 그림자 길이가 짧아진다.

6 다음은 10시 30분에 측정한 태양 고도와 그림자 길이입니다. 2시간 후에 다시 측정했을 때 태양 고도와 그림자 길이 변화를 바르게 짝지은 것은 어느 것입니까?

천재교육

( )

측정 시각 (시:분)	태양 고도(°)	그림자 길이 (cm)
10:30	46	12

	태양 고도	그림자 길이
①	높아진다.	길어진다.
②	높아진다.	짧아진다.
③	낮아진다.	길어진다.
④	낮아진다.	짧아진다.
⑤	변화 없다.	변화 없다.

8 다음 보기 에서 태양의 남중 고도와 낮의 길이에 대한 설명으로 옳은 것을 골라 기호를 쓰시오.

보기
ㄱ 태양의 남중 고도가 높을수록 낮의 길이가 길어집니다.
ㄴ 태양의 남중 고도가 높을수록 낮의 길이가 짧아집니다.
ㄷ 태양의 남중 고도에 관계없이 낮의 길이는 항상 일정합니다.

( )

[9~10] 다음은 계절별 태양의 위치 변화를 나타낸 것입니다. 물음에 답하시오.

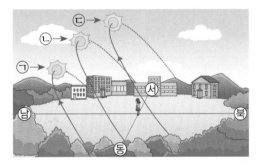

금성

9 위의 ㄱ~ㄷ 중 태양이 가장 북쪽으로 치우쳐서 뜨고, 가장 북쪽으로 치우쳐서 지는 계절의 태양의 위치 변화를 골라 기호를 쓰시오.

( )

7 다음 중 우리나라에서 측정한 월별 태양의 남중 고도를 나타낸 그래프로 옳은 것은 어느 것입니까? ( )

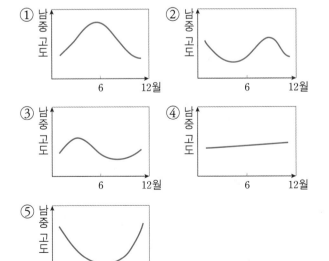

10 다음 중 위에서 태양의 위치 변화가 ㄱ인 계절에 대한 설명으로 옳은 것은 어느 것입니까? ( )

① ㄴ인 계절보다 기온이 높다.
② ㄴ인 계절보다 낮의 길이가 길다.
③ ㄷ인 계절보다 낮의 길이가 짧다.
④ ㄴ인 계절보다 태양의 남중 고도가 높다.
⑤ ㄷ인 계절보다 태양의 남중 고도가 높다.

❶ 계절에 따라 기온이 달라지는 까닭

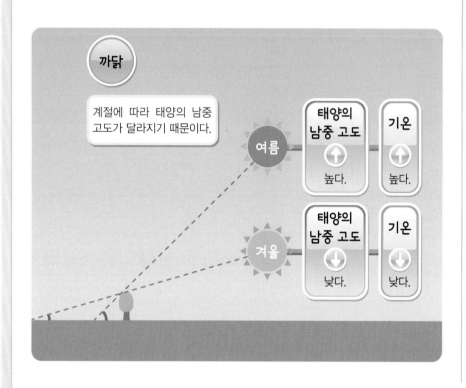

까닭

계절에 따라 태양의 남중 고도가 달라지기 때문이다.

여름 | 태양의 남중 고도 ⬆ 높다. | 기온 ⬆ 높다.

겨울 | 태양의 남중 고도 ⬇ 낮다. | 기온 ⬇ 낮다.

＊중요한 내용을 정리해 보세요!

● 태양의 남중 고도와 지표면이 받는 태양 에너지양의 관계는?

● 계절에 따라 기온이 달라지는 까닭은?

개념 확인하기

정답 21쪽

🌱 다음 문제를 읽고 답을 찾아 ☐ 안에 ✔표를 하시오.

1 태양의 남중 고도가 높아지면 일정한 면적의 지표면이 받는 태양 에너지양은 어떻게 달라집니까?

㉠ 적어진다. ☐   ㉡ 많아진다. ☐

2 일정한 면적의 지표면이 받는 태양 에너지양이 많아지면 기온은 어떻게 변합니까?

㉠ 낮아진다. ☐   ㉡ 높아진다. ☐

3 여름과 겨울 중 태양의 남중 고도가 높아 지표면에 도달하는 태양 에너지양이 많은 계절은 언제입니까?

㉠ 여름 ☐   ㉡ 겨울 ☐

4 여름과 겨울 중 기온이 더 높은 계절은 언제입니까?

㉠ 여름 ☐   ㉡ 겨울 ☐

5 계절에 따라 기온이 달라지는 까닭은 무엇입니까?

㉠ 태양의 남중 고도가 달라지기 때문이다. ☐
㉡ 태양의 남중 고도가 일정하기 때문이다. ☐

② 계절 변화가 생기는 까닭

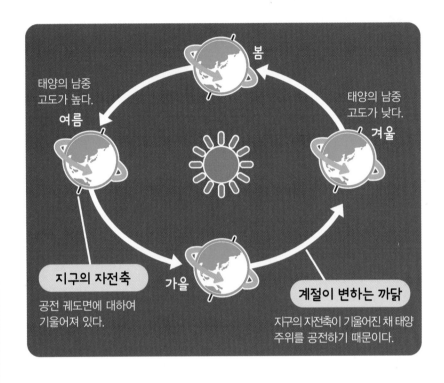

봄

태양의 남중
고도가 높다.
여름

태양의 남중
고도가 낮다.
겨울

지구의 자전축
공전 궤도면에 대하여
기울어져 있다.

가을

계절이 변하는 까닭
지구의 자전축이 기울어진 채 태양
주위를 공전하기 때문이다.

✳ 중요한 내용을 정리해 보세요!

● 지구 자전축의 기울기에 따른 태양의 남중 고도
변화는?

● 계절 변화가 생기는 까닭은?

2
단원

개념 확인하기

정답 21쪽

✐ 다음 문제를 읽고 답을 찾아 ☐ 안에 ✔표를 하시오.

1 지구의 자전축은 공전 궤도면에 대하여 얼마나 기울어져
있습니까?

⊙ 수직이다. ☐

ⓒ 23.5° 기울어져 있다. ☐

2 지구의 자전축이 기울어진 채 태양 주위를 공전할 때 지구의
위치에 따라 태양의 남중 고도 변화는 어떠합니까?

⊙ 달라진다. ☐

ⓒ 달라지지 않는다. ☐

3 지구의 자전축이 기울어져 있지 않다면 계절 변화가
생깁니까, 생기지 않습니까?

⊙ 생긴다. ☐   ⓒ 생기지 않는다. ☐

4 북반구에 있는 우리나라가 겨울일 때 남반구에 있는
뉴질랜드의 태양의 남중 고도는 어떠합니까?

⊙ 낮다. ☐   ⓒ 높다. ☐

5 계절 변화가 생기는 까닭은 지구가 어떤 상태에서 공전
하기 때문입니까?

⊙ 지구의 자전축이 기울어진 채 ☐

ⓒ 지구의 자전축이 기울어지지 않은 채 ☐

[1~3] 다음은 태양의 남중 고도에 따른 태양 에너지양을 비교하기 위한 실험입니다. 물음에 답하시오.

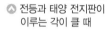

△ 전등과 태양 전지판이 이루는 각이 클 때 △ 전등과 태양 전지판이 이루는 각이 작을 때

천재교육

1 위의 ㉠과 ㉡ 중 전등 빛이 닿는 면적이 더 넓은 것을 골라 기호를 쓰시오.

(   )

천재교육

2 다음 중 위 실험의 결과에 대한 설명으로 옳은 것은 어느 것입니까? (   )

① ㉠ 프로펠러의 바람의 세기가 더 세다.
② ㉡ 프로펠러의 바람의 세기가 더 세다.
③ ㉠과 ㉡ 프로펠러의 바람의 세기는 같다.
④ ㉠에서 태양 전지판이 받는 태양 에너지양이 더 적다.
⑤ ㉡에서 태양 전지판이 받는 태양 에너지양이 더 많다.

3 다음은 위 실험 결과 알 수 있는 내용입니다. ☐ 안에 들어갈 알맞은 말을 쓰시오.

> 태양의 남중 고도가 높아지면 일정한 면적의 태양 전지판은 더 ☐ 양의 태양 에너지를 받습니다.

(   )

4 다음은 우리나라에서 여름과 겨울에 지표면에 비치는 태양의 모습을 나타낸 것입니다. ㉠과 ㉡ 중 여름에 해당하는 것을 골라 기호를 쓰시오.

㉠

㉡

(   )

5 다음은 태양의 남중 고도에 따라 태양 빛이 비추는 면적을 나타낸 것입니다. 태양의 남중 고도가 높을수록 기온이 높아지는 까닭으로 옳은 것을 보기 에서 골라 기호를 쓰시오.

태양

태양의 남중 고도가 높아짐.

보기
㉠ 일정한 면적의 지표면에 도달하는 태양 에너지양이 적어지기 때문입니다.
㉡ 일정한 면적의 지표면에 도달하는 태양 에너지양이 많아지기 때문입니다.
㉢ 일정한 면적의 지표면에 도달하는 태양에너지양이 모두 같기 때문입니다.

(   )

6 다음 중 계절에 따라 기온이 달라지는 까닭으로 가장 옳은 것은 어느 것입니까? (   )

① 지구가 자전하기 때문이다.

② 계절에 따라 지구의 크기가 달라지기 때문이다.

③ 계절에 따라 태양의 남중 고도가 달라지기 때문이다.

④ 계절에 따라 지구 자전축의 기울기가 달라지기 때문이다.

⑤ 계절에 따라 지구와 태양 사이의 거리가 달라지기 때문이다.

8 다음 중 앞에서와 같이 지구본의 자전축을 기울인 채 공전시킬 때에 대한 설명으로 옳은 것은 어느 것입니까? (   )

① 전등 빛의 밝기가 밝아진다.

② 전등 빛의 밝기가 어두워진다.

③ 전등 빛의 남중 고도가 달라진다.

④ 지구본의 자전축 기울기가 점점 커진다.

⑤ 전등 빛의 남중 고도가 달라지지 않는다.

9 다음은 계절 변화가 생기는 까닭에 대한 설명입니다. ☐ 안에 들어갈 알맞은 말을 쓰시오.

> 지구의 자전축이 기울어진 채 태양 주위를 공전하면 지구의 위치에 따라 ☐☐☐이/가 달라지기 때문입니다.

(   )

[7~8] 다음과 같이 지구본의 자전축을 기울인 채 전등 주위를 공전시키는 실험을 하였습니다. 물음에 답하시오.

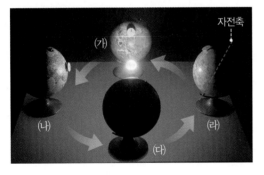

7 위 실험에 대한 설명으로 옳지 <u>않은</u> 것을 다음 보기 에서 골라 기호를 쓰시오.

> **보기**
> ㉠ 지구본의 자전축을 23.5° 기울입니다.
> ㉡ 낮과 밤이 생기는 까닭을 알아보기 위한 실험입니다.
> ㉢ ㈎~㈐ 각 위치에서 전등 빛의 남중 고도를 측정합니다.

(   )

10 다음에서 지구가 ㉠과 ㉡ 위치에 있을 때 북반구와 남반구에서의 계절을 각각 쓰시오.

구분	지구가 ㉠ 위치에 있을 때	지구가 ㉡ 위치에 있을 때
북반구	(1)	(2)
남반구	(3)	(4)

금성, 미래엔

도움말을 참고하여 내 생각을 차근차근 써 보세요.

1 다음은 월별 태양의 남중 고도를 그래프로 나타낸 것입니다. [총 12점]

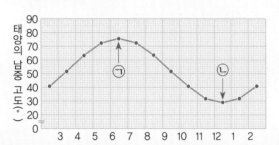

(1) 다음은 태양의 남중 고도에 대한 설명입니다. ( ) 안에 들어갈 알맞은 말에 ○표를 하시오.

[2점]

태양이 (정남 / 정동)쪽 하늘에 위치했을 때 고도가 가장 높습니다. 이때는 (낮 12시 30분 / 오후 2시 30분) 무렵입니다. 이렇게 태양 고도가 가장 높을 때의 고도를 태양의 남중 고도라고 합니다.

(2) 위 그래프의 ㉠, ㉡에 해당하는 계절을 각각 쓰시오.

[4점]

㉠ ( )

㉡ ( )

(3) 계절에 따라 태양의 남중 고도가 어떻게 달라지는지 쓰시오. [6점]

그래프를 보고 계절에 따라 태양의 남중 고도가 어떻게 변하는지 살펴보세요.

꼭 들어가야 할 말 여름 / 겨울 / 높다 / 낮다 / 봄, 가을

_____

_____

2 다음은 태양의 남중 고도에 따른 기온 변화 비교하기 실험의 모습입니다. [총 12점]

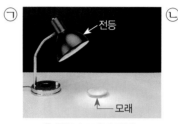

㉠ 전등

모래

▲ 전등과 모래가 이루는 각이 클 때

㉡

▲ 전등과 모래가 이루는 각이 작을 때

(1) 위 실험에서 다르게 해야 할 조건을 쓰시오. [4점]

( )

(2) 위 실험을 통해 알 수 있는 태양의 남중 고도가 높을 때 기온이 높은 까닭은 무엇인지 쓰시오. [8점]

_____

_____

3 다음은 태양 주위의 지구의 모습을 나타낸 것입니다. 지구가 ㉠ 위치에 있을 때 북반구에서의 계절을 쓰고, 그렇게 생각한 까닭을 쓰시오. [8점]

㉠

태양

_____

_____

1 다음 중 태양 고도에 대한 설명으로 옳지 않은 것은 어느 것입니까? (   )

9종 공통

① 태양의 높이를 나타낸다.

② 태양이 지표면과 이루는 각이다.

③ 하루 동안 태양 고도는 변하지 않는다.

④ 태양이 뜨거나 질 때 태양 고도는 0°이다.

⑤ 태양이 정남쪽에 있을 때 태양 고도가 가장 높다.

2 다음 중 태양 고도 측정기를 이용하여 태양 고도를 측정하는 방법에 대한 설명으로 옳지 않은 것은 어느 것입니까? (   )

9종 공통

① 막대기를 수직으로 세운다.

② 바닥이 경사진 곳에서 측정한다.

③ 실을 너무 세게 잡아당기지 않는다.

④ 태양 빛이 잘 드는 곳에서 측정한다.

⑤ 막대기의 그림자 끝과 실이 이루는 각을 측정한다.

3 막대기와 실을 이용하여 태양 고도를 측정하였을 때, 태양 고도로 옳은 것은 어느 것입니까? (   )

9종 공통

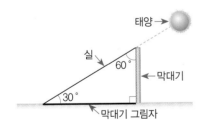

① 10°   ② 30°

③ 60°   ④ 90°

⑤ 180°

4 다음 중 그림자 길이가 가장 짧은 때는 언제입니까?
(   )

9종 공통

① 태양이 뜬 직후   ② 10시 30분경

③ 태양이 남중했을 때   ④ 14시 30분경

⑤ 태양이 지기 직전

5 다음은 태양 고도와 기온을 나타낸 그래프입니다. ㉠과 ㉡은 각각 무엇인지 차례로 나열한 것은 어느 것입니까? (   )

9종 공통

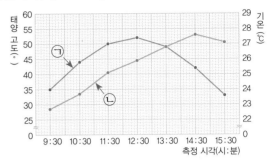

① 태양 고도, 그림자 길이

② 태양 고도, 기온

③ 그림자 길이, 기온

④ 기온, 태양 고도

⑤ 그림자 길이, 태양 고도

6 다음 중 오전 9시 30분부터 12시 30분까지 측정한 태양 고도와 그림자 길이 변화를 바르게 설명한 것은 어느 것입니까? (   )

9종 공통

① 태양 고도는 높아지고, 그림자 길이는 길어진다.

② 태양 고도는 높아지고, 그림자 길이는 짧아진다.

③ 태양 고도는 낮아지고, 그림자 길이는 길어진다.

④ 태양 고도는 낮아지고, 그림자 길이는 짧아진다.

⑤ 태양 고도와 그림자 길이는 변하지 않는다.

7 다음은 월별 낮의 길이 변화를 나타낸 그래프입니다. 낮의 길이가 가장 긴 계절과 가장 짧은 계절을 순서대로 바르게 짝지은 것은 어느 것입니까? (   )

9종 공통

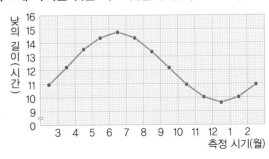

① 봄, 가을   ② 봄, 겨울

③ 여름, 겨울   ④ 가을, 겨울

⑤ 겨울, 여름

9종 공통

8 다음 중 태양의 남중 고도가 높아질 때 낮의 길이 변화에 대한 설명으로 옳은 것은 어느 것입니까? (   )

① 짧아진다.

② 길어진다.

③ 짧아지다 길어진다.

④ 길어지다 짧아진다.

⑤ 변함없다.

[9~10] 다음은 계절별 태양의 위치 변화를 나타낸 것입니다. 물음에 답하시오.

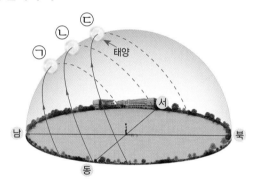

9종 공통

9 다음 중 위의 ㉠과 ㉢에 해당하는 계절을 순서대로 바르게 나열한 것은 어느 것입니까? (   )

① 여름, 겨울   ② 겨울, 여름

③ 봄·가을, 여름   ④ 봄·가을, 겨울

⑤ 여름, 봄·가을

9종 공통

10 다음 중 위의 ㉠에서 ㉢으로 계절이 변할 때의 변화에 대한 설명으로 옳은 것은 어느 것입니까? (   )

① 기온이 낮아진다.

② 기온이 변하지 않는다.

③ 낮의 길이가 길어진다.

④ 밤의 길이가 길어진다.

⑤ 태양의 남중 고도가 낮아진다.

[11~12] 다음은 태양의 남중 고도에 따른 태양 에너지양을 비교하기 위한 실험입니다. 물음에 답하시오.

㉠ 전등과 태양 전지판이 이루는 각이 클 때

㉠ 전등과 태양 전지판이 이루는 각이 작을 때

천재교육

11 다음 중 위 실험에서 서로 다르게 해야 하는 조건은 어느 것입니까? (   )

① 전등의 종류

② 전등의 세기

③ 프로펠러의 종류

④ 태양 전지판의 크기

⑤ 전등과 태양 전지판이 이루는 각

천재교육

12 다음 중 위 실험에 대한 설명으로 옳지 <u>않은</u> 것은 어느 것입니까? (   )

① 전등은 태양에 해당한다.

② 태양 전지판은 지표면을 나타낸다.

③ ㉠에서 프로펠러 바람의 세기가 더 세다.

④ ㉠은 태양의 남중 고도가 더 높은 것을 나타낸다.

⑤ ㉡에서 태양 전지판은 더 많은 양의 태양 에너지를 받는다.

천재교과서

13 다음은 여름과 겨울에 지표면에 비치는 태양 에너지의 모습을 순서에 관계없이 나타낸 것입니다. ㉠과 비교 했을 때 ㉡에 대한 설명으로 옳지 <u>않은</u> 것은 어느 것입니까? (   )

① 기온이 더 높다.

② 여름에 해당한다.

③ 낮의 길이가 더 짧다.

④ 밤의 길이가 더 짧다.

⑤ 더 많은 양의 태양 에너지를 받는다.

14 다음 중 태양의 남중 고도가 높을 때 기온이 높은 까닭으로 옳은 것은 어느 것입니까? (   )
9종 공통

① 밤의 길이가 길기 때문이다.
② 그림자 길이가 길기 때문이다.
③ 지구와 달 사이의 거리가 가깝기 때문이다.
④ 지구 자전축이 기울어진 방향이 바뀌기 때문이다.
⑤ 일정한 면적의 지표면이 받는 태양 에너지양이 많기 때문이다.

15 다음 중 계절에 대한 설명에서 □ 안에 들어갈 말로 옳은 것은 어느 것입니까? (   )
9종 공통

> 계절에 따라 기온이 달라지는 까닭은 □ 이/가 달라지기 때문입니다.

① 태양의 크기
② 태양의 모양
③ 태양의 남중 고도
④ 태양과 달 사이의 거리
⑤ 지구와 달 사이의 거리

[16~17] 다음과 같이 지구본의 자전축 기울기를 다르게 하여 전등 주위를 공전시키는 실험을 하였습니다. 물음에 답하시오.

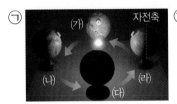

△ 지구본의 자전축을 기울이지 않은 채 공전시킬 때

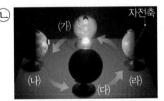

△ 지구본의 자전축을 기울인 채 공전시킬 때

16 다음 중 위 실험에서 서로 다르게 해야 하는 조건은 어느 것입니까? (   )
9종 공통

① 전등의 크기
② 전등의 세기
③ 전등의 높이
④ 지구본의 크기
⑤ 지구본의 자전축 기울기

17 다음 중 위 ㉠의 실험 결과에서 ㈎, ㈐의 위치에 해당하는 숫자를 순서대로 나열한 것은 어느 것입니까? (   )
9종 공통

지구본의 위치	㈎	㈏	㈐	㈑
태양의 남중 고도(°)		52		52

① 29, 52
② 29, 76
③ 52, 52
④ 76, 29
⑤ 76, 76

18 다음 중 지구의 자전축이 수직인 채 공전할 때 우리나라에서 일어날 수 있는 현상을 바르게 설명한 것은 어느 것입니까? (   )
9종 공통

① 계절 변화가 나타난다.
② 일 년 내내 낮과 밤의 길이가 같다.
③ 봄과 겨울에 기온이 가장 높아진다.
④ 여름과 겨울이 서로 바뀌어 나타난다.
⑤ 계절별 태양의 남중 고도가 달라진다.

2
단원

진도 완료
체크

19 다음 중 계절 변화가 생기는 까닭에 대한 설명으로 가장 옳은 것은 어느 것입니까? (   )
9종 공통

① 지구가 자전하기 때문이다.
② 지구가 회전하기 때문이다.
③ 지구 자전축이 기울어져 있지 않기 때문이다.
④ 지구 자전축이 기울어진 채 태양 주위를 공전하기 때문이다.
⑤ 지구 자전축이 기울어지지 않은 채 태양 주위를 공전하기 때문이다.

20 다음 중 지구가 ㉠ 위치에 있을 때 북반구에 대한 설명으로 가장 옳은 것은 어느 것입니까? (   )
9종 공통

① 여름이다.
② 기온이 높다.
③ 낮의 길이가 길다.
④ 태양의 남중 고도가 높다.
⑤ 태양의 남중 고도가 낮다.

· 답안 입력하기   · 온라인 피드백 받기

❶ 물질이 탈 때 나타나는 현상

• 주변이 밝아지고 따뜻해진다.
• 물질이 빛과 열을 내면서 탄다.
• 물질의 양이 변한다.

초　　　　　　　　알코올

물질이 탈 때 나타나는 현상을 이용하는 예: 케이크 위의 촛불, 강물 위에 뜬 유등, 가스레인지의 불꽃, 벽난로의 장작불 등

✳ 중요한 내용을 정리해 보세요!

● 초와 알코올이 탈 때 나타나는 공통적인 현상은?

● 물질이 탈 때 발생하는 빛이나 열을 이용하는 예는?

개념 확인하기

정답 24쪽

🔥 다음 문제를 읽고 답을 찾아 ☐ 안에 ✔표를 하시오.

1 초가 탈 때 불꽃의 모습으로 옳은 것은 어느 것입니까?

　㉠ 불꽃의 모양은 위아래로 길쭉한 모양이다. ☐

　㉡ 불꽃의 색깔은 노란색 한 가지로만 보인다. ☐

2 알코올이 탈 때 시간이 지날수록 알코올의 양은 어떻게 됩니까?

　㉠ 줄어든다. ☐

　㉡ 늘어난다. ☐

　㉢ 변하지 않는다. ☐

3 초와 알코올이 탈 때 더 밝은 부분은 어느 것입니까?

　㉠ 불꽃의 윗부분 ☐

　㉡ 불꽃의 아랫부분 ☐

4 물질이 탈 때 공통적으로 나타나는 현상은 무엇입니까?

　㉠ 빛과 열이 발생한다. ☐

　㉡ 주변이 밝아지지만 온도는 변하지 않는다. ☐

5 물질이 탈 때 나타나는 현상을 이용하는 예는 무엇 입니까?

　㉠ 벽난로 ☐　　　　㉡ 형광등 ☐

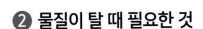

❷ 물질이 탈 때 필요한 것

발화점 어떤 물질이 불에 직접 닿지 않아도 스스로 타기 시작하는 온도

발화점 이상의 온도

연소의 조건

탈 물질   산소

연소 물질이 산소와 만나 빛과 열을 내는 현상

✳ 중요한 내용을 정리해 보세요!

● 초가 탈 때 필요한 기체는?

● 발화점이란?

● 연소의 조건 세 가지는?

개념 확인하기

정답 24쪽

🍃 다음 문제를 읽고 답을 찾아 ☐ 안에 ✔표를 하시오.

1 초 두 개에 불을 붙이고 크기가 다른 아크릴 통으로 촛불을 동시에 덮었을 때 먼저 꺼지는 것은 어느 것입니까?

㉠ 큰 아크릴 통으로 덮은 촛불 ☐

㉡ 작은 아크릴 통으로 덮은 촛불 ☐

2 초가 타고 난 후 아크릴 통 안에 들어 있는 산소 비율은 초가 타기 전에 비해 어떻게 됩니까?

㉠ 줄어든다. ☐

㉡ 늘어난다. ☐

3 물질이 연소할 때 필요한 기체는 무엇입니까?

㉠ 산소 ☐   ㉡ 이산화 탄소 ☐

4 구리판의 원 위에 올려놓고 구리판의 가운데를 가열했을 때 먼저 불이 붙는 것은 어느 것입니까?

㉠ 향 ☐   ㉡ 성냥 머리 부분 ☐

5 물질에 따라 불이 붙는 데 걸리는 시간이 다른 까닭은 무엇입니까?

㉠ 물질의 무게가 다르기 때문이다. ☐

㉡ 물질마다 발화점이 다르기 때문이다. ☐

[1~2] 다음은 초와 알코올이 타는 모습입니다. 물음에 답하시오.

▲ 초

▲ 알코올

1 다음 보기 에서 초가 타는 모습을 관찰한 결과로 옳은 것을 두 가지 골라 기호를 쓰시오.

보기
㉠ 심지 주변이 볼록해집니다.
㉡ 초가 녹아 촛농이 흘러내립니다.
㉢ 시간이 지나도 초의 길이는 변하지 않습니다.
㉣ 불꽃의 색깔은 노란색, 붉은색 등 다양합니다.

(,)

2 다음 중 초와 알코올이 탈 때 나타나는 공통적인 현상으로 옳지 <u>않은</u> 것은 어느 것입니까? ( )
① 주변이 밝아지고 따뜻해진다.
② 물질이 빛과 열을 내면서 탄다.
③ 불꽃의 모양은 위아래로 길쭉한 모양이다.
④ 불꽃의 위치에 관계없이 밝기가 일정하다.
⑤ 손을 불꽃에 가까이하면 손이 따뜻해진다.

3 다음 중 물질이 탈 때 나타나는 현상을 이용하는 예에 대해 <u>잘못</u> 말한 친구의 이름을 쓰시오.

현재: 가스레인지의 불을 이용해 음식을 익혀.
민지: 어두운 밤에 형광등을 켜면 방 안이 밝아져.
정현: 어두운 밤 강물 위에 뜬 유등을 보면 주변이 밝아져.

( )

천재교육, 천재교과서, 동아, 지학사

4 다음 실험에 대한 설명으로 옳은 것을 두 가지 고르시오. (,)

초 두 개에 불을 붙이고 크기가 다른 아크릴 통으로 촛불을 동시에 덮은 후 촛불이 어떻게 되는지 관찰해 봅니다.

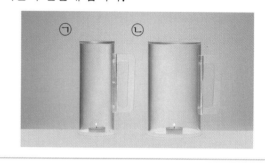

① 실험에서 다르게 한 조건은 촛불의 크기이다.
② 실험 결과 ㉠ 촛불이 ㉡ 촛불보다 먼저 꺼진다.
③ 실험 결과 ㉡ 촛불이 ㉠ 촛불보다 먼저 꺼진다.
④ ㉠ 아크릴 통보다 ㉡ 아크릴 통 안에 공기가 더 많이 들어 있다.
⑤ ㉠ 아크릴 통과 ㉡ 아크릴 통 안에 들어 있는 공기의 양은 같다.

천재교과서, 지학사

5 다음은 초가 타기 전과 타고 난 후 아크릴 통 안에 들어 있는 공기 중의 산소 비율을 측정한 모습입니다. 이와 같은 결과를 통해 알 수 있는 초가 탈 때 필요한 것은 무엇인지 쓰시오.

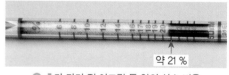
약 21 %
▲ 초가 타기 전 아크릴 통 안의 산소 비율

약 17 %
▲ 초가 타고 난 후 아크릴 통 안의 산소 비율

( )

[6~7] 다음은 성냥 머리 부분과 향을 구리판의 원 위에 올려놓고 알코올램프로 구리판의 가운데 부분을 가열하는 모습입니다. 물음에 답하시오.

성냥 머리 부분   향

천재교과서, 지학사

6 다음 중 위 실험 결과에 대한 설명으로 옳은 것은 어느 것입니까? ( )

① 향에 먼저 불이 붙는다.

② 성냥 머리 부분에 먼저 불이 붙는다.

③ 성냥 머리 부분과 향에 동시에 불이 붙는다.

④ 성냥 머리 부분과 향에 모두 불이 붙지 않는다.

⑤ 향에는 불이 붙지만 성냥 머리 부분에는 불이 붙지 않는다.

천재교과서, 지학사

7 다음 중 위 6번 답과 같은 결과가 나타나는 까닭에 대한 설명으로 옳은 것은 어느 것입니까? ( )

① 향의 무게가 성냥 머리 부분의 무게보다 가볍기 때문이다.

② 성냥 머리 부분이 향보다 불이 붙는 온도가 낮기 때문이다.

③ 성냥 머리 부분이 향보다 불이 붙는 온도가 높기 때문이다.

④ 향과 성냥 머리 부분에 직접 불을 붙이지 않았기 때문이다.

⑤ 성냥 머리 부분이 향보다 알코올램프의 불꽃으로부터 가까이 있기 때문이다.

8 다음 ☐ 안에 들어갈 알맞은 말을 쓰시오.

어떤 물질이 불에 직접 닿지 않아도 스스로 타기 시작하는 온도를 그 물질의 ☐☐☐(이)라고 합니다.

( )

천재교육, 천재교과서, 금성, 김영사, 동아, 비상, 지학사

9 다음 보기 에서 불을 직접 붙이지 않고 물질을 태우는 방법을 바르게 짝지은 것은 어느 것입니까? ( )

보기

㉠ 점화기로 불 붙이기

㉡ 성냥불로 불 붙이기

㉢ 부싯돌에 철 마찰하기

㉣ 볼록 렌즈로 햇빛 모으기

① ㉠, ㉡   ② ㉢, ㉣

③ ㉠, ㉡, ㉢   ④ ㉠, ㉢, ㉣

⑤ ㉡, ㉢, ㉣

10 다음 중 연소의 조건에 대한 설명으로 옳은 것을 두 가지 고르시오. (,)

① 탈 물질과 산소만 있으면 연소가 일어난다.

② 연소가 일어나려면 탈 물질에 직접 불을 붙여야 한다.

③ 연소가 일어나는 온도는 물질의 종류에 관계없이 모두 같다.

④ 산소가 없으면 탈 물질이 있더라도 연소가 일어나지 않는다.

⑤ 연소가 일어나려면 탈 물질, 산소, 발화점 이상의 온도가 필요하다.

3
단원

❶ 물질이 연소한 후 생기는 것

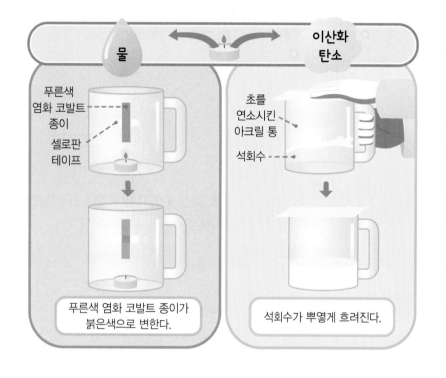

푸른색 염화 코발트 종이가 붉은색으로 변한다.

석회수가 뿌옇게 흐려진다.

✱ 중요한 내용을 정리해 보세요!

● 초가 연소한 후 생성되는 물질은?

● 초가 연소한 후 무게가 줄어드는 까닭은?

개념 확인하기

정답 24쪽

✍ 다음 문제를 읽고 답을 찾아 ☐ 안에 ✔표를 하시오.

1 푸른색 염화 코발트 종이가 물에 닿았을 때의 색깔 변화로 옳은 것은 어느 것입니까?

ㄱ 붉은색으로 변한다. ☐

ㄴ 색깔이 변하지 않는다. ☐

2 안쪽 벽면에 푸른색 염화 코발트 종이를 붙인 아크릴 통으로 촛불을 덮은 후 촛불이 꺼졌을 때 푸른색 염화 코발트 종이의 색깔 변화로 옳은 것은 어느 것입니까?

ㄱ 붉은색으로 변한다. ☐

ㄴ 색깔이 변하지 않는다. ☐

3 초를 연소시킨 아크릴 통에 석회수를 부어 살짝 흔들었을 때 석회수의 변화로 옳은 것은 어느 것입니까?

ㄱ 뿌옇게 흐려진다. ☐

ㄴ 붉은색으로 변한다. ☐

4 석회수가 뿌옇게 흐려지는 것을 통해 확인할 수 있는 물질은 무엇입니까?

ㄱ 물 ☐   ㄴ 이산화 탄소 ☐

5 알코올이 연소한 후 생성되는 물질은 무엇입니까?

ㄱ 물, 산소 ☐   ㄴ 물, 이산화 탄소 ☐

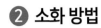

❷ 소화 방법

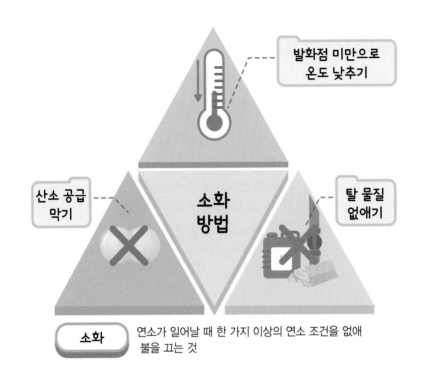

발화점 미만으로
온도 낮추기

산소 공급
막기

소화
방법

탈 물질
없애기

소화

연소가 일어날 때 한 가지 이상의 연소 조건을 없애
불을 끄는 것

✳ 중요한 내용을 정리해 보세요!

● 소화란?

● 소화의 조건 세 가지는?

개념 확인하기

정답 24쪽

🌱 다음 문제를 읽고 답을 찾아 ⬜ 안에 ✔표를 하시오.

1 촛불을 입으로 불면 꺼지는 까닭은 무엇입니까?

    ㉠ 탈 물질이 없어지기 때문이다. ⬜

    ㉡ 산소가 공급되지 않기 때문이다. ⬜

2 산소 공급을 막아 촛불을 끄는 방법은 어느 것입니까?

    ㉠ 촛불을 컵으로 덮기 ⬜

    ㉡ 촛불에 분무기로 물 뿌리기 ⬜

    ㉢ 초의 심지를 핀셋으로 집기 ⬜

3 촛불에 모래를 뿌려 불을 끄는 것은 무엇의 공급을 막아 불을 끄는 것입니까?

    ㉠ 산소 ⬜   ㉡ 이산화 탄소 ⬜

4 발화점 미만으로 온도를 낮춰 불을 끄는 경우는 어느 것입니까?

    ㉠ 소화전을 이용해 물 뿌리기 ⬜

    ㉡ 가스레인지의 연료 조절 밸브 잠그기 ⬜

5 소화가 일어나려면 온도를 어떻게 해야 합니까?

    ㉠ 발화점 이상으로 높인다. ⬜

    ㉡ 발화점 미만으로 낮춘다. ⬜

1 다음 보기 에서 푸른색 염화 코발트 종이에 대한 설명으로 옳지 <u>않은</u> 것을 골라 기호를 쓰시오.

푸른색 염화 코발트 종이 →

보기
㉠ 푸른색 염화 코발트 종이는 물에 닿으면 붉은색으로 변합니다.
㉡ 푸른색 염화 코발트 종이는 손으로 만지지 않도록 합니다.
㉢ 푸른색 염화 코발트 종이를 집을 때는 핀셋을 이용합니다.
㉣ 푸른색 염화 코발트 종이는 공기 중의 수분을 만나면 하얀색으로 변합니다.

(   )

2 다음은 초가 연소한 후 생성되는 물질을 확인하기 위한 실험입니다. ㉠과 ㉡에 들어갈 알맞은 말을 각각 쓰시오.

- 실험 방법: 안쪽 벽면에 푸른색 염화 코발트 종이를 붙인 아크릴 통으로 촛불을 덮고, 촛불이 꺼지면 푸른색 염화 코발트 종이의 색깔 변화를 관찰합니다.

푸른색 염화 코발트 종이

셀로판 테이프

- 실험 결과: 푸른색 염화 코발트 종이가 ㉠ 색으로 변합니다.
- 알게 된 점: 초가 연소한 후에 ㉡ 이/가 생성됩니다.

㉠ (   )
㉡ (   )

[3~4] 초에 불을 붙이고 아크릴 통으로 촛불을 덮은 후, 촛불이 꺼지고 나서 오른쪽과 같이 아크릴 통에 석회수를 붓고 살짝 흔들면서 변화를 관찰해 보았습니다. 물음에 답하시오.

석회수

3 다음 중 위 실험 결과에 대해 바르게 말한 친구의 이름을 쓰시오.

서진: 석회수에 기포가 생겨.
준재: 석회수가 뿌옇게 흐려져.
동우: 석회수가 붉은색으로 변해.
송현: 석회수가 푸른색으로 변해.

(   )

4 초가 연소한 후 생성되는 물질 중 위 실험을 통해 확인할 수 있는 것은 어느 것입니까 (   )
① 물
② 산소
③ 질소
④ 알코올
⑤ 이산화 탄소

천재교육, 천재교과서, 미래엔, 지학사

5 다음 중 오른쪽과 같이 알코올이 연소한 후 생성되는 물질끼리 바르게 짝지은 것은 어느 것입니까? (   )

① 물, 산소
② 물, 이산화 탄소
③ 산소, 이산화 탄소
④ 석회수, 이산화 탄소
⑤ 물, 산소, 이산화 탄소

[6~7] 다음은 여러 가지 방법으로 촛불을 끄는 모습입니다. 물음에 답하시오.

△ 촛불을 입으로 불기

△ 촛불에 물 뿌리기

△ 촛불을 컵으로 덮기

△ 초의 심지를 핀셋으로 집기

6 다음 중 위에서 탈 물질을 없애 불을 끄는 경우를 바르게 짝지은 것은 어느 것입니까? (   )

① ㉠, ㉡   ② ㉠, ㉢

③ ㉠, ㉣   ④ ㉡, ㉣

⑤ ㉢, ㉣

7 다음은 일상생활에서 볼 수 있는 소화 방법입니다. 위에서 이와 같은 방법으로 불을 끄는 경우를 골라 기호를 쓰시오.

△ 알코올램프의 뚜껑 덮기

△ 소화제 뿌리기

(   )

8 다음과 같이 소화전을 이용해 물을 뿌려 불을 끌 수 있는 까닭으로 옳은 것은 어느 것입니까? (   )

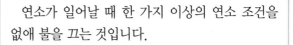

① 산소가 공급되기 때문이다.

② 탈 물질이 없어지기 때문이다.

③ 산소가 공급되지 않기 때문이다.

④ 온도가 발화점 이상으로 높아지기 때문이다.

⑤ 온도가 발화점 미만으로 낮아지기 때문이다.

9 다음에서 설명하는 것은 어느 것입니까? (   )

> 연소가 일어날 때 한 가지 이상의 연소 조건을 없애 불을 끄는 것입니다.

① 가열   ② 화재

③ 발화점   ④ 소화

⑤ 탈 물질

천재교육, 천재교과서, 금성, 미래엔, 지학사

10 다음은 소화기 사용 방법을 순서에 관계없이 나타낸 것입니다. 순서에 맞게 기호를 쓰시오.

> ㉠ 손잡이 부분의 안전핀을 뽑습니다.
> ㉡ 불이 난 곳으로 소화기를 옮깁니다.
> ㉢ 소화기의 손잡이를 힘껏 움켜쥐고 불을 끕니다.
> ㉣ 바람을 등지고 선 후 호스의 끝부분을 잡고 불이 난 방향으로 향하게 합니다.

(   ) → (   ) → (   ) → (   )

연습 🐱 도움말을 참고하여 내 생각을 차근차근 써 보세요.

1 다음은 초와 알코올이 타는 모습입니다. [총 12점]

🔺 초가 타는 모습   🔺 알코올이 타는 모습

(1) 위의 초와 알코올이 타는 모습에서 불꽃의 모양은 공통적으로 어떠한지 쓰시오. [2점]

위아래로 (   )

(2) 위에서 불꽃에 손을 가까이 했을 때 손의 느낌은 공통적으로 어떠한지 쓰시오. [4점]

(   )

(3) 위에서 초와 알코올에 불을 붙이기 전과 불을 끈 후의 무게 변화를 비교하여 쓰시오. [6점]

> 🐱 초와 알코올이 타면 물질의 양이 변해요.
> **꼭 들어가야 할 말** 불을 끈 후 / 줄어든다

_____

_____

2 다음과 같이 푸른색 염화 코발트 종이를 붙인 아크릴 통으로 촛불을 덮었습니다. [총 12점]

← 푸른색 염화 코발트 종이

(1) 촛불이 꺼지고 난 후 위의 푸른색 염화 코발트 종이에 나타나는 변화를 쓰시오. [4점]

(   )

(2) 위 (1)번 답의 푸른색 염화 코발트 종이의 변화를 통해 알 수 있는 점을 초가 연소한 후 생기는 물질과 관련하여 쓰시오. [8점]

_____

_____

3 다음과 같이 가스레인지의 연료 조절 밸브를 잠그면 불이 꺼지는 까닭을 연소의 조건과 관련지어 쓰시오. [8점]

_____

_____

1 오른쪽과 같이 초가 탈 때 불꽃이 타는 모습과 불꽃의 밝기를 관찰한 결과로 옳은 것은 어느 것입니까?

( )

9종 공통

① 불꽃의 모양은 동그란 모양이다.
② 불꽃의 색깔은 거의 푸른색으로 보인다.
③ 불꽃의 윗부분은 어둡고, 아랫부분은 밝다.
④ 불꽃의 색깔은 노란색, 붉은색 등 다양하게 보인다.
⑤ 불꽃의 윗부분과 아랫부분의 밝기는 비슷하게 보인다.

2 오른쪽과 같이 알코올이 탈 때 시간이 지남에 따른 알코올의 변화를 관찰한 결과로 옳은 것은 어느 것입니까? ( )

9종 공통

① 기포가 생긴다.
② 양이 늘어난다.
③ 양이 줄어든다.
④ 뿌옇게 흐려진다.
⑤ 아무런 변화가 없다.

3 다음 중 물질이 탈 때 나타나는 공통적인 현상으로 옳은 것은 어느 것입니까? ( )

9종 공통

① 주변이 어두워진다.
② 주변이 차가워진다.
③ 빛과 열이 발생한다.
④ 물질의 양이 변하지 않는다.
⑤ 불꽃의 아랫부분이 윗부분보다 뜨겁다.

4 다음 중 물질이 타면서 발생하는 빛과 열을 이용하는 예가 아닌 것은 어느 것입니까? ( )

9종 공통

① 석유등으로 어두운 곳을 밝힌다.
② 가스레인지를 켜서 요리를 한다.
③ 캠핑을 가서 숯불에 고기를 구워 먹는다.
④ 공부할 때 스탠드를 켜서 책상을 밝힌다.
⑤ 아궁이에서 나무를 이용하여 난방을 한다.

5 다음 중 동시에 불을 붙였을 때 가장 오래 타는 것은 어느 것입니까? ( )

미래엔

① 양초 점토 1.2 g으로 만든 초
② 양초 점토 2.4 g으로 만든 초
③ 양초 점토 4.8 g으로 만든 초
④ 양초 점토 7.2 g으로 만든 초
⑤ 양초 점토 9.6 g으로 만든 초

6 다음 중 물질이 산소와 빠르게 반응하여 빛과 열을 내는 현상을 무엇이라고 합니까? ( )

9종 공통

① 소화　　② 연소　　③ 그을음
④ 발화점　　⑤ 알코올

7 오른쪽과 같이 초에 불을 붙이고 아크릴 통으로 덮으면 초가 남아 있어도 촛불이 꺼지는 까닭으로 옳은 것은 어느 것입니까?

( )

9종 공통

① 촛농이 생기기 때문이다.
② 산소가 없어지기 때문이다.
③ 탈 물질이 없어지기 때문이다.
④ 이산화 탄소가 없어지기 때문이다.
⑤ 아크릴 통 안의 온도가 높아지기 때문이다.

3
단원

[8~9] 오른쪽과 같이 초 두 개에 불을 붙이고 작은 아크릴 통과 큰 아크릴 통으로 촛불을 동시에 덮었습니다. 물음에 답하시오.

천재교육, 천재교과서, 동아, 지학사

8 다음 중 위 실험에서 같게 한 조건이 <u>아닌</u> 것은 어느 것입니까? ( )

① 초의 크기
② 심지의 길이
③ 아크릴 통의 크기
④ 아크릴 통으로 촛불을 덮는 시간
⑤ 초에 불을 붙였을 때 촛불의 크기

천재교육, 천재교과서, 동아, 지학사

9 다음은 위 실험 결과에 대한 설명입니다. ㉠과 ㉡에 들어갈 알맞은 말을 바르게 짝지은 것은 어느 것입니까? ( )

> 큰 아크릴 통보다 작은 아크릴 통 안에 ㉠ 이/가 더 적게 들어 있기 때문에 작은 아크릴 통 안의 촛불이 ㉡ 꺼집니다.

	㉠	㉡		㉠	㉡
①	산소	먼저	②	산소	나중에
③	수증기	먼저	④	탈 물질	먼저
⑤	탈 물질	나중에			

천재교육, 비상

10 오른쪽과 같이 성냥 머리 부분을 핫플레이트 위의 철판에 올려놓고 가열하는 실험을 통해 확인할 수 있는 연소의 조건은 어느 것입니까? ( )

성냥 머리 부분

① 산소
② 탈 물질
③ 빛과 열
④ 발화점 이상의 온도
⑤ 발화점 미만의 온도

천재교과서, 지학사

11 다음과 같이 성냥 머리 부분과 향을 구리판의 원 위에 올려놓고 알코올램프로 구리판의 가운데 부분을 가열하는 실험의 결과로 옳은 것은 어느 것입니까? ( )

성냥 머리 부분   향

① 향에 불이 먼저 붙는다.
② 성냥 머리 부분에 불이 먼저 붙는다.
③ 구리판의 온도는 일정하게 유지된다.
④ 성냥 머리 부분과 향에 동시에 불이 붙는다.
⑤ 성냥 머리 부분과 향 모두 불이 붙지 않는다.

9종 공통

12 다음 중 발화점에 대한 설명으로 옳은 것은 어느 것입니까? ( )

① 발화점이 낮으면 불이 잘 붙지 않는다.
② 발화점은 물질의 종류에 관계없이 모두 같다.
③ 물질이 불에 직접 닿아 타기 시작하는 온도이다.
④ 온도가 발화점에 도달하지 않아도 물질이 탈 수 있다.
⑤ 물질이 불에 직접 닿지 않아도 스스로 타기 시작하는 온도이다.

9종 공통

13 다음 중 보기 에서 연소의 조건을 바르게 짝지은 것은 어느 것입니까? ( )

> **보기**
> ㉠ 산소   ㉡ 탈 물질
> ㉢ 이산화 탄소   ㉣ 발화점 이상의 온도

① ㉠, ㉢
② ㉡, ㉢
③ ㉢, ㉣
④ ㉠, ㉡, ㉣
⑤ ㉡, ㉢, ㉣

14 다음 중 푸른색 염화 코발트 종이로 물질을 확인할 때 이용되는 성질에 대한 설명으로 옳은 것은 어느 것입니까? (   )

① 물에 닿으면 하얀색으로 변하는 성질

② 물에 닿으면 붉은색으로 변하는 성질

③ 산소에 닿으면 노란색으로 변하는 성질

④ 산소에 닿으면 붉은색으로 변하는 성질

⑤ 이산화 탄소에 닿으면 색깔이 없어지는 성질

15 오른쪽과 같이 푸른색 염화 코발트 종이를 붙인 아크릴 통으로 촛불을 덮은 후 촛불이 꺼졌을 때 염화 코발트 종이의 색깔 변화를 바르게 나타낸 것은 어느 것입니까?

푸른색 염화 코발트 종이

셀로판 테이프

(   )

① 변하지 않는다.   ② 푸른색 → 하얀색

③ 푸른색 → 노란색   ④ 푸른색 → 붉은색

⑤ 푸른색 → 연녹색

16 다음 중 투명한 석회수를 뿌옇게 만드는 성질이 있는 것은 어느 것입니까? (   )

① 물   ② 산소   ③ 질소

④ 알코올   ⑤ 이산화 탄소

17 다음은 연소의 조건 중 한 가지를 없애서 불을 끄는 방법입니다. 연소의 조건과 방법을 잘못 짝지은 것은 어느 것입니까? (   )

① 흙이나 모래로 덮기: 산소 공급 막기

② 연료 조절 밸브 잠그기: 탈 물질 없애기

③ 물 뿌리기: 발화점 미만으로 온도 낮추기

④ 알코올램프의 뚜껑 닫기: 산소 공급 막기

⑤ 촛불을 입으로 불기: 발화점 미만으로 온도 낮추기

18 다음과 같이 아로마 향초의 심지를 핀셋으로 집어 불을 끌 수 있는 까닭으로 옳은 것은 어느 것입니까?

(   )

① 탈 물질이 없어지기 때문이다.

② 산소가 공급되지 않기 때문이다.

③ 이산화 탄소가 공급되지 않기 때문이다.

④ 발화점 미만으로 온도가 낮아지기 때문이다.

⑤ 발화점 이상으로 온도가 높아지기 때문이다.

3 단원

진도 완료 체크

19 다음 중 물로 불을 끌 수 없는 연소 물질끼리 바르게 짝지은 것은 어느 것입니까? (   )

① 나무, 종이   ② 나무, 기름

③ 전기, 가스   ④ 나무, 전기

⑤ 섬유, 가스

20 다음 중 화재가 발생했을 때의 대처 방법으로 옳은 것은 어느 것입니까? (   )

① 나무로 된 책상 아래로 들어간다.

② 아래층으로 이동할 때에는 승강기를 이용한다.

③ 아래층으로 대피할 수 없을 때에는 옥상으로 대피한다.

④ 연기가 많은 곳에서는 숨을 크게 쉬면서 재빨리 뛰어서 이동한다.

⑤ 밖으로 대피하기 어려울 때에는 연기가 방 안에 들어오더라도 가만히 기다린다.

· 답안 입력하기   · 온라인 피드백 받기

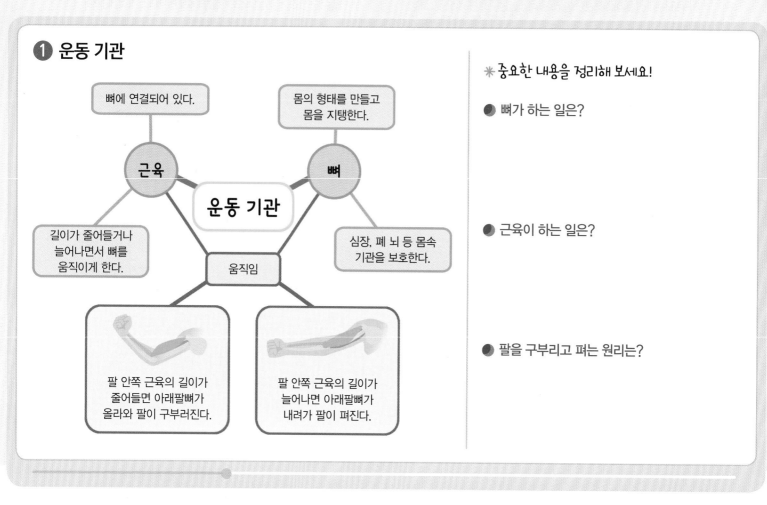

❶ 운동 기관

뼈에 연결되어 있다.

몸의 형태를 만들고 몸을 지탱한다.

근육

뼈

운동 기관

길이가 줄어들거나 늘어나면서 뼈를 움직이게 한다.

심장, 폐 뇌 등 몸속 기관을 보호한다.

움직임

팔 안쪽 근육의 길이가 줄어들면 아래팔뼈가 올라와 팔이 구부러진다.

팔 안쪽 근육의 길이가 늘어나면 아래팔뼈가 내려가 팔이 펴진다.

✻ 중요한 내용을 정리해 보세요!

● 뼈가 하는 일은?

● 근육이 하는 일은?

● 팔을 구부리고 펴는 원리는?

개념 확인하기

정답 27쪽

🍃 다음 문제를 읽고 답을 찾아 ☐ 안에 ✔표를 하시오.

1 우리 몸의 형태를 만들고 몸을 지탱하는 것은 무엇입니까?

㉠ 뇌 ☐   ㉡ 뼈 ☐

㉢ 피부 ☐   ㉣ 심장 ☐

2 뼈가 하는 일은 무엇입니까?

㉠ 심장, 폐, 뇌 등 몸속 기관을 보호한다. ☐

㉡ 심장, 폐, 뇌 등 몸속 기관을 움직이게 한다. ☐

3 근육은 어떻게 뼈를 움직이게 합니까?

㉠ 길이가 변하면서 뼈를 움직이게 한다. ☐

㉡ 무게가 변하면서 뼈를 움직이게 한다. ☐

4 팔 안쪽 근육의 길이가 줄어들 때 아래팔뼈는 어떻게 움직입니까?

㉠ 올라온다. ☐   ㉡ 내려간다. ☐

5 팔을 구부렸다가 펼 때 팔 안쪽 근육의 길이는 어떻게 변합니까?

㉠ 줄어든다. ☐   ㉡ 늘어난다. ☐

② 소화 기관 / 호흡 기관 / 순환 기관 / 배설 기관

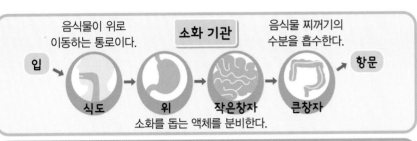

음식물이 위로 이동하는 통로이다.

소화 기관

음식물 찌꺼기의 수분을 흡수한다.

입 → 식도 → 위 → 작은창자 → 큰창자 → 항문

소화를 돕는 액체를 분비한다.

호흡 기관

코 ⇄ 기관 ⇄ 기관지 ⇄ 폐

산소를 받아들이고, 이산화 탄소를 내보낸다.

공기가 이동하는 통로이다.

순환 기관

혈액이 이동하는 통로이다.

배설 기관

노폐물을 모았다가 몸 밖으로 내보낸다.

심장 / 혈관 / 혈액

펌프 작용을 한다. 영양소와 산소를 운반한다.

콩팥 → 방광

혈액 속 노폐물을 거른다.

✳ 중요한 내용을 정리해 보세요!

● 소화 기관의 종류는?

● 호흡 기관의 종류는?

● 순환 기관의 종류는?

● 배설 기관의 종류는?

4 단원

개념 확인하기

정답 27쪽

◐ 다음 문제를 읽고 답을 찾아 ☐ 안에 ✔표를 하시오.

1 소화 기관 중 음식물이 위로 이동하는 통로는 무엇입니까?

㉠ 식도 ☐   ㉡ 항문 ☐
㉢ 큰창자 ☐   ㉣ 작은창자 ☐

2 큰창자가 하는 일은 무엇입니까?

㉠ 음식물을 잘게 쪼갠다. ☐

㉡ 음식물 찌꺼기의 수분을 흡수한다. ☐

3 코, 기관, 기관지, 폐는 우리 몸의 어떤 기관입니까?

㉠ 호흡 기관 ☐   ㉡ 배설 기관 ☐

4 심장은 어떤 작용으로 혈액을 순환시킵니까?

㉠ 흡수 작용 ☐   ㉡ 펌프 작용 ☐

5 배설 기관 중 혈액 속의 노폐물을 걸러 오줌으로 만드는 기관은 무엇입니까?

㉠ 방광 ☐   ㉡ 콩팥 ☐   ㉢ 요도 ☐

실력 평가

1 다음 중 운동 기관에 해당하는 것을 두 가지 고르시오.
(,)

① 간　　　　　② 폐
③ 뼈　　　　　④ 혈관
⑤ 근육

2 다음 중 뼈와 근육에 대한 설명으로 옳지 <u>않은</u> 것은 어느 것입니까? ( )

① 뼈의 모양은 다양하다.
② 근육은 뼈를 움직이게 한다.
③ 뼈는 우리 몸의 형태를 만든다.
④ 뼈는 몸을 지탱하고 몸속 기관을 보호한다.
⑤ 근육은 길이가 줄어들거나 늘어나지 않는다.

3 다음 보기 에서 소화 기관에 대한 설명으로 옳지 <u>않은</u> 것을 골라 기호를 쓰시오.

보기
㉠ 간과 쓸개는 소화를 도와주는 기관입니다.
㉡ 항문에서 음식물 찌꺼기의 수분을 흡수합니다.
㉢ 입에서는 음식물을 이로 잘게 부수고 침으로 물러지게 합니다.

( )

4 다음은 우리 몸의 소화 기관을 나타낸 것입니다. 식도와 큰창자의 기호를 각각 쓰시오.

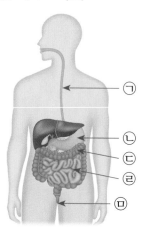

(1) 식도: ( )
(2) 큰창자: ( )

5 다음 중 우리 몸의 호흡 기관에 대한 설명으로 옳지 <u>않은</u> 것은 어느 것입니까? ( )

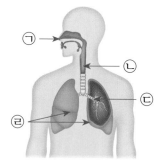

① ㉠은 코로, 공기가 드나드는 곳이다.
② ㉡은 기관으로, 공기가 이동하는 통로이다.
③ ㉢은 요도로, 굵은 관처럼 생겼고 속에 털이 나 있다.
④ ㉣은 폐로, 공기 중의 산소를 받아들이고 몸에서 생긴 이산화 탄소를 내보낸다.
⑤ ㉠~㉣은 우리 몸에서 숨을 들이마시고 내쉬는 활동을 담당하는 기관이다.

6 다음 중 숨을 내쉴 때 공기의 이동 과정으로 옳은 것은 어느 것입니까? (   )

① 코 → 폐 → 기관 → 기관지
② 코 → 기관 → 기관지 → 폐
③ 폐 → 기관 → 기관지 → 코
④ 폐 → 기관지 → 기관 → 코
⑤ 폐 → 코 → 기관 → 기관지

7 다음 보기 에서 심장에 대한 설명으로 옳지 <u>않은</u> 것을 골라 기호를 쓰시오.

> **보기**
> ㉠ 심장이 빨리 뛰면 혈액의 이동량이 많아집니다.
> ㉡ 심장이 빨리 뛰면 혈액의 이동량이 적어집니다.
> ㉢ 일반적으로 몸통 가운데에서 왼쪽으로 약간 치우쳐 있습니다.

(   )

8 다음 중 혈관에 대해 바르게 설명한 친구의 이름을 쓰시오.

> 선영: 혈관은 심장 근처에만 있어.
> 은수: 혈관은 혈액이 이동하는 통로야.
> 현지: 혈관의 굵기는 1 mm로 모두 같아.

(   )

9 다음의 ㉠ 기관에 대한 설명으로 옳은 것은 어느 것입니까? (   )

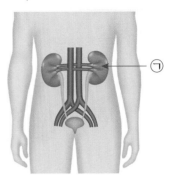

① 소화 기관이다.
② 몸에 한 개가 있다.
③ 노폐물을 저장한다.
④ 혈액에 있는 노폐물을 걸러 낸다.
⑤ ㉠ 기관에 이상이 생겨도 혈액에 있는 노폐물을 걸러낼 수 있다.

천재교과서

10 다음은 배설 기관이 하는 일을 알아보는 실험 과정입니다. 이 실험에 대한 설명으로 옳지 <u>않은</u> 것은 어느 것입니까? (   )

> ① 거름망을 비커에 걸쳐 놓기
> ② 다른 비커에 노란 색소 물과 붉은색 모래를 넣고 잘 섞어 ①의 거름망 위에 붓기
>
>
>
> 거름망
> 노란 색소 물과 붉은색 모래

① 노란 색소 물만 거름망을 통과한다.
② 거름망은 우리 몸의 콩팥을 나타낸다.
③ 거름망은 우리 몸의 방광을 나타낸다.
④ 붉은색 모래는 우리 몸의 혈액을 나타낸다.
⑤ 노란 색소 물은 우리 몸의 오줌(노폐물)을 나타낸다.

❶ 감각 기관과 자극의 전달

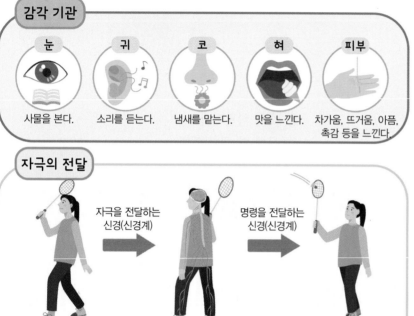

감각 기관

눈	귀	코	혀	피부
사물을 본다.	소리를 듣는다.	냄새를 맡는다.	맛을 느낀다.	차가움, 뜨거움, 아픔, 촉감 등을 느낀다.

자극의 전달

감각 기관 (눈으로 공을 본다.) → 자극을 전달하는 신경(신경계) → 뇌(신경계) (공을 받아치라고 명령한다.) → 명령을 전달하는 신경(신경계) → 운동 기관 (팔을 뻗어 공을 친다.)

✳ 중요한 내용을 정리해 보세요!

● 감각 기관의 종류는?

● 자극의 전달 과정은?

개념 확인하기

정답 27쪽

🔖 다음 문제를 읽고 답을 찾아 ☐ 안에 ✔표를 하시오.

1 눈, 귀, 코, 혀, 피부 등과 같이 자극을 받아들이는 기관은 무엇입니까?

ㄱ 감각 기관 ☐　　ㄴ 호흡 기관 ☐
ㄷ 순환 기관 ☐　　ㄹ 운동 기관 ☐

2 코는 어떤 자극을 받아들입니까?

ㄱ 맛 ☐　　ㄴ 아픔 ☐
ㄷ 냄새 ☐　　ㄹ 차가움 ☐

3 촉감을 느끼는 기관은 무엇입니까?

ㄱ 혀 ☐　　ㄴ 피부 ☐

4 자극을 뇌로 전달하는 것은 무엇입니까?

ㄱ 눈 ☐　　ㄴ 신경 ☐

5 운동 기관에 명령을 내리는 것은 무엇입니까?

ㄱ 뇌 ☐　　ㄴ 심장 ☐

개념 강의

② 운동할 때 일어나는 몸의 변화

우리 몸의 변화

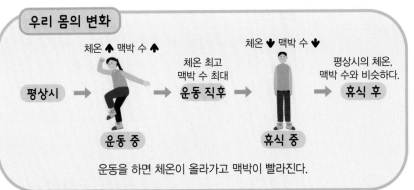

평상시 → 운동 중 → 운동 직후 → 휴식 중 → 휴식 후

체온⬆ 맥박 수⬆ / 체온 최고 맥박 수 최대 / 체온⬇ 맥박 수⬇ / 평상시의 체온, 맥박 수와 비슷하다.

운동을 하면 체온이 올라가고 맥박이 빨라진다.

각 기관이 하는 일

운동 기관
몸을 움직인다.

감각 기관 자극을 받아들인다.

순환 기관
영양소와 산소를 온몸에 전달한다.

호흡 기관
산소를 제공하고 이산화 탄소를 내보낸다.

소화 기관
음식물을 소화해 영양소를 흡수한다.

배설 기관
노폐물을 걸러 오줌으로 배설한다.

✳ 중요한 내용을 정리해 보세요!

● 운동할 때 체온과 맥박 수의 변화는?

● 몸을 움직일 때 각 기관이 하는 일은?

4 단원

개념 확인하기

정답 27쪽

🔖 다음 문제를 읽고 답을 찾아 ☐ 안에 ✔표를 하시오.

1 우리 몸의 체온이 가장 높을 때는 언제입니까?

ⓐ 평상시 ☐　　ⓑ 휴식 중 ☐
ⓒ 휴식 후 ☐　　ⓓ 운동 직후 ☐

2 운동할 때 일어나는 몸의 변화로 옳은 것은 무엇입니까?

ⓐ 체온이 내려가고, 맥박이 느려진다. ☐
ⓑ 체온이 올라가고, 맥박이 빨라진다. ☐

3 몸을 움직이기 위해 음식물을 소화해 영양소를 흡수하는 기관은 무엇입니까?

ⓐ 감각 기관 ☐　　ⓑ 소화 기관 ☐

4 몸을 움직이기 위해 산소를 흡수하고, 이산화 탄소를 내보내는 기관은 무엇입니까?

ⓐ 호흡 기관 ☐　　ⓑ 배설 기관 ☐

5 몸을 움직이기 위해 배설 기관이 하는 일은 무엇입니까?

ⓐ 영양소와 산소를 온몸에 전달한다. ☐
ⓑ 혈액 속 노폐물을 걸러 오줌으로 내보낸다. ☐

1 다음은 감각 기관에 대한 설명입니다. ☐ 안에 들어갈 알맞은 말을 쓰시오.

> 주변으로부터 전달된 ☐을/를 느끼고 받아 들이는 기관을 감각 기관이라고 합니다.

(   )

2 다음 중 감각 기관과 관련된 행동을 바르게 짝지은 것은 어느 것입니까? (   )

① 눈: 아연이는 노래를 들었다.
② 귀: 상현이는 음료수의 맛을 보았다.
③ 코: 정윤이는 친구가 그린 그림을 보았다.
④ 피부: 서준이는 강아지 털이 부드럽다고 느꼈다.
⑤ 혀: 수정이는 빵집에서 고소한 식빵의 냄새를 맡았다.

3 다음 보기 에서 우리 몸의 신경계에 대한 설명으로 옳지 않은 것을 골라 기호를 쓰시오.

> 보기
> ㉠ 뇌는 신경계에 포함되지 않습니다.
> ㉡ 뇌의 명령을 운동 기관에 전달합니다.
> ㉢ 감각 기관에서 받아들인 자극을 전달합니다.

(   )

천재교과서

4 다음과 같이 배드민턴을 할 때 우리 몸의 자극이 전달 되고 반응하는 과정에 맞게 순서대로 보기 의 기호를 쓰시오.

> 보기
> ㉠ 공을 칩니다.
> ㉡ 공이 날아오는 것을 봅니다.
> ㉢ 공을 치겠다고 뇌에서 결정합니다.
> ㉣ 공이 날아온다는 자극을 뇌로 전달합니다.
> ㉤ 공을 치라는 명령을 운동 기관에 전달합니다.

(   ) → (   ) → (   ) → (   ) → ㉠

천재교육

5 다음과 같은 정이의 행동을 자극과 반응에 맞게 줄로 바르게 이으시오.

> 햇볕이 내리쬐는 여름날, 학교를 마치고 집에 돌아온 정이는 무척 더워서 식탁 위에 올려져 있는 얼음이 담긴 음료수를 보자마자 음료수를 마셨습니다.

(1) 자극 •　　　　• ㉠ 무척 더움.

　　　　　　　　• ㉡ 음료수를 마심.

(2) 반응 •　　　　• ㉢ 얼음이 담긴 음료수를 봄.

천재교과서

6 다음은 친구들이 야구 경기를 보면서 나눈 대화입니다. 야구 방망이로 공을 치는 과정에 대해 <u>잘못</u> 설명한 친구를 골라 이름을 쓰시오.

> 찬영: 눈은 공을 보는 역할을 해.
> 준수: 공이 날아오는 것을 보는 것은 눈이 자극을 받아들인 거야.
> 혜정: 야구 방망이로 날아오는 공을 치는 행동은 감각에 해당해.

( )

천재교과서

7 다음 중 1분 동안 팔 벌려 뛰기를 할 때 우리 몸의 변화에 대한 설명으로 옳은 것을 두 가지 고르시오.

(,)

① 체온이 올라간다.
② 체온이 내려간다.
③ 호흡이 빨라진다.
④ 호흡이 느려진다.
⑤ 체온과 호흡의 변화가 없다.

8 다음 중 운동할 때 심장이 빠르게 뛰는 까닭은 어느 것입니까? ( )

① 이산화 탄소를 공급하기 위해서이다.
② 혈액 순환을 느리게 하기 위해서이다.
③ 몸속에 노폐물을 저장하기 위해서이다.
④ 많은 영양소와 산소를 얻기 위해서이다.
⑤ 몸속 에너지를 모두 저장하기 위해서이다.

9 다음은 평상시 상태와 운동 직후, 5분 동안 휴식한 후의 체온과 맥박 수를 측정하여 나타낸 그래프입니다. 이에 대한 설명으로 옳은 것을 보기 에서 골라 기호를 쓰시오.

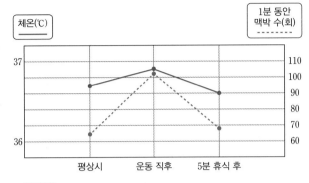

> 보기
> ㉠ 운동 직후에는 평상시보다 체온이 올라가고 맥박은 느려집니다.
> ㉡ 운동 직후에는 평상시보다 체온이 내려가고 맥박은 빨라집니다.
> ㉢ 평상시의 체온과 맥박 수는 운동하고 5분 동안 휴식을 취했을 때의 체온과 맥박 수와 비슷합니다.

( )

4 단원

진도 완료 체크

10 다음은 운동할 때 생기는 이산화 탄소와 노폐물을 처리하는 기관입니다. 이에 대한 설명으로 옳은 것은 어느 것입니까? ( )

△ 순환 기관

△ 호흡 기관

△ 배설 기관

① 노폐물은 순환 기관을 통해 온몸으로 전달된다.
② 노폐물은 호흡 기관을 통해 온몸으로 전달된다.
③ 이산화 탄소는 호흡 기관을 통해 배설 기관으로 전달된다.
④ 이산화 탄소는 호흡 기관을 통해 순환 기관으로 전달된다.
⑤ 이산화 탄소와 노폐물은 순환 기관을 통해 호흡 기관과 배설 기관으로 각각 전달된다.

연습 🦉 도움말을 참고하여 내 생각을 차근차근 써 보세요.

1 다음은 우리 몸속 뼈의 모습입니다. [총 6점]

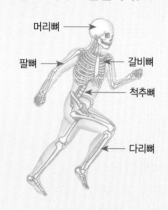

(1) 위의 그림을 보고 뼈의 생김새를 다음과 같이 정리했습니다. ㉠, ㉡에 들어갈 알맞은 뼈의 이름을 쓰시오. [2점]

구분	생김새
㉠	바가지 모양으로 둥긂.
㉡	휘어져 있고, 좌우로 둥글게 연결되어 공간을 만듦.
척추뼈	짧은뼈가 이어져 기둥을 이룸.
팔뼈, 다리뼈	길이가 길고, 아래쪽 뼈는 긴뼈 두 개로 이루어져 있음.

㉠ (   ) ㉡ (   )

(2) 우리 몸속에서 뼈가 하는 일을 쓰시오. [4점]

> 🦉 뼈가 없으면 서 있을 수도 없고 몸의 형태도 유지하기 어려움을 생각하며 써 보세요.
> **꼭 들어가야 할 말** 형태 / 지지 / 내부 기관 / 보호

_____

_____

2 다음은 우리 몸의 배설 기관의 모습입니다. [총 12점]

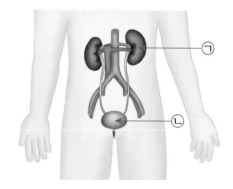

(1) ㉠, ㉡ 기관의 이름을 각각 쓰시오. [4점]

㉠ (   ) ㉡ (   )

(2) ㉡ 기관이 하는 일을 쓰시오. [8점]

_____

_____

3 다음과 같이 운동할 때 맥박과 호흡이 빨라지는 까닭은 무엇인지 쓰시오. [8점]

_____

_____

9종 공통

1 다음은 뼈와 근육에 대한 설명입니다. ☐ 안에 들어갈 알맞은 말은 어느 것입니까? (　　　)

> 우리 몸속 기관 중에서 움직임에 관여하는 뼈와 근육을 ☐ 이라고 합니다.

① 호흡 기관
② 운동 기관
③ 소화 기관
④ 배설 기관
⑤ 감각 기관

9종 공통

2 다음 중 척추뼈에 대한 설명으로 옳은 것은 어느 것입니까? (　　　)

① 위쪽은 둥글고, 아래쪽은 각이 져 있다.
② 위쪽은 각이 져 있고, 아래쪽은 휘어져 있다.
③ 짧은뼈 여러 개가 세로로 이어져 기둥을 이룬다.
④ 길이가 길고, 아래쪽 뼈는 긴뼈 두 개로 이루어져 있다.
⑤ 휘어 있고, 여러 개가 있으며 좌우로 둥글게 연결되어 안쪽에 공간을 만든다.

9종 공통

3 다음 중 뼈가 하는 일에 대해 바르게 말한 친구는 누구입니까? (　　　)

① 영지: 오줌을 만들어.
② 상현: 음식물을 소화시켜.
③ 정연: 숨을 쉬는 일을 하지.
④ 예진: 우리 몸의 형태를 만들어.
⑤ 연우: 혈액을 온몸으로 순환시켜.

9종 공통

4 다음은 음식물이 소화되는 과정입니다. ☐ 안에 들어갈 알맞은 기관은 어느 것입니까? (　　　)

> 입 → 식도 → ☐ → 작은창자 → 큰창자 → 항문

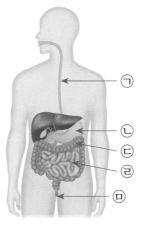

① ㉠
② ㉡
③ ㉢
④ ㉣
⑤ ㉤

9종 공통

5 다음 중 소화 기관에 대한 설명으로 옳지 <u>않은</u> 것은 어느 것입니까? (　　　)

① 간과 쓸개는 소화를 도와주는 기관이다.
② 항문에서 음식 찌꺼기의 수분을 흡수한다.
③ 식도는 입에서 삼킨 음식물을 위로 이동시킨다.
④ 음식물이 잘게 부서져야 몸에서 흡수가 잘 된다.
⑤ 입에서는 음식물을 이로 잘게 부수고 침으로 물러지게 한다.

9종 공통

6 다음 중 소화를 도와주는 기관으로 옳은 것은 어느 것입니까? (　　　)

① 폐
② 간
③ 콩팥
④ 방광
⑤ 기관지

7 다음은 우리 몸에서 일어나는 일에 대한 설명입니다. 설명에 해당하는 것은 어느 것입니까? ( )

9종 공통

> 숨을 들이마시고 내쉬는 활동입니다.

① 소화 　　② 호흡 　　③ 배설
④ 흡수 　　⑤ 순환

8 다음 중 우리 몸의 호흡에 관여하는 기관이 <u>아닌</u> 것은 어느 것입니까? ( )

9종 공통

① 폐 　　② 코 　　③ 기관
④ 방광 　　⑤ 기관지

9 다음 중 숨을 들이마실 때 코로 들어온 공기가 기관, 기관지를 거쳐 도달하는 곳은 어디입니까? ( )

9종 공통

① 폐 　　② 콩팥 　　③ 식도
④ 쓸개 　　⑤ 이자

10 다음 중 숨을 들이마시고 내쉴 때 폐의 크기와 가슴둘레에 대한 설명으로 옳은 것은 어느 것입니까?

천재교육, 금성, 아이스크림, 지학사

( )

① 숨을 내쉴 때 가슴둘레는 커진다.
② 숨을 내쉴 때 폐의 크기는 커진다.
③ 숨을 들이마실 때 폐의 크기는 커진다.
④ 숨을 들이마실 때 가슴둘레는 작아진다.
⑤ 숨을 들이마시고 내쉴 때 폐의 크기와 가슴둘레는 아무런 변화가 없다.

[11~12] 다음은 주입기로 붉은 색소 물을 한쪽 관으로 빨아들이고 다른 쪽 관으로 내보내는 모습입니다. 물음에 답하시오.

천재교육, 천재교과서, 김영사, 동아, 미래엔

11 위의 붉은 색소 물이 우리 몸에서 나타내는 것은 어느 것입니까? ( )

① 심장 　　② 혈관 　　③ 혈액
④ 수분 　　⑤ 노폐물

천재교육, 천재교과서, 김영사, 동아, 미래엔

12 위 실험에서 주입기의 펌프를 빠르게 누를 때, 다음 중 붉은 색소 물의 이동량과 이동 빠르기의 변화를 차례로 나열한 것은 어느 것입니까? ( )

① 많아짐, 느려짐
② 많아짐, 빨라짐
③ 적어짐, 느려짐
④ 적어짐, 빨라짐
⑤ 변화 없음, 변화 없음

13 다음은 혈액이 이동하는 과정에 대한 설명입니다. ☐ 안에 들어갈 알맞은 말은 어느 것입니까? ( )

9종 공통

> 심장의 펌프 작용으로 심장에서 나온 혈액이 ☐☐☐을/를 통해 온몸으로 이동하여 영양소와 산소를 공급하고, 다시 심장으로 돌아오는 과정을 반복합니다.

① 기관 　　② 혈관 　　③ 식도
④ 기관지 　　⑤ 오줌관

14 오른쪽은 우리 몸속에서 어떤 역할을 하는 기관입니까?

9종 공통

콩팥

방광

(   )

① 운동   ② 소화
③ 순환   ④ 호흡
⑤ 배설

15 다음 중 콩팥에 대해 바르게 설명한 친구는 누구입니까?

9종 공통

(   )

① 영아: 온몸에 복잡하게 퍼져 있어.
② 승현: 콩팥이 없어도 오줌이 만들어져.
③ 선미: 오줌이 몸 밖으로 이동하는 통로야.
④ 영재: 혈액 속의 노폐물을 걸러 오줌으로 만들지.
⑤ 은수: 강낭콩 모양으로 등허리에 좌우 두 쌍이 있어.

16 다음 중 오줌이 몸 밖으로 이동하는 통로는 어느 것입니까? (   )

아이스크림, 지학사

① 식도   ② 기관   ③ 요도
④ 오줌관   ⑤ 기관지

17 다음 감각 기관 중 몸 표면을 감싸며 차가움, 뜨거움, 아픔, 촉감 등을 느끼는 기관은 어느 것입니까?

9종 공통

(   )

① 눈   ② 귀   ③ 코
④ 혀   ⑤ 피부

18 다음 중 자극이 전달되어 반응하는 과정에서 뇌의 명령을 운동 기관으로 전달하는 것은 어느 것입니까?

9종 공통

(   )

① 소화 기관
② 감각 기관
③ 행동을 결정하는 신경
④ 명령을 전달하는 신경
⑤ 자극을 전달하는 신경

19 다음 중 운동을 할 때 체온이 올라가는 까닭으로 옳은 것은 어느 것입니까? (   )

9종 공통

① 몸에서 에너지를 흡수하기 때문이다.
② 몸에서 에너지를 많이 내면서 열을 흡수하기 때문이다.
③ 몸에서 에너지를 적게 내면서 열을 흡수하기 때문이다.
④ 몸에서 에너지를 적게 내면서 열이 많이 나기 때문이다.
⑤ 몸에서 에너지를 많이 내면서 열이 많이 나기 때문이다.

4 단원

20 다음 중 우리 몸의 각 기관과 몸을 움직이려고 할 때 각 기관이 하는 일을 바르게 짝지은 것은 어느 것입니까?

9종 공통

진도 완료 체크

(   )

① 소화 기관: 주변의 자극을 받아들인다.
② 감각 기관: 음식물을 소화해 영양소를 흡수한다.
③ 호흡 기관: 혈액에 있는 노폐물을 걸러 내어 오줌으로 내보낸다.
④ 배설 기관: 우리 몸에 필요한 산소를 제공하고 이산화 탄소를 내보낸다.
⑤ 순환 기관: 영양소와 산소를 온몸에 전달하고, 이산화 탄소와 노폐물을 각각 호흡 기관과 배설 기관으로 전달한다.

· 답안 입력하기   · 온라인 피드백 받기

❶ 에너지의 필요성과 에너지 형태

생물이 살아가거나 기계가 움직이려면 에너지가 필요하다.

• 생물: 양분에서 에너지를 얻는다.
• 기계: 전기나 기름 등에서 에너지를 얻는다.

필요한 까닭 / 얻는 방법 / 에너지 / 형태

열에너지 / 전기 에너지 / 빛에너지 / 화학 에너지 / 운동 에너지 / 위치 에너지

✳ 중요한 내용을 정리해 보세요!

● 식물과 동물이 에너지를 얻는 방법은?

● 일상생활에서 이용하는 대표적인 에너지 형태는?

개념 확인하기

정답 30쪽

🍃 다음 문제를 읽고 답을 찾아 ☐ 안에 ✔표를 하시오.

1 생물이 살아가거나 기계가 움직이기 위해서 공통으로 필요한 것은 무엇입니까?

ㄱ 물 ☐   ㄴ 공기 ☐

ㄷ 석유 ☐   ㄹ 에너지 ☐

2 동물이 에너지를 얻는 방법은 무엇입니까?

ㄱ 다른 생물을 먹고 그 양분으로 얻는다. ☐

ㄴ 빛을 이용해 스스로 양분을 만들어 얻는다. ☐

3 물체의 온도를 높일 수 있는 에너지 형태는 무엇입니까?

ㄱ 빛에너지 ☐   ㄴ 열에너지 ☐

4 위치 에너지는 어떤 에너지입니까?

ㄱ 움직이는 물체가 가진 에너지이다. ☐

ㄴ 높은 곳에 있는 물체가 가진 에너지이다. ☐

5 전기 기구를 작동하게 하는 에너지는 무엇입니까?

ㄱ 전기 에너지 ☐   ㄴ 운동 에너지 ☐

❷ 에너지 전환과 효율적인 에너지 활용 방법

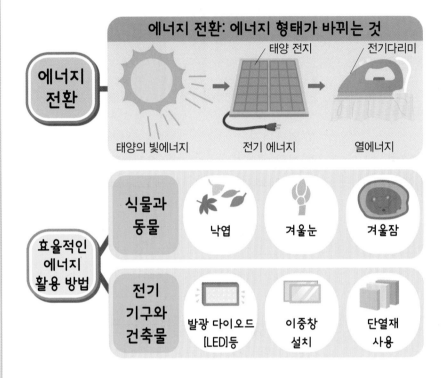

에너지 전환: 에너지 형태가 바뀌는 것

에너지 전환

태양 전지 → 전기다리미

태양의 빛에너지 → 전기 에너지 → 열에너지

효율적인 에너지 활용 방법

식물과 동물: 낙엽 / 겨울눈 / 겨울잠

전기 기구와 건축물: 발광 다이오드[LED]등 / 이중창 설치 / 단열재 사용

✳ 중요한 내용을 정리해 보세요!

● 에너지 전환이란?

● 에너지를 효율적으로 활용할 수 있는 방법은?

개념 확인하기

정답 30쪽

🌿 다음 문제를 읽고 답을 찾아 ☐ 안에 ✔표를 하시오.

1 전등은 전기 에너지를 어떤 에너지로 전환해 사용합니까?

㉠ 빛에너지 ☐   ㉡ 운동 에너지 ☐

2 태양 전지에서 일어나는 에너지 전환은 어느 것입니까?

㉠ 태양의 빛에너지 → 운동 에너지 ☐

㉡ 태양의 빛에너지 → 전기 에너지 ☐

㉢ 전기 에너지 → 태양의 빛에너지 ☐

3 식물에서 겨울에 열에너지가 빠져나가는 것을 줄여 주어 어린싹이 얼지 않도록 하는 것은 무엇입니까?

㉠ 떡잎 ☐   ㉡ 겨울눈 ☐

5
단원

4 동물이 에너지를 효율적으로 이용하는 방법은 무엇입니까?

㉠ 겨울잠을 잔다. ☐

㉡ 스스로 양분을 만든다. ☐

5 에너지 효율이 더 높은 전등은 어느 것입니까?

㉠ 백열등 ☐

㉡ 발광 다이오드[LED]등 ☐

1 다음 중 에너지에 대한 설명으로 옳지 <u>않은</u> 것은 어느 것입니까? (   )

① 기계가 움직이려면 에너지가 필요하다.

② 동물이 살아가는 데 에너지가 필요하다.

③ 식물이 자라서 열매를 맺으려면 에너지가 필요하다.

④ 우리가 일상생활에서 사용하는 에너지는 눈으로 볼 수 있다.

⑤ 우리가 일상생활을 할 때 필요한 에너지는 여러 가지 에너지 자원에서 얻을 수 있다.

2 다음 식물이나 동물, 기계가 에너지를 얻는 방법에 맞게 줄로 바르게 이으시오.

(1)
△ 사과나무

• • ㉠ 다른 생물을 먹고, 그 양분으로 에너지를 얻음.

(2)
△ 자동차

• • ㉡ 빛을 이용해 스스로 양분을 만들어 에너지를 얻음.

(3)
△ 토끼

• • ㉢ 전기나 가스, 기름 등을 이용해 에너지를 얻음.

3 다음의 전등과 가로등의 불빛처럼 주위를 밝게 비출 수 있는 에너지 형태는 어느 것입니까? (   )

△ 전등

△ 가로등

① 열에너지   ② 빛에너지

③ 화학 에너지   ④ 운동 에너지

⑤ 위치 에너지

4 오른쪽과 같은 음식물, 석유, 석탄, 나무, 건전지 등이 가지고 있는 에너지 형태는 무엇인지 쓰시오.

(   )

천재교과서

5 다음은 놀이터의 모습입니다. ㉠~㉣ 중 위치 에너지를 찾을 수 있는 상황을 두 가지 골라 기호를 쓰시오.

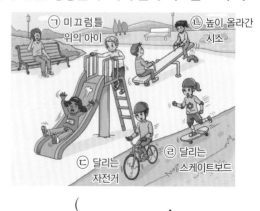

(,   )

천재교과서, 금성, 동아, 미래엔, 아이스크림

6 다음은 롤러코스터에서 움직이는 열차의 모습입니다. 롤러코스터의 각 구간에서 일어나는 에너지 전환 과정을 보기에서 골라 각각 기호를 쓰시오.

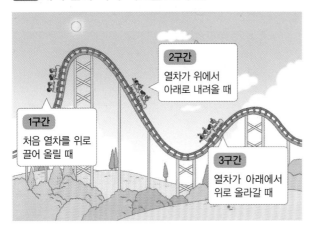

2구간
열차가 위에서 아래로 내려올 때

1구간
처음 열차를 위로 끌어 올릴 때

3구간
열차가 아래에서 위로 올라갈 때

> **보기**
> ㉠ 운동 에너지 → 위치 에너지
> ㉡ 위치 에너지 → 운동 에너지
> ㉢ 전기 에너지 → 운동 에너지, 위치 에너지

(1) 1구간: (   )

(2) 2구간: (   )

(3) 3구간: (   )

7 다음 중 태양의 빛에너지가 전기 에너지로 전환되는 경우는 어느 것입니까? (   )

①
△ 전기다리미

②
△ 태양 전지

③
△ 폭포에서 떨어지는 물

④
△ 농구하는 아이들

8 다음 ☐ 안에 들어갈 알맞은 말을 보기에서 골라 기호를 쓰시오.

> 우리가 이용하는 대부분의 에너지는 ☐ 에서 온 에너지 형태가 전환된 것입니다.

> **보기**
> ㉠ 달   ㉡ 물   ㉢ 태양   ㉣ 공기

(   )

천재교육, 천재교과서, 동아, 미래엔, 지학사

9 다음은 형광등과 발광 다이오드[LED]등의 에너지 효율을 비교한 것입니다. 에너지 효율이 더 높은 전등은 어느 것인지 쓰시오.

같은 밝기의 빛에너지

△ 형광등   △ 발광 다이오드[LED]등

(   )

5 단원

10 다음 중 에너지를 효율적으로 이용하는 예로 옳지 않은 것은 어느 것입니까? (   )

① 나무는 가을에 잎을 떨어뜨린다.
② 건물의 외벽에 단열재를 설치한다.
③ 곰, 다람쥐 등은 겨울에 겨울잠을 잔다.
④ 건물에 태양 에너지를 이용하는 장치를 설치한다.
⑤ 에너지 소비 효율 등급이 5등급에 가까운 전기 제품을 사용한다.

1 다음은 우리 주변의 에너지 형태에 대해 정리한 것입니다. [총 10점]

㉠ 에너지	움직이는 물체가 가진 에너지
빛에너지	주위를 밝게 비추는 에너지
위치 에너지	㉡
열에너지	물체의 온도를 높이거나 음식이 익게 해 주는 에너지

(1) 위의 ㉠에 들어갈 알맞은 말을 쓰시오. [2점]

( )

(2) 놀이터에 비치는 햇빛은 어떤 형태의 에너지에 해당하는지 쓰시오. [2점]

( )

(3) 위치 에너지에 대한 설명에 맞게 ㉡에 들어갈 알맞은 말을 쓰시오. [6점]

> 🦉 위치 에너지의 위치는 '높이'를 의미하는 표현이에요.
> **꼭 들어가야 할 말** 높은 곳 / 에너지

_____

_____

2 다음은 가로등의 모습입니다. [총 12점]

(1) 가로등이 가지고 있는 에너지는 빛에너지 이외에 무엇이 있는지 두 가지 쓰시오. [4점]

(,)

(2) 가로등이 가지고 있는 빛에너지의 역할을 쓰시오. [8점]

답 빛에너지는 전등의 불빛처럼 _____

_____ .

3 다음은 겨울 나무에서 볼 수 있는 것입니다. [총 12점]

(1) 위 ㉠은 무엇인지 쓰시오. [4점]

( )

(2) 위 ㉠의 역할을 식물이 에너지를 효율적으로 이용하는 방법과 관련지어 쓰시오. [8점]

_____

_____

1 다음 ☐ 안에 공통으로 들어갈 알맞은 말은 어느 것입니까? ( )

9종 공통

- 동물이 살아가는 데 ☐☐이/가 필요합니다.
- 자동차가 움직이는 데 ☐☐이/가 필요합니다.
- 식물이 자라서 열매를 맺기 위해 ☐☐이/가 필요합니다.

① 불　　　② 가스　　　③ 전기
④ 석탄　　　⑤ 에너지

2 다음 중 에너지를 얻는 방법이 나머지와 다른 하나는 어느 것입니까? ( )

9종 공통

①
토끼

②
토마토

③
귤나무

④
벼

3 다음은 동물이 살아가는 데 필요한 에너지를 얻는 과정에 대한 설명입니다. ☐ 안에 들어갈 말로 옳은 것은 어느 것입니까? ( )

9종 공통

동물은 식물이나 다른 동물을 먹어 화학 에너지를 얻습니다. 먹이가 가진 화학 에너지는 ☐☐의 빛에너지로부터 얻은 것입니다.

① 땅　　　② 흙　　　③ 구름
④ 바람　　　⑤ 태양

4 다음 중 사람에게 에너지가 없을 때에 대한 설명으로 옳지 않은 것은 어느 것입니까? ( )

9종 공통

① 힘이 넘친다.
② 힘이 빠진다.
③ 성장할 수 없다.
④ 살아갈 수 없다.
⑤ 키가 크지 않는다.

5 다음 중 화학 에너지에 대한 설명으로 옳은 것은 어느 것입니까? ( )

9종 공통

① 주위를 어둡게 하는 에너지이다.
② 움직이는 물체가 가진 에너지이다.
③ 물체의 온도를 높일 수 있는 에너지이다.
④ 높은 곳에 있는 물체가 가진 에너지이다.
⑤ 음식물, 석유, 석탄 등이 가진 에너지이다.

6 다음 두 상황에 공통으로 관련된 에너지 형태는 어느 것입니까? ( )

9종 공통

높은 곳의 추, 높이 올라간 시소

① 열에너지　　　② 빛에너지
③ 위치 에너지　　　④ 운동 에너지
⑤ 전기 에너지

7 다음 중 높이 날고 있는 새가 가지고 있는 에너지 형태끼리 바르게 짝지은 것은 어느 것입니까? ( )

9종 공통

① 빛에너지, 열에너지
② 빛에너지, 운동 에너지
③ 빛에너지, 위치 에너지
④ 운동 에너지, 위치 에너지
⑤ 위치 에너지, 전기 에너지

5
단원

9종 공통

8 다음 중 빛에너지와 가장 관련 있는 것은 어느 것입니까?

( )

① 끓고 있는 물 　　② 날고 있는 새
③ 달리는 자동차 　　④ 불이 켜진 가로등
⑤ 높은 곳에 있는 추

9종 공통

9 다음 □ 안에 들어갈 알맞은 말은 어느 것입니까?

( )

> 세탁기, 냉장고, 에어컨 등과 같은 전기 기구를 작동하게 하는 에너지 형태는 □□□ 에너지 입니다.

① 빛 　　② 열 　　③ 화학
④ 전기 　　⑤ 위치

9종 공통

10 다음 중 집에서 사용하고 있는 에너지 형태에 대한 설명으로 옳지 <u>않은</u> 것은 어느 것입니까? ( )

① 열에너지를 사용하여 음식을 익힌다.
② 전기 에너지를 사용하여 텔레비전을 켠다.
③ 빛에너지를 사용하여 전등으로 주위를 밝힌다.
④ 위치 에너지를 사용하여 휴대 전화를 충전한다.
⑤ 화학 에너지를 사용하여 가스레인지에 불을 켠다.

9종 공통

11 다음 ㉠과 ㉡의 에너지 형태를 바르게 짝지은 것은 어느 것입니까? ( )

> ㉠ 달리는 자전거가 가지고 있는 에너지 형태
> ㉡ 높이 올라간 그네가 가지고 있는 에너지 형태

	㉠	㉡
①	전기 에너지	화학 에너지
②	화학 에너지	운동 에너지
③	운동 에너지	위치 에너지
④	위치 에너지	운동 에너지
⑤	운동 에너지	화학 에너지

[12~13] 다음은 롤러코스터에서 움직이는 열차의 모습입니다. 물음에 답하시오.

천재교과서, 금성, 동아, 미래엔, 아이스크림

12 다음 중 위 ㉠ 구간의 에너지 전환 과정을 바르게 나타낸 것은 어느 것입니까? ( )

① 전기 에너지 → 화학 에너지
② 빛에너지 → 전기 에너지, 운동 에너지
③ 전기 에너지 → 위치 에너지, 운동 에너지
④ 위치 에너지 → 운동 에너지, 전기 에너지
⑤ 운동 에너지 → 위치 에너지, 화학 에너지

천재교과서, 금성, 동아, 미래엔, 아이스크림

13 다음은 위 ㉡ 구간과 ㉢ 구간의 에너지 전환 과정을 나타낸 것입니다. □ 안에 공통으로 들어갈 알맞은 에너지 형태는 어느 것입니까? ( )

> • ㉡ 구간: □□□ → 운동 에너지
> • ㉢ 구간: 운동 에너지 → □□□

① 열에너지 　　② 빛에너지
③ 전기 에너지 　　④ 위치 에너지
⑤ 화학 에너지

9종 공통

14 다음 중 전기 에너지를 열에너지로 전환하는 것은 어느 것입니까? ( )

① 촛불 　　② 폭포
③ 선풍기 　　④ 모닥불
⑤ 전기다리미

15 오른쪽과 같이 폭포에서 물이 떨어질 때 일어나는 에너지 전환 과정을 바르게 나타낸 것은 어느 것입니까?

9종 공통

( )

① 빛에너지 → 위치 에너지

② 열에너지 → 운동 에너지

③ 화학 에너지 → 운동 에너지

④ 위치 에너지 → 운동 에너지

⑤ 운동 에너지 → 위치 에너지

16 다음 중 위 **15**번의 답과 같은 에너지 전환이 일어나는 예는 어느 것입니까? ( )

9종 공통

① 달리는 아이

② 불이 켜진 전등

③ 광합성하는 식물

④ 언덕에서 내려오는 눈썰매

⑤ 전기 주전자에서 끓고 있는 물

17 다음은 오른쪽과 같은 태양광 로봇이 움직일 때의 에너지 전환 과정을 나타낸 것입니다. ㉠과 ㉡에 들어갈 알맞은 에너지 형태를 바르게 짝지은 것은 어느 것입니까?

금성, 김영사, 미래엔, 아이스크림

태양 전지

( )

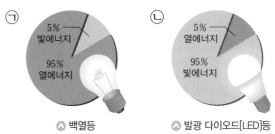

	㉠	㉡
①	전기 에너지	화학 에너지
②	전기 에너지	운동 에너지
③	전기 에너지	위치 에너지
④	화학 에너지	운동 에너지
⑤	화학 에너지	위치 에너지

18 다음 중 생물이 에너지를 효율적으로 이용하는 방법으로 옳지 않은 것은 어느 것입니까? ( )

9종 공통

① 겨울을 준비하기 위해 나무는 꽃을 피운다.

② 겨울을 준비하기 위해 나무는 잎을 떨어뜨린다.

③ 철새들은 먼 거리를 날아갈 때 바람을 이용한다.

④ 곰은 먹이를 구하기 어려운 겨울에 겨울잠을 잔다.

⑤ 겨울눈의 비늘은 겨울에 어린싹이 얼지 않도록 한다.

19 다음은 전등에서 전기 에너지(100%)의 전환 비율을 나타낸 것입니다. 두 전등을 바르게 비교한 것은 어느 것입니까? ( )

천재교육, 천재교과서, 동아, 미래엔, 지학사

㉠
5% 빛에너지
95% 열에너지

▲ 백열등

㉡
5% 열에너지
95% 빛에너지

▲ 발광 다이오드[LED]등

① ㉠이 ㉡보다 에너지 효율이 높다.

② ㉡이 ㉠보다 에너지 효율이 높다.

③ ㉠과 ㉡의 에너지 효율은 비슷하다.

④ ㉠은 전기 에너지가 대부분 빛에너지로 전환된다.

⑤ ㉡은 전기 에너지가 대부분 열에너지로 전환된다.

20 다음 중 에너지를 효율적으로 활용할 수 있는 방법으로 옳지 않은 것은 어느 것입니까? ( )

9종 공통

① 창문 틈새를 잘 막는다.

② 건축물에 이중창을 설치한다.

③ 건물의 외벽에 단열재를 설치한다.

④ 에어컨을 사용할 때는 창문을 열어 둔다.

⑤ 에너지 소비 효율 등급이 1등급인 제품을 사용한다.

5
단원

진도 완료 체크

· 답안 입력하기   · 온라인 피드백 받기

1 다음 중 오른쪽 전기 부품의 쓰임새로 옳은 것은 어느 것입니까? (   )

9종 공통

① 빛을 내는 전기 부품이다.

② 전기 부품을 쉽게 연결할 수 있다.

③ 전기가 흐르는 길을 끊거나 연결한다.

④ 전선을 쉽게 연결할 수 있도록 전지를 넣어서 사용한다.

⑤ 전선에 쉽게 연결할 수 있도록 전구를 끼워서 사용한다.

2 다음 중 오른쪽 전기 회로에서 전구 끼우개에 연결된 전구 한 개를 빼내고 스위치를 닫았을 때의 결과로 옳은 것은 어느 것입니까? (   )

9종 공통

① 전지가 더 빨리 소모된다.

② 나머지 전구에 불이 켜진다.

③ 나머지 전구에 불이 켜지지 않는다.

④ 나머지 전구의 밝기가 더 어두워진다.

⑤ 나머지 전구에 불이 켜졌다 꺼졌다 한다.

3 다음 중 오른쪽 전기 회로에 대한 설명으로 옳은 것은 어느 것입니까? (   )

9종 공통

① 전구가 전지의 (+)극에만 연결되어 있다.

② 전구 두 개가 각각 다른 줄에 한 개씩 연결되어 있다.

③ 같은 수의 전구를 병렬연결할 때보다 전구의 밝기가 밝다.

④ 같은 수의 전구를 병렬연결할 때보다 전지를 더 오래 사용할 수 있다.

⑤ 전구 한 개의 불이 꺼져도 나머지 전구의 불이 꺼지지 않는다.

4 다음과 같은 전자석을 만들 때 사용되지 않은 것은 어느 것입니까? (   )

9종 공통

① 전지   ② 스위치

③ 나침반   ④ 에나멜선

⑤ 둥근머리 볼트

5 다음 중 태양이 지표면과 이루는 각을 뜻하는 것은 어느 것입니까? (   )

9종 공통

① 태양광   ② 태양열

③ 태양 고도   ④ 태양 에너지

⑤ 태양의 일주 운동

6 다음 중 태양 고도에 대한 설명으로 옳은 것은 어느 것입니까? (   )

9종 공통

① 달이 지표면과 이루는 각이다.

② 태양 고도는 아침에 가장 높다.

③ 하루 동안 태양 고도는 변하지 않는다.

④ 태양이 동쪽에서 떠오를 때를 태양이 남중했다고 한다.

⑤ 태양이 남중했을 때의 고도를 태양의 남중 고도라고 한다.

9종 공통

7 다음 중 하루 동안의 태양 고도, 기온, 그림자 길이의 관계에 대한 설명으로 옳은 것은 어느 것입니까? ( )

(자료 출처: 기상 자료 개방 포털, 한국 천문 연구원, 2020년 9월 15일 서울특별시)

① 기온은 14시 30분경에 가장 낮다.

② 태양 고도는 14시 30분경에 가장 높다.

③ 그림자 길이는 12시 30분경에 가장 짧다.

④ 태양 고도가 높아지면 기온은 대체로 낮아진다.

⑤ 태양 고도가 높아지면 그림자 길이는 길어진다.

9종 공통

8 다음은 월별 낮의 길이를 나타낸 그래프입니다. 다음 중 낮의 길이가 가장 긴 때는 언제입니까? ( )

① 1~2월 　　　　② 3~4월

③ 6~7월 　　　　④ 9~10월

⑤ 11~12월

9종 공통

9 다음과 같이 지구의 자전축을 수직으로 맞추고 지구본의 각 위치에서 태양의 남중 고도를 측정했을 때에 대한 설명으로 옳은 것은 어느 것입니까? ( )

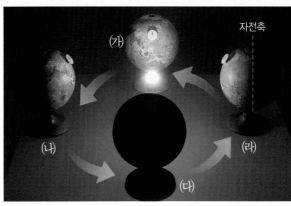

△ 지구본의 자전축을 기울이지 않은 채 공전시키는 모습

① 낮아진다.

② 높아진다.

③ 변하지 않는다.

④ 높아지다가 낮아진다.

⑤ 낮아지다가 높아진다.

9종 공통

10 다음과 같이 물질이 탈 때 나타나는 현상으로 옳은 것은 어느 것입니까? ( )

△ 초가 타는 모습　　　△ 알코올이 타는 모습

① 주변이 어두워진다.

② 빛과 열이 발생한다.

③ 시끄러운 소리가 난다.

④ 주변의 온도가 내려간다.

⑤ 항상 연기와 그을음이 발생한다.

천재교과서, 지학사

11 다음과 같이 성냥 머리 부분과 향을 구리판의 원 위에 올려놓고 알코올램프로 가열했을 때의 결과에 대한 설명으로 옳은 것은 어느 것입니까? (   )

⬆ 성냥 머리 부분에 먼저 불이 붙음.

① 성냥 머리 부분과 향은 발화점이 같다.
② 물질마다 타기 시작하는 온도가 다르다.
③ 불을 직접 붙이지 않으면 물질이 탈 수 없다.
④ 물질에 관계없이 타기 시작하는 온도는 같다.
⑤ 성냥 머리 부분은 발화점에 도달하기 전에 탄다.

9종 공통

13 다음 중 우리 생활에서 발화점 미만으로 온도를 낮춰서 불을 끄는 경우는 어느 것입니까? (   )

① 물을 뿌린다.
② 초의 심지를 자른다.
③ 알코올램프의 뚜껑을 덮는다.
④ 낙엽 등 타기 쉬운 물질을 치운다.
⑤ 가스레인지의 연료 조절 밸브를 잠근다.

9종 공통

14 다음이 설명하는 뼈는 어느 것입니까? (   )

> • 휘어 있습니다.
> • 여러 개가 있습니다.
> • 좌우로 둥글게 연결되어 안쪽에 공간을 만듭니다.

① 팔뼈   ② 갈비뼈
③ 다리뼈   ④ 머리뼈
⑤ 척추뼈

9종 공통

12 다음과 같이 아크릴 통에 초를 넣고 연소시킨 후 석회수를 넣고 흔들었을 때 나타나는 현상으로 알 수 있는 점으로 옳은 것은 어느 것입니까? (   )

⬆ 석회수가 뿌옇게 흐려짐.

① 물질이 연소하면 물이 생성된다.
② 물질이 연소하면 산소가 생성된다.
③ 물질이 연소하면 무게가 늘어난다.
④ 물질이 연소하면 헬륨이 생성된다.
⑤ 물질이 연소하면 이산화 탄소가 생성된다.

9종 공통

15 다음 중 숨을 들이마실 때 공기가 이동하는 순서로 옳은 것은 어느 것입니까? (   )

① 코 → 폐 → 기관 → 기관지
② 코 → 기관 → 기관지 → 폐
③ 폐 → 코 → 기관 → 기관지
④ 폐 → 기관 → 기관지 → 코
⑤ 폐 → 기관지 → 기관 → 코

16 다음 중 순환 기관에 대한 설명으로 옳은 것은 어느 것입니까? ( )

① 심장은 노폐물을 걸러낸다.

② 호흡에 관여하는 기관이다.

③ 간, 쓸개, 이자 등이 해당한다.

④ 우리 몸의 형태를 만들고 몸을 지탱한다.

⑤ 심장에서 나온 혈액은 혈관을 통해 이동한다.

9종 공통

17 다음 중 혈액 속의 노폐물을 걸러 오줌을 만드는 일을 하는 기관은 어느 것입니까? ( )

① 뼈　　　　　② 심장

③ 콩팥　　　　④ 기관지

⑤ 작은창자

9종 공통

18 다음 중 오른쪽과 같이 주위를 밝힐 수 있는 에너지는 어느 것입니까? ( )

① 빛에너지

② 열에너지

③ 운동 에너지

④ 위치 에너지

⑤ 화학 에너지

△ 주위를 밝히는 가로등

천재교과서, 김영사, 금성, 동아, 미래엔

19 다음과 같이 롤러코스터 열차가 이동하는 동안의 에너지 형태 변화를 나타낸 것에서 ㉠, ㉡에 들어갈 알맞은 말을 바르게 짝지은 것은 어느 것입니까? ( )

> 열차가 위에서 아래로 내려올 때:
> 위치 에너지 → ㉠ 에너지

> 열차가 아래에서 위로 올라갈 때:
> 운동 에너지 → ㉡ 에너지

	㉠	㉡		㉠	㉡
①	열	빛	②	열	화학
③	운동	위치	④	운동	화학
⑤	소리	위치			

9종 공통

20 다음 중 동물이나 식물이 에너지를 효율적으로 이용하는 예로 옳지 <u>않은</u> 것은 어느 것입니까? ( )

① 나무는 겨울을 준비하기 위해 가을에 잎을 떨어뜨린다.

② 곰이나 박쥐는 겨울잠을 자면서 에너지를 효율적으로 이용한다.

③ 철새들은 먼 거리를 날아갈 때 바람을 이용하여 에너지 효율을 높인다.

④ 다람쥐는 겨울에 먹이를 구하기 쉬우므로 다른 계절보다 활발히 활동한다.

⑤ 목련의 겨울눈은 추운 겨울에 열에너지가 빠져나가는 것을 줄여 어린 싹이 얼지 않도록 한다.

· 답안 입력하기　　· 온라인 피드백 받기

전체 범위

여러 가지
실험 기구

⌃ 전지

⌃ 전구

⌃ 집게 달린 전선

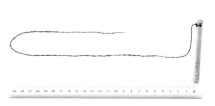

⌃ 태양 고도 측정기

⌃ 지구본

⌃ 갓 없는 전등

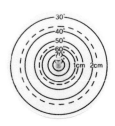

⌃ 원형 태양 고도 측정기

⌃ 열전구

⌃ 집기병

⌃ 알코올램프

⌃ 삼발이

⌃ 사각 수조

40년의 역사
전국 초·중학생 213만 명의 선택

HME 학력평가
해법수학 · 해법국어

응시 학년	수학	초등 1학년 ~ 중학 3학년
	국어	초등 1학년 ~ 초등 6학년

응시 횟수	수학	연 2회 (6월 / 11월)
	국어	연 1회 (11월)

주최 **천재교육** | 주관 **한국학력평가 인증연구소** | 후원 **서울교육대학교**

*응시 날짜는 변동될 수 있으며, 더 자세한 내용은 HME 홈페이지에서 확인 바랍니다.

온라인
학습북

수학 전문 교재

● 면산 학습
  빅터면산   예비초~6학년, 총 20권
  창의융합 빅터면산   예비초~4학년, 총 16권

● 개념 학습
  개념클릭 해법수학   1~6학년, 학기용

● 수준별 수학 전문서
  해결의법칙(개념/유형/응용)   1~6학년, 학기용

● 단원평가 대비
  수학 단원평가   1~6학년, 학기용

● 단기완성 학습
  초등 수학전략   1~6학년, 학기용

● 상위권 학습
  최고수준 S 수학   1~6학년, 학기용
  최고수준 수학   1~6학년, 학기용
  최강 TOT 수학   1~6학년, 학년용

● 경시대회 대비
  해법 수학경시대회 기출문제   1~6학년, 학기용

예비 중등 교재

● 해법 반편성 배치고사 예상문제   6학년
● 해법 신입생 시리즈(수학/영어)   6학년

맞춤형 학교 시험대비 교재

● 열공 전과목 단원평가   1~6학년, 학기용(1학기 2~6년)

한자 교재

● 해법 NEW 한자능력검정시험 자격증 한번에 따기   6~3급, 총 8권
● 씽씽 한자 자격시험   8~7급, 총 2권
● 한자전략   1~6학년, 총 6단계

배움으로 행복한 내일을 꿈꾸는
천재교육 커뮤니티 안내

. . .

교재 안내부터 구매까지 한 번에!
천재교육 홈페이지

자사가 발행하는 참고서, 교과서에 대한 소개는 물론
도서 구매도 할 수 있습니다. 회원에게 지급되는 별을 모아
다양한 상품 응모에도 도전해 보세요!

다양한 교육 꿀팁에 깜짝 이벤트는 덤!
천재교육 인스타그램

천재교육의 새롭고 중요한 소식을 가장 먼저 접하고 싶다면?
천재교육 인스타그램 팔로우가 필수!
깜짝 이벤트도 수시로 진행되니 놓치지 마세요!

수업이 편리해지는
천재교육 ACA 사이트

오직 선생님만을 위한, 천재교육 모든 교재에 대한 정보가 담긴
아카 사이트에서는 다양한 수업자료 및 부가 자료는 물론
시험 출제에 필요한 문제도 다운로드하실 수 있습니다.

https://aca.chunjae.co.kr

천재교육을 사랑하는 샘들의 모임
천사샘

학원 강사, 공부방 선생님이시라면 누구나 가입할 수 있는 천사샘!
교재 개발 및 평가를 통해 교재 검토진으로 참여할 수 있는 기회는 물론
다양한 교사용 교재 증정 이벤트가 선생님을 기다립니다.

아이와 함께 성장하는 학부모들의 모임공간
튠맘 학습연구소

튠맘 학습연구소는 초·중등 학부모를 대상으로 다양한 이벤트와 함께
교재 리뷰 및 학습 정보를 제공하는 네이버 카페입니다.
초등학생, 중학생 자녀를 둔 학부모님이라면 튠맘 학습연구소로 오세요!

수학의 해법이 풀리다!

해결의 법칙
시리즈

단계별 맞춤 학습

개념, 유형, 응용의 단계별 교재로
교과서 차시에 맞춘 쉬운 개념부터
응용·심화까지 수학 완전 정복

혼자서도 OK!

이미지로 구성된 핵심 개념과 셀프 체크,
모바일 코칭 시스템과 동영상 강의로
자기주도 학습 및 홈 스쿨링에 최적화

300여 명의 검증

수학의 메카 천재교육 집필진과
300여 명의 교사·학부모의
검증을 거쳐 탄생한 친절한 교재

흔들리지 않는 탄탄한 수학의 완성! (초등 1~6학년 / 학기별)

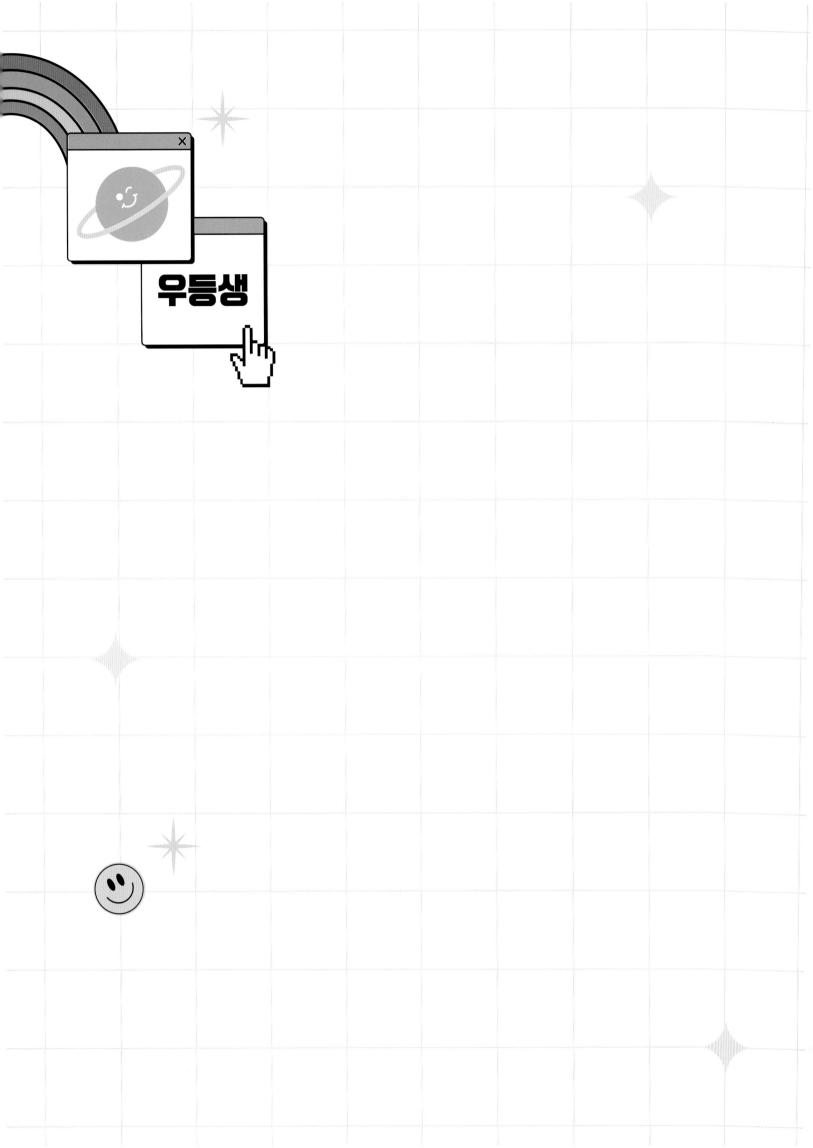

#홈스쿨링

우등생

정답은 정확하게
풀이는 자세하게

홈 북
풀이집

과학 6·2

꼼꼼 풀이집

정답과 풀이

6-2

1. 전기의 이용

개념 다지기   11쪽

1 (1) 전지 끼우개 (2) 전구 끼우개   **2** ㉡   **3** 전기
4 ㉠, ㉢   **5** (1) ㉡ (2) ㉠   **6** 직렬, 병렬

1 전지 끼우개는 전선을 쉽게 연결할 수 있도록 전지를 넣어 사용하고, 전구 끼우개는 전선에 쉽게 연결할 수 있도록 전구를 끼워서 사용하는 전기 부품입니다.

2 ㉠은 전구가 전지의 (−)극에만 연결되어 있어 전구에 불이 켜지지 않습니다.

3 전기 회로란 여러 가지 전기 부품을 연결하여 전기가 흐르도록 한 것입니다.

4 전구의 밝기가 밝은 전기 회로는 전구 두 개가 각각 다른 줄에 나누어 한 개씩 연결되어 있습니다.

5 전구의 병렬연결에서는 전구 한 개를 빼내도 나머지 전구의 불이 꺼지지 않고, 전구의 직렬연결에서는 전구 한 개를 빼내면 나머지 전구의 불이 꺼집니다.

6 전기 회로에서 전구 두 개 이상을 한 줄로 연결하면 전구의 직렬연결, 여러 개의 줄에 나누어 한 개씩 연결하면 전구의 병렬연결입니다.

단원 실력 쌓기   12~15쪽

Step 1
1 전지   **2** 전기 회로 **3** 병렬, 직렬   **4** 없습
5 병렬   **6** (1) ㉡ (2) ㉠ (3) ㉢   **7** ③   **8** ②
9 ⑤   **10** 예 전지의 수   **11** ㉡   **12** ㉠, ㉡
13 ⑤   **14** ③   **15** (1) × (2) ○ (3) ○

Step 2
16 (1) ㉡ (2) ❶ (+)극 ❷ (−)극
17 (1) ㉠ 전구의 직렬연결 ㉡ 전구의 병렬연결 (2) 예 ㉠보다 ㉡과 같이 바꾸었을 때 전구의 밝기가 더 밝다.

> **15** (1) 켜집
> (2) (+)극
> **17** (1) 직렬, 병렬
> (2) 밝

Step 3
18 ㉮ 병렬 ㉯ 직렬   **19** ㉡
20 ㉠, 예 ㉠ 전구를 병렬연결할 때가 직렬연결할 때보다 전구의 밝기가 더 밝기 때문이다.

1 전지는 전기 회로에 전기를 흐르게 하는 전기 부품입니다.

2 여러 가지 전기 부품을 연결하여 전기가 흐르도록 한 것을 전기 회로라고 합니다.

3 전구를 병렬연결할 때가 직렬연결할 때보다 전구의 밝기가 더 밝습니다.

4 전구를 병렬연결하면 직렬연결한 것보다 소비되는 에너지양이 더 많습니다.

5 전기 회로에서 전구 여러 개를 직렬연결하였을 때는 전구 한 개의 불이 꺼지면 나머지 전구의 불도 꺼집니다.

6 (1)은 스위치이고, (2)는 전구 끼우개, (3)은 전지 끼우개의 모습입니다.

7 스위치는 전기가 흐르는 길을 끊거나 연결합니다.

> **왜 틀렸을까?**
> ① 전지: 전기를 흐르게 합니다.
> ② 전구: 빛을 냅니다.
> ④ 전지 끼우개: 전선을 쉽게 연결할 수 있도록 전지를 넣어 사용합니다.
> ⑤ 집게 달린 전선: 전기 부품을 쉽게 연결할 수 있습니다.

8 ②는 전구가 전지의 (+)극에만 연결되어 있어 전구에 불이 켜지지 않습니다.

9 전기 회로에서 전구에 불이 켜지게 하려면 전지, 전선, 전구가 끊기지 않게 연결하고, 전기 부품에서 전기가 흐르는 부분끼리 연결해야 합니다.

10 ㉠ 전기 회로는 전지를 한 개, ㉡ 전기 회로는 전지를 두 개 사용했습니다.

11 전지 두 개를 연결할 때 한 전지의 (+)극을 다른 전지의 (−)극에 연결하면 전지 한 개를 연결할 때보다 전구의 밝기가 더 밝습니다.

12 ㉠과 ㉡ 전기 회로는 전구 두 개가 한 줄로 연결되어 있습니다.

13 전구를 병렬연결할 때가 직렬연결할 때보다 전구의 밝기가 더 밝습니다.

14 전구의 직렬연결에서는 한 전구 불이 꺼지면 나머지 전구 불도 꺼집니다.

15 전구의 병렬연결은 전기 회로에서 전구 두 개 이상을 여러 개의 줄에 나누어 한 개씩 연결하는 방법입니다.

16 전구가 전지의 (+)극과 전지의 (−)극에 각각 연결되어야 전구에 불이 켜집니다.

채점 기준

(1)	'ⓒ'을 씀.	
(2)	❶에 '(+)극', ❷에 '(−)극'을 모두 정확히 씀.	상
	❶과 ❷ 중 한 가지만 정확히 씀.	중

17 전구 두 개를 직렬연결하는 것보다 병렬연결하는 것이 전구의 밝기가 더 밝으므로, 전구의 연결 방법을 ㉠에서 ㉡과 같이 바꾸면 전구의 밝기가 더 밝아집니다.

채점 기준

(1)	㉠에 '전구의 직렬연결', ㉡에 '전구의 병렬연결'을 모두 정확히 씀.	상
	㉠과 ㉡ 중 한 가지만 정확히 씀.	중
(2)	**정답 키워드** 전구 | 밝다 '㉠보다 ㉡과 같이 바꾸었을 때 전구의 밝기가 더 밝다.' 등의 내용을 정확히 씀.	상
	㉠ 전기 회로와 ㉡ 전기 회로의 전구의 밝기를 비교하는 내용을 썼지만, 표현이 부족함.	중

18 ㉠은 전구 두 개가 여러 개의 줄에 나누어 한 개씩 연결되어 있고, ㉡은 전구 두 개가 한 줄로 연결되어 있습니다.

19 전구를 병렬연결하면 전구를 직렬연결할 때보다 각 전구에서 소비되는 에너지가 크므로 전지를 더 오래 사용할 수 없습니다.

20 ㉠은 전구가 병렬연결되어 있고, ㉡은 전구가 직렬연결되어 있으므로 ㉠이 ㉡보다 전구의 밝기가 더 밝습니다.

개념 다지기 19쪽

1 자석 **2** ㉡ **3** ㉠ **4** ③ **5** ㉠ **6** ㉡, ㉣

1 전자석은 전기가 흐르는 전선 주위에 자석의 성질이 나타나는 성질을 이용해 만든 자석입니다.

2 스위치를 닫으면 자석의 성질이 나타나서 클립이 전자석에 붙습니다.

3 전지의 극을 반대로 하면 전자석의 극이 바뀌므로, 나침반 바늘이 가리키는 방향이 반대로 바뀌게 됩니다.

4 전자석은 전지의 극을 반대로 연결하고 전기를 흐르게 하면 극이 바뀝니다.

5 플러그를 뽑을 때 전선을 잡고 잡아당기면 전선이 끊어질 수 있으므로, 플러그의 머리 부분을 잡고 뽑아야 합니다.

---

6 사용하지 않는 전기 제품을 꺼 두고, 에어컨을 켤 때는 창문을 닫습니다.

단원 실력 쌓기 20~23쪽

Step 1

1 전자석 **2** 전자석 **3** 있습 **4** 머리 **5** 닫고
6 자석 **7** ㉡, ㉢, ㉠ **8** (3)에 ○ **9** ㉡ **10** ①
11 ㉡, ㉣ **12** ㉡ **13** ② **14** ④ **15** ①, ②

Step 2

16 (1) ㉡ (2) ❶ 전지 ❷ 세기
17 (1) ㉠ (2) 예 플러그의 머리 부분을 잡고 뽑는다.

16 (1) 많이 (2) 세기
17 (1) 낭비 (2) 머리

Step 3

18 ㉠ N ㉡ S **19** 예 반대
20 예 영구 자석은 자석의 극이 일정하지만 전자석은 자석의 극을 바꿀 수 있다.

1 철심에 감은 전선에 전기가 흐르면 전선 주위에 자석의 성질이 나타납니다.

2 영구 자석은 자석의 세기가 일정합니다.

3 전자석은 전지의 연결 방향을 바꿔서 극을 바꿀 수 있습니다.

4 플러그의 머리 부분을 잡고 플러그를 뽑아야 안전합니다.

5 창문을 닫고 냉방 기구를 켜야 전기를 절약할 수 있습니다.

6 전기가 흐르는 전선 주위에 자석의 성질이 생기므로 전선 주위에서 나침반 바늘이 움직입니다.

7 볼트에 전선을 감은 뒤 전기 회로에 연결합니다.

8 전자석은 스위치를 닫을 때만 전기가 흘러 자석의 성질이 나타나므로 클립이 붙습니다.

9 전지 두 개를 서로 다른 극끼리 한 줄로 연결할 때가 전지 한 개를 연결할 때보다 침핀이 더 많이 붙습니다.

10 전지의 극을 반대로 연결하면 전자석의 극이 반대가 되어서 나침반 바늘이 가리키는 방향이 반대가 됩니다.

11 나침반은 영구 자석을 이용한 도구입니다.

12 ㉠은 전기를 위험하게 사용하는 경우입니다.

13 콘센트 한 개에 플러그 여러 개를 한꺼번에 꽂아서 사용하면 안 됩니다.

14 냉장고에서 물을 꺼낸 뒤 냉장고 문을 닫고 마십니다.

15 전기를 안전하게 사용하지 않으면 감전되거나 화재가 일어날 수 있습니다.

16 전자석은 영구 자석과 달리 나란히 연결한 전지의 개수를 달리하여 자석의 세기를 조절할 수 있습니다.

채점 기준		
(1)	'ⓒ'을 씀.	
(2)	❶에 '전지', ❷에 '세기'를 모두 정확히 씀.	상
	❶과 ❷ 중 한 가지만 정확히 씀.	중

17 플러그를 뽑을 때 플러그의 전선을 잡아당기지 말고 플러그의 머리 부분을 잡고 뽑아야 합니다.

채점 기준		
(1)	'ⓒ'을 씀.	
(2)	**정답 키워드** 머리 부분 등 '플러그의 머리 부분을 잡고 뽑는다.' 등의 내용을 정확히 씀.	상
	ⓒ의 경우에 전기를 안전하게 사용하는 모습에 대해 썼지만, 표현이 부족함.	중

18 ⓒ은 나침반 바늘의 S극이 가리키고 있으므로 N극이고, ⓒ은 나침반 바늘의 N극이 가리키고 있으므로 S극입니다.

19 전지의 극을 반대로 연결하면 전자석의 극이 반대로 되므로 나침반 바늘이 가리키는 방향도 반대가 됩니다.

20 전자석은 전지의 연결 방향을 반대로 바꾸면 극이 바뀝니다.

대단원 평가   24~27쪽

1 ㉠ 꼭지쇠 ㉡ 꼭지   **2** ③   **3** ②   **4** 예 (−)
5 ②   **6** ③   **7** 규진   **8** ㉠
9 (1) ⓒ (2) 예 ㉠ 전기 회로보다 ⓒ 전기 회로의 전지를 더 오래 사용할 수 있다.   **10** ④   **11** ①
12 ㉠ 전기 ㉡ 자석   **13** 예 ⓒ이 ㉠보다 전자석 끝에 붙은 침핀의 개수가 더 많다.   **14** ⓒ   **15** ㉠ N극 ㉡ S극
16 ④, ⑤   **17** ②   **18** (1) 경수 (2) 예 물 묻은 손으로 전기 제품을 만지지 않는다.   **19** (1) ○ (2) ○ (3) ×
20 ㉠, ⓒ

1 전구에서 금속 부분의 옆면을 꼭지쇠, 아랫면 가운데 튀어나온 부분을 꼭지라고 합니다.

2 스위치는 전기가 흐르는 길을 끊거나 연결합니다.

---

3 ①, ③, ④는 전구에 불이 켜지고, ②는 전구에 불이 켜지지 않습니다.

4 ②는 전구가 전지의 (−)극에만 연결되어 있어서 전구에 불이 켜지지 않습니다.

5 전기 회로에서 스위치를 닫으면 전기가 흘러 전구에 불이 켜집니다.

6 ⓒ은 전지 두 개가 서로 다른 극끼리 한 줄로 연결되어 있습니다.

7 같은 수의 전구를 병렬연결할 때가 직렬연결할 때보다 전구의 밝기가 더 밝습니다.

8 전구를 직렬연결하면 병렬연결할 때보다 전구를 더 오래 사용할 수 있습니다.

9 전구를 병렬연결할 때가 직렬연결할 때보다 전지를 오래 사용할 수 없습니다.

채점 기준		
(1)	'ⓒ'을 씀.	4점
(2)	**정답 키워드** 오래 | 사용하다 '㉠ 전기 회로보다 ⓒ 전기 회로의 전지를 더 오래 사용할 수 있다.' 등의 내용을 정확히 씀.	8점
	전지의 사용 기간을 비교하여 썼지만, 정확하지 않은 부분이 있음.	4점

10 ㉠은 전구의 병렬연결, ⓒ은 전구의 직렬연결로, 전구를 직렬연결할 때가 병렬연결할 때보다 전지를 더 오래 사용할 수 있습니다.

11 전지의 극을 반대로 하면 나침반 바늘이 반대 방향으로 회전합니다.

12 전자석의 스위치를 닫으면 전기가 흘러서 자석의 성질이 나타나므로 클립이 붙습니다.

13 전지 두 개를 서로 다른 극끼리 한 줄로 연결한 전자석이 전지 한 개를 연결한 전자석보다 전자석의 세기가 세므로 침핀이 더 많이 붙습니다.

채점 기준		
정답 키워드 침핀 | 붙다 | 많다 'ⓒ이 ㉠보다 전자석 끝에 붙은 침핀의 개수가 더 많다.' 등의 내용을 정확히 씀.		8점
㉠과 ⓒ의 전자석에 붙는 침핀의 개수를 비교하여 썼지만, 표현이 부족함.		4점

14 전자석의 스위치를 닫으면 나침반 바늘이 전자석을 가리킵니다.

15 전지의 극을 반대로 하고 스위치를 닫으면 나침반 바늘이 반대로 바뀝니다.

16 전자석은 전지의 연결 방향에 따라 극이 바뀌고, 전기가 흐를 때만 자석의 성질이 나타납니다.

17 전자석을 이용한 예에는 자기 부상 열차, 선풍기, 스피커, 머리말리개, 전자석 기중기 등이 있습니다.

18 전기를 안전하게 사용하지 않으면 감전되거나 화재가 일어날 수 있습니다.

채점 기준

(1)	'경수'를 씀.	4점
(2)	**정답 키워드** 물 묻은 손 | 만지지 않다 등 '물 묻은 손으로 전기 제품을 만지지 않는다.' 등의 내용을 정확히 씀.	8점
	전기를 안전하게 사용하는 방법에 대해 썼지만, 표현이 부족함.	4점

19 사용하지 않는 전기 제품의 플러그를 뽑아 놓습니다.

20 ⓒ과 ⓔ은 전기를 안전하게 사용하지 않을 때 일어날 수 있는 문제점입니다.

2. 계절의 변화

개념 다지기 33쪽

1 ⓒ   **2** ⓒ   **3** ④   **4** ⓐ 공기 **5** ⓒ
6 ㉠ 여름 ㉡ 봄·가을 ㉢ 겨울

1 태양이 지표면과 이루는 각을 태양 고도라고 합니다.

2 기온이 가장 높은 시각은 태양 고도가 가장 높은 시각보다 약 두 시간 뒤입니다.

3 태양 고도가 높아지면 그림자 길이는 짧아지고 기온은 대체로 높아집니다.

4 지표면이 데워져 공기의 온도가 높아지는 데 시간이 걸리므로 태양이 남중한 시각보다 약 두 시간 뒤에 기온이 가장 높습니다.

5 태양의 남중 고도가 높은 여름에는 기온이 높고, 태양의 남중 고도가 낮은 겨울에는 기온이 낮습니다.

6 ㉠은 태양의 남중 고도가 가장 높으므로 여름이고, ㉢은 태양의 남중 고도가 가장 낮으므로 겨울입니다.

단원 실력 쌓기 34~37쪽

Step 1

1 고도   **2** 정남쪽   **3** 짧아, 높아
4 여름, 여름   **5** 길어, 짧아   **6** ⓒ
7 ㉠   **8** 35   **9** (1) ⓐ 12시 30분 (2) ⓐ 12시 30분
10 ③   **11** 두(2)   **12** 12   **13** ㉠ 여름 ㉡ 겨울
14 ㉠ ⓐ 길어 ㉡ ⓐ 짧아   **15** ④

Step 2

16 (1) ⓒ (2) ❶ ⓐ 낮 ❷ ⓐ 짧
17 ⓐ 그림자 길이는 짧아지고 기온은 대체로 높아진다.
18 (1) ㉠, ㉢
(2) ⓐ ㉠은 태양의 남중 고도가 가장 낮으므로 겨울이고, ㉢은 태양의 남중 고도가 가장 높으므로 여름이다.

16 (1) 안쪽
(2) 낮
17 (1) 다르고
(2) 비슷함
18 (1) 다름
(2) 높

Step 3

19 ❶ 여름 ❷ 여름 ❸ ⓐ 길어진다.
20 ⓐ 태양의 남중 고도는 높아지고 낮의 길이는 길어진다.

1 태양이 지표면과 이루는 각을 태양 고도라고 합니다.

2 태양이 정남쪽에 위치했을 때의 고도를 태양의 남중 고도라고 합니다.

3 태양 고도가 높아지면 그림자의 길이는 짧아지고 기온은 대체로 높아집니다.

4 태양의 남중 고도는 여름인 6~7월에 가장 높고, 기온도 여름인 7~8월에 가장 높습니다.

5 태양의 남중 고도가 높아지면 낮의 길이는 길어지고 밤의 길이는 짧아집니다.

6 태양 고도는 태양이 정남쪽에 있을 때 가장 높습니다.

7 태양 고도 측정기를 태양 빛이 잘 드는 편평한 곳에 놓고 막대기의 그림자 끝과 실이 이루는 각을 측정합니다.

8 태양 고도는 막대기의 그림자 끝과 실이 이루는 각을 측정하여 구합니다.

9 태양 고도가 가장 높을 때 그림자 길이가 가장 짧습니다.

10 태양 고도가 높아지면 그림자 길이는 짧아집니다.

11 기온이 가장 높은 시각은 태양이 남중한 시각보다 약 두 시간 뒤입니다.

12 낮의 길이는 18시 40분 − 6시 40분 = 12시간입니다.

13 태양의 남중 고도는 6~7월인 여름에 가장 높고 12~ 1월인 겨울에 가장 낮습니다.

14 태양의 남중 고도가 높아지는 여름에는 낮의 길이가 길고 밤의 길이가 짧습니다.

15 태양이 ㉢ 위치에 있을 때 태양 남중 고도가 가장 높고, ㉠ 위치에 있을 때 태양 남중 고도가 가장 낮습니다.

16 겨울에는 태양의 남중 고도가 낮습니다.

채점 기준		
(1)	'㉠'을 씀.	
(2)	❶에 '낮', ❷에 '짧'를 모두 정확히 씀.	상
	❶과 ❷ 중 한 가지만 정확히 씀.	중

17 태양 고도와 기온 그래프는 모양이 비슷하고, 태양 고도와 그림자 길이 그래프는 모양이 다릅니다.

채점 기준		
정답 키워드 그림자	짧아지다	기온	높아지다		
'그림자 길이는 짧아지고 기온은 대체로 높아진다.' 등의 내용을 정확히 씀.		상
그림자 길이와 기온의 변화 중 한 가지만 정확히 씀.		중

18 겨울에는 태양의 남중 고도가 가장 낮고, 여름에는 태양의 남중 고도가 가장 높습니다.

채점 기준		
(1)	'㉠, ㉢'을 순서대로 정확히 씀.	
(2)	정답 키워드 태양의 남중 고도	낮다	높다 '㉠은 태양의 남중 고도가 가장 낮으므로 겨울이고, ㉢은 태양의 남중 고도가 가장 높으므로 여름이다.' 등의 내용을 정확히 씀.	상
	겨울과 여름 중 한 계절에 대해서만 정확히 씀.	중

19 태양의 남중 고도는 여름에 가장 높고 낮의 길이는 여름에 가장 깁니다.

20 ㉠은 겨울, ㉡은 봄·가을, ㉢은 여름철 태양의 위치 변화를 나타냅니다.

개념 다지기 41쪽

1 (1) ㉢ (2) ㉠ (3) ㉡ **2** ㉮ **3** 좁아, 많아
4 (1) ㉠ (2) ㉡ **5** ㉡ **6** ②

1 전등은 태양, 태양 전지판은 지표면, 전등과 태양 전지판이 이루는 각은 태양 고도를 나타냅니다.

2 전등과 태양 전지판이 이루는 각이 클 때 프로펠러의 바람 세기가 더 셉니다.

3 태양의 남중 고도가 높을수록 같은 면적의 태양 전지판에 도달하는 태양 에너지양은 많아집니다.

4~5 지구의 자전축이 기울어진 채 공전하면 태양의 남중 고도가 달라져 계절 변화가 생깁니다.

6 지구가 ㉠ 위치에 있을 때 북반구는 여름입니다.

단원 실력 쌓기 42~45쪽

Step ①
1 셉 **2** 많아, 높아 **3** 겨울 **4** 기울어진
5 높고, 낮습 **6** 높은, 낮은 **7** ㉢
8 ①, ④ **9** ㉠ **10** ㉡ **11** 시계 반대
12 52, 52 **13** 민진 **14** ③ **15** ③

Step ②
16 (1) ㉠ (2) ❶ 예 높 ❷ 예 태양 에너지양
17 예 여름에는 겨울보다 태양의 남중 고도가 높아서 일정한 면적의 지표면에 도달하는 태양 에너지양이 많기 때문이다.
18 예 ㉠ 위치에 있을 때는 태양의 남중 고도가 낮고, ㉡ 위치에 있을 때는 태양의 남중 고도가 높다.

> **16** (1) 셉
> (2) 고도
> **17** 여름
> **18** 반대입

Step ③
19 (1) 예 달라진다 (2) 태양의 남중 고도
20 예 기온이 높다. 예 지구가 ㉡ 위치에 있을 때보다 ㉠ 위치에 있을 때 태양의 남중 고도가 높아서 같은 면적의 지표면에 도달하는 태양 에너지양이 많기 때문이다.

1 전등과 태양 전지판이 이루는 각이 클 때 프로펠러의 바람 세기가 더 셉니다.

2 태양의 남중 고도가 높을수록 같은 면적의 지표면이 받는 태양 에너지양이 많아져 기온이 높아집니다.

3 겨울에는 태양의 남중 고도가 낮아 기온이 낮습니다.

4 지구의 자전축이 기울어진 채 태양 주위를 공전하기 때문에 계절 변화가 생깁니다.

5 북반구에서 여름에는 태양의 남중 고도가 높고, 겨울에는 태양의 남중 고도가 낮습니다.

6 여름에는 태양의 남중 고도가 높아서 기온이 높고 겨울에는 태양의 남중 고도가 낮아서 기온이 낮습니다.

7 전등의 기울기만 다르게 하여 실험합니다.

8 전등과 태양 전지판이 이루는 각이 클 때 태양 전지판이 더 많은 태양 에너지를 받아 프로펠러의 바람 세기가 더 셉니다.

9 손전등이 비추는 각이 커질수록 빛이 닿는 면적이 좁아지므로 같은 면적에 도달하는 빛의 양은 많아집니다.

10 태양의 남중 고도가 높을수록 같은 면적의 지표면에 도달하는 태양 에너지양이 많아집니다.

11 지구본은 시계 반대 방향으로 공전 시킵니다.

12 지구본의 자전축을 기울이지 않은 채 공전시키면 지구본의 위치에 따라 태양의 남중 고도가 달라지지 않습니다.

13 지구본의 자전축을 기울인 채 공전시키면 지구본의 위치에 따라 태양의 남중 고도가 달라집니다.

14 지구의 자전축이 기울어진 채 태양 주위를 공전하기 때문에 지구의 위치에 따라 태양의 남중 고도가 달라지고 계절 변화가 생깁니다.

15 지구가 ㉠ 위치에서는 북반구가 남반구보다 태양의 남중 고도가 높습니다.

16 전등과 태양 전지판이 이루는 각이 클 때 태양 전지판이 받는 태양 에너지양이 많아집니다.

채점 기준		
(1)	'㉠'을 씀.	
(2)	❶에 '높', ❷에 '태양 에너지양'을 모두 정확히 씀.	상
	❶과 ❷ 중 한 가지만 정확히 씀.	중

17 태양의 남중 고도가 높을수록 지표면이 받는 태양 에너지양이 많아져 기온이 높아집니다.

채점 기준		
정답 키워드 태양의 남중 고도 | 태양 에너지양		
'여름에는 겨울보다 태양의 남중 고도가 높아서 일정한 면적의 지표면에 도달하는 태양 에너지양이 많기 때문이다.' 등의 내용을 정확히 씀.		상
태양의 남중 고도와 태양 에너지양 중 한 가지를 쓰지 못함.		중

18 북반구에서 태양의 남중 고도가 높을 때 남반구에서는 태양의 남중 고도가 낮습니다.

채점 기준		
정답 키워드 높다 | 낮다		
'㉠ 위치에 있을 때는 태양의 남중 고도가 낮고, ㉡ 위치에 있을 때는 태양의 남중 고도가 높다.' 등의 내용을 정확히 씀.		상
㉠ 위치와 ㉡ 위치 중 한 가지만 정확히 씀.		중

19 지구의 자전축이 기울어진 채 태양 주위를 공전하여 태양의 남중 고도가 달라지므로 계절 변화가 생깁니다.

20 지구가 ㉠ 위치에 있을 때 북반구에 있는 우리나라는 태양의 남중 고도가 높습니다.

대단원 평가 **46~49**쪽

1 ④　　**2** 태양 고도　　**3** ③, ⑤
4 (1) ㉡ (2) ㉠　　**5** (1) ㉠ 태양 고도 ㉡ 기온 ㉢ 그림자 길이 (2) ⑩ 태양 고도가 높아지면 그림자 길이는 짧아지고, 태양 고도가 낮아지면 그림자 길이는 길어진다.　　**6** ④, ⑤
7 ④　　**8** ㉢　　**9** (1) ㉢, ㉠ (2) ⑩ 낮의 길이가 짧아진다.　　**10** (1) ㉡ (2) ㉣　　**11** ㉢　　**12** ㈎
13 ㉡　　**14** ㉢　　**15** (1) ⑩ 태양의 남중 고도
(2) ⑩ 태양의 남중 고도는 달라지지 않는다.
16 ㉠ ⑩ 기울이지 않은 ㉡ ⑩ 기울인
17 ❶ ⑩ 달라진다. ❷ ⑩ 달라지지 않는다.　　**18** ㉢
19 ㉠ 공전 ㉡ 태양의 남중 고도　　**20** ㉡

---

1 하루 동안 태양 고도는 태양이 정남쪽에 위치할 때 가장 높으며, 이때를 태양이 남중했다고 합니다.

2 태양 고도는 태양의 높이를 나타내는데, 막대기의 그림자 끝과 실이 이루는 각을 측정하여 알 수 있습니다.

3 막대기의 길이가 길어지면 그림자 길이도 길어지기 때문에 막대기의 길이를 길게 해도 태양 고도는 일정합니다.

4 오전 8시보다 오전 11시에 태양 고도가 더 높습니다.

5 태양 고도와 그림자 길이 그래프는 모양이 서로 다릅니다.

채점 기준		
(1)	㉠에 '태양 고도', ㉡에 '기온', ㉢에 '그림자 길이'를 모두 정확히 씀.	3점
	㉠~㉢ 중 두 가지를 정확히 씀.	2점
	㉠~㉢ 중 한 가지만 정확히 씀.	1점
(2)	**정답 키워드** 높다 | 짧아지다 | 낮다 | 길어지다	
	'태양 고도가 높아지면 그림자 길이는 짧아지고, 태양 고도가 낮아지면 그림자 길이는 길어진다.' 등의 내용을 정확히 씀.	7점
	태양 고도와 그림자 길이의 관계에 대해 썼지만, 표현이 부족함.	3점

6 그림자 길이는 오전에 짧아지기 시작하여 12시 30분경에 가장 짧고 그 뒤에 길어집니다.

7 태양 고도가 높아지면 그림자 길이가 짧아집니다.

8 태양의 남중 고도가 가장 높은 ⓒ이 기온이 가장 높을 때입니다.

9 여름에서 겨울로 갈수록 낮의 길이가 짧아집니다.

채점 기준		
(1)	'ⓒ, ㉠'을 순서대로 씀.	4점
(2)	**정답 키워드** 낮의 길이 | 짧다 '낮의 길이가 짧아진다.' 등의 내용을 정확히 씀.	8점
	여름에서 겨울이 될 때 낮의 길이 변화에 대해 썼지만, 표현이 부족함.	4점

10 낮의 길이는 6~7월에 가장 길고, 12~1월에 가장 짧습니다.

11 ㈏에서는 전등이 넓은 면적을 비추기 때문에 일정한 면적의 태양 전지판에 도달하는 에너지양이 ㈎보다 적습니다.

12 전등과 태양 전지판이 이루는 각이 클 때(태양 고도가 높을 때) 프로펠러의 바람 세기가 더 셉니다.

13 여름에는 태양의 남중 고도가 높아 같은 면적의 지표면에 도달하는 태양 에너지양이 많고 낮의 길이가 길어서 기온이 높습니다.

14 태양 고도가 높을 때 일정한 면적의 지표면에 도달하는 태양 에너지양이 많습니다.

15 지구본의 자전축이 기울어지지 않은 채 지구가 공전하면 태양의 남중 고도가 달라지지 않습니다.

채점 기준		
(1)	'태양의 남중 고도'를 씀.	2점
(2)	**정답 키워드** 달라지지 않다 등 '태양의 남중 고도는 달라지지 않는다.' 등의 내용을 정확히 씀.	8점
	자전축이 기울어지지 않았을 때 태양의 남중 고도 변화에 대해 썼지만, 표현이 부족함.	4점

16 지구본의 자전축을 기울이지 않은 채 공전시키면 태양의 남중 고도가 달라지지 않습니다.

17 지구본의 자전축을 기울이지 않은 채 공전시키면 태양의 남중 고도가 달라지지 않으므로 계절 변화가 생기지 않습니다.

18 지구의 공전 방향은 시계 반대 방향입니다.

19 지구의 자전축이 기울어진 채 태양 주위를 공전하여 태양의 남중 고도가 달라지기 때문에 계절 변화가 생깁니다.

20 지구가 ⓒ 위치에 있을 때 태양의 남중 고도가 낮습니다.

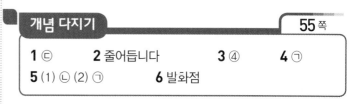

3. 연소와 소화

개념 다지기   55쪽

1 ⓒ   **2** 줄어듭니다   **3** ④   **4** ㉠
5 (1) ⓒ (2) ㉠   **6** 발화점

1 초가 탈 때 불꽃의 모양은 위아래로 길쭉한 모양이고, 불꽃의 색깔은 노란색, 붉은색 등 다양합니다.

2 알코올이 탈 때 시간이 지날수록 양이 줄어듭니다.

3 물질이 탈 때는 물질의 양이 변합니다.

4 작은 아크릴 통 안에 공기(산소)가 더 적게 들어 있기 때문에 작은 아크릴 통 안의 초가 먼저 꺼집니다.

5 성냥 머리 부분이 향보다 불이 붙는 온도(발화점)가 낮기 때문에 먼저 불이 붙습니다.

6 연소가 일어나려면 온도가 발화점 이상이어야 합니다.

단원 실력 쌓기   56~59쪽

Step 1
1 윗부분   **2** 빛, 열   **3** 산소   **4** 발화점   **5** 연소
6 ④, ⑤   **7** ㉠   **8** ③   **9** ②   **10** ⓒ
11 ③   **12** 산소   **13** ①   **14** ㉠   **15** ①, ⑤

Step 2
16 ❶ 열 ❷ 예 줄어든다
17 (1) 예 줄어들었다. (2) 예 초가 타면서 산소를 사용했기 때문이다.
18 예 물질의 온도가 발화점 이상으로 높아지기 때문이다.

16 빛, 열	
17 (1) 높습	
	(2) 산소
18 발화점	

Step 3
19 (1) ⓒ, ⓒ, ㉠ (2) <
20 (1) 성냥 머리 부분 (2) 예 성냥 머리 부분이 향보다 발화점이 낮기 때문이다.

1 초가 탈 때 불꽃의 윗부분은 밝습니다.

2 물질이 탈 때는 빛과 열이 납니다.

3 물질이 타기 위해서는 산소가 필요합니다.

4 물질의 온도를 발화점 이상으로 높이면 불을 직접 붙이지 않고도 물질을 태울 수 있습니다.

5 연소는 물질이 산소와 만나 빛과 열을 내는 현상입니다.

6 초가 탈 때 불꽃의 모양은 위아래로 길쭉한 모양이고, 불꽃 옆으로 손을 가까이하면 따뜻합니다.

7 물질이 탈 때는 빛과 열이 발생합니다.

8 케이크 위의 촛불은 빛을 이용하는 예이고, 가스레인지의 불꽃과 숯불은 열을 이용하는 예입니다.

9 작은 초가 모두 타서 촛불이 먼저 꺼지는데, 이것으로 초가 탈 때 탈 물질이 필요하다는 것을 알 수 있습니다.

10 실험에서 아크릴 통의 크기만 다르게 해야 합니다.

11 큰 아크릴 통 안에 공기(산소)가 더 많이 들어 있기 때문에 큰 아크릴 통 안의 촛불이 더 오래 탑니다.

12 초가 타기 전보다 타고 난 후 산소 비율은 줄어듭니다.

13 성냥의 머리 부분이 나무 부분보다 불이 붙는 온도(발화점)가 더 낮기 때문에 먼저 불이 붙습니다.

14 점화기를 사용하는 것은 불을 직접 붙이는 경우입니다.

15 연소가 일어나려면 탈 물질, 산소, 발화점 이상의 온도가 필요합니다.

16 물질이 탈 때는 빛과 열이 발생하여 주변이 밝아지고 따뜻해지며, 시간이 지날수록 물질의 양이 줄어듭니다.

채점 기준

❶에 '열', ❷에 '줄어든다'를 모두 정확히 씀.	상
❶과 ❷ 중 한 가지만 정확히 씀.	중

17 초가 타면서 산소를 사용하기 때문에 초가 타고 난 후 초가 타기 전보다 산소 비율이 줄어듭니다.

채점 기준

(1)	'줄어들었다.'를 정확히 씀.	
(2)	정답 키워드 타다 | 산소 '초가 타면서 산소를 사용했기 때문이다.' 등의 내용을 정확히 씀.	상
	산소 비율이 줄어든 까닭을 썼지만, 표현이 부족함.	중

18 물질의 온도를 발화점 이상으로 높이면 불을 직접 붙이지 않고도 물질을 태울 수 있습니다.

채점 기준

정답 키워드 발화점 | 이상 | 높아지다 '물질의 온도가 발화점 이상으로 높아지기 때문이다.' 등의 내용을 정확히 씀.	상
성냥갑에 성냥 머리를 마찰하여 불을 켤 수 있는 까닭을 썼지만, 표현이 부족함.	중

19 공기(산소)의 양이 적을수록 촛불이 빨리 꺼지며, 아크릴 통으로 덮지 않은 ㉠ 초는 계속 탑니다.

20 성냥 머리 부분은 향보다 발화점이 낮기 때문에 성냥 머리 부분에 불이 먼저 붙습니다.

개념 다지기 63쪽

1 ④ **2** (1) ㉡ (2) ㉠ **3** ㉠, ㉣ **4** ②
5 ㉡, ㉢, ㉥ **6** 등지고

1 푸른색 염화 코발트 종이는 물에 닿으면 붉은색으로 변하는 성질이 있습니다.

2 푸른색 염화 코발트 종이로 물을 확인할 수 있고, 석회수를 이산화 탄소를 확인할 수 있습니다.

3 알코올이 연소한 후 물과 이산화 탄소가 생성됩니다.

4 촛불을 입으로 불면 탈 물질이 날아가기 때문에 촛불이 꺼집니다.

5 탈 물질, 산소, 발화점 이상의 온도가 모두 있어야만 연소가 일어나며, 이 중 한 가지 이상을 없애면 불이 꺼집니다.

6 소화기 손잡이 부분의 안전핀을 뽑은 다음, 바람을 등지고 서서 호스의 끝부분을 잡고 불이 난 방향을 향해 손잡이를 움켜쥐고 불을 끕니다.

단원 실력 쌓기 64~67쪽

Step 1

1 붉게 **2** 물, 이산화 탄소 **3** 산소 **4** 소화
5 119 **6** 물 **7** ㉠ **8** ②
9 이산화 탄소 **10** (1) ㉢ (2) ㉡ (3) ㉠ **11** ①
12 ①, ④ **13** ㉠, ㉢, ㉡, ㉣ **14** ⑤

Step 2

15 ❶ 물 ❷ 예 붉은색
16 (1) 예 꺼진다. (2) 예 탈 물질이 없어지기 때문이다.
17 예 소화기나 마른 모래로 불을 꺼야 한다.

15 연소
16 (1) 탈 물질 (2) 탈 물질
17 물

Step 3

18 ㉡
19 (1) ㉠ (2) ㉢ (3) ㉡
20 예 탈 물질, 산소, 발화점 이상의 온도 중 한 가지 이상의 조건을 없애 불을 끄는 것이다.

1 푸른색 염화 코발트 종이는 물에 닿으면 붉은색으로 변합니다.

2 초가 연소한 후 물과 이산화 탄소가 생성됩니다.

3 촛불을 컵으로 덮으면 산소가 공급되지 않아 촛불이 꺼집니다.

4 소화는 연소가 일어날 때 한 가지 이상의 연소 조건을 없애 불을 끄는 것입니다.

5 화재가 발생하면 안전하게 대피하고 119에 신고합니다.

6 푸른색 염화 코발트 종이는 물에 닿으면 붉은색으로 변합니다.

7 초가 연소한 후 푸른색 염화 코발트 종이가 붉은색으로 변합니다.

8 초가 연소한 후 물이 생성되었기 때문에 푸른색 염화 코발트 종이가 붉은색으로 변합니다.

9 석회수를 뿌옇게 흐려지게 하는 것은 이산화 탄소입니다.

10 촛불에 물을 뿌리면 발화점 미만으로 온도가 낮아지기 때문에 불이 꺼지고, 촛불을 컵으로 덮으면 산소가 공급되지 않아서 불이 꺼지며, 촛불을 입으로 불면 탈 물질이 날아가 촛불이 꺼집니다.

11 향초의 심지를 핀셋으로 집거나 가스레인지의 연료 조절 밸브를 잠그면 탈 물질이 없어져서 불이 꺼집니다.

12 기름, 가스, 전기 기구에 의한 화재는 물을 사용하면 안 되고 소화기나 마른 모래를 이용해 불을 꺼야 합니다.

13 불이 나면 "불이야!"를 외치고 불이 난 곳으로 소화기를 옮긴 다음, 소화기의 안전핀을 뽑습니다. 그다음 호스의 끝부분을 잡고 불이 난 방향을 향해 손잡이를 힘껏 움켜쥐고 소화 물질을 뿌립니다.

14 화재가 발생했을 때는 승강기를 타면 위험하므로 반드시 계단을 이용해 이동합니다.

15 초가 연소한 후 아크릴 통 안에 붙인 푸른색 염화 코발트 종이가 붉은색으로 변하는데, 그 까닭은 초가 연소한 후에 물이 생성되기 때문입니다.

채점 기준	
❶에 '물', ❷에 '붉은색'을 모두 정확히 씀.	상
❶과 ❷ 중 한 가지만 정확히 씀.	중

16 초의 심지를 핀셋으로 집으면 심지를 통해서 탈 물질이 공급되지 못하기 때문에 촛불이 꺼집니다.

채점 기준		
(1)	'꺼진다.'를 정확히 씀.	
(2)	**정답 키워드** 탈 물질 | 없다 '탈 물질이 없어지기 때문이다.' 등의 내용을 정확히 씀.	상
	초의 심지를 핀셋으로 집었을 때 촛불이 꺼지는 까닭을 썼지만, 표현이 부족함.	중

17 전기에 의한 화재는 물을 사용하면 감전이 될 수 있어 위험하므로 소화기를 사용하거나 마른 모래를 덮어 불을 끕니다.

채점 기준		
정답 키워드 소화기 | 마른 모래 등 '소화기나 마른 모래로 불을 꺼야 한다.' 등의 내용을 정확히 씀.		상
전기 기구에서 화재가 발생했을 때 소화 방법에 대해 썼지만, 표현이 부족함.		중

18 촛불을 컵으로 덮으면 산소가 공급되지 않기 때문에 촛불이 꺼집니다.

19 촛불을 입으로 불거나 가스레인지의 연료 조절 밸브를 잠그면 탈 물질이 없어지기 때문에 불이 꺼지고, 촛불에 물을 뿌리거나 소화전을 이용해 물을 뿌리면 발화점 미만으로 온도가 낮아져 불이 꺼지며, 알코올램프의 뚜껑을 덮으면 산소가 공급되지 않기 때문에 불이 꺼집니다.

20 연소가 일어날 때 한 가지 이상의 연소 조건을 없애 불을 끄는 것을 소화라고 합니다.

대단원 평가　68~71쪽

1 ㉢　　**2** ㉡　　**3** ②, ③　　**4** ④

5 (1) ㉡ (2) 작은 아크릴 통(㉠)보다 큰 아크릴 통(㉡) 안에 공기(산소)가 더 많이 들어 있기 때문이다.　　**6** ㉡

7 산소　　**8** 발화점　　**9** (1) 성냥 머리 부분, 향 (2) ㉙ 성냥 머리 부분이 향보다 불이 붙는 온도(발화점)가 낮기 때문이다.

10 ③　　**11** (1) 산소, 연소 (2) 탈 물질 (3) 발화점 (4) 소화

12 ④　　**13** ②　　**14** ①　　**15** 이산화 탄소

16 ㉙ 온도가 발화점 미만으로 낮아지기 때문이다.

17 (1) ㉠, ㉢ (2) ㉡, ㉣ (3) ㉢, ㉤　　**18** 지원　　**19** ㉡

20 ③

1 불꽃의 윗부분은 밝고, 아랫부분은 윗부분보다 어둡습니다.

2 알코올이 탈 때 시간이 지날수록 알코올의 양이 줄어듭니다.

3 초와 알코올이 탈 때에는 빛과 열이 발생하여 주변이 밝아지고 따뜻해지며, 물질의 양이 변합니다.

4 가스레인지의 불꽃, 생일 케이크 위의 촛불, 벽난로의 장작불, 어두운 밤 강물 위에 띄운 유등은 모두 물질이 탈 때 발생하는 빛이나 열을 이용하는 예입니다.

5 공기(산소)가 더 많이 들어 있는 큰 아크릴 통(ⓒ)안의 초가 더 오래 탑니다.

채점 기준		
(1)	'ⓒ'을 씀.	4점
(2)	**정답 키워드** 산소 ㅣ 많다 '작은 아크릴 통(㉠)보다 큰 아크릴 통(ⓒ) 안에 공기(산소)가 더 많이 들어 있기 때문이다.' 등의 내용을 정확히 씀.	8점
	ⓒ 아크릴 통 속의 초가 더 오래 타는 까닭을 썼지만, 표현이 부족함.	4점

6 초가 타면서 산소를 사용하기 때문에 초가 타고 난 후 산소 비율은 초가 타기 전보다 줄어듭니다.

7 물질이 타기 위해서는 산소가 필요합니다. 산소가 없으면 탈 물질이 있더라도 타지 않습니다.

8 물질의 온도를 발화점 이상으로 높이면 불을 직접 붙이지 않고도 물질을 태울 수 있습니다.

9 성냥 머리 부분이 향보다 불이 붙는 온도(발화점)가 낮기 때문에 성냥 머리 부분에 먼저 불이 붙습니다.

채점 기준		
(1)	'성냥 머리 부분', '향'을 순서대로 정확히 씀.	4점
(2)	**정답 키워드** 탈 물질 ㅣ 없다 '성냥 머리 부분이 향보다 불이 붙는 온도(발화점)가 낮기 때문이다.' 등의 내용을 정확히 씀.	8점
	성냥 머리 부분에 먼저 불이 붙는 까닭을 썼지만, 표현이 부족함.	4점

10 물질의 온도를 발화점 이상으로 높이면 불을 직접 붙이지 않고도 물질을 태울 수 있습니다.

11 연소가 일어나려면 탈 물질, 산소, 발화점 이상의 온도가 모두 있어야 하며, 한 가지 이상의 연소 조건을 없애 불을 끄는 것을 소화라고 합니다.

12~13 초가 연소한 후 푸른색 염화 코발트 종이의 색깔이 붉은색으로 변한 것을 통해 초가 연소한 후 물이 생성 되는 것을 알 수 있습니다.

14 초가 연소한 아크릴 통에 석회수를 붓고 살짝 흔들면 석회수가 뿌옇게 흐려집니다.

15 석회수는 이산화 탄소를 만나면 뿌옇게 흐려지는 성질이 있으므로 초가 연소한 후 이산화 탄소가 생성된다는 것을 알 수 있습니다.

16 촛불에 분무기로 물을 뿌리면 발화점 미만으로 온도가 낮아지기 때문에 촛불이 꺼집니다.

채점 기준		
정답 키워드 발화점 ㅣ 미만 ㅣ 낮아지다		
'온도가 발화점 미만으로 낮아지기 때문이다.' 등의 내용을 정확히 씀.		8점
물을 뿌리면 촛불이 꺼지는 까닭을 썼지만, 표현이 부족함.		4점

17 ㉠과 ㉤은 탈 물질이 없어지기 때문에 불이 꺼지고, ⓒ과 ㉣은 산소가 공급되지 않아 불이 꺼지며, ⓒ과 ㉧은 발화점 미만으로 온도가 낮아져 불이 꺼집니다.

18 전기 기구에 의한 화재는 물을 사용하면 안 되고 소화기를 사용하거나 마른 모래로 덮어 불을 꺼야 합니다.

19 ㉠은 호스, ⓒ은 안전핀, ⓒ은 손잡이입니다.

20 연기가 방 안에 들어오지 못하도록 물을 적신 옷이나 이불로 문틈을 막아야 합니다.

4. 우리 몸의 구조와 기능

개념 다지기   75쪽

1 기관   **2** ⑤   **3** (1) ⓒ (2) ㉠   **4** ③
5 선영   **6** 근육

1 기관은 우리가 살아가는 데 필요한 일을 하는 몸속 부분입니다.

2 머리뼈는 위쪽은 둥글고, 아래쪽은 각이 져 있습니다.

3 목뼈는 모양이 비슷한 여러 개의 조각으로 이루어져 있고, 팔뼈는 길이가 길며 아래쪽 뼈는 긴뼈 두 개로 이루어져 있습니다.

4 모형의 비닐봉지가 나타내는 것은 근육입니다.

5 공기를 불어 넣기 전의 비닐봉지의 길이가 공기를 불어 넣은 후의 비닐봉지의 길이보다 깁니다.

6 팔 안쪽 근육의 길이가 줄어들면 아래팔뼈가 올라와 팔이 구부러집니다.

단원 실력 쌓기

80~83 쪽

Step 1

1 근육 　**2** 소화 　**3** 위 　**4** 폐 　**5** 콩팥

6 연진 　**7** ②, ③ 　**8** 예 흡수 　**9** ㉠ 식도 ㉡ 작은창자

10 ⑤ 　**11** ㉡ 　**12** ③ 　**13** ② 　**14** ③

15 예 혈액

Step 2

16 (1) ㉠

　　(2) ❶ 예 액체

　　　❷ 예 음식물

17 (1) 예 펌프

　　(2) 예 혈액이 이동하는 통로이다.

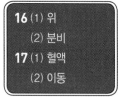

16 (1) 위
　　(2) 분비
17 (1) 혈액
　　(2) 이동

Step 3

18 예 줄어들고 　**19** ㉠ 뼈 ㉡ 근육

20 예 팔 안쪽 근육의 길이가 줄어들면 아래팔뼈가 올라와 팔이 구부러지고, 팔 안쪽 근육의 길이가 늘어나면 아래팔뼈가 내려가 팔이 펴진다.

1 근육은 뼈에 연결되어 길이가 줄어들거나 늘어나면서 뼈를 움직이게 합니다.

2 소화는 음식물의 영양소를 몸속으로 흡수할 수 있게 음식물을 잘게 쪼개고 분해하는 과정입니다.

3 위는 작은창자와 연결되어 있고, 소화를 돕는 액체를 분비해 음식물과 섞은 다음 더 잘게 쪼갭니다.

4 숨을 들이마실 때 코로 들어온 공기는 기관, 기관지를 거쳐 폐에 도달합니다.

5 콩팥은 혈액 속의 노폐물을 걸러 오줌으로 만듭니다. 방광은 오줌을 모아 두었다가 몸 밖으로 내보냅니다.

6 뼈는 우리 몸의 형태를 만듭니다.

7 팔을 구부렸을 때 팔 안쪽 근육이 오므라들고, 근육의 길이가 줄어듭니다.

8 소화 기관은 음식물의 소화와 흡수 등을 담당하는 기관입니다.

9 음식물이 우리 몸속에서 소화될 때 입 → 식도 → 위 → 작은창자 → 큰창자 → 항문 순서대로 이동합니다.

10 숨을 들이마시고 내쉴 때 몸속에서 공기가 이동합니다.

11 폐는 주머니 모양으로 좌우 한 쌍이 있으며 공기 중의 산소를 받아들이고, 몸에서 생긴 이산화 탄소를 내보냅니다.

더 알아보기

숨을 들이마실 때의 폐

폐는 근육이 없어서 스스로 운동하지 못합니다. 숨을 들이마시는 것은 폐를 둘러싸고 있는 가로막이 내려가고 갈비뼈가 올라가 가슴속의 압력이 낮아져 바깥 공기가 폐 속으로 밀려 들어오는 것입니다.

12 심장은 일반적으로 가슴 가운데에서 약간 왼쪽으로 치우쳐 있고, 펌프 작용으로 혈액을 순환시키는 둥근 주머니 모양의 순환 기관입니다.

13 주입기의 펌프를 느리게 누르면 붉은 색소 물이 느리게 움직입니다.

14 콩팥에서 걸러 낸 노폐물을 모아 두었다가 몸 밖으로 내보내는 기관은 방광입니다. 오줌관은 콩팥에서 방광으로 오줌이 이동하는 통로입니다.

15 노폐물은 혈액에 실려 이동하다가 콩팥에서 걸러지고, 걸러진 노폐물은 오줌이 됩니다.

16 식도(㉠)는 음식물을 위로 이동시키고, 위(㉡)는 소화를 돕는 액체를 분비하여 음식물과 섞은 다음 더 잘게 쪼갭니다.

채점 기준

(1)	'㉠'을 정확히 씀.	
(2)	❶ '액체', ❷ '음식물' 두 가지를 모두 정확히 씀.	상
	❶과 ❷ 중 한 가지만 정확히 씀.	중

17 심장은 펌프 작용으로 혈액을 온몸으로 순환시키고, 혈관은 혈액이 이동하는 통로입니다. 심장에서 나온 혈액은 혈관을 따라 이동합니다.

채점 기준

(1)	'펌프'를 정확히 씀.	
(2)	**정답 키워드** 혈액 │ 통로 등 '혈액이 이동하는 통로이다.'와 같이 내용을 정확히 씀.	상
	'이동하는 통로이다.'와 같이 무엇이 이동하는 통로인지는 쓰지 못함.	중

18 공기를 불어 넣으면 비닐봉지의 길이가 줄어들고, 손 그림이 위로 올라옵니다.

19 뼈 모형은 우리 몸의 뼈, 비닐봉지는 우리 몸의 근육을 나타냅니다.

20 팔 안쪽 근육의 길이가 줄어들면 아래팔뼈가 올라와 팔이 구부러지고, 팔 안쪽 근육의 길이가 늘어나면 아래팔뼈가 내려가 팔이 펴집니다.

단원 실력 쌓기
86~89 쪽

Step 1

1 귀　　**2** 예 신경　　**3** 예 뇌　　**4** 운동한 직후

5 산소　　**6** 눈　　**7** ②　　**8** ①

9 ㉠ 자극 ㉡ 반응　　**10** 신경　　**11** ㉡　　**12** ②

13 ①, ②　　**14** (1) ㉡ (2) ㉢ (3) ㉠ (4) ㉣

Step 2

15 (1) 눈

　　(2) ❶ 예 뜨거움 ❷ 예 촉감

16 (1) 예 팔 벌려 뛰기를 할 때,
　　　　달리기를 할 때 등

　　(2) 예 심장이 빠르게 뛰면 혈액
　　　순환이 빨라져서 우리 몸에
　　　많은 양의 영양소와 산소가 공급되어 에너지를 많이
　　　낼 수 있기 때문이다.

17 예 운동을 하면 체온이 올라가고 맥박은 빨라지며, 운동한
　　뒤 휴식을 취하면 운동하기 전과 비슷해진다.

> **15** (1) 보는
> 　　(2) 피부
> **16** (1) 운동할
> 　　(2) 혈액
> **17** 올라, 빨라

Step 3

18 ❶ 예 산소 ❷ 예 노폐물

19 ❶ 예 맥박 수 ❷ 예 빨라진다

20 예 운동을 하면 몸에서 에너지를 많이 내면서 열이 많이
　　나기 때문에 체온이 올라가고, 산소와 영양소를 많이
　　이용하므로 심장이 빠르게 뛰어 맥박이 빨라진다.

---

1 귀는 소리를 듣는 감각 기관입니다.

2 신경이 감각 기관에서 받아들인 자극을 뇌로 전달합니다.

3 뇌에서 자극을 해석하여 반응을 결정하고 명령을 내립니다.

4 운동하기 전보다 운동한 직후의 체온이 더 높습니다.

5 운동할 때 산소와 영양소를 많이 이용합니다.

6 주변에서 발생한 자극을 받아들이는 기관을 감각 기관
이라고 합니다.

7 우리 몸의 감각 기관에는 눈, 귀, 코, 혀, 피부 등이
있습니다.

8 혀로 맛을 알 수 있습니다.

9 고소한 냄새를 맡는 것(코)과 빵을 보는 것(눈)은 자극
이고, 빵을 먹는 것은 반응입니다.

10 자극이 전달되고 반응하는 과정은 감각 기관 → 자극을
전달하는 신경 → 뇌 → 명령을 전달하는 신경 → 운동
기관의 순서입니다.

11 운동을 할 때에는 심장이 빠르게 뜁니다.

12 우리 몸은 에너지를 내기 위해 산소가 필요한데, 호흡이
빨라지면 산소를 많이 공급할 수 있습니다.

13 운동하기 전보다 운동한 직후의 체온이 너 높고, 맥박이
더 빠릅니다.

14 감각 기관은 주변의 자극을 받아들이고, 배설 기관은
혈액 속에 있는 노폐물을 걸러 내어 오줌으로 내보냅니다.
호흡 기관은 산소를 흡수하고 이산화 탄소를 몸 밖으로
내보내며, 운동 기관은 영양소와 산소를 이용하여
몸을 움직입니다.

15 얼굴의 윗부분에 두 개가 있으며 사물을 보는 것은 눈이고,
몸 표면을 감싸는 피부는 차가움과 뜨거움, 촉감,
아픔 등을 느낍니다.

채점 기준		
(1)	'눈'을 정확히 씀.	
(2)	❶ '뜨거움', ❷ '촉감' 두 가지를 모두 정확히 씀.	상
	❶과 ❷ 중 한 가지만 정확히 씀.	중

16 영양소와 산소는 혈액에 의해 온몸으로 공급됩니다.
혈액 순환이 빨라지면 우리 몸에 더 많은 양의 영양소와
산소가 공급될 수 있습니다.

채점 기준		
(1)	'팔 벌려 뛰기를 할 때', '달리기를 할 때' 등을 정확히 씀.	
(2)	**정답 키워드** 혈액 순환 ㅣ 영양소와 산소 공급 등 '심장이 빠르게 뛰면 혈액 순환이 빨라져서 우리 몸에 많은 양의 영양소와 산소가 공급되어 에너지를 많이 낼 수 있기 때문이다'와 같이 내용을 정확히 씀.	상
	심장이 빠르게 뛰는 까닭을 썼지만, 표현이 부족함.	중

17 운동하기 위해서는 평소보다 더 많은 영양소와 산소가
필요하므로 맥박과 호흡이 빨라집니다. 또 체온이 올라
가고 땀이 나기도 합니다.

채점 기준		
정답 키워드 체온 – 올라간다 ㅣ 맥박 – 빨라진다 ㅣ 운동하기 전과 비슷하다 등 '운동을 하면 체온이 올라가고 맥박은 빨라지며, 운동한 뒤 휴식을 취하면 운동하기 전과 비슷해진다.'와 같이 내용을 정확히 씀.		상
운동할 때와 휴식을 취했을 때의 체온과 맥박의 변화에 대해 썼지만, 표현이 부족함.		중

18 호흡 기관은 우리 몸에 필요한 산소를 받아들이고, 이산화
탄소를 몸 밖으로 내보냅니다. 배설 기관은 혈액에
있는 노폐물을 걸러 내어 오줌으로 배설합니다.

19 운동할 때는 맥박과 호흡이 빨라집니다.

20 운동을 하면 체온이 올라가고, 심장이 빠르게 뛰어 맥박과 호흡이 빨라집니다.

대단원 평가
90~93쪽

1 ⑩ 운동 기관　　**2** ⓒ　　**3** 근육, ⑩ 팔 안쪽 근육의 길이가 줄어들면 아래팔뼈가 올라와 팔이 구부러진다.
4 혜인　　**5** ⑤　　**6** ⑤　　**7** ②
8 ㉠ 산소 ㉡ 이산화 탄소　　**9** (1) ㉢ (2) ⑩ 기관과 폐를 연결하며 공기가 이동하는 통로이다.　　**10** ②, ③
11 ㉠ 심장 ㉡ 혈관 ㉢ 혈액　　**12** ②　　**13** ㉡
14 ㉡　　**15** ㉠　　**16** (1) ㉡ (2) ㉠ (3) ㉢ (4) ㉣
17 (1) 자극, 반응 (2) ⑩ 날씨가 무척 더울 때 팔을 뻗어 음료수를 마신다. 등　　**18** ④　　**19** 산소　　**20** 현지

1 몸을 움직이는 데 관여하는 뼈와 근육을 운동 기관이라고 합니다.

2 공기를 불어 넣으면 비닐봉지가 부풀어 오르면서 비닐봉지의 길이가 줄어듭니다.

3 근육은 뼈에 연결되어 있어 몸을 움직일 수 있게 합니다.

채점 기준	
정답 **키워드** 근육 길이 – 줄어든다 | 아래팔뼈 – 올라온다 등	
'근육'을 정확히 쓰고, '팔 안쪽 근육의 길이가 줄어들면 아래팔뼈가 올라와 팔이 구부러진다.'와 같이 내용을 정확히 씀.	8점
'근육'을 정확히 썼지만, 팔이 구부러지는 원리는 정확히 쓰지 못함.	4점

4 소화는 우리 몸에 필요한 영양소가 들어 있는 음식물을 잘게 쪼개 몸에 흡수될 수 있는 형태로 분해하는 과정을 말합니다.

5 항문은 소화되지 않은 음식물 찌꺼기를 배출합니다.

6 음식물은 입 → 식도 → 위 → 작은창자 → 큰창자 → 항문 순으로 이동하여 소화됩니다.

7 호흡에 관여하는 기관은 코, 기관, 기관지, 폐 등입니다. 위와 식도, 작은창자, 항문은 소화에 관여하는 기관입니다.

8 폐는 몸 밖에서 들어온 산소를 받아들이고, 몸 안에서 생긴 이산화 탄소를 몸 밖으로 내보냅니다.

9 기관지는 기관과 폐 사이를 이어주는 관으로 공기가 이동하는 통로입니다.

채점 기준		
(1)	'㉢'을 정확히 씀.	4점
	정답 **키워드** 공기 | 통로 등	
(2)	'기관과 폐를 연결하며 공기가 이동하는 통로이다.'와 같이 내용을 정확히 씀.	8점
	'통로이다.'와 같이 무엇이 이동하는 통로인지는 쓰지 못함.	4점

10 혈관의 굵기는 굵은 것부터 매우 가는 것까지 다양하고 온몸에 복잡하게 퍼져 있으며, 펌프 작용으로 혈액을 순환시키는 것은 심장입니다. 산소는 혈관을 통해 이동할 수 있습니다.

11 주입기의 펌프는 심장, 주입기의 관은 혈관, 붉은 색소 물은 혈액을 나타냅니다.

12 주입기의 펌프를 느리게 누르면 붉은 색소 물의 이동 빠르기가 느려지고, 이동량이 적어집니다.

13 콩팥에서 방광으로 오줌이 이동하는 통로는 오줌관입니다. 요도는 오줌이 몸 밖으로 이동하는 통로입니다.

14 노란 색소 물만 거름망을 통과하여 비커에 모이고, 붉은색 모래는 거름망 위에 남아 있습니다.

15 실험의 거름망은 우리 몸의 콩팥(㉠)에 해당합니다. 콩팥에서 혈액 속의 노폐물을 거릅니다.

16 코는 냄새를 맡고, 귀는 소리를 들으며 혀는 맛을 느낍니다. 피부는 뜨거움과 차가움, 촉감, 아픔 등을 느낍니다.

17 감각 기관이 받아들인 자극은 온몸에 퍼져 있는 신경을 통해 전달되고, 뇌는 전달된 자극을 해석하여 행동을 결정하고 운동 기관에 명령을 내립니다.

채점 기준		
(1)	'자극', '반응' 두 가지를 모두 정확히 씀.	4점
	'자극', '반응' 중 한 가지만 정확히 씀.	2점
	정답 **키워드** 날씨 – 덥다 | 음료수 – 마신다 등	
(2)	'날씨가 무척 더울 때 팔을 뻗어 음료수를 마신다.' 등과 같이 내용을 정확히 씀.	8점
	자극을 받아들여 반응하는 예를 썼지만, 표현이 부족함.	4점

18 운동을 하면 체온이 올라가고 맥박 수가 증가합니다. 또 호흡이 빨라지고 땀이 나기도 합니다.

19 운동을 할 때는 평소보다 더 많은 영양소와 산소가 필요합니다.

20 배설 기관은 혈액 속의 노폐물을 걸러 내어 오줌으로 배설합니다.

5. 에너지와 생활

1 에너지 **2** (1) ⓒ (2) ㉠ **3** ② **4** ⓒ
5 운동 **6** (1) ○ (2) ✕

1 생물이 살아가거나 기계가 움직이려면 에너지가 필요합니다.

2 귤나무와 같은 식물은 광합성을 하여 스스로 양분을 만들어 에너지를 얻고, 살쾡이와 같은 동물은 다른 생물을 먹고 그 양분으로 에너지를 얻습니다.

3 움직이는 물체가 가지고 있는 에너지는 운동 에너지입니다.

4 높은 곳에 있는 추와 같이 높은 곳에 있는 물체가 가지고 있는 에너지는 위치 에너지입니다.

5 폭포의 물이 높은 곳에서 낮은 곳으로 떨어지므로 위치 에너지가 운동 에너지로 전환됩니다.

6 태양 전지는 태양의 빛에너지가 전기 에너지로 전환된 것입니다.

1 열 **2** 겨울잠 **3** 세탁기 **4** ③ **5** ⓒ
6 ⓒ

1 겨울눈은 여러 겹의 비늘 껍질과 따뜻한 털로 추운 겨울에 열에너지가 빠져나가는 것을 줄여 주어 어린싹이 얼지 않도록 합니다.

2 동물은 먹이가 부족한 추운 겨울에 겨울잠을 자면서 에너지를 효율적으로 이용합니다.

3 에너지 소비 효율 등급이 1등급에 가까운 제품일수록 에너지 효율이 높은 제품입니다.

4 에너지를 효율적으로 이용하기 위해서 백열등보다 전기 에너지가 빛에너지로 더 많이 전환되는 발광 다이오드 [LED]등을 설치해야 합니다.

5 전기 에너지가 빛에너지로 전환되는 비율은 백열등에서는 5 %, 발광 다이오드[LED]등에서는 95 %입니다.

6 전기 에너지가 빛에너지로 많이 전환되는 발광 다이오드[LED]등이 백열등보다 에너지 효율이 높습니다.

Step ①
1 에너지 **2** 식물, 동물 **3** 운동 에너지
4 에너지 전환 **5** 예 태양 **6** ⑤ **7** ①, ④
8 정현 **9** ③ **10** ⓒ **11** 2 **12** ④, ⑤
13 ④ **14** ③

Step ②
15 ❶ 예 빛 ❷ 예 생물
16 (1) 예 빛에너지 등
   (2) 예 전기 에너지가 빛에너지로 전환된다.
17 예 전기 에너지가 열에너지로 전환된다.

> **15** 식물, 동물
> **16** (1) 열
>   (2) 빛
> **17** 전환

Step ③
18 (가) ⓒ (나) ⓜ
19 예 태양
20 (가) 예 여러 가지 가전제품을 작동할 수 있게 해 준다.
   (나) 예 수력 발전을 하여 전기 에너지를 만든다.

1 생물이 살아가거나 우리가 생활에서 유용하게 사용하는 기계가 작동하려면 에너지가 필요합니다.

> **더 알아보기**
> **일상생활에서 에너지가 필요한 까닭과 에너지를 얻는 방법**
> • 에너지가 필요한 까닭: 생물이 살아가거나 기계가 작동할 때 에너지가 꼭 필요하기 때문입니다.
> • 에너지를 얻는 방법: 석탄, 석유, 천연가스, 햇빛, 바람, 물 등 여러 가지 에너지 자원에서 얻습니다.

2 식물은 햇빛을 받아 광합성을 하여 스스로 양분을 만들어 에너지를 얻고, 동물은 식물이나 다른 동물을 먹고 그 양분으로 에너지를 얻습니다.

3 움직이는 물체는 운동 에너지를 가집니다.

4 한 에너지는 다른 에너지로 형태가 바뀔 수 있습니다. 이와 같이 에너지 형태가 바뀌는 것을 에너지 전환이라고 합니다.

5 우리가 사용하는 대부분의 에너지는 태양에서 온 에너지 형태가 전환된 것입니다.

> **더 알아보기**
> **햇빛이 없다면 일어날 수 있는 일**
> • 식물은 광합성으로 양분을 만들지 못해 살 수 없습니다.
> • 식물을 먹고 사는 동물과 다른 동물을 먹고 사는 동물도 에너지를 얻을 수 없습니다.

6 식물은 빛을 이용하여 스스로 양분을 만들어 에너지를 얻고, 동물은 다른 생물을 먹고 그 양분으로 에너지를 얻습니다.

7 토끼, 살쾡이와 같은 동물은 다른 생물을 먹고 얻은 양분으로 에너지를 얻습니다. 토마토와 귤나무는 햇빛 등을 이용하여 스스로 양분을 만들어 에너지를 얻습니다. 생물이 에너지를 얻는 방법은 다양합니다.

8 가스를 사용하지 못한다면 가스레인지를 사용하지 못해 음식을 끓여 먹을 수 없고, 보일러를 사용하지 못해 집 안을 따뜻하게 하기 어려우며 물을 데울 수가 없어 찬물로 씻어야 합니다.

9 움직이는 물체와 관련된 에너지 형태는 운동 에너지입니다.

> **더 알아보기**
>
> **여러 가지 형태의 에너지**
> • 열에너지: 물체의 온도를 높일 수 있는 에너지
> • 전기 에너지: 전기 기구를 작동하게 하는 에너지
> • 빛에너지: 주위를 밝게 비출 수 있는 에너지
> • 화학 에너지: 음식물, 석유, 석탄 등이 가진 에너지
> • 운동 에너지: 움직이는 물체가 가진 에너지
> • 위치 에너지: 높은 곳에 있는 물체가 가진 에너지

10 광합성을 하는 사과나무는 화학 에너지를 가지고 있습니다. 화학 에너지는 물질 안에 저장되어 있는 에너지로, 생물의 생명 활동에 필요합니다.

> **더 알아보기**
>
> **광합성**
> 식물이 빛 등을 이용하여 이산화 탄소와 물로 양분을 만드는 것입니다.

11 1구간에서는 전기 에너지가 운동 에너지와 위치 에너지로 전환되고, 2구간에서는 위치 에너지가 운동 에너지로 전환되며, 3구간에서는 운동 에너지가 위치 에너지로 전환됩니다.

12 전기밥솥과 전기다리미는 전기 에너지를 열에너지로 전환하여 사용하는 기구입니다.

> **왜 틀렸을까?**
> ① 선풍기: 전기 에너지 → 운동 에너지
> ② 모닥불: 화학 에너지 → 빛에너지, 열에너지
> ③ 태양 전지: 빛에너지 → 전기 에너지

13 겨울눈의 여러 겹의 비늘 껍질과 따뜻한 털로 추운 겨울에 열에너지가 빠져나가는 것을 줄여 주어 어린싹이 얼지 않도록 합니다.

14 발광 다이오드[LED]등은 백열등이나 형광등에 비해 전기 에너지가 빛에너지로 많이 전환되므로 백열등이나 형광등보다 에너지 효율이 높습니다.

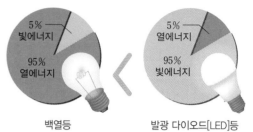

백열등   발광 다이오드[LED]등
⌂ 전등에서 전기 에너지(100%)의 전환 비율

15 식물은 햇빛을 받아 광합성을 하여 스스로 양분을 만들어 에너지를 얻고, 사자는 다른 생물을 먹어서 얻은 양분으로 에너지를 얻습니다.

채점 기준	
❶ '빛', ❷ '생물' 두 가지를 모두 정확히 씀.	상
❶과 ❷ 중 한 가지만 정확히 씀.	중

16 불이 켜진 가로등은 빛에너지, 전기 에너지, 열에너지 등을 가지고 있으며, 빛에너지는 주위를 밝게 비출 수 있는 에너지입니다.

채점 기준		
(1)	'빛에너지'를 정확히 씀.	
(2)	**정답 키워드** 전기 에너지 | 빛에너지 등 '전기 에너지가 빛에너지로 전환된다.'와 같이 내용을 정확히 씀.	상
	불이 켜진 가로등의 에너지 전환 과정에 대해 썼지만, 표현이 부족함.	중

17 전기 주전자는 전기 에너지를 열에너지로 전환하여 물을 끓입니다.

채점 기준	
정답 키워드 전기 에너지 | 열에너지 등 '전기 에너지가 열에너지로 전환된다.'와 같이 내용을 정확히 씀.	상
'열에너지로 전환된다.'와 같이 어떤 에너지가 열에너지로 전환되는지는 쓰지 못함.	중

18 ㈎에서는 태양의 빛에너지가 전기 에너지로 전환되고, ㈏에서는 태양의 열에너지가 위치 에너지로 전환됩니다.

19 우리 생활에서 이용하는 대부분의 에너지는 태양의 빛에너지와 열에너지로부터 에너지 형태가 전환된 것입니다.

20 전기 에너지는 여러 가지 가전제품을 작동할 수 있게 해 주고, 높은 곳에 있는 물의 위치 에너지는 수력 발전으로 전기 에너지를 만듭니다.

대단원 평가
106~108쪽

1 에너지 **2** ②, ⑤ **3** 전기 **4** ① **5** ④
6 (1) 열에너지 (2) 예 물을 끓인다. 등 **7** ④
8 ⓒ **9** ⑤ **10** 전기 에너지 **11** ①
12 (1) ⓒ (2) 예 전기 에너지가 운동 에너지와 위치 에너지로
전환된다. **13** ㉠ 위치 ㉡ 운동 **14** ③ **15** 전기
16 ② **17** ㉠ 전기 ㉡ 열 **18** 예 겨울에 먹이를
구하기 어려우므로 에너지를 효율적으로 이용하기 위해서
겨울잠을 잔다. **19** 열에너지
20 발광 다이오드[LED]등

1 우리가 일상생활을 할 때는 에너지가 필요하고 이러한
에너지는 여러 가지 에너지 자원에서 얻을 수 있습니다.

2 토끼풀, 사과나무와 같은 식물은 빛을 이용하여 스스로
양분을 만들어 에너지를 얻습니다.

3 가전제품은 전기 에너지로 작동하고, 자동차는 연료를
넣거나 전기를 충전합니다.

4 햇빛, 불이 켜진 전등은 주위를 밝게 해 주므로, 공통
으로 관련된 에너지 형태는 빛에너지입니다.

5 위치 에너지는 높은 곳에 있는 물체가 가진 에너지입니다.

6 물체의 온도를 높일 수 있는 열에너지는 쇠를 녹일 때,
물을 끓일 때, 음식을 익힐 때 등에 이용됩니다.

채점 기준

(1)	'열에너지'를 정확히 씀.	4점
(2)	**정답 키워드** 끓이다 등 '물을 끓인다.' 등과 같이 내용을 정확히 씀.	8점
	열에너지가 실생활에 이용되는 예를 썼지만, 표현이 부족함.	4점

7 높이 올라간 그네는 위치 에너지를 가지고 있습니다.
건전지, 화분의 식물, 타오르는 모닥불, 휴대 전화의
배터리는 화학 에너지를 가지고 있습니다.

8 미끄럼틀 위의 아이는 위치 에너지를 가지고 있습니다.

9 높이 올라간 시소와 높은 곳에 있는 추는 위치 에너지를
가지고 있습니다.

10 전기 제품을 작동하게 하는 에너지 형태는 전기 에너지
입니다.

11 한 에너지는 다른 에너지로 형태가 바뀔 수 있습니다.
이처럼 에너지 형태가 바뀌는 것을 에너지 전환이라고
합니다.

12 ㉠ 구간은 전기 에너지가 운동 에너지와 위치 에너지로
전환되고, ㉡ 구간은 위치 에너지가 운동 에너지로,
ⓒ 구간은 운동 에너지가 위치 에너지로 전환됩니다.

채점 기준

(1)	'ⓒ'을 정확히 씀.	4점
(2)	**정답 키워드** 전기 에너지	운동 에너지	위치 에너지 등 '전기 에너지가 운동 에너지와 위치 에너지로 전환 된다.'와 같이 내용을 정확히 씀.	8점
	'전기 에너지가 운동 에너지로 전환된다.', '전기 에 너지가 위치 에너지로 전환된다.' 등과 같이 전기 에너지가 전환되는 두 가지 에너지 중 한 가지만 정확히 씀.	4점

13 폭포에서 떨어지는 물은 위치 에너지가 운동 에너지로
전환된 것입니다.

14 나무에 저장된 화학 에너지가 음식을 익히는 모닥불의
열에너지로 전환됩니다.

15 댐은 높은 곳에 있는 물의 위치 에너지를 이용해 발전기를
돌려 전기 에너지를 얻습니다.

더 알아보기

수력 발전
비가 되어 내린 물이 댐에 저장되면 필요에 따라 물을 아래로 떨어
뜨리는데, 이때 위치 에너지가 운동 에너지로 전환되고, 이 운동
에너지가 전기 에너지로 전환됩니다.

16 식물은 태양의 빛에너지를 이용해 화학 에너지를 얻고,
태양 전지는 태양의 빛에너지를 전기 에너지로 전환
시킵니다.

17 전기다리미는 전기 에너지를 열에너지로 전환합니다.

18 곰이나 다람쥐, 박쥐 등은 겨울에 먹이를 구하기 어려
우므로 겨울잠을 자면서 자신의 화학 에너지를 더 효율적
으로 이용합니다.

채점 기준

정답 키워드 먹이	에너지	효율적 등 '겨울에 먹이를 구하기 어려우므로 에너지를 효율적으로 이용하기 위해서 겨울잠을 잔다.'와 같이 내용을 정확히 씀.	8점
동물이 겨울잠을 자는 까닭을 썼지만, 표현이 부족함.	4점

19 전등에서 전기 에너지는 빛에너지와 열에너지로 전환
됩니다.

20 전기 에너지가 빛에너지로 전환되는 비율이 높은 발광
다이오드[LED]등이 백열등보다 에너지 효율이 높습니다.

1. 전기의 이용

1 전지, 전구, 전선이 끊기지 않게 연결되고, 전구가 전지의 (+)극과 전지의 (−)극에 각각 연결되어 있어야 전구에 불이 켜집니다.

> **왜 틀렸을까?**
> ㈎ 전구를 전지의 (−)극과 연결하면 전구에 불이 켜집니다.

> **더 알아보기**
> 여러 가지 전기 부품의 쓰임새
>
> | 전기 부품 | 쓰임새 |
> |---|---|
> | 전지 | 전기 회로에 전기를 흐르게 함. |
> | 전지 끼우개 | 전선을 쉽게 연결할 수 있도록 전지를 넣어 사용함. |
> | 스위치 | 전기가 흐르는 길을 끊거나 연결함. |
> | 전구 | 빛을 내는 전기 부품임. |
> | 전구 끼우개 | 전선에 쉽게 연결할 수 있도록 전구를 끼워서 사용함. |
> | 집게 달린 전선 | 전기 부품을 쉽게 연결할 수 있음. |

2 ㈎는 전구가 전지의 (+)극에만 연결되어 있어 전구에 불이 켜지지 않습니다.

3 스위치는 전기가 흐르는 길을 끊거나 연결하는 것으로, 전기 회로의 스위치를 닫으면 전기 회로에 전기가 흘러서 전구에 불이 켜집니다.

4 전기 회로에서 전구에 불이 켜지게 하려면 전지, 전선, 전구가 끊기지 않게 연결해야 하고, 전구를 전지의 (+)극과 (−)극 모두에 연결해야 합니다.

5 전구의 밝기는 전기 회로에 전지 한 개를 연결할 때보다 전지 두 개를 서로 다른 극끼리 한 줄로 연결할 때가 더 밝습니다.

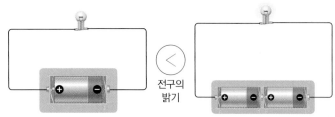

◈ 전지 한 개를 연결한 전기 회로   전구의 밝기   ◈ 전지 두 개를 연결한 전기 회로

6 ㉠은 전구를 병렬연결하였고, ㉡은 직렬연결하였습니다. 따라서 ㉠과 ㉡은 전구의 연결 방법이 다릅니다.

7 주어진 전기 회로는 전구가 병렬연결되어 있으므로 ㉠과 전구의 밝기가 같습니다.

8 전구를 병렬연결할 때가 직렬연결할 때보다 전기 에너지 소비가 더 많으므로 전지를 더 오래 사용할 수 없습니다.

9 ㉠ 전기 회로는 전구를 직렬연결하였고, ㉡ 전기 회로는 전구를 병렬연결하였습니다.

> **더 알아보기**
> **전구의 직렬연결과 전구의 병렬연결**
> • 전구의 직렬연결: 전기 회로에서 전구 두 개 이상을 한 줄로 연결하는 방법
> • 전구의 병렬연결: 전기 회로에서 전구 두 개 이상을 여러 개의 줄에 나누어 한 개씩 연결하는 방법

10 전구를 직렬연결하였을 때에는 전구 한 개의 불이 꺼지면 나머지 전구의 불이 꺼지고, 전구를 병렬연결하였을 때에는 전구 한 개의 불이 꺼져도 나머지 전구의 불이 꺼지지 않습니다.

1 ㉠　　**2** ④　　**3** ㉡　　**4** ㉠　　**5** ④
6 ④　　**7** ①　　**8** ㉠　　**9** (1) ㉢, ㉣ (2) ㉠, ㉡
10 ㉠ 예 감전 ㉡ 예 낭비

1 전기 회로의 스위치를 닫으면 전류가 흐르는 전선 주위에 자석의 성질이 나타나기 때문에 전기가 흐르는 전선 주위에서 나침반 바늘이 움직입니다.

2 전기가 흐르는 전선 주위에서 나침반 바늘이 움직인 까닭은 전기가 흐르는 전선 주위에 자석의 성질이 생겼기 때문입니다.

3 전자석의 스위치를 닫으면 전자석에 자석의 성질이 나타나므로 침핀이 붙습니다.

4 전지 두 개를 서로 다른 극끼리 한 줄로 연결하면 전지 한 개를 연결할 때보다 짧은 빵 끈이 더 많이 붙습니다.

> **더 알아보기**
> **전지의 개수에 따른 자석의 세기**
> 전지 한 개를 연결했을 때보다 전지 두 개를 서로 다른 극끼리 한 줄로 연결했을 때 전자석의 세기가 더 셉니다.

5 전자석은 서로 다른 극끼리 연결한 전지의 수에 따라 전자석의 세기가 달라집니다.

> **왜 틀렸을까?**
> ① 전자석은 자석의 극을 바꿀 수 있습니다.
> ② 전자석의 자석의 세기를 바꿀 수 있습니다.
> ③, ⑤ 내용은 맞지만, 이 실험은 전자석의 세기를 조절하는 실험이므로, ④번 답이 적당합니다.

6 스위치를 닫으면 전자석에 자석의 성질이 나타나서 극이 생기므로 나침반 바늘이 전자석 쪽으로 움직입니다.

7 전자석 기중기를 사용하면 무거운 철제품을 다른 장소로 쉽게 옮길 수 있습니다.

> **더 알아보기**
> **전자석을 이용하는 예**
> 전자석을 이용하는 것에는 자기 부상 열차, 선풍기, 스피커, 머리 말리개, 자기 공명 장치 등이 있습니다.

8 콘센트 한 개에 플러그 여러 개를 한꺼번에 꽂아서 사용하면 위험합니다.

9 ㉠과 ㉡은 전기를 절약하는 방법이고, ㉢과 ㉣은 전기를 안전하게 사용하는 방법입니다.

10 전기를 안전하게 사용하지 않으면 감전 사고가 발생할 수 있고, 전기를 절약하지 않으면 자원이 낭비됩니다.

1 (1) ㉢ (2) (+)
　　(3) 예 전구는 전지의 (+)극과 전지의 (−)극에 각각 연결해야 한다.
2 (1) ㉡
　　(2) 예 ㉠ 전기 회로의 나머지 전구에는 불이 켜지지 않고, ㉡ 전기 회로의 나머지 전구에는 불이 켜진다.
3 (1) ㉠ N극 ㉡ S극
　　(2) 예 전자석은 전지의 연결 방향을 바꾸면 전자석의 극도 바뀐다.

1 전구에 불이 켜지려면 전지, 전선, 전구가 끊어지지 않게 연결되고, 전구가 전지의 (+)극과 전지의 (−)극에 각각 연결되어야 합니다.

채점 기준

(1)	'㉢'을 씀.	2점
(2)	'(+)'를 씀.	2점
(3)	**정답 키워드** (+)극 | (−)극 '전구는 전지의 (+)극과 전지의 (−)극에 각각 연결해야 한다.' 등의 내용을 정확히 씀.	6점
	(+)극과 (−)극 중 하나를 쓰지 못함.	3점

2 전구의 직렬연결에서는 전구 하나의 불이 꺼지면 나머지 전구 불도 꺼지지만, 전구의 병렬연결에서는 전구 하나의 불이 꺼져도 나머지 전구의 불이 꺼지지 않습니다.

채점 기준

(1)	'㉡'을 씀.	4점
(2)	**정답 키워드** 나머지 전구 불 | 켜지다 | 켜지지 않다 '㉠ 전기 회로의 나머지 전구에는 불이 켜지지 않고, ㉡ 전기 회로의 나머지 전구에는 불이 켜진다.' 등의 내용을 정확히 씀.	8점
	'㉠ 전기 회로의 나머지 전구에는 불이 켜지지 않는다.'와 '㉡ 전기 회로의 나머지 전구에는 불이 켜진다.' 중 하나만 정확히 씀.	4점

3 전자석은 전지의 연결 방향에 따라 극이 달라지는 성질이 있습니다.

채점 기준

(1)	㉠에 'N극', ㉡에 'S극'을 모두 씀.	4점
	㉠, ㉡ 중 한 가지만 씀.	2점
(2)	**정답 키워드** 방향 | 극 | 바뀌다 등 '전자석은 전지의 연결 방향을 바꾸면 전자석의 극도 바뀐다.' 등의 내용을 정확히 씀.	8점
	전자석에서 전지의 극을 반대로 하였을 때의 결과를 이용해 알게 된 점을 썼지만, 표현이 부족함.	4점

온라인 학습북 4~12쪽

온라인 학습 단원평가의 **정답**과 함께 **문항 분석**도 확인하세요.

단원평가 13~15쪽

문항 번호	정답	평가 내용	난이도
1	③	스위치의 쓰임새 알기	쉬움
2	③	전구에 불이 켜지는 전기 회로 알기	보통
3	②	전구에 불이 켜지는 조건 알기	쉬움
4	③	전기 회로의 뜻 알기	쉬움
5	⑤	전구의 밝기를 더 밝게 하는 방법 알기	보통
6	④	전구의 밝기 비교하기	어려움
7	②	전구의 병렬연결의 특징 알기	보통
8	④	전구의 직렬연결의 특징 알기	어려움
9	④	전구의 직렬연결과 병렬연결의 특징 알기	어려움
10	⑤	전자석의 특징 알기	보통
11	⑤	전자석의 특징 알기	보통
12	④	전자석의 세기 조절하기	보통
13	⑤	전자석의 극을 바꾸었을 때 나타나는 현상 알기	어려움
14	③	전자석의 극을 바꾸는 방법 알기	보통
15	⑤	전자석의 성질 알기	보통
16	③	전자석을 이용한 예 알기	보통
17	⑤	전기를 안전하게 사용하는 방법 알기	보통
18	①	전기를 안전하게 사용하기	쉬움
19	③	전기를 절약하는 방법 알기	쉬움
20	⑤	전기를 절약해야 하는 까닭 알기	쉬움

1 스위치는 전기가 흐르는 길을 끊거나 연결합니다.

2 ㉡은 전구가 전지의 (+)극에만 연결되어 있고, ㉢은 (−)극에만 연결되어 있어서 전구에 불이 켜지지 않습니다.

3 전구가 전지의 (−)극에만 연결되어 있으므로 전구의 한쪽을 전지의 (+)극과 연결해 줍니다.

4 전지, 전선, 전구 등 전기 부품을 서로 연결해 전기가 흐르도록 한 것을 전기 회로라고 합니다.

5 전지 한 개를 연결할 때보다 전지 두 개를 서로 다른 극끼리 한 줄로 연결할 때가 전구의 밝기가 더 밝습니다.

6 ㈎와 ㈐는 전구의 밝기가 어둡고, ㈏와 ㈑는 전구의 밝기가 밝습니다.

7 전구의 병렬연결에서는 한 전구 불이 꺼져도 나머지 전구 불은 꺼지지 않습니다.

8 전구를 직렬연결한 것으로, 병렬연결할 때보다 전지를 더 오래 사용할 수 있습니다.

9 ㉠은 전구의 직렬연결에 대한 설명입니다.

10 전지의 연결 방향을 바꾸면 나침반 바늘이 반대 방향으로 움직입니다.

11 전자석은 스위치를 닫아 전기가 흐를 때만 자석의 성질이 나타나서 클립이 붙습니다.

12 전지 한 개를 서로 다른 극끼리 한 줄로 더 연결하면 전자석의 세기가 세져서 짧은 빵 끈이 더 많이 붙습니다.

13 전지의 극을 반대로 하고 스위치를 닫으면 전자석의 극이 바뀌므로 나침반 바늘의 방향도 반대가 됩니다.

14 전지의 연결 방향을 바꾸면 전자석의 극도 바뀝니다.

15 자석의 세기가 일정한 것은 영구 자석입니다.

16 나침반은 항상 자석의 성질이 나타나는 영구 자석을 이용한 것입니다.

17 하나의 콘센트에 여러 전기 제품의 플러그를 꽂아 사용하면 안 됩니다.

18 ②, ④, ⑤는 전기를 낭비하는 모습이고, ③은 전기를 안전하게 사용하는 모습입니다.

19 사용하지 않는 전기 제품을 끄면 전기가 낭비되는 것을 줄일 수 있습니다.

20 전기를 안전하게 사용하지 않으면 감전 사고나 전기 화재 등이 발생할 수 있고, 전기를 절약하지 않으면 자원이 낭비되고 환경 문제가 발생할 수 있습니다.

2. 계절의 변화

개념 확인하기 16쪽

1 ㉡	2 ㉢	3 ㉠	4 ㉡	5 ㉠

개념 확인하기 17쪽

1 ㉡	2 ㉡	3 ㉢	4 ㉠	5 ㉡

실력 평가 18~19쪽

1 ㉢	2 ㉡	3 ㉠	4 ㉡	5 ⑤
6 ②	7 ①	8 ㉠	9 ㉢	10 ③

1 태양이 떠 있는 높이는 태양이 지표면과 이루는 각인 태양 고도로 나타냅니다.

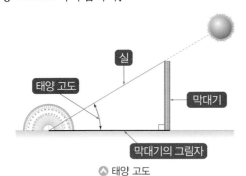

△ 태양 고도

2 태양 고도는 오전에 점점 높아지다가 태양이 정남쪽에 위치했을 때 가장 높습니다.

3 태양이 지표면과 이루는 각이 클수록 태양 고도가 높습니다.

4 태양이 아침에 동쪽 지평선에서 떠오를 때 태양 고도는 0 °입니다.

> **왜 틀렸을까?**
> ㉠ 태양이 서쪽 지평선으로 질 때 태양 고도는 0 °입니다.
> ㉡ 태양 고도는 오전에 높아지다가 12시 30분경에 가장 높고, 오후에는 낮아집니다.
> ㉣ 하루 중 태양 고도가 가장 높을 때, 태양은 정남쪽에 위치합니다.

5 태양 고도는 12시 30분경에 가장 높고 기온은 14시 30분경에 가장 높습니다. 태양 고도가 높아지면 그림자 길이는 짧아지고 기온은 대체로 높아집니다.

6 10시 30분에서 2시간 후인 12시 30분에는 태양이 남중하므로 태양 고도는 높아집니다. 태양 고도가 높아지면 그림자 길이는 짧아집니다.

> **더 알아보기**
> **하루 동안 태양 고도, 그림자 길이, 기온 변화**
> • 태양 고도: 오전에는 점점 높아지다가 12시 30분경에 가장 높고, 오후에는 낮아집니다.
> • 그림자 길이: 오전에는 점점 짧아지다가 12시 30분경에 가장 짧고, 오후에는 길어집니다.
> • 기온: 오전에 점점 높아지다가 14시 30분경에 가장 높고, 이후 서서히 낮아집니다.

7 태양의 남중 고도는 6~7월에 가장 높고, 12~1월에 가장 낮습니다.

8 태양의 남중 고도가 높은 여름에는 낮의 길이가 길고, 태양의 남중 고도가 낮은 겨울에는 낮의 길이가 짧습니다.

9 여름에는 태양이 약간 북쪽으로 치우쳐서 뜨고, 질 때도 약간 북쪽으로 치우쳐서 집니다.

10 ㉠은 겨울, ㉡은 봄·가을, ㉢은 여름철 태양의 위치 변화를 나타낸 것입니다.

> **왜 틀렸을까?**
> ① 겨울은 ㉡인 계절(봄·가을)보다 기온이 낮습니다.
> ② 겨울은 ㉡인 계절(봄·가을)보다 낮의 길이가 짧습니다.
> ④ 겨울은 ㉡인 계절(봄·가을)보다 태양의 남중 고도가 낮습니다.
> ⑤ 겨울은 ㉢인 계절(여름)보다 태양의 남중 고도가 낮습니다.

개념 확인하기 20쪽

1 ㉡	2 ㉡	3 ㉠	4 ㉠	5 ㉠

개념 확인하기 21쪽

1 ㉡	2 ㉠	3 ㉡	4 ㉡	5 ㉠

실력 평가 22~23쪽

1 ㉡	2 ①	3 예 많은	4 ㉡	5 ㉡
6 ③	7 ㉡	8 ③	9 예 태양의 남중 고도	

10 (1) 여름 (2) 겨울 (3) 겨울 (4) 여름

1 전등과 태양 전지판이 이루는 각이 작을 때 전등 빛이 닿는 면적이 더 넓습니다.

2 전등과 태양 전지판이 이루는 각이 큰 ㉠에서 일정한 면적의 태양 전지판에 도달하는 에너지양이 더 많기 때문에 프로펠러 바람의 세기가 더 셉니다.

3 태양의 남중 고도가 높아지면 일정한 면적의 지표면에 도달하는 태양 에너지양이 더 많아집니다.

> **더 알아보기**
>
> 전등의 기울기에 따른 바람의 세기 비교하기 모형실험과 실제 비교하기
>
>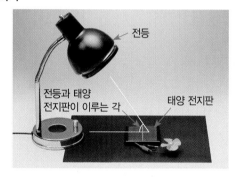
>
> | 모형 실험 | 실제 |
> |---|---|
> | 전등 | 태양 |
> | 태양 전지판 | 지표면 |
> | 전등과 태양 전지판이 이루는 각 | 태양 고도 |

4 여름에는 태양의 남중 고도가 높아 일정한 면적의 지표면에 도달하는 태양 에너지양이 많습니다.

5 태양의 남중 고도가 높아질수록 일정한 면적의 지표면에 도달하는 태양 에너지양이 많아져 지표면이 많이 데워지므로 기온이 높아집니다.

6 계절에 따라 태양의 남중 고도가 달라지기 때문에 기온이 달라집니다.

7 이 실험은 계절 변화가 생기는 까닭을 알아보기 위한 것입니다.

8 지구본의 자전축을 기울인 채 지구본을 공전시키면 전등 빛의 남중 고도가 달라집니다.

9 지구의 자전축이 기울어진 채 공전하여 태양의 남중 고도가 달라지므로 계절 변화가 생깁니다.

10 지구가 ㉠ 위치에 있을 때 북반구는 태양의 남중 고도가 높으므로 여름이지만, 남반구는 태양의 남중 고도가 낮으므로 겨울입니다.

> **서술형·논술형 평가** **24**쪽
>
> **1** (1) 정남, 낮 12시 30분
> (2) ㉠ 여름 ㉡ 겨울
> (3) 예 태양의 남중 고도는 여름에 가장 높고, 겨울에 가장 낮으며, 봄과 가을은 여름과 겨울의 중간 정도이다.
> **2** (1) 예 전등과 모래가 이루는 각
> (2) 예 태양의 남중 고도가 높아지면 일정한 면적의 지표면에 도달하는 태양 에너지양이 많아지기 때문이다.
> **3** 여름, 예 지구가 ㉠ 위치에 있을 때 북반구에서 태양의 남중 고도가 높기 때문이다.

1 태양의 남중 고도는 6~7월(여름)에 가장 높고 12~1월(겨울)에 가장 낮습니다.

채점 기준		
(1)	'정남', '낮 12시 30분'을 모두 정확히 씀.	2점
	'정남'과 '낮 12시 30분' 중 한 가지만 정확히 씀.	1점
(2)	㉠에 '여름', ㉡에 '겨울'을 모두 정확히 씀.	4점
	㉠과 ㉡ 중 하나만 정확히 씀.	2점
(3)	**정답 키워드** 여름 | 겨울 | 높다 | 낮다 | 봄, 가을 '태양의 남중 고도는 여름에 가장 높고, 겨울에 가장 낮으며, 봄과 가을은 여름과 겨울의 중간 정도이다.' 등의 내용을 정확히 씀.	6점
	계절에 따른 태양의 남중 고도의 변화를 썼지만, 일부 계절은 정확히 쓰지 못함.	3점

2 태양의 남중 고도가 높아져 일정한 면적의 지표면에 도달하는 태양 에너지양이 많아지면 지표면이 더 많이 데워져 기온이 높아집니다.

채점 기준		
(1)	'전등과 모래가 이루는 각'을 정확히 씀.	4점
(2)	**정답 키워드** 일정한 면적 | 태양 에너지양 | 많다 '태양의 남중 고도가 높아지면 일정한 면적의 지표면에 도달하는 태양 에너지양이 많아지기 때문이다.' 등의 내용을 정확히 씀.	8점
	태양의 남중 고도가 높을 때 기온이 높은 까닭을 썼지만, 표현이 부족함.	4점

3 북반구에서 여름에는 태양의 남중 고도가 높고, 겨울에는 태양의 남중 고도가 낮습니다.

채점 기준	
정답 키워드 태양의 남중 고도 | 높다 '여름'을 쓰고, '지구가 ㉠ 위치에 있을 때 북반구에서 태양의 남중 고도가 높기 때문이다.' 등의 내용을 정확히 씀.	8점
'여름'을 썼지만, 지구가 ㉠ 위치에 있을 때 북반구가 여름인 까닭을 정확히 쓰지 못함.	4점

온라인 학습 단원평가의 정답과 함께 문항 분석도 확인하세요.

단원평가

25~27쪽

문항 번호	정답	평가 내용	난이도
1	③	태양 고도의 특징 알기	쉬움
2	②	태양 고도를 측정하는 방법 알기	보통
3	②	태양 고도 측정하기	쉬움
4	③	하루 동안 그림자 길이의 변화 알기	보통
5	②	하루 동안 태양 고도와 기온의 변화 알기	어려움
6	②	태양 고도와 그림자 길이 변화 알기	보통
7	③	월별 낮의 길이 변화 그래프 분석하기	어려움
8	②	태양의 남중 고도와 낮의 길이의 변화 관계 알기	쉬움
9	②	계절별 태양의 위치 변화 알기	보통
10	③	겨울에서 여름으로 변할 때의 특징 알기	어려움
11	⑤	태양의 남중 고도에 따른 태양 에너지양 비교하기 실험의 조건 알기	보통
12	⑤	태양의 남중 고도에 따른 태양 에너지양 비교하기 실험의 특징 알기	보통
13	③	여름과 겨울의 태양 에너지양 비교하기	쉬움
14	⑤	태양의 남중 고도가 높을 때 기온이 높은 까닭 알기	어려움
15	③	계절에 따라 기온이 달라지는 까닭 알기	보통
16	⑤	지구본의 기울기를 다르게 하여 전등 주위를 공전시키는 실험의 조건 알기	보통
17	③	지구본의 기울기를 다르게 하여 전등 주위를 공전시키는 실험의 결과 알기	쉬움
18	②	자전축이 수직인 채 공전할 때의 결과 알기	쉬움
19	④	계절 변화가 생기는 까닭 알기	보통
20	⑤	태양의 남중 고도 변화와 계절의 관계 알기	보통

1 하루 동안 태양 고도는 계속 달라집니다.

2 바닥이 편평하고 태양 빛이 잘 드는 곳에서 태양 고도를 측정합니다.

3 태양 고도는 태양이 지표면과 이루는 각이므로 30 °입니다.

4 태양이 남중했을 때(12시 30분경) 그림자 길이가 가장 짧습니다.

5 ㉠은 태양 고도를, ㉡은 기온을 나타낸 것입니다.

6 오전에는 12시 30분경까지는 시간이 지날수록 태양 고도는 높아지고 그림자 길이는 짧아집니다.

7 6~7월에 낮의 길이가 가장 길고, 12~1월에 낮의 길이가 가장 짧습니다.

8 태양의 남중 고도가 높아지면 낮의 길이는 길어지고 밤의 길이는 짧아집니다.

9 ㉠은 겨울철 태양의 위치 변화를 나타내고, ㉡은 여름철 태양의 위치 변화를 나타냅니다.

10 겨울에서 봄을 지나 여름이 되면 기온은 높아지고 낮의 길이가 길어지며 밤의 길이는 짧아집니다.

11 전등과 태양 전지판이 이루는 각만 다르게 하고 나머지 조건은 모두 같게 하여 실험합니다.

12 태양의 남중 고도가 높은 ㉠에서 태양 전지판은 더 많은 태양 에너지를 받습니다.

13 ㉠은 겨울, ㉡은 여름에 해당합니다.

14 계절에 따라 태양의 남중 고도가 달라져 지표면이 받는 태양 에너지양이 달라지기 때문에 기온이 달라집니다.

15 계절에 따라 태양의 남중 고도가 달라지기 때문에 기온이 달라집니다.

16 지구본의 자전축 기울기만 다르게 하여 실험합니다.

17 지구본의 자전축을 기울이지 않은 채 공전시키면 태양의 남중 고도가 달라지지 않습니다.

18 지구의 자전축이 수직인 채 공전하면 태양의 남중 고도가 달라지지 않으므로 일 년 내내 낮과 밤의 길이가 같아지고, 계절 변화도 생기지 않습니다.

19 지구 자전축이 기울어진 채 태양 주위를 공전하기 때문에 계절 변화가 생깁니다.

20 지구가 ㉠ 위치에 있을 때 북반구는 겨울로, 태양의 남중 고도가 낮고 낮의 길이가 짧으며 기온이 낮습니다.

3. 연소와 소화

개념 확인하기

개념 확인하기				28쪽
1 ㉠	2 ㉠	3 ㉠	4 ㉠	5 ㉠

개념 확인하기				29쪽
1 ㉡	2 ㉠	3 ㉠	4 ㉡	5 ㉡

실력 평가				30~31쪽
1 ㉡, ㉢	2 ④	3 민지	4 ②, ④	5 산소
6 ②	7 ②	8 발화점	9 ②	10 ④, ⑤

1 초가 탈 때는 초가 녹아 촛농이 흘러내리고, 흘러내린 촛농이 굳어 고체가 됩니다. 불꽃의 색깔은 노란색, 붉은색 등 다양합니다.

2 초와 알코올 모두 탈 때 불꽃의 위치에 따라 밝기가 다릅니다.

3 형광등은 물질이 탈 때 나타나는 현상을 이용한 예가 아닙니다.

> **더 알아보기**
>
> **물질이 탈 때 발생하는 빛이나 열을 이용하는 예**
> • 주로 빛을 이용한 예
>
>
>
> ◎ 케이크 위의 촛불　◎ 강물 위에 뜬 유등
> • 주로 열을 이용한 예
>
> ◎ 가스레인지의 불꽃　◎ 벽난로의 장작불

4 실험에서 다르게 한 조건은 아크릴 통의 크기이며, 큰 아크릴 통(㉡)보다 작은 아크릴 통(㉠) 안에 공기(산소)가 더 적게 들어 있기 때문에 작은 아크릴 통 안의 촛불이 먼저 꺼집니다.

5 초가 타면서 산소를 사용하기 때문에 초가 타고 난 후의 산소 비율이 초가 타기 전보다 줄어듭니다.

6 성냥 머리 부분이 불이 붙는 온도(발화점)가 낮기 때문에 성냥 머리 부분에 먼저 불이 붙습니다.

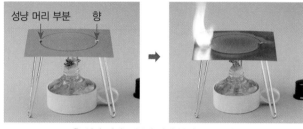

성냥 머리 부분　향

◎ 성냥 머리 부분에 먼저 불이 붙는 모습

7 성냥 머리 부분이 향보다 불이 붙는 온도(발화점)가 낮습니다.

8 어떤 물질이 불에 직접 닿지 않아도 스스로 타기 시작하는 온도를 발화점이라고 합니다. 발화점은 물질의 종류에 따라 다릅니다.

9 부싯돌에 철을 마찰하여 태우는 것과 볼록 렌즈로 햇빛을 모아 태우는 것은 불을 직접 붙이지 않고 물질을 태우는 방법입니다.

> **왜 틀렸을까?**
>
> ㉠ 점화기로 불을 붙이는 것과 ㉡ 성냥불로 불을 붙이는 것은 직접 불을 붙이는 경우입니다.

10 탈 물질, 산소, 발화점 이상의 온도가 모두 있어야 연소가 일어납니다. 또한, 물질에 불을 직접 붙이지 않아도 발화점 이상의 온도가 되면 연소가 일어나며, 발화점은 물질마다 다릅니다.

개념 확인하기				32쪽
1 ㉠	2 ㉠	3 ㉠	4 ㉡	5 ㉡

개념 확인하기				33쪽
1 ㉠	2 ㉠	3 ㉠	4 ㉠	5 ㉡

1 ②   **2** ㉠ ⑩ 붉은 ㉡ 물   **3** 준재   **4** ⑤
5 ②   **6** ③   **7** ㉢   **8** ⑤   **9** ④
10 ㉡, ㉠, ㉣, ㉢

1 푸른색 염화 코발트 종이는 공기 중의 수분을 만나면 붉은색으로 변합니다.

2 초가 연소한 후 푸른색 염화 코발트 종이의 색깔이 붉은색으로 변한 것을 통해 초가 연소한 후 물이 생성되는 것을 알 수 있습니다.

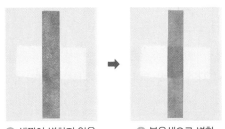

△ 색깔이 변하지 않음.   △ 붉은색으로 변함.

3 초가 연소한 아크릴 통에 석회수를 붓고 살짝 흔들면 석회수가 뿌옇게 흐려집니다.

4 석회수는 이산화 탄소를 만나면 뿌옇게 흐려지는 성질이 있으므로 초가 연소한 후 이산화 탄소가 생성된다는 것을 알 수 있습니다.

석회수

△ 석회수가 뿌옇게 흐려짐.

5 알코올이 연소한 후 물과 이산화 탄소가 생성됩니다.

6 촛불을 입으로 불어 끄는 것과 초의 심지를 핀셋으로 집어 불을 끄는 것은 탈 물질을 제거해 불을 끄는 방법입니다.

> **왜 틀렸을까?**
> ㉡ 촛불에 물을 뿌려 불을 끄는 것은 발화점 미만으로 온도를 낮추어 불을 끄는 방법입니다.
> ㉢ 촛불을 컵으로 덮어 불을 끄는 것은 산소 공급을 막아 불을 끄는 방법입니다.

7 알코올램프의 뚜껑을 덮어 불을 끄는 것과 소화제를 뿌려 불을 끄는 것은 산소 공급을 막아 불을 끄는 방법입니다.

8 소화전을 이용해 물을 뿌리면 온도가 발화점 미만으로 낮아지기 때문에 불이 꺼집니다.

9 한 가지 이상의 연소 조건을 없애 불을 끄는 것을 소화라고 합니다.

10 불이 난 곳으로 소화기를 옮긴 후 안전핀을 뽑습니다. 그 다음 바람을 등지고 서서 호스의 끝부분을 잡고 불이 난 방향을 향해 손잡이를 힘껏 움켜쥐고 불을 끕니다.

1 (1) ⑩ 길쭉하다.
   (2) ⑩ 점점 따뜻해진다.
   (3) ⑩ 불을 붙이기 전보다 불을 끈 후에 무게가 더 줄어든다.
2 (1) ⑩ 붉게 변한다.
   (2) ⑩ 초가 연소한 후 물이 생긴다.
3 ⑩ 탈 물질이 없어지기 때문이다.

1 초와 알코올이 탈 때는 모두 불꽃의 모양이 위아래로 길쭉하며, 불꽃에 손을 가까이하면 손이 따뜻해집니다. 또한 시간이 지날수록 초의 길이가 줄어들고, 알코올의 양이 줄어듭니다.

채점 기준		
(1)	'길쭉하다.'를 정확히 씀.	2점
(2)	'점점 따뜻해진다.'를 정확히 씀.	4점
(3)	**정답 키워드** 불을 끈 후 ︱ 줄어든다 '불을 붙이기 전보다 불을 끈 후에 무게가 더 줄어든다.' 등의 내용을 정확히 씀.	6점
	초와 알코올에 불을 붙이기 전과 불을 끈 후 무게 변화를 비교하여 썼지만, 표현이 부족함.	3점

2 초가 연소한 후에는 물이 생기는데, 이것은 푸른색 염화 코발트 종이가 물에 닿으면 붉게 변하는 성질을 통해 확인할 수 있습니다.

채점 기준		
(1)	'붉게 변한다.'를 정확히 씀.	4점
(2)	**정답 키워드** 연소 후 ︱ 물 '초가 연소한 후 물이 생긴다.' 등의 내용을 정확히 씀.	8점
	초가 연소한 후 생기는 물질과 관련하여 염화 코발트 종이의 변화를 통해 알 수 있는 점을 썼지만, 표현이 부족함.	4점

3 가스레인지의 연료 조절 밸브를 잠그면 탈 물질인 가스의 공급이 차단되어 불이 꺼집니다.

채점 기준		
	정답 키워드 탈 물질 ︱ 없어지다 '탈 물질이 없어지기 때문이다.' 등의 내용을 정확히 씀.	8점
	연료 조절 밸브를 잠갔을 때 불이 꺼지는 까닭을 연소의 조건과 관련지어 썼지만, 정확하지 않은 부분이 있음.	4점

온라인 학습 단원평가의 **정답**과 함께 **문항 분석**도 확인하세요.

단원평가 37~39쪽

문항 번호	정답	평가 내용	난이도
1	④	초가 탈 때 나타나는 현상 알기	보통
2	③	알코올이 탈 때 나타나는 현상 알기	보통
3	③	물질이 탈 때 나타나는 공통적인 현상 알기	보통
4	④	물질이 타면서 발생하는 빛과 열을 이용하는 예 알기	보통
5	⑤	물질이 탈 때 필요한 것 알기	쉬움
6	②	연소의 뜻 알기	쉬움
7	②	물질이 탈 때 산소가 필요한 것 알기	보통
8	③	초가 탈 때 필요한 기체 알아보기 실험의 조건 알기	보통
9	①	초가 탈 때 필요한 기체 알아보기 실험의 결과 알기	쉬움
10	④	연소의 조건 중 발화점 이상의 온도 알기	어려움
11	②	불을 직접 붙이지 않고 물질 태워 보기	보통
12	⑤	발화점의 특징 알기	보통
13	④	연소의 조건 알기	쉬움
14	②	푸른색 염화 코발트 종이의 특징 알기	보통
15	④	푸른색 염화 코발트 종이의 색깔 변화 알기	보통
16	⑤	이산화 탄소의 성질 알기	쉬움
17	⑤	연소의 조건 중 한 가지를 없애 불을 끄는 방법 알기	어려움
18	①	탈 물질을 없애 불을 끄는 방법 알기	어려움
19	③	다양한 연소 물질에 따른 소화 방법 알기	어려움
20	③	화재가 발생했을 때 대처 방법 알기	쉬움

1 초가 탈 때 불꽃의 색깔은 노란색, 붉은색 등 다양합니다.

2 알코올이 탈 때 시간이 지날수록 알코올의 양이 줄어듭니다.

3 물질이 탈 때는 공통적으로 빛과 열이 발생하며 물질의 양이 변하기도 합니다.

4 스탠드를 켜서 책상을 밝히는 것은 물질을 태우는 것이 아니라 전기를 이용하는 것입니다.

5 크기가 큰 초일수록 오래 탑니다.

6 물질이 산소와 빠르게 반응하여 빛과 열을 내는 현상을 연소라고 하며, 연소의 조건 중 한 가지 이상의 조건을 없애 불을 끄는 것을 소화라고 합니다.

7 촛불을 아크릴 통으로 덮으면 산소가 공급되지 않기 때문에 시간이 지나면서 촛불이 작아지다가 꺼집니다.

8 실험에서 아크릴 통의 크기를 제외한 나머지 조건은 모두 같게 해야 합니다.

9 공기가 더 적게 들어 있는 작은 아크릴 통 안의 촛불이 먼저 꺼집니다.

10 온도가 발화점 이상이 되면 성냥 머리 부분에 불이 붙습니다.

11 성냥 머리 부분이 향보다 불이 붙는 온도(발화점)가 낮기 때문에 성냥 머리 부분에 먼저 불이 붙습니다.

12 발화점은 물질의 종류에 따라 다르며, 물질이 타려면 발화점 이상의 온도가 필요합니다.

13 물질이 연소할 때는 탈 물질, 산소, 발화점 이상의 온도가 필요합니다.

14 푸른색 염화 코발트 종이는 물을 만나면 붉은색으로 변하고, 석회수는 이산화 탄소와 만나면 뿌옇게 변합니다.

15 초가 연소한 후 물이 생성되기 때문에 푸른색 염화 코발트 종이가 붉은색으로 변합니다.

16 석회수는 이산화 탄소와 만나면 뿌옇게 흐려집니다.

17 촛불을 입으로 불면 탈 물질이 날아가서 불이 꺼집니다.

18 핀셋으로 향초의 심지를 집으면 탈 물질이 없어지기 때문에 불이 꺼집니다.

19 기름이나 전기, 가스에 의한 화재는 물을 사용하면 불이 더 크게 번지거나 감전될 수 있어 위험합니다.

20 화재 발생 시 아래층으로 대피할 수 없을 때는 옥상으로 대피합니다.

4. 우리 몸의 구조와 기능

개념 확인하기 40쪽

1 ㉡ 2 ㉠ 3 ㉠ 4 ㉠ 5 ㉡

개념 확인하기 41쪽

1 ㉠ 2 ㉡ 3 ㉠ 4 ㉡ 5 ㉡

실력 평가 42~43쪽

1 ③, ⑤ 2 ⑤ 3 ㉡ 4 (1) ㉠ (2) ㉢
5 ③ 6 ④ 7 ㉡ 8 은수 9 ④
10 ③

1 우리 몸속 기관 중 움직임에 관여하는 뼈와 근육을 운동 기관이라고 합니다.

2 근육은 길이가 줄어들거나 늘어나면서 뼈를 움직이게 합니다.

3 음식물 찌꺼기의 수분을 흡수하는 기관은 큰창자이고, 항문은 소화되지 않은 음식물 찌꺼기를 배출하는 기관입니다.

4 ㉠은 식도, ㉡은 위, ㉢은 큰창자, ㉣은 작은창자, ㉤은 항문입니다.

5 ㉢은 기관지로, 나뭇가지처럼 생겼고 공기가 이동하는 통로입니다.

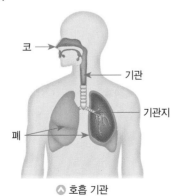

코
기관
기관지
폐

△ 호흡 기관

6 숨을 내쉴 때 공기의 이동 순서는 폐 → 기관지 → 기관 → 코입니다.

7 심장이 빨리 뛰면 혈액의 이동량이 많아집니다.

8 혈관은 온몸에 복잡하게 퍼져 있고, 굵기가 굵은 것부터 매우 가는 것까지 여러 가지입니다.

9 ㉠은 콩팥으로, 등허리 쪽에 두 개가 있으며 혈액에 있는 노폐물을 걸러 냅니다.

> **더 알아보기**
>
> **콩팥**
> 콩팥은 강낭콩 모양의 기관으로, 등허리에 위치합니다. 콩팥의 기능이 심하게 약해지면 생명을 유지하기 어려우나, 두 개 중에서 한 개라도 제대로 기능을 하면 생명 유지가 가능합니다. 혈액은 혈관을 통해 콩팥으로 들어가 노폐물이 걸러진 다음, 다른 혈관을 통해 나옵니다.

10 실험의 거름망은 우리 몸의 콩팥에 해당합니다. 콩팥에서 혈액 속의 노폐물을 거릅니다.

개념 확인하기 44쪽

1 ㉠ 2 ㉢ 3 ㉡ 4 ㉡ 5 ㉠

개념 확인하기 45쪽

1 ㉣ 2 ㉡ 3 ㉡ 4 ㉠ 5 ㉡

실력 평가 46~47쪽

1 ⑩ 자극 2 ④ 3 ㉠ 4 ㉡, ㉣, ㉢, ㉤
5 (1) ㉠, ㉢ (2) ㉡ 6 혜정 7 ①, ③ 8 ④
9 ㉢ 10 ⑤

1 주변으로부터 전달된 자극을 느끼고 받아들이는 기관을 감각 기관이라고 합니다.

2 강아지 털이 부드럽다고 느낀 것은 피부로 느낀 감각입니다.

> **더 알아보기**
>
> 감각 기관의 종류
>
>
>
> 귀   눈
> 코
> 혀   피부
>
> • 눈: 사물을 봅니다.
> • 코: 냄새를 맡습니다.
> • 귀: 소리를 듣습니다.
> • 혀: 맛을 느낍니다.
> • 피부: 차가움, 뜨거움, 아픔, 촉감 등을 느낍니다.

3 행동을 결정하고, 명령을 내리는 뇌도 신경계의 일부 입니다.

4 감각 기관 → 자극을 전달하는 신경 → 뇌(행동을 결정 하는 신경) → 명령을 전달하는 신경 → 운동 기관의 순으로 자극이 전달되어 반응합니다.

5 무척 더운 것(피부)과 얼음이 담긴 음료수를 본 것(눈)은 감각 기관으로 받아들인 자극이고, 음료수를 마신 것은 자극에 대한 반응입니다.

6 야구 방망이로 날아오는 공을 치는 행동은 자극에 대한 반응입니다.

7 운동할 때 우리 몸에서 에너지를 많이 내면서 열이 많이 나기 때문에 체온이 올라가고, 산소와 영양소를 많이 이용하므로 심장이 빨리 뛰고 호흡도 빨라집니다.

8 운동할 때 평소보다 더 많은 영양소와 산소가 필요합니다.

9 운동하면 체온이 올라가고 맥박이 빨라지며, 운동하고 휴식을 취하면 운동하기 전과 비슷해집니다.

> **왜 틀렸을까?**
>
> ㉠, ㉡ 운동 직후에는 평상시보다 체온이 올라가고 맥박은 빨라 집니다.

10 몸에 불필요한 이산화 탄소는 순환 기관을 통해 호흡 기관으로 전달된 다음 몸 밖으로 내보내집니다. 노폐물은 순환 기관을 통해 배설 기관으로 전달되어 몸 밖으로 내보내집니다.

> **왜 틀렸을까?**
>
> ①, ② 노폐물은 배설 기관을 통해 몸 밖으로 배출됩니다.
> ③, ④ 이산화 탄소는 순환 기관을 통해 호흡 기관으로 전달됩니다.

> **서술형·논술형 평가** 48쪽
>
> **1** (1) ㉠ 머리뼈 ㉡ 갈비뼈
> (2) 예 우리 몸의 형태를 만들어 주고, 몸을 지지하며, 몸의 내부 기관을 보호한다.
> **2** (1) ㉠ 콩팥 ㉡ 방광
> (2) 예 콩팥에서 걸러 낸 노폐물을 모아 두었다가 몸 밖으로 내보낸다.
> **3** 예 운동을 할 때는 평소보다 더 많은 산소와 영양소를 이용 하므로 심장이 빨리 뛰기 때문이다.

1 뼈는 내부 기관을 보호하고, 근육은 뼈에 연결되어 있어 몸을 움직일 수 있도록 합니다. 우리 몸의 뼈의 생김새는 다양합니다.

채점 기준		
(1)	㉠ '머리뼈', ㉡ '갈비뼈'를 모두 정확히 씀.	2점
	㉠과 ㉡ 중 한 가지만 정확히 씀.	1점
(2)	**정답 키워드** 형태 | 지지 | 내부 기관 | 보호 등 '우리 몸의 형태를 만들어 주고, 몸을 지지하며, 몸의 내부 기관을 보호한다.'와 같이 내용을 정확히 씀.	4점
	뼈가 하는 일을 썼지만, 표현이 부족함.	2점

2 ㉠은 콩팥이고, ㉡은 방광입니다. 방광은 콩팥에서 걸러 낸 노폐물을 모아 두었다가 몸 밖으로 내보내는 일을 합니다.

채점 기준		
(1)	㉠ '콩팥', ㉡ '방광'을 모두 정확히 씀.	4점
	㉠과 ㉡ 중 한 가지만 정확히 씀.	2점
(2)	**정답 키워드** 노폐물 | 몸 밖 등 '콩팥에서 걸러 낸 노폐물을 모아 두었다가 몸 밖으로 내보낸다.'와 같이 내용을 정확히 씀.	8점
	방광이 하는 일을 썼지만, 표현이 부족함.	4점

3 운동을 할 때는 평소보다 더 많은 산소와 영양소가 필요 하므로 맥박과 호흡이 빨라집니다. 또한 운동을 하면 몸에서 에너지를 많이 내면서 열이 많이 나기 때문에 체온이 올라가고 땀이 나기도 합니다.

채점 기준	
정답 키워드 더 많은 산소와 영양소 | 심장이 빨리 뛴다 등 '운동을 할 때는 평소보다 더 많은 산소와 영양소를 이용 하므로 심장이 빨리 뛰기 때문이다.'와 같이 내용을 정확히 씀.	8점
운동할 때 맥박과 호흡이 빨라지는 까닭을 썼지만, 표현이 부족함.	4점

온라인 학습 단원평가의 **정답**과 함께 **문항 분석**도 확인하세요.

단원평가

49~51쪽

문항 번호	정답	평가 내용	난이도
1	②	뼈와 근육이 어떤 기관인지 알기	보통
2	③	척추뼈의 생김새 알기	보통
3	④	뼈가 하는 일 알기	쉬움
4	②	음식물이 소화되는 과정 알기	보통
5	②	소화 기관의 특징 알기	보통
6	②	소화를 도와주는 기관 알기	쉬움
7	②	호흡의 뜻 알기	쉬움
8	④	호흡 기관의 종류 알기	쉬움
9	①	들이마신 공기가 도달하는 기관 알기	보통
10	③	호흡할 때 폐의 크기과 가슴둘레의 변화 알기	어려움
11	③	순환 기관 관련 실험의 붉은 색소 물이 나타내는 것 알기	보통
12	②	순환 기관 관련 실험의 결과 알기	어려움
13	②	혈액이 이동하는 통로 알기	보통
14	⑤	배설 기관의 생김새 알기	쉬움
15	④	콩팥의 특징 알기	보통
16	③	오줌이 몸 밖으로 이동하는 통로 알기	보통
17	⑤	감각 기관이 하는 일 구분하기	쉬움
18	④	뇌의 명령을 운동 기관으로 전달하는 신경 알기	보통
19	⑤	운동할 때 체온이 올라가는 까닭 알기	어려움
20	⑤	몸을 움직일 때 각 기관이 하는 일 알기	어려움

온라인 학습북 48~51쪽

1 움직임에 관여하는 뼈와 근육은 운동 기관입니다.

2 척추뼈는 짧은 뼈 여러 개가 세로로 이어져서 기둥을 이룹니다.

3 뼈는 우리 몸의 형태를 만들고 몸을 지탱하며 심장, 폐, 뇌 등 몸속 기관을 보호합니다. 오줌을 만드는 것은 배설 기관, 음식물을 소화시키는 것은 소화 기관, 숨을 쉬는 일을 하는 것은 호흡 기관, 혈액을 온몸으로 순환 시키는 것은 순환 기관입니다.

4 음식물이 소화되는 과정은 입 → 식도(㉠) → 위(㉡) → 작은창자(㉣) → 큰창자(㉢) → 항문(㉤)입니다.

5 음식물 찌꺼기의 수분을 흡수하는 곳은 큰창자입니다. 항문은 음식물 찌꺼기를 배출하는 곳입니다.

6 간, 쓸개, 이자는 소화를 도와주는 기관입니다.

7 호흡은 숨을 들이마시고 내쉬는 활동입니다.

8 호흡에 관여하는 기관은 코, 기관, 기관지, 폐 등입니다.

9 숨을 들이마실 때 코로 들어온 공기는 기관, 기관지를 거쳐 폐에 도달합니다.

10 숨을 들이마실 때 폐의 크기와 가슴둘레는 커지고, 숨을 내쉴 때 폐의 크기와 가슴둘레는 작아집니다.

11 붉은 색소 물은 우리 몸의 혈액을 나타냅니다. 주입기의 펌프를 누르면 붉은 색소 물은 관을 따라 이동합니다.

12 주입기의 펌프를 빠르게 누르면 붉은 색소 물의 이동량이 많아지고, 이동 빠르기가 빨라집니다.

13 혈액은 혈관을 통해 온몸으로 이동합니다.

14 콩팥과 방광은 배설 기관입니다.

15 콩팥은 등허리에 좌우 한 쌍이 있고, 혈액 속의 노폐물을 걸러 오줌으로 만듭니다.

16 오줌이 몸 밖으로 이동하는 통로는 요도입니다.

17 피부는 몸 표면을 감싸며 뜨거움, 차가움, 아픔, 촉감 등을 느낍니다.

18 뇌의 명령은 명령을 전달하는 신경을 통해 운동 기관으로 전달됩니다.

19 운동을 하면 몸에서 에너지를 많이 내면서 열이 많이 나기 때문에 체온이 올라갑니다.

20 순환 기관은 영양소와 산소를 온몸에 전달하고, 이산화 탄소와 노폐물을 각각 호흡 기관과 배설 기관으로 전달 합니다.

5. 에너지와 생활

개념 확인하기 52쪽

1 ㉣ **2** ㉠ **3** ㉡ **4** ㉡ **5** ㉠

개념 확인하기 53쪽

1 ㉠ **2** ㉡ **3** ㉡ **4** ㉠ **5** ㉡

실력 평가 54~55쪽

1 ④ **2** (1) ㉡ (2) ㉢ (3) ㉠ **3** ②
4 화학 에너지 **5** ㉠, ㉡ **6** (1) ㉢ (2) ㉡ (3) ㉠
7 ② **8** ㉢ **9** 발광 다이오드[LED]등 **10** ⑤

1 생물이 살아가거나 기계가 움직이려면 에너지가 필요하며, 에너지는 우리 눈에 보이지 않습니다.

2 식물은 햇빛을 받아 광합성을 하여 스스로 양분을 만들어 에너지를 얻고, 동물은 다른 생물을 먹고 그 양분으로 에너지를 얻습니다. 자동차와 같은 기계는 전기나 가스, 기름 등에서 에너지를 얻습니다.

3 주위를 밝게 비출 수 있는 에너지는 빛에너지입니다.

4 음식물, 석유, 석탄, 나무, 건전지 등이 가진 에너지는 화학 에너지입니다.

5 위치 에너지는 높은 곳에 있는 물체가 가지고 있는 에너지입니다.

6 1구간에서는 전기 에너지가 운동 에너지와 위치 에너지로 전환되고, 2구간에서는 위치 에너지가 운동 에너지로 전환되며, 3구간에서는 운동 에너지가 위치 에너지로 전환됩니다.

7 태양 전지는 태양의 빛에너지를 전기 에너지로 전환합니다.

8 우리는 태양에서 온 에너지를 여러 가지 형태로 전환해 생활에 이용하고 있습니다.

9 발광 다이오드[LED]등이 형광등보다 에너지 효율이 높습니다.

10 에너지 소비 효율 등급이 1등급에 가까운 제품일수록 에너지 효율이 높은 제품입니다.

서술형·논술형 평가 56쪽

1 (1) 운동
　(2) ⑩ 빛에너지
　(3) ⑩ 높은 곳에 있는 물체가 가진 에너지
2 (1) ⑩ 전기 에너지, 열에너지 등
　(2) ⑩ 어두운 곳을 밝게 비춰 주는 역할을 한다
3 (1) 겨울눈
　(2) ⑩ 겨울눈의 비늘은 추운 겨울에 어린싹이 열에너지를 빼앗겨 어는 것을 막아 준다.

1 움직이는 물체가 가진 에너지는 운동 에너지이고, 놀이터에 비치는 햇빛은 빛에너지의 형태입니다. 높은 곳에 있는 물체일수록 위치 에너지를 많이 가지고 있습니다.

채점 기준		
(1)	'운동'을 정확히 씀.	2점
(2)	'빛에너지'를 정확히 씀.	2점
(3)	**정답 키워드** 높은 곳 | 에너지 등 '높은 곳에 있는 물체가 가진 에너지'와 같은 내용을 정확히 씀.	6점
	위치 에너지에 대한 설명을 썼지만, 표현이 부족함.	3점

2 가로등은 전기 에너지, 열에너지, 빛에너지 등을 가지고 있으며, 빛에너지는 주위를 밝게 비추는 에너지입니다.

채점 기준		
(1)	'전기 에너지', '열에너지' 등과 같이 두 가지 에너지를 모두 정확히 씀.	4점
	'전기 에너지', '열에너지' 중 한 가지만 정확히 씀.	2점
(2)	**정답 키워드** 어두운 곳 | 비추다 등 '어두운 곳을 밝게 비춰 주는 역할을 한다'와 같이 내용을 정확히 씀.	8점
	가로등이 가지고 있는 빛에너지의 역할을 썼지만, 표현이 부족함.	4점

3 겨울눈은 여러 겹의 비늘 껍질과 따뜻한 털로 추운 겨울에 열에너지가 빠져나오는 것을 줄여 주어 어린싹이 얼지 않도록 합니다.

채점 기준		
(1)	'겨울눈'을 정확히 씀.	4점
(2)	**정답 키워드** 비늘 | 어린싹 | 열에너지 등 '겨울눈의 비늘은 추운 겨울에 어린싹이 열에너지를 빼앗겨 어는 것을 막아 준다.'와 같이 내용을 정확히 씀.	8점
	겨울눈의 역할을 썼지만, 표현이 부족함.	4점

온라인 학습 단원평가의 **정답**과 함께 **문항 분석**도 확인하세요.

온라인 학습북 52~59쪽

단원평가

57~59쪽

문항 번호	정답	평가 내용	난이도
1	⑤	생물이 살아가거나 기계가 작동할 때 필요한 것 알기	쉬움
2	①	생물이 에너지를 얻는 방법 구분하기	보통
3	⑤	태양에서 온 에너지 형태의 전환 알기	보통
4	①	사람에게 에너지가 없을 때 일어날 수 있는 일 알기	쉬움
5	⑤	화학 에너지의 특징 알기	보통
6	③	움직이는 물체가 가지고 있는 에너지 알기	쉬움
7	④	높이 날고 있는 새가 가지고 있는 에너지 형태 알기	보통
8	④	빛에너지와 관련 있는 물체 알기	쉬움
9	④	전기 기구를 작동하게 하는 에너지 형태 알기	쉬움
10	④	집에서 사용하고 있는 에너지 형태 알기	어려움
11	③	물체의 에너지 형태 구분하기	보통
12	③	롤러코스터의 각 구간의 에너지 전환 과정 알기	어려움
13	④	롤러코스터의 각 구간의 에너지 전환 과정 알기	어려움
14	⑤	전기 에너지를 열에너지로 전환하는 물체 알기	보통
15	④	폭포에서 나타나는 에너지 전환 과정 알기	보통
16	④	폭포와 같은 에너지 전환이 일어나는 예 알기	보통
17	②	태양광 로봇이 움직이기까지의 에너지 전환 과정 알기	어려움
18	①	생물이 에너지를 효율적으로 이용하는 방법 알기	보통
19	②	백열등과 발광 다이오드[LED]등 비교하기	보통
20	④	에너지를 효율적으로 활용할 수 있는 방법 알기	쉬움

1 생물이 살아가거나 기계가 움직이려면 에너지가 필요합니다.

2 토마토, 귤나무, 벼는 빛을 이용하여 스스로 양분을 만들어 에너지를 얻습니다.

3 동물의 먹이가 가진 화학 에너지는 태양의 빛에너지로부터 얻은 것입니다.

4 사람에게 에너지가 없으면 힘이 빠지고, 키가 크거나 성장할 수 없으며 살아갈 수 없습니다.

5 화학 에너지는 물질 안에 저장되어 있는 에너지입니다.

6 높은 곳에 있는 물체가 가지고 있는 에너지는 위치 에너지입니다.

7 날고 있는 새는 위치 에너지와 운동 에너지를 가지고 있습니다.

8 빛에너지는 주위를 밝게 비출 수 있는 에너지입니다.

9 전기 기구를 작동하게 하는 에너지는 전기 에너지입니다.

10 전기 에너지를 사용하여 휴대 전화를 충전합니다.

11 달리는 자전거는 운동 에너지를 가지고 있고, 높이 올라간 그네는 위치 에너지를 가지고 있습니다.

12 ㉠ 구간에서 처음 열차를 위로 끌어 올릴 때에는 전기 에너지가 운동 에너지와 위치 에너지로 전환됩니다.

13 열차가 위에서 아래로 내려올 때(㉡ 구간)에는 위치 에너지가 운동 에너지로 전환되고, 열차가 아래에서 위로 올라갈 때(㉢ 구간)에는 운동 에너지가 위치 에너지로 전환됩니다.

14 전기다리미는 전기 에너지를 열에너지로 전환해 옷의 주름을 폅니다.

15 폭포의 물은 높은 곳에서 낮은 곳으로 떨어지므로 위치 에너지가 운동 에너지로 전환됩니다.

16 언덕에서 내려오는 눈썰매의 위치 에너지가 운동 에너지로 전환됩니다.

17 태양 전지는 태양의 빛에너지를 전기 에너지로 전환하고, 전동기는 전기 에너지를 운동 에너지로 전환하여 태양광 로봇이 움직입니다.

18 겨울을 준비하기 위해 나무는 잎을 떨어뜨립니다.

19 발광 다이오드[LED]등이 백열등보다 에너지 효율이 더 높습니다.

20 창문을 열고 에어컨을 사용하면 에너지가 낭비됩니다.

온라인 학습 단원평가의 **정답**과 함께 **문항 분석**도 확인하세요.

단원평가 전체 범위

60~63쪽

문항 번호	정답	평가 내용	난이도
1	③	여러 가지 전기 부품의 쓰임새 알기	보통
2	②	전구의 연결 방법 알기	보통
3	④	전구의 연결 방법에 따른 전구의 밝기와 전지의 수명 알기	어려움
4	③	전자석을 만드는 방법 알기	쉬움
5	③	태양 고도의 뜻 알기	쉬움
6	⑤	태양의 남중 고도의 특징 알기	보통
7	③	태양 고도와 그림자 길이의 관계 알기	보통
8	③	월별 낮의 길이 알기	보통
9	③	지구 자전축의 기울기에 따른 태양의 남중 고도 알기	어려움
10	②	물질이 탈 때 나타나는 현상 알기	쉬움
11	②	발화점의 뜻과 특징 알기	어려움
12	⑤	물질이 연소한 후 생기는 것 알기	어려움
13	①	불을 끄는 방법 알기	보통
14	②	운동 기관의 종류와 기능 알기	쉬움
15	②	호흡할 때 몸속에서의 공기 이동 과정 알기	보통
16	⑤	순환 기관의 특징 알기	보통
17	③	배설 기관의 생김새와 역할 알기	보통
18	①	여러 가지 형태의 에너지 알기	쉬움
19	③	에너지 형태가 바뀌는 예 알기	보통
20	④	식물이나 동물이 에너지를 효율적으로 이용하는 예 알기	쉬움

1 스위치는 전기 회로에서 전기가 흐르는 길을 끊거나 연결하는 역할을 합니다.

2 전구의 병렬연결에서는 한 전구의 불이 꺼져도 나머지 전구의 불은 꺼지지 않습니다.

3 전기 회로에서 사용하는 전구의 수가 같을 때 전구를 직렬연결하면 전구를 병렬연결할 때보다 전지를 더 오래 사용할 수 있습니다.

4 나침반은 전자석을 만든 후에 전자석의 극을 알아볼 때 필요한 것입니다.

5 태양이 지표면과 이루는 각을 태양 고도라고 합니다.

6 태양이 정남쪽에 위치했을 때를 태양이 남중했다고 하고, 이 때 태양의 고도를 태양의 남중 고도라고 합니다.

7 12시 30분경에 태양 고도는 가장 높고, 그림자 길이는 가장 짧습니다.

8 낮의 길이는 6~7월에 가장 길고, 12~1월에 가장 짧습니다.

9 지구본의 자전축을 기울이지 않은 채 공전시키면 태양의 남중 고도는 변하지 않습니다.

10 물질이 탈 때는 공통적으로 빛과 열이 발생합니다.

11 물질마다 타기 시작하는 온도(발화점)는 다르며, 발화점에 도달하면 직접 불을 붙이지 않아도 물질이 탈 수 있습니다.

12 석회수가 뿌옇게 흐려지는 것을 통해 물질이 연소하면 이산화 탄소가 생성된다는 것을 알 수 있습니다.

13 ③은 산소 공급을 막아서 불을 끄는 경우이고, ②, ④, ⑤는 탈 물질을 없애서 불을 끄는 경우입니다.

14 갈비뼈는 휘어있고, 여러 개이며, 좌우로 둥글게 연결되어 안쪽에 공간을 만듭니다.

15 숨을 들이마실 때 공기는 코, 기관, 기관지, 폐의 순서로 이동합니다.

16 심장에서 나온 혈액은 혈관을 통해 온몸을 순환합니다.

17 콩팥은 강낭콩 모양이며, 혈액 속의 노폐물을 걸러 오줌을 만듭니다.

18 주위를 밝게 비출 수 있는 에너지는 빛에너지입니다.

19 열차가 내려올 때는 위치 에너지가 운동 에너지로 바뀌고, 열차가 위로 올라갈 때는 운동 에너지가 위치 에너지로 바뀝니다.

20 곰이나 박쥐, 다람쥐 등은 겨울에 먹이를 구하기 어려우므로 겨울잠을 자면서 에너지를 효율적으로 이용합니다.

영어 알파벳 중에서 가장 위대한 세 철자는
N, O, W
곧 지금(NOW)이다.

The three greatest English alphabets are N, O, W,
which means now.

월터 스콧

언젠가는 해야지, 언젠가는 달라질 거야!
'언젠가는'이라는 말에 자신의 미래를 맡기지 마세요.
해야 할 일, 하고 싶은 일은 지금 당장 실행에 옮기세요.
가장 중요한 건 과거도 미래도 아닌 바로 지금이니까요.

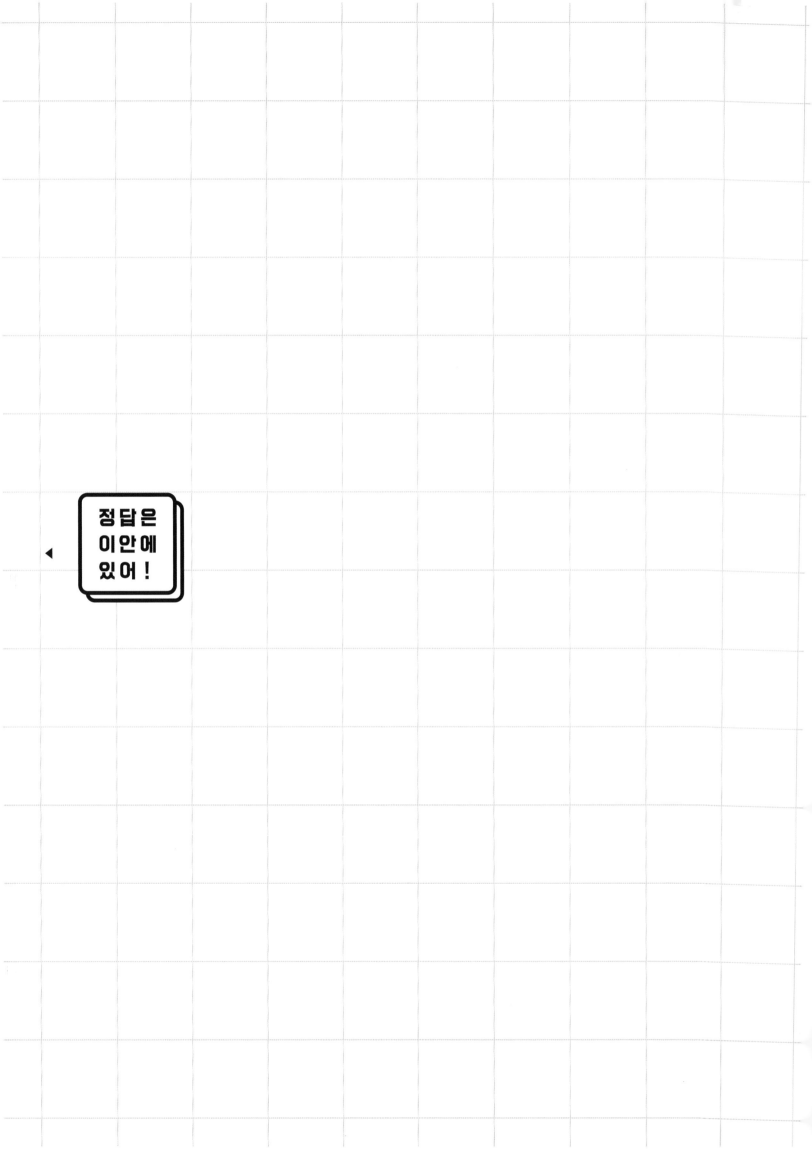

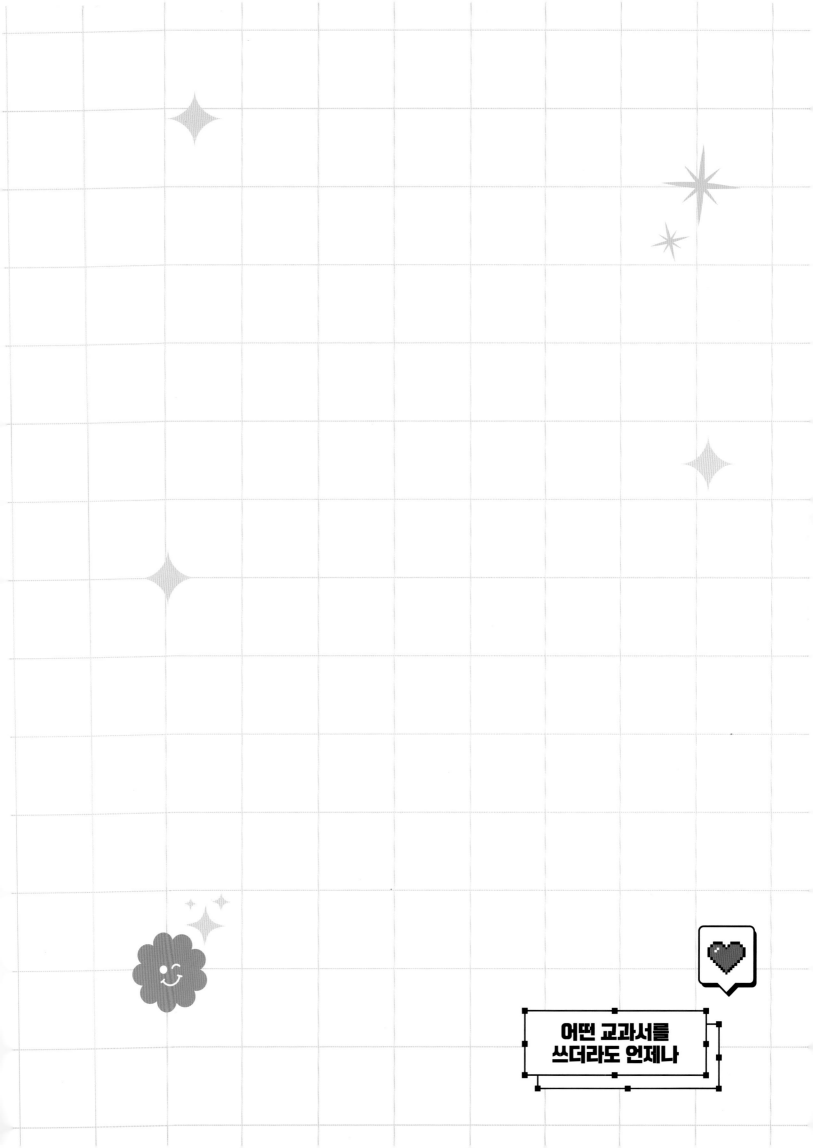

어떤 교과서를
쓰더라도 언제나

우리 아이만
알고 싶은
상위권의
시작

최고를
경험해 본 아이의 성취감은
학년이 오를수록
빛을 발합니다

완 성

최고수준

초등수학

5-2

* 1~6학년 / 학기 별 출시
동영상 강의 제공

반편성 배치고사란?

범위 6학년 전 범위

과목 국어, 수학, 사회, 과학, 영어 등 5개 과목

학교마다 시험 보는 과목이 달라요!

언제? 중학교 입학 전 처음 치르는 시험이에요!

왜 볼까? 학생의 실력을 파악하여 학급 편성의 기준으로 삼아요!

어떻게 준비할까요?

이대로 하면 시험 준비 완료! 어디 나의 실력을 한번 보여 줄까?

Step 1

핵심이 한눈에

1, 2학기 요점을 정리해요!

Step 2

기출문제

시험에 자주 출제되는 문제들만 쏙쏙 뽑았어요!

Step 3

적중 예상문제

시험에 꼭 나올 핵심 문제들로 빈틈 없이 꽉!

Step 4

틀린 문제 꼼꼼 확인

틀린 문제는 다시 한 번 확인하고 정리해요!

이 책의 **차례**

중학교 **신입생**을 위한
반편성 배치고사

핵심이 한눈에

정답과 풀이 2쪽

정답과 풀이 2쪽

1. 비유하는 표현

❋ 비유하는 표현의 뜻

① 비유하는 표현: 어떤 현상이나 사물을 비슷한 현상이나 사물에 빗대어 표현하는 것

② 비유하는 표현은 대상 하나를 다른 대상에 빗대어 표현하기 때문에 두 대상 사이에 공통점이 있습니다.

❋ 비유하는 표현 방법

표현 방법	뜻	표현한 예
은유법	'~은/는 ~이다'로 빗대어 표현하는 방법	봄비 내리는 소리는 교향악.
직유법	'~같이', '~처럼', '~듯이'와 같은 말을 써서 두 대상을 직접 견주어 표현하는 방법	친구는 호수처럼 마음이 깊다.

2. 이야기를 간추려요

❋ 이야기 속 사건의 흐름을 살펴보며 이야기를 읽으면 좋은 점

① 전체 내용을 쉽게 이해할 수 있습니다.

② 인물 사이의 갈등이 무엇인지 알 수 있습니다.

③ 사건의 연결 관계를 알 수 있습니다. → 서로 생각이나 처지 등이 달라서 맞부딪치는 것

④ 사건이 변해 가는 과정을 알 수 있습니다.

❋ 이야기 구조

발단	전개	절정	결말
이야기의 사건이 시작되는 부분	사건이 본격적으로 발생하고 갈등이 일어나는 부분	사건 속의 갈등이 커지면서 긴장감이 가장 높아지는 부분	사건이 해결되는 부분

❋ 이야기를 요약하는 방법

① 이야기 구조를 생각하며 각 부분에서 중요한 사건이 무엇인지 찾습니다.

② 이야기 흐름에서 중요하지 않은 내용은 삭제하거나 간단히 씁니다.

③ 중요한 사건이 일어난 원인과 그에 따른 결과를 찾습니다.

④ 여러 사건이 관련 있을 때에는 관련 있는 사건을 하나로 묶습니다.

확인 문제

1 어떤 현상이나 사물을 비슷한 현상이나 사물에 빗대어 표현하는 것을 무엇이라고 합니까?

(   )

2 비유하는 표현 방법 중에서 '~은/는 ~이다'로 빗대어 표현하는 방법은 (은유법 / 직유법)입니다.

3 비유하는 표현의 두 대상 사이에는 (다른 점 / 공통점)이 있어야 합니다.

4 이야기 구조 중 다음에서 설명하는 부분은 무엇입니까?

> 사건이 본격적으로 발생하고 갈등이 일어나는 부분

(   )

5 이야기를 요약할 때 이야기의 흐름에서 중요하지 않은 내용은 삭제하거나 간단히 씁니다.

(○ / ×)

핵심 + 기출 문제 **국어**

정답과 풀이 **2**쪽

3. 짜임새 있게 구성해요

❋ **공식적인 말하기** 상황의 특성 → 학급 회의에서 발표하기, 학급 임원 선거에서 소견 발표하기

① 여러 사람 앞에서 발표하는 상황이기 때문에 큰 소리로 또박또박 말해야 합니다.

② 높임 표현을 사용해야 합니다.

③ 듣는 사람이 이해하기 쉽게 자료를 활용하면 좋습니다.

④ 듣는 사람은 신중한 태도로 집중해서 들어야 합니다.

6 공식적인 말하기의 특성으로 알맞으면 ○표, 그렇지 않으면 ×표를 하시오.

> 친한 친구 몇 사람 앞에서 말하는 상황으로 친근하게 예사말로 말해야 한다.

(   )

❋ **다양한 자료의 특성**

자료의 종류	자료의 특성
표	• 여러 가지 자료의 수량을 비교하기 쉽습니다. • 많은 양의 자료를 간단하게 나타낼 수 있습니다.
사진	• 설명하는 대상의 정확한 모습을 보여 줄 수 있습니다. • 설명하는 대상을 한눈에 보여 줄 수 있습니다.
도표	• 수량의 변화 정도를 알 수 있습니다. • 정확한 수치를 나타낼 수 있습니다.
동영상	• 대상이 움직이는 모습을 생생하게 전달할 수 있습니다. • 음악이나 자막을 넣어 분위기를 잘 전달할 수 있습니다.

7 다음에서 설명하는 자료의 종류에 ○표 하시오.

> 수량의 변화 정도를 알수 있고, 정확한 수치를 나타낼 수 있다.

(사진 / 도표)

4. 주장과 근거를 판단해요

❋ **논설문의 특성** → 읽는 이를 설득하는 것을 목적으로 한 글

① 주장과 이를 뒷받침하는 근거로 이루어져 있습니다. → 어떤 문제를 놓고 글쓴이가 내세우는 생각

② 서론, 본론, 결론으로 짜여 있습니다.

서론	글을 쓴 문제 상황과 글쓴이의 주장을 밝힙니다.
본론	글쓴이의 주장에 적절한 근거를 제시합니다.
결론	글 내용을 요약하기도 하고 글쓴이의 주장을 다시 한번 강조할 수도 있습니다.

8 논설문에서 글을 쓰게 된 문제 상황과 글쓴이의 주장을 밝히는 부분은 (서론 / 본론 / 결론)입니다.

9 논설문의 내용이 타당한지 살펴볼 때에는 (   )가 주장을 뒷받침하는지 생각해 보아야 합니다.

❋ **근거의 타당성과 표현의 적절성을 판단하는 방법**

① 근거가 주장과 관련 있는지 살펴봅니다.

② 근거가 주장을 뒷받침하는지 살펴봅니다.

③ 주관적인 표현, 모호한 표현, 단정하는 표현을 쓰지 않았는지 살펴봅니다. → 낱말이나 문장이 나타내는 의미가 분명하지 않아 정확하게 해석할 수 없는 표현

10 논설문의 표현이 적절한지 판단할 때에는 모호한 표현을 쓰지 않았는지 살펴보아야 합니다.

(○ / ×)

정답과 풀이 2쪽

5. 속담을 활용해요

✽ 속담을 사용하는 까닭

속담의 뜻	예로부터 민간에 전해 오는 쉬운 격언이나 잠언으로, 우리 민족의 지혜와 해학, 교훈이 담겨 있는 말. →가르쳐서 훈계하는 말.
속담을 사용하면 좋은 점	• 듣는 사람이 흥미를 느낄 수 있습니다. • 조상의 지혜와 슬기를 알 수 있습니다. • 자신의 의견을 쉽고 효과적으로 드러낼 수 있습니다.

✽ 주제를 생각하며 글 읽기

① 글 속에 속담이 나온 상황을 살펴봅니다. →인물이 처한 상황도 함께 살펴보기

② 글 속에 속담과 함께 말한 내용을 확인합니다.

③ 사용된 속담과 비슷한 속담을 찾아보고 그 뜻을 짐작합니다.

④ 글의 교훈이나 주제가 무엇인지 떠올려 봅니다.

독장수가 독을 팔고 사며 부자가 될 것이라는 즐거운 상상을 하다가 독을 깨뜨림.	속담	독장수구구는 독만 깨뜨린다.	글의 주제	헛된 욕심은 손해를 가져온다.
	뜻	실속 없이 허황된 것을 궁리하고 미리 셈하는 것을 비유하는 말.		

6. 내용을 추론해요

✽ 추론하는 방법

① 자신이 평소에 아는 사실과 경험한 것을 떠올려 보고 무엇을 더 알 수 있는지 생각해 봅니다.

② 글에 쓰인 다의어나 동형어가 어떤 뜻인지 정확히 이해하려면 국어사전을 찾아봅니다. →여러 가지 뜻이 있는 낱말 →형태가 같지만 뜻이 다른 낱말

③ 이야기의 특정 부분을 바탕으로 하여 알 수 있는 내용과 더 추론할 수 있는 사실을 살펴봅니다.

④ 글 내용을 바탕으로 하여 친구들과 함께 질문을 만들고 서로 묻거나 답해 봅니다.

✽ 내용을 추론하며 글 읽기

① 글 내용과 관련해 이미 아는 사실에는 무엇이 있는지 정리해 봅니다.

② 글 내용과 관련한 경험이 있는지 떠올려 봅니다.

③ 글에서 다의어 또는 동형어로 예상되는 낱말을 찾아보고 국어사전에서 그 뜻을 확인해 봅니다.

④ 글을 읽고 새롭게 안 점은 무엇인지 정리합니다.

⑤ 글쓴이의 생각을 추론해 봅니다.

확인 문제

11 예로부터 민간에 전해 오는 쉬운 격언이나 잠언을 무엇이라고 합니까?

( )

12 속담을 사용하면 좋은 점으로 알맞으면 ○표, 알맞지 않으면 ×표를 하시오.

> 속담을 사용하여 글을 쓰면 자신의 의견을 효과적으로 드러낼 수 있다.

( )

13 속담을 활용한 글을 읽을 때에는 글 속에 속담이 나온 ( )을 살펴보고, 속담과 함께 말한 내용을 확인합니다.

14 글에 쓰인 다의어나 동형어의 뜻을 정확히 이해하려면 (인물 사전 / 국어사전)을 찾아봅니다.

15 내용을 추론하며 글을 읽는 방법으로 알맞으면 ○표, 알맞지 않으면 ×표를 하시오.

> 글을 읽고 글쓴이의 생각을 추론하려면 글 내용과 관련해 내가 이미 아는 사실은 생각하지 않아도 된다.

( )

정답과 풀이 **2**쪽

7. 우리말을 가꾸어요

❊ **우리말 사용 실태 알아보기** →텔레비전, 신문, 라디오 등

① 여러 가지 매체나 주변에서 우리말을 어떻게 사용하는지 알아봅니다.

② '언어생활 자기 점검표'를 바탕으로 하여 친구들의 우리말 사용 실태를 조사해 봅니다.

③ 친구들의 우리말 사용 실태를 한눈에 보기 쉽게 도표로 나타냅니다.

④ 도표를 보고 친구들의 언어생활에서 바람직한 면과 고칠 부분을 이야기해 봅니다.

8. 인물의 삶을 찾아서

❊ **이야기에서 인물이 추구하는 가치를 파악하는 방법**

① 인물이 처한 상황을 떠올려 봅니다.

② 인물이 처한 상황에서 인물이 한 말과 행동을 알아봅니다.

③ 인물이 처한 상황에서 그렇게 말하고 행동한 까닭을 생각해 봅니다.

❊ **인물이 추구하는 가치를 자신의 삶과 관련짓는 방법** → 이야기가 전달하는 가치를 알고 자신의 삶을 되돌아볼 수 있음.

① 이야기와 관련한 자신의 경험을 생각해 봅니다.

② 인물과 자신의 삶을 비교해 보고 느낀 점을 생각해 봅니다.

③ 자신이 처한 문제나 고민을 해결하는 데 도움을 준 인물의 말과 행동을 생각해 봅니다.

9. 마음을 나누는 글을 써요

❊ **마음을 나누는 글을 쓰는 방법**

① 일어난 사건을 자세히 씁니다.

② 일어난 사건에 대한 자신의 생각이나 행동을 표현합니다.

③ 나누려는 마음을 표현합니다.

④ 편지로 마음을 나누는 글을 쓸 때에는 마음을 나누려는 사람, 첫인사, 일어난 사건, 나누려는 마음, 끝인사, 글을 쓴 사람을 밝힙니다.

❊ **글 쓸 계획을 세울 때 고려할 점**

상황과 목적 파악하기	일어난 사건을 바탕으로 하여 글을 쓰는 상황과 목적을 파악합니다.
쓸 내용 정하기	• 일어난 사건을 떠올립니다. • 일어난 사건에 대한 자신의 생각이나 행동을 떠올립니다. • 나누려는 마음을 생각합니다.
표현할 때 고려할 점	• 읽을 사람을 생각해서 표현합니다. • 맞춤법, 띄어쓰기를 잘 지켜 표현합니다.

확인 문제

16 친구들의 우리말 사용 실태를 한눈에 알아보기 쉽게 나타낼 수 있는 것은 (도표 / 동영상)입니다.

17 인물이 추구하는 가치를 파악하려면 어떻게 해야 합니까?

• 인물이 처한 상황에서 인물이 한 (   )과 (   )을 알아본다.

18 다음 설명이 알맞으면 ○표, 알맞지 않으면 ×표를 하시오.

> 인물이 추구하는 가치를 자신의 삶과 관련지을 때 생각해 볼 점은 인물의 생김새이다.

(   )

19 마음을 나누는 글을 쓸 때에는 일어난 사건을 쓴 다음 일어난 사건에 대한 자신의 생각이나 행동, 나누려는 (   )을 표현합니다.

20 편지로 마음을 나누는 글을 쓸 때에는 글을 쓴 사람은 밝히지 않아도 됩니다.

(○ / ×)

국어 핵심이 한눈에

정답과 풀이 2쪽

1. 작품 속 인물과 나

❋ 인물의 삶과 관련 있는 가치 찾기

① 인물의 말과 행동에서 시대적 배경을 파악합니다.

② 인물이 살아가면서 겪는 문제와 그것을 해결하는 태도를 알아봅니다.

③ 인물의 삶과 관련 있는 가치를 찾습니다.

❋ 인물이 추구하는 삶을 파악하는 방법

① 인물이 처한 상황을 떠올려 봅니다. → 인물이 처한 상황과 그 시대의 특징이 어떻게 관련되는지 생각해 보기

② 인물이 처한 상황에서 한 말이나 행동을 알아봅니다.

③ 인물이 그렇게 말하고 행동한 까닭을 생각해 봅니다.

④ 인물의 삶과 자신의 삶을 관련지어 생각해 봅니다.

⑤ 인물이 추구하는 가치로 인물이 추구하는 삶을 파악할 수 있습니다.

2. 관용 표현을 활용해요

❋ 관용 표현의 뜻과 관용 표현을 활용하면 좋은 점

뜻	• 둘 이상의 낱말이 합쳐져 그 낱말의 원래 뜻과는 다른 새로운 뜻으로 굳어져 쓰이는 표현으로, 관용어와 속담 따위가 있습니다.
활용하면 좋은 점	• 전하고 싶은 말을 쉽게 표현할 수 있습니다. • 듣는 사람의 관심을 불러일으킬 수 있습니다. • 하려는 말을 상대가 쉽게 알아들을 수 있습니다.

❋ 이야기를 듣고 말하는 사람의 의도 파악하기

① 말하는 사람은 듣는 사람이 자신의 이야기를 귀 기울여 듣고, 이야기에 흥미를 느끼게 하려는 의도로 관용 표현을 활용할 수 있습니다.

② 표현의 뜻을 추론하여 의도를 파악하는 과정

글 앞뒤에 있는 내용을 살펴보기 ➡ 표현에 쓰인 낱말이 평소에 어떤 뜻으로 쓰이는지 생각하기 ➡ 그러한 표현을 쓴 의도를 생각하기

❋ 생각이 효과적으로 드러나는 표현을 활용해 말하기

① 말하는 상황과 말할 내용을 확인합니다.

② 관용 표현이 말할 상황과 어울리는지, 말할 내용을 적절하게 표현하는지 생각합니다.

③ 관용 표현을 먼저 말한 뒤에 그와 관련한 생각을 말하기도 하고, 생각을 먼저 말한 뒤에 그와 어울리는 관용 표현을 말하기도 합니다.

확인 문제

1 인물의 삶과 관련 있는 가치를 찾아보려면 무엇을 살펴보아야 합니까?

• 인물의 말과 (   )

2 인물이 추구하는 삶을 파악하는 방법으로 알맞으면 ○표, 알맞지 <u>않으면</u> ×표를 하시오.

> 인물이 처한 상황을 떠올려 보고 그 상황에서 인물이 한 말이나 행동을 알아본다.

(   )

3 둘 이상의 낱말이 합쳐져 그 낱말의 원래 뜻과는 다른 새로운 뜻으로 굳어져 쓰이는 표현은 무엇입니까?

(   ) 표현

4 관용 표현을 활용하면 하려는 말을 상대가 쉽게 알아들을 수 있습니다.

(○ / ×)

5 관용 표현을 활용해 말할 때에는 관용 표현이 말하는 (   )과 어울리는지, 말할 내용을 적절하게 표현하는지 생각해 보아야 합니다.

핵심 ➕ 기출 문제 **국어**

정답과 풀이 2쪽

3. 타당한 근거로 글을 써요

❈ **주장에 대한 근거가 적절한지 판단하며 글 읽기**
① 근거가 주장과 관련되어 있는지 판단해 봅니다.
② 근거가 주장을 뒷받침하는지 판단해 봅니다.
③ 근거를 뒷받침하는 자료가 적절한지 판단해 봅니다.

❈ **자료의 적절성을 판단하는 방법**
① 어떤 <u>자료</u>가 활용되었는지 찾아봅니다. → 기사문, 사진, 그림, 표, 동영상, 지도, 전문가의 말 등
② 자료가 근거의 내용과 관련 있는지 살펴봅니다.
③ 출처를 보고 믿을 수 있는 자료인지 살펴봅니다.
④ 수를 제시할 때에는 정확한 숫자를 사용했는지 살펴봅니다.
⑤ 최신 자료를 사용했는지 살펴봅니다.

❈ **상황에 알맞은 자료를 활용해 논설문 쓰기**
① 문제 상황을 파악합니다.
② 자신의 주장과 주장을 뒷받침할 근거를 정합니다.
③ 근거를 뒷받침할 자료를 수집합니다.
④ 논설문의 짜임에 맞게 씁니다.

4. 효과적으로 발표해요

❈ **매체 자료 활용의 효과** → 도표, 사진, 영상, 표, 지도, 소리, 음악 등
① 매체 자료를 활용하면 발표 내용을 이해하기 쉽게 전달할 수 있습니다.
② 발표 내용과 발표를 듣는 대상의 특성, 발표 상황에 맞는 매체 자료를 알맞게 활용하면 발표 효과를 높일 수 있습니다.

❈ **주제에 맞는 매체 자료 찾기**
① 전하려는 주제를 찾아봅니다.
② 매체 자료의 종류를 살펴봅니다.
③ 매체 자료가 전하는 내용을 살펴봅니다.
④ 매체 자료가 주제를 효과적으로 전하기 위해 어떤 표현을 사용했는지 살펴봅니다.

❈ **매체 자료의 효과적 표현 방법** → 한눈에 실태를 파악할 수 있음.
① <u>도표</u>로 수치의 변화를 표현하면 더욱 실감 납니다.
② 비유적 표현을 사용하면 느낌이 더 와닿습니다.
③ 일상생활에서 일어날 수 있는 일을 영상으로 보여 주면 내 생활과 비교할 수 있습니다.

확인 문제

6 주장에 대한 근거가 적절한지 판단하며 글을 읽을 때에는 근거가 (   )과 관련되어 있는지 판단해 보아야 합니다.

7 자료의 적절성을 <u>잘못</u> 판단한 것의 기호를 쓰시오.

> ㉮ 출처를 살펴본다.
> ㉯ 최신 자료인지 살펴본다.
> ㉰ 대강의 숫자인지 살펴본다.

(   )

8 발표를 보는 사람에게 폴란드의 민속춤의 움직임이나 특징을 더 자세히 파악할 수 있게 하려면 (사진 / 영상)을 활용하는 것이 좋습니다.

9 휴대 전화 관련 교통사고가 점점 늘어나고 있다는 것을 보여 줄 때에는 (도표 / 지도)를 사용하는 것이 효과적입니다.

10 일상생활에서 일어날 수 있는 일을 영상으로 보여 주면 내 생활과 비교할 수 있습니다.
(○ / ×)

정답과 풀이 2쪽

5. 글에 담긴 생각과 비교해요

❋ 글쓴이의 생각을 파악하며 글을 읽어야 하는 까닭

① 글 내용을 좀 더 깊이 있게 이해할 수 있기 때문입니다.

② 글쓴이가 글을 쓴 의도나 목적을 알 수 있기 때문입니다.

③ 글의 주제를 쉽게 파악할 수 있기 때문입니다.

❋ 글을 읽고 글쓴이의 생각 파악하기

① 글의 제목과 글에서 사용한 표현을 보면 글쓴이의 관점을 알 수 있습니다.
　　같은 사물이나 현상을 관찰할 때 그 사람이
　　바라보는 태도나 방향. 또는 처지를 뜻함.

② 글의 내용을 파악하면 글쓴이가 알려 주고 싶은 생각을 찾을 수 있습니다.

③ 예상 독자가 누구일지 생각해 봅니다.

④ 글에 포함한 그림이나 사진을 살펴봅니다.

⑤ 글쓴이가 글을 쓴 의도와 목적을 생각해 봅니다.

❋ 글쓴이의 생각과 자신의 생각을 비교하며 글 읽기

① 글의 제목, 낱말이나 표현, 글쓴이가 예상한 독자, 글쓴이의 의도와 목적 따위를 살피며 글쓴이의 생각을 파악합니다.

② 글쓴이의 생각과 자신의 생각을 비교하며 같은 점과 다른 점을 이야기해 봅니다.

③ 글을 읽고 자신의 생각이 바뀌었다면 그 까닭을 이야기해 봅니다.

6. 정보와 표현 판단하기

❋ 뉴스가 우리 생활에 미치는 영향
　　　　　　→ 사람들에게 중요하거나 흥미로운 사건을 때에 알맞게
　　　　　　보도하는 것.

① 사람들에게 새로운 정보를 알려 줍니다.

② 어떤 일을 긍정적이거나 비판적인 시각으로 보게 합니다.

③ 여러 사람의 생각에 영향을 주어 여론을 형성하게 합니다.

❋ 광고에 나타난 표현의 적절성 살펴보기
　　　　　→ 상품이나 생각을 널리 알리고 정보를 제공하며
　　　　　사람들이 상품을 선택하도록 설득함.

① 광고를 보며 사진, 글, 소리, 글씨체, 글씨 크기와 색 따위를 살펴보며 광고 표현의 특성을 떠올립니다.

② 광고 내용에서 과장하거나 감추는 내용이 무엇인지 살피며 비판적으로 바라봅니다. → 광고 내용을 그대로 믿고 물건을 사면 피해를 입을 수 있음.

❋ 뉴스에 나타난 정보의 타당성을 판단하는 방법

① 가치 있고 중요한 뉴스인지 살핍니다.

② 뉴스의 관점과 보도 내용이 서로 관련이 있는지 살핍니다.

③ 활용한 자료들이 뉴스의 관점을 뒷받침하는지 살핍니다.

④ 자료의 출처가 명확한지 살핍니다.

11 글쓴이의 생각을 파악하며 글을 읽으면 글쓴이가 글을 쓴 의도나 (　　　　)을 알 수 있습니다.

핵심 ⊕ 기출 문제

국어

12 글쓴이의 생각이 드러나는 부분이 아닌 것의 기호를 쓰시오.

> ㉮ 글의 제목
> ㉯ 글의 길이
> ㉰ 글에서 사용한 표현

(　　　　　　　)

13 (드라마 / 뉴스)는 사람들에게 새로운 정보를 알려 주고, 여러 사람의 생각에 영향을 주어 여론을 형성하게 합니다.

14 광고 내용을 비판적으로 보는 방법은 무엇입니까?

• (　　　　)하거나 감추는 내용은 무엇인지 살펴본다.

15 뉴스 정보의 타당성을 판단하는 방법에 맞게 빈칸에 들어갈 알맞은 말에 ○표 하시오.

> 뉴스에서 활용한 자료들이 뉴스의 관점을 (　　　　)하는지 살펴본다.

(뒷받침 / 주장)

정답과 풀이 **2**쪽

7. 글 고쳐 쓰기

❋ **글을 고쳐 쓰면 좋은 점**
① 적절하지 않은 낱말이나 틀린 문장이 없으면 읽는 사람이 글을 더 쉽게 이해할 수 있습니다.
② 군더더기 없는 글을 쓰면 자신의 생각을 더 잘 전달할 수 있습니다.
③ 필요한 내용을 더 쓰면 자세하고 내용이 풍부한 글이 됩니다.
└─→ 내용을 더 자세하게 설명해야 할 부분

❋ **글을 고쳐 쓰는 방법**

글 수준	• 글쓴이가 글을 쓴 목적과 제목 생각해 보기 • 글에서 더하거나 뺄 내용이 있는지 살펴보기
문단 수준	• 글의 흐름에 맞게 문단의 차례 조정하기 • 중심 문장을 뒷받침 문장들과 어울리게 고쳐 쓰기
문장 수준	• 문장 호응이 이루어지지 않는 문장 고쳐 쓰기 • 표현이 적절하지 않은 문장 고쳐 쓰기
낱말 수준	• 알맞은 낱말을 추가하기 • 어색한 낱말 고쳐 쓰기

8. 작품으로 경험하기

❋ **영화 감상문** 쓰는 방법 ─→ 시, 만화, 일기와 같은 다양한 형식으로 쓸 수 있음.
① 영화를 보게 된 까닭과 영화 줄거리를 씁니다.
② 영화 속 내용과 비슷한 자신의 경험을 떠올려 씁니다. ─→ 영화를 볼 사람이 흥미를 느끼도록 씀.
③ 자신이 본 영화나 책 내용을 함께 떠올려 씁니다.
④ 영화를 본 뒤의 전체적인 느낌이나 주제를 씁니다.
⑤ 감상문의 내용을 잘 드러내거나 읽는 사람의 관심을 끌 수 있는 제목을 씁니다.

❋ **자신의 경험을 떠올리며 작품 감상하기**
① 인물이 겪는 일을 상상하며 작품을 읽습니다.
② 작품 속 내용과 비슷한 자신의 경험을 떠올려 봅니다.
③ 주인공이 자신이라고 생각해 보고 씁니다.
④ 작품 속 인물의 말이나 행동, 줄거리, 작품과 관련 있는 경험, 작품과 비슷한 영화나 책 내용, 작품을 보고 난 느낌, 제목 등을 넣어 독서 감상문을 씁니다.

확인 문제

16 글을 고쳐 쓰면 좋은 점에 맞게 빈칸에 알맞은 말을 쓰시오.

• 군더더기 없는 글을 쓰면 자신의 ( )을 더 잘 전달할 수 있다.

17 다음은 글을 고쳐 쓸 때 어느 부분을 고쳐 쓰는 방법입니까?

> 중심 문장을 뒷받침 문장들과 어울리게 고쳐 쓴다.

( ) 수준

18 영화 감상문에 들어갈 내용이 아닌 것에 ×표 하시오.

(1) 영화 줄거리 ( )
(2) 다음에 볼 영화 ( )
(3) 영화를 보게 된 까닭
( )

19 영화 감상문의 제목을 쓰는 방법으로 알맞으면 ○표, 알맞지 않으면 ×표 하시오.

> 감상문의 내용을 잘 드러내거나 읽는 사람의 관심을 끌 수 있게 쓴다.

( )

20 인물이 겪는 일을 상상하며 작품을 읽고 줄거리, 작품을 읽고 난 뒤의 소감, 제목 따위를 넣어 ( )을 씁니다.

1학기 1. 비유하는 표현 출제율 ●●●●◑

1 다음 시의 비유하는 표현은 직유법과 은유법 중에서 어떤 방법을 사용한 것인지 쓰시오.

> **풀잎과 바람**
>
> 나는 풀잎이 좋아, 풀잎 같은 친구 좋아
> 바람하고 엉켰다가 풀 줄 아는 풀잎처럼
> 헤질 때 또 만나자고 손 흔드는 친구 좋아.
>
> 나는 바람이 좋아, 바람 같은 친구 좋아
> 풀잎하고 헤졌다가 되찾아 온 바람처럼
> 만나면 얼싸안는 바람, 바람 같은 친구 좋아.

(   )

[2~3] 다음 글을 읽고 물음에 답하시오.

> 사람들은 황금 사과를 따려고 마법의 나무 주위로 벌 떼처럼 우르르 몰려들었어.
> "이 사과들은 우리 거예요."
> "천만에! 이건 우리 것입니다!"
> "이 사과를 처음 본 건 우리라고요."
> 두 동네 사이에는 툭하면 싸움이 벌어졌어.
> 다들 황금 사과를 갖겠다고 아우성이었지.
> 할 수 없이 사람들은 모여서 의논을 했어.
> "이 나무는 우리 두 동네의 한가운데에 있습니다. 그러니 잘 나누기 위해 땅바닥에 금을 그읍시다. 금 오른쪽에 열리는 사과는 윗동네, 금 왼쪽에 열리는 사과는 아랫동네에서 갖도록 말입니다."
> 그렇게 해서 땅바닥에 금이 생겼지.

1학기 2. 이야기를 간추려요 출제율 ●●●○○

2 윗동네와 아랫동네 사람들은 무엇을 서로 가지겠다고 싸웠는지 쓰시오. (네 글자임.)

(   )

1학기 2. 이야기를 간추려요 출제율 ●●●●○

3 글에 나오는 두 동네 사람들의 말과 행동에 대한 생각이나 느낌을 알맞게 말한 사람의 이름을 쓰시오.

> 서연: 황금 사과가 어떻게 해서 열리게 되었는지 연구해 보아야 한다.
> 효빈: 서로 소통해 황금 사과를 나누어 가졌다면 두 동네가 사이좋게 살았을 텐데 그러지 못해 아쉬운 마음이 든다.

(   )

1학기 3. 짜임새 있게 구성해요 출제율 ●●●●◑

4 공식적인 말하기 상황의 특성으로 알맞지 <u>않은</u> 것은 무엇입니까? (   )

① 예사말로 말한다.
② 듣는 사람은 집중해서 듣는다.
③ 말하는 내용에 알맞은 표정이나 몸짓을 한다.
④ 듣는 사람이 이해하기 쉽게 자료를 활용하여도 좋다.
⑤ 여러 사람 앞에서 발표하는 상황이기 때문에 큰 소리로 또박또박 말한다.

1학기 4. 주장과 근거를 판단해요 출제율 ●●●●○

5 다음 [   ] 안에 들어갈 주장으로 알맞은 것에 ○표 하시오.

> 저는 [   ]고 생각합니다. 그 까닭은 첫째, 동물원은 우리에게 큰 즐거움을 줍니다. 3000년 전에 이미 동물원을 만들었을 만큼 사람은 동물을 좋아하고 가까이해 왔습니다. 동물원에서는 쉽게 만날 수 없는 동물을 가까이에서 볼 수 있는데, 열대 지역에 사는 사자나 극지방에 사는 북극곰도 쉽게 만날 수 있습니다.

(1) 동물원이 있어야 한다   (   )
(2) 동물원을 없애야 한다   (   )

1학기 5. 속담을 활용해요　　　출제율 ●●●●◐

6 속담과 그 뜻을 알맞게 선으로 이으시오.

잘
틀리는
문제

(1) 발 없는 말이 천 리 간다. · · ① 어릴 때 몸에 밴 버릇은 늙어서도 고치기 힘들다.

(2) 가는 말이 고와야 오는 말이 곱다. · · ② 내가 남에게 말이나 행동을 좋게 해야 남도 나에게 좋게 한다.

(3) 세 살 적 버릇이 여든까지 간다. · · ③ 말은 비록 발이 없지만 천 리 밖까지도 순식간에 퍼진다.

(4) 천 리 길도 한 걸음부터. · · ④ 무슨 일이나 그 일의 시작이 중요하다.

1학기 6. 내용을 추론해요　　　출제율 ●●●●○

7 다음 글에서 추론한 사실로 알맞은 것의 번호를 쓰시오.

『화성성역의궤』는 수원 화성에 성을 쌓는 과정을 기록한 책인 의궤야. 수원 화성은 일제 강점기를 거치면서 성곽 일대가 훼손되기 시작하고 6.25 전쟁 때 크게 파괴되었는데, 『화성성역의궤』를 보고 원래의 모습대로 다시 만들어졌단다. 덕분에 수원 화성이 1997년에 유네스코 세계 문화유산으로 등록될 수 있었어.

① 수원 화성이 1997년에 유네스코 세계 문화유산으로 등록되었다.
② 수원 화성은 세계적인 문화유산으로 인정받을 만큼 훌륭한 건축물이다.

(　　　　)

1학기 7. 우리말을 가꾸어요　　　출제율 ●●●○○

8 다음 대화에 대한 설명으로 알맞지 <u>않은</u> 것은 무엇입니까? (　　　)

여자아이: 아빠, 이번 생선은 뭐예요?
아빠: 생선이라니?
여자아이: 생일 선물요.
아빠: 우리말을 그렇게 줄여서 말하면 어떡하니?
여자아이: 친구들이 다 그렇게 말해요. 그렇게 안 하면 핵노잼이란 말이에요.
아빠: ?

① 아빠는 줄임 말이 재미있다고 생각한다.
② 여자아이는 줄임 말이 재미있어서 사용한다.
③ 아빠는 '생선', '핵노잼'이라는 말이 이해되지 않았다.
④ 여자아이의 언어생활은 올바르지 못한 우리말 사용이다.
⑤ 여자아이가 줄임 말과 신조어를 사용해서 아빠와 의사소통이 안 되고 있다.

1학기 8. 인물의 삶을 찾아서　　　출제율 ●●●●○

9 다음 말에서 알 수 있는 이순신이 추구하는 가치는 무엇입니까? (　　　)

"죽으려 하면 살고, 살려 하면 죽는다. 오늘 우리는 이 말처럼 죽기를 각오하고 싸워야 한다."

① 현실적인 이익
② 자연환경 보호
③ 부모님에 대한 효도
④ 진심을 다해 상대를 대하는 것
⑤ 어떤 고난도 포기하지 않고 극복하려는 의지

1학기 9. 마음을 나누는 글을 써요　　　출제율 ●●●●○

10 다음 글의 글쓴이가 선생님께 전하려는 마음은 무엇인지 쓰시오.

선생님께서 수업 시간에 늘 말씀하신 것처럼 몸과 마음이 건강한 사람이 되도록 노력하겠습니다. 선생님, 정말 고맙습니다.

(　　　　)

[11~12] 다음 글을 읽고 물음에 답하시오.

"여러분, 우리가 누구입니까?"

마을 아낙네들의 눈길이 모두 윤희순에게 쏠렸다.

"여태껏 우리 여자들은 집안을 돌보는 데 온 힘을 다해 왔습니다. 하지만 이제 왜놈들이 이 나라를 집어삼키려는 마당에 우리가 가만히 집 안에만 틀어박혀 있을 순 없는 노릇입니다. 그러니 우리도 사내들처럼 다 함께 의병 운동에 나서야 할 것입니다."

그때 누군가가 말꼬리를 걸고 나섰다.

"아니, 조정 대신이란 놈들이 나라를 팔아먹으려 드는데 우리 같은 여자들이 나선다고 뭐가 달라지겠소? 자칫 괜한 목숨만 버릴 뿐이오."

그 말이 떨어지기가 무섭게 여기저기서 술렁거렸다. 기껏 뜨겁게 달아오른 열기가 금세 차갑게 식을 판이었다.

"그럼 나라를 빼앗기고 왜놈들 종으로 살자는 것입니까?"

윤희순이 다시 마음을 가다듬고 큰 소리로 부르짖자 마을 아낙네들의 눈길이 또다시 윤희순에게 쏠렸다.

2학기 1. 작품 속 인물과 나　　　　출제율 ●●●●○

11 이 글에서 알 수 있는 시대적 배경으로 알맞은 것을 두 가지 고르시오. (　　,　　)

① 남녀 차별이 있던 시대이다.
② 의병 운동에 양반들만 참여하였다.
③ 을사늑약이 강제로 체결된 뒤이다.
④ 의병 운동 자금이 매우 넉넉하였다.
⑤ 우리나라 사람들의 경제 상황이 어려웠다.

2학기 1. 작품 속 인물과 나　　　　출제율 ●●●●◐

12 윤희순이 삶에서 추구한 가치와 관련 있는 낱말로 알맞지 <u>않은</u> 것은 무엇입니까? (　　　)

① 열정　　　　　　② 정의
③ 용기　　　　　　④ 봉사
⑤ 겸손

2학기 2. 관용 표현을 활용해요　　　　출제율 ●●●●○

13 다음 대화에서 밑줄 그은 표현 대신에 쓸 수 있는 표현은 무엇입니까? (　　　)

남자아이: 소진아, 제주도에 다녀왔다며? 재미있었어?
소진: 제주도에 다녀온 것 말이야? 아까 민진이에게만 말했는데 넌 어떻게 알았어? 정말 <u>발 없는 말이 천 리 가는구나.</u>

① 쇠뿔도 단김에 빼라.
② 소 잃고 외양간 고친다.
③ 하나만 알고 둘은 모른다.
④ 돌다리도 두들겨 보고 건너라.
⑤ 낮말은 새가 듣고 밤말은 쥐가 듣는다.

[14~15] 다음 글을 읽고 물음에 답하시오.

　　　　　제품을 사용해야 하는 까닭은 다음과 같습니다. 첫째, 생산자에게 돌아갈 정당한 이익을 지켜 줍니다. 공정 무역에서는 생산자 조합과 공정 무역 회사를 만들어 중간 유통 단계를 줄이고 실제로 바나나를 재배하는 생산자의 이익을 보장해 주었습니다.

2학기 3. 타당한 근거로 글을 써요　　　　출제율 ●●●●○

14 　　　안에 들어갈 알맞은 말을 찾아 쓰시오.

(　　　　　　　　　　)

2학기 3. 타당한 근거로 글을 써요　　　　출제율 ●●●○○

15 글쓴이의 주장에 대한 근거는 무엇인지 쓰시오.

• 생산자에게 돌아갈 정당한 (　　　　　　)을 지켜 준다.

[16~17] 다음을 보고 물음에 답하시오.

우리나라 기후가 점점 아열대화되면서 농산물 주산지가 바뀌고 있습니다. 이 지도를 보면 제주도에서만 재배되던 감귤이 이제 내륙에서도 재배된다는 것을 쉽게 알 수 있습니다.

2학기 4. 효과적으로 발표해요   출제율 ●●●○○

16 활용한 매체 자료의 종류는 무엇입니까?(   )

① 실물   ② 사진   ③ 도표
④ 동영상   ⑤ 그림지도

2학기 4. 효과적으로 발표해요   출제율 ●●●●○

17 활용한 매체 자료를 고른 까닭으로 알맞은 것의 번호를 쓰시오.

> ① 농산물을 실제로 볼 수 있다.
> ② 농산물이 서울로 이동하는 과정을 생생하게 볼 수 있다.
> ③ 각 지역에서 생산되는 농산물의 양을 한눈에 알 수 있다.
> ④ 주요 농산물이 주로 생산되는 지역이 바뀌고 있음을 쉽게 이해할 수 있다.

(   )

[18~20] 다음 글을 읽고 물음에 답하시오.

> 나는 우리나라가 세계에서 가장 아름다운 나라가 되기를 원한다. 가장 부강한 나라가 되기를 원하는 것은 아니다. 내가 남의 침략에 가슴이 아팠으니, 내 나라가 남을 침략하는 것을 원치 아니한다. 우리의 부는 우리 생활을 풍족히 할 만하고, 우리의 힘은 남의 침략을 막을 만하면 족하다. 오직 한없이 가지고 싶은 것은 높은 문화의 힘이다. 문화의 힘은 우리 자신을 행복하게 하고, 나아가서 남에게도 행복을 주기 때문이다. 지금 인류에게 부족한 것은 무력도 아니요, 경제력도 아니다. 자연 과학의 힘은 아무리 많아도 좋으나 인류 전체로 보면 현재의 자연 과학만 가지고도 편안히 살아가기에 넉넉하다.
>
> 인류가 현재에 불행한 근본 이유는 인의가 부족하고, 자비가 부족하고, 사랑이 부족한 때문이다. 이 마음만 발달이 되면, 현재의 물질력으로 인류 20억이 다 편안히 살아갈 수 있을 것이다.

2학기 5. 글에 담긴 생각과 비교해요   출제율 ●●●●○

18 글쓴이는 어떤 나라를 원한다고 하였는지 쓰시오.

(   )

2학기 5. 글에 담긴 생각과 비교해요   출제율 ●●●●○

19 글쓴이가 인류가 현재 불행한 이유는 무엇이 부족하기 때문이라고 하였는지 세 가지 찾아 쓰시오.

(,   ,   )

2학기 5. 글에 담긴 생각과 비교해요   출제율 ●●●●◐

20 이 글의 제목으로 가장 알맞은 것은 무엇입니까?

(   )

잘 틀리는 문제

① 인류가 불행한 이유
② 내가 원하는 우리나라
③ 자연 과학의 발전 조건
④ 문화의 힘이 높은 나라가 좋은 이유
⑤ 가장 부강한 나라가 되어야 하는 까닭

[21~22] 다음을 보고 물음에 답하시오.

2학기 6. 정보와 표현 판단하기　　　　출제율 ●●●●◐

21 ❶의 대화를 보고 알 수 있는, 뉴스가 우리 생활에 미치는 영향은 무엇인지 기호를 쓰시오.

> ㉮ 사람들에게 새로운 정보를 알려 준다.
> ㉯ 여러 사람의 생각에 영향을 주어 여론을 형성한다.
> ㉰ 어떤 일을 긍정적이거나 비판적인 시각으로 보게 한다.

(　　　　　)

2학기 6. 정보와 표현 판단하기　　　　출제율 ●●●○○

22 파리 기후 협약은 무엇을 막으려고 체결한 협약입니까?……………………………(　　　　)

① 지구 온난화
② 화력 발전소 건설
③ 석유의 대량 운반
④ 온실가스 배출 규정
⑤ 미세 먼지 배출 규정

[23~24] 다음 글을 읽고 물음에 답하시오.

건강을 해치는 불량 식품

여러분, 불량 식품을 먹지 맙시다. ㉠불량 식품을 먹고 나서 쓰레기를 버리는 사람이 많습니다. 그렇게 버린 쓰레기들이 우리 학교 주변을 더럽혀 보기에도 좋지 않고, 악취도 납니다. 불량 식품에는 무엇이 들어갔는지, 그리고 유통 기한은 언제까지인지 정확히 적혀 있지 않습니다. 불량 식품을 먹으면 해로운 물질이 몸에 들어가 병에 걸리기 쉽습니다. 불량 식품은 아무리 ㉡맛있어서 먹지 말아야 합니다.

2학기 7. 글 고쳐 쓰기　　　　출제율 ●●●●○

23 ㉠을 고쳐 써야 하는 까닭은 무엇입니까?(　　　　)

① 문장 호응에 맞지 않아서
② 불확실한 표현을 사용하여서
③ 맞춤법이 틀린 글자가 있어서
④ 띄어쓰기가 잘못된 부분이 있어서
⑤ 글의 주제와 관련 없는 내용이어서

2학기 7. 글 고쳐 쓰기　　　　출제율 ●●●●◐

24 ㉡을 문장 호응에 맞게 고쳐 쓰시오.

잘 틀리는 문제

(　　　　　　　)

2학기 8. 작품으로 경험하기　　　　출제율 ●●●●○

25 여행 계획서를 쓸 때에 들어갈 내용으로 알맞지 <u>않</u>은 것은 무엇입니까?……………………(　　　　)

① 여행 일정
② 여행 비용
③ 여행 기간과 장소
④ 여행한 뒤의 생각이나 느낌
⑤ 같이 가고 싶은 사람과 준비할 일

출제 범위 6학년 전 범위

정답과 풀이 3쪽

[1~2] 다음 시를 읽고 물음에 답하시오.

봄비

해님만큼이나
큰 은혜로
내리는 교향악

이 세상
모든 것이 다
악기가 된다.

달빛 내리던 지붕은
두둑 두드둑
큰북이 되고

아기 손 씻던
세숫대야 바닥은

도당도당 도당당
작은북이 된다.

1학기 1. 비유하는 표현　　　　출제율 ●●●●○

1 봄비를 '큰 은혜로 내리는 교향악'으로 표현한 까닭은 무엇이겠습니까? (　　　　)

① 봄에는 비가 많이 내려서
② 봄에는 음악회가 많이 열려서
③ 봄비가 내려야 날씨가 따뜻해져서
④ 봄비를 모든 사람들이 좋아하여서
⑤ 봄비가 여러 가지 꽃과 나무들이 자랄 수 있도록 도움을 주어서

1학기 1. 비유하는 표현　　　　출제율 ●●●●◑

2 대상을 비유하는 표현을 찾아 쓰시오.

잘 틀리는 문제

대상	비유하는 표현
이 세상 모든 것	(1)
지붕	(2)
세숫대야 바닥	(3)

1학기 2. 이야기를 간추려요　　　　출제율 ●●●●◑

3 다음 이야기의 사건의 중심 내용을 간추려 쓰시오.

영암 원님이 죽어서 염라대왕 앞으로 끌려갔다. "염라대왕님, 소인은 아직 할 일이 많습니다. 그런데 벌써 저를 데려오셨습니까? 이승에서 좀 더 살게 해 주십시오."
원님은 머리를 조아리며 간청했다. 그러자 염라대왕은 수명을 적어 놓은 책을 들여다보고는 아직 원님이 나이가 젊어 딱하다는 생각이 들었다.
"좋다, 내 마음이 변하기 전에 얼른 사라져라."
염라대왕은 원님을 저승사자에게 돌려보냈다.
"이승으로 나가려는데 어떻게 가면 될까요?"
"여기까지 데려왔는데 그냥 보내 줄 수는 없다. 너 때문에 헛걸음을 했으니 수고비를 내놓아라."

• 저승에 간 원님이 염라대왕에게 이승에서 좀 더 살게 해 달라고 간청하자 염라대왕은 원님을 (1)(　　　　　　)에게 돌려보냈고, 저승사자는 원님에게 (2)(　　　　　　)를 내놓으라고 함.

1학기 3. 짜임새 있게 구성해요　　　　출제율 ●●●○○

4 다음과 같은 특성을 가진 자료는 무엇입니까?

（　　　　）

음악이나 자막을 넣어 분위기를 잘 전달할 수 있다.

① 표　　　　② 사진　　　　③ 실물
④ 도표　　　　⑤ 동영상

1학기 4. 주장과 근거를 판단해요　　　　출제율 ●●●●○

5 논설문의 특성으로 알맞지 않은 것은 무엇입니까?

（　　　　）

① 주장과 근거로 이루어져 있다.
② 서론, 본론, 결론으로 짜여 있다.
③ 본론에서는 주장에 적절한 근거를 제시한다.
④ 결론에서는 문제 상황을 다시 한번 강조한다.
⑤ 서론에서는 글을 쓴 문제 상황과 주장을 밝힌다.

1학기 5. 속담을 활용해요   출제율 ●●●●○

6 다음과 같은 상황에서 사용할 수 있는 속담은 무엇입니까? (   )

> 만 원을 주고 장난감을 샀습니다. 그런데 가지고 놀다가 고장 나서 고치러 갔더니 수리비가 만오천 원이라고 합니다. 장난감 가격보다 수리비가 더 비쌉니다.

① 바늘 가는 데 실 간다.
② 배보다 배꼽이 더 크다.
③ 소 잃고 외양간 고친다.
④ 쥐구멍에도 볕 들 날 있다.
⑤ 콩 심은 데 콩 나고 팥 심은 데 팥 난다.

1학기 6. 내용을 추론해요   출제율 ●●●●●

7 다음 글에서 밑줄 그은 '소용돌이'의 추론한 뜻과 그렇게 생각한 까닭으로 알맞은 것의 번호를 쓰시오.

(잘 틀리는 문제)

> 지금의 덕수궁은 원래 경운궁이라고 불렸는데, 성종의 형인 월산 대군의 집이었다. 선조가 임진왜란이 끝난 뒤에 서울로 돌아오니 궁궐이 모두 불타 버려서 이곳을 넓혀 행궁으로 만들었다고 한다. 선조가 죽고 광해군이 왕위에 오른 뒤에 이 행궁을 경운궁이라고 했다. 그러다가 조선 왕조 말기에 고종이 강한 나라들의 정치적 <u>소용돌이</u>에 휘말리면서 거처를 경운궁으로 옮긴 뒤, 비로소 궁궐다운 모습을 갖추었다.

> ① '큰 공사'를 뜻한다. 뒤에 '거처를 경운궁으로 옮긴'이라는 말이 나오기 때문이다.
> ② '요란스러운 상태'를 뜻한다. 앞에 '정치적'이라는 말이 있고 뒤에 '휘말리면서'라는 말도 있기 때문이다.

(   )

1학기 7. 우리말을 가꾸어요   출제율 ●●●●○

8 다음에서 준형이와 수진이 사이에 다툼이 일어난 까닭은 무엇입니까? (   )

> 준형이와 수진이는 서로 노려보면서 눈살을 찌푸렸습니다.
> 준형: 야, 넌 눈도 없냐? 똑바로 보고 다녀야지!
> 수진: 뭐라고? 재수 없어. 네가 날 쳤잖아.

① 준형이가 크게 다쳐서
② 줄임 말의 뜻을 알지 못해서
③ 수진이가 사과하는 말을 하여서
④ 서로 비속어를 사용하며 비난해서
⑤ 준형이가 수진이의 별명을 부르며 놀려서

1학기 8. 인물의 삶을 찾아서   출제율 ●●●●○

9 다음 글에서 알 수 있는, 왕가리 마타이가 추구하는 가치는 무엇입니까? (   )

> 왕가리 마타이는 시골 여성들과 함께 나무를 심었다. 그리고 그녀들을 격려하며 나무 심기 운동을 전파해 달라고 부탁했다. 이러한 노력들이 모여 나무 심기 운동은 큰 변화를 가져왔다. 묘목을 한꺼번에 약 1000그루씩 적당한 간격을 두고 심어 '벨트'를 만들도록 권장하면서 나무 심기 운동은 '그린벨트 운동'으로 불렸다.

① 자연환경 보호
② 자식에 대한 사랑
③ 아낌없이 주는 사랑
④ 재미있는 일을 찾아서 하는 즐거움
⑤ 위험에서 다른 사람의 생명을 구하는 생명 존중

1학기 9. 마음을 나누는 글을 써요   출제율 ●●●○○

10 마음을 나누는 글을 쓰는 방법으로 알맞지 **않은** 것은 무엇입니까? (   )

① 일어난 사건을 떠올린다.
② 글을 쓰려는 상황과 목적을 파악한다.
③ 나누려는 마음이 잘 나타나게 표현한다.
④ 사건에 대한 자신의 생각이나 행동을 떠올린다.
⑤ 글을 쓰는 사람의 마음만 고려하고 읽을 사람의 마음은 고려하지 않는다.

[11~12] 다음 글을 읽고 물음에 답하시오.

> **가** "붓을 천 개쯤은 뭉뚝하게 만들어 봐야 그림이 뭔가를 알게 될 걸세."
>
> 추사 선생이 흘리듯 말하고는 돌아서 갔다. 허련은 몽당붓을 들고 물끄러미 보았다. 이제 겨우 한 걸음을 더 뗀 것 같았다.
>
> '천 개 넘어 붓이 닳으면……'
>
> 허련은 쓰고 또 썼다. 그리고 또 그렸다.
>
> **나** 허련은 화첩에서 배운 필법을 바탕으로 연구와 실험을 해 가며 나름의 붓질법을 만들어 나갔다. 수십 개의 붓이 뭉뚝해졌다. 점차 허련만의 그림이 나왔다.

2학기 1. 작품 속 인물과 나   출제율 ●●●●○

11 허련이 한 일로 알맞은 것을 세 가지 고르시오.
(, ,)

① 점차 자신만의 그림을 만들었다.

② 제자들에게 그림법을 가르쳐 주었다.

③ 추사 김정희를 따라 비석을 찾으러 떠났다.

④ 수십 개의 붓이 뭉뚝해지도록 연습을 했다.

⑤ 연구와 실험을 하며 그 나름의 붓질법을 만들어 나갔다.

2학기 1. 작품 속 인물과 나   출제율 ●●●●◑

12 허련이 추구하는 삶으로 알맞은 것은 무엇입니까?
( )

잘 틀리는 문제

① 제자에게도 배우는 겸손한 삶

② 다른 사람을 위해 자신을 희생하는 삶

③ 성실하고 정직한 사람에게 도움을 주는 삶

④ 나라를 위해 힘을 바쳐 애쓰는 봉사하는 삶

⑤ 끈기와 열정을 가지고 끊임없이 꿈을 향해 노력하는 삶

[13~14] 다음 대화를 읽고 물음에 답하시오.

> 지현: 안나야!
>
> 안나: 아이고, 깜짝이야! ㉠간 떨어질 뻔했잖니.
>
> 지현: 미안해. 문구점에 같이 가자! 내일 미술 시간에 필요한 준비물을 사야 하지? 일단 어떤 준비물이 있는지 확인해 보자. 난 색 도화지 두 장, 색종이 한 묶음, 딱풀을 사야겠다.
>
> 안나: 난 좀 넉넉하게 사야겠어. 색 도화지 열 장, 색종이 여덟 묶음, 딱풀이랑 물 풀이랑……
>
> 지현: 너 정말 ㉡

2학기 2. 관용 표현을 활용해요   출제율 ●●●●○

13 ㉠의 뜻으로 알맞은 것은 무엇입니까? ( )

① 몹시 놀라다.   ② 정말 반갑다.

③ 몹시 급하다.   ④ 정말 안타깝다.

⑤ 몹시 화가 나다.

2학기 2. 관용 표현을 활용해요   출제율 ●●●●◑

14 ㉡ 에 알맞은 관용 표현의 번호를 쓰시오.

> ① 손이 크구나.
> ② 손이 맵구나.

( )

2학기 3. 타당한 근거로 글을 써요   출제율 ●●●○○

15 자료가 근거를 잘 뒷받침하는지 판단하는 방법으로 알맞지 않은 것은 무엇입니까? ( )

① 오래된 자료를 사용한다.

② 믿을 수 있는 자료를 활용한다.

③ 출처가 정확한 자료를 활용한다.

④ 자료의 내용과 근거가 관련 있어야 한다.

⑤ 수를 제시할 때에는 정확한 숫자를 사용한다.

2학기 3. 타당한 근거로 글을 써요   출제율 ●●●●○

16 다음 주장에 알맞은 근거는 무엇입니까? (   )

> 주장: 밤늦게 아파트 공원에서 시끄럽게 하지
> 맙시다.

① 건강에 해롭습니다.
② 자원을 낭비하게 됩니다.
③ 자연을 보호할 수 있습니다.
④ 이웃 간에 사이가 나빠질 수 있습니다.
⑤ 도움이 필요한 이웃을 도울 수 있습니다.

[17~18] 다음을 보고 물음에 답하시오.

학교 방송국에서 '건강 주간'을 맞아 건강을 주제로 한 매체 자료를 공모합니다. 뽑힌 작품은 전교생에게 발표할 예정입니다. 많이 참여해 주세요.

우리 반도 '건강한 생활을 위해 실천하면 좋은 일'을 직접 영상으로 만들어 보자!

2학기 4. 효과적으로 발표해요   출제율 ●●●●○

17 발표 목적은 무엇인지 쓰시오.

• (1) '(   )'을 맞아 (2)(   )을 주제로
한 작품을 발표하려고 한다.

2학기 4. 효과적으로 발표해요   출제율 ●●●○○

18 발표 상황에서 고려할 점으로 알맞지 <u>않은</u> 것은 무엇입니까? (   )

① 내용이 새로워야 한다.
② 주제가 흥미로워야 한다.
③ 인터넷에 있는 자료만 활용한다.
④ 건강에 도움을 줄 수 있어야 한다.
⑤ 전교생 모두 이해하기 쉬워야 한다.

[19~20] 다음 글을 읽고 물음에 답하시오.

> 로봇세를 부과하는 근거가 명확하지 않기 때문에 세계의 모든 국가가 동시에 로봇세를 도입하기 어렵다. 서둘러 로봇세를 도입한 국가가 다른 국가에 비해 미래 경쟁력에서 뒤처질 수 있다. 지금도 로봇 기술은 외국의 대기업들이 독차지하고 있다. 그래서 우리의 기술 없이 로봇을 만들면 막대한 특허 사용료를 외국에 지급해야 한다. 그렇게 될 경우 로봇세를 도입한 국가는 다른 국가에 비해 기술 개발이 늦어질 수 있다. 국가의 미래 경쟁력을 기르려면 로봇 기술의 개발이 먼저 이루어져야 한다.
> 지금은 로봇 산업 발전에 투자해야 할 때이다. 특히 로봇 개발에 필요한 원천 기술에 더 집중해야 한다. 그래야 우리나라의 재산을 지키고 국내 로봇 산업을 이끌 수 있는 힘을 기를 수 있다. 따라서 우리나라의 미래 경쟁력인 로봇 산업을 키울 수 있도록 로봇세 도입을 늦추어야 한다.

2학기 5. 글에 담긴 생각과 비교해요   출제율 ●●●●○

19 국가의 미래 경쟁력을 기르려면 어떻게 해야 한다고 하였습니까? (   )

① 로봇 기술을 개발해야 한다.
② 로봇 산업을 중단시켜야 한다.
③ 서둘러 로봇세를 도입해야 한다.
④ 외국에 나가 기술을 배워야 한다.
⑤ 외국의 기업에게 특허 사용료를 지급해야 한다.

2학기 5. 글에 담긴 생각과 비교해요   출제율 ●●●●◐

20 글쓴이의 생각으로 알맞은 것의 기호를 쓰시오.

 잘 틀리는 문제

> ㉮ 법적 근거를 마련해 로봇세를 걷어서 로봇 때문에 일자리를 잃은 사람들에게 재교육 비용으로 사용하자.
> ㉯ 지금은 로봇 기술 개발에 보다 집중할 때이므로 로봇세 도입을 늦추어야 한다.

(   )

[21~22] 다음 광고를 보고 물음에 답하시오.

깃털 책가방

- ⊙이보다 가벼울 수는 없다! **초경량** 책가방
- ⊙교과서를 모두 넣어도 찢어질 염려 없는 **튼튼한**재질
- 거품 없는 가격과 **최고의 품질**
- **한국**에서 직접 디자인하고 직접 만든 책가방
- 멘 듯 안 멘 듯 깃털처럼 가벼운 **깃털 책가방**

책가방을 살 때에는 깃털 책가방을 사세요.
세련된 디자인과 특수한 가공으로 품질을 인정받아
ⓒ해외로 수출하는 우수 제품입니다.
깃털 책가방 회사

2학기 6. 정보와 표현 판단하기　　출제율 ●●●○○

21 무엇을 광고하고 있는지 쓰시오.

(　　　　　　　)

2학기 6. 정보와 표현 판단하기　　출제율 ●●●●◑

22 ⊙~ⓒ에서 과장하거나 감추는 내용을 알맞게 이으시오.

잘 틀리는 문제

(1) ⊙ ・ ・① 더 가벼운 책가방이 있을 수 있기 때문에 과장되었다.

(2) ⊙ ・ ・② 어떤 나라로 수출하는지와 관련 있는 자세한 정보가 감추어져 있다.

(3) ⓒ ・ ・③ 교과서를 모두 넣을 때, 무거우면 찢어질 수 있으므로 과장되었다.

[23~24] 다음 글을 읽고 물음에 답하시오.

요즘 많은 어린이가 이야기할 때 은어나 비속어를 사용한다. 국립국어원 조사에 따르면 조사 대상 초등학생의 93퍼센트가 비속어를 사용한 적이 있다고 한다. 만약 학생 열 명이 있기 때문에 적어도 아홉 명은 비속어를 사용한 적이 있는 것이다. 비속어가 아닌 고운 말을 사용해야 하는 까닭은 무엇일까?

고운 말을 사용하면 서로 존중하는 마음을 전할 수 있다. 흔히 말이 눈에 보이지 않는 마음임을 표현할 때 "말은 마음의 거울"이라는 격언을 사용한다. 존중하는 마음이 없다면 고운 말도 나오지 않는다.

2학기 7. 글 고쳐 쓰기　　출제율 ●●●●○

23 글쓴이가 이 글을 쓴 목적은 무엇입니까? (　　　)

① 고운 말의 종류를 알려 주려고
② 고운 말을 써야 한다고 주장하려고
③ 고운 말에 관련된 관용어를 소개하려고
④ 고운 말을 사용하는 어린이를 소개하려고
⑤ 고운 말로 편지를 쓰는 방법을 알려 주려고

2학기 7. 글 고쳐 쓰기　　출제율 ●●●●◑

24 밑줄 그은 부분을 문장 호응에 맞게 고쳐 쓰시오.

(　　　　　　　)

2학기 8. 작품으로 경험하기　　출제율 ●●●●○

25 작품을 읽고 독서 감상문을 쓰는 방법으로 알맞지 **않은** 것은 무엇입니까? (　　　)

① 줄거리를 간략하게 쓴다.
② 생각하거나 느낀 점을 쓴다.
③ 작품을 읽게 된 동기 등을 쓴다.
④ 작품 속 내용과 비슷한 경험을 떠올려서 쓴다.
⑤ 제목은 작품 주인공의 이름이 꼭 들어가게 쓴다.

수학 핵심이 한눈에

정답과 풀이 **4**쪽

1. 분수의 나눗셈

❋ (자연수)÷(자연수)의 몫을 분수로 나타내기

$$4 \div 5 = \frac{4}{5} \rightarrow 4 \div 5 는 \frac{1}{5} 이 4개이므로 \frac{4}{5} 입니다.$$

❋ (분수)÷(자연수)

• 분자가 자연수의 배수일 때에는 분자를 자연수로 나눕니다.

$$\frac{4}{5} \div 2 = \frac{4 \div 2}{5} = \frac{2}{5}$$

• 분자가 자연수의 배수가 아닐 때에는 크기가 같은 분수 중에 분자가 자연수의 배수인 수로 바꾸어 계산합니다.

$$\frac{2}{3} \div 3 = \frac{6}{9} \div 3 = \frac{6 \div 3}{9} = \frac{2}{9}$$

❋ (분수)÷(자연수)를 분수의 곱셈으로 나타내어 계산하기

$$\frac{7}{3} \div 3 = \frac{7}{3} \times \frac{1}{3} = \frac{7}{9} \rightarrow \div(자연수)를 \times \frac{1}{(자연수)} 로 바꾸어 계산합니다.$$

❋ (대분수)÷(자연수)

방법 1 $1\frac{2}{5} \div 2 = \frac{7}{5} \div 2 = \frac{14}{10} \div 2 = \frac{14 \div 2}{10} = \frac{7}{10}$

방법 2 $1\frac{2}{5} \div 2 = \frac{7}{5} \div 2 = \frac{7}{5} \times \frac{1}{2} = \frac{7}{10}$

2. 각기둥과 각뿔

❋ 각기둥

, , 등과 같은 입체도형을 각기둥이라고 합니다.

• 각기둥은 밑면의 모양에 따라 ★삼각기둥, 사각기둥, 오각기둥……이라고 합니다.

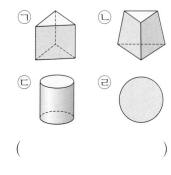

• 밑면: 서로 평행하고 합동인 두 면 나머지 면들과 수직으로 만납니다.
• 옆면: 두 밑면과 만나는 면
• 모서리: 면과 면이 만나는 선분
• 꼭짓점: 모서리와 모서리가 만나는 점
• 높이: 두 밑면 사이의 거리

참고
각기둥의 옆면의 모양은 직사각형, 각뿔의 옆면의 모양은 삼각형입니다.

❋ 각기둥의 전개도

각기둥의 모서리를 잘라서 평면 위에 펼쳐 놓은 그림을 각기둥의 전개도라고 합니다.

 ⇨

---

1 나눗셈의 몫을 분수로 나타내시오.

$$3 \div 7$$

( )

2 □ 안에 알맞은 수를 써넣으시오.

$$\frac{5}{7} \div 2 = \frac{\boxed{}}{14} \div 2$$
$$= \frac{\boxed{} \div 2}{14}$$
$$= \frac{\boxed{}}{14}$$

3 계산을 하시오.

$$1\frac{2}{9} \div 2$$

4 각기둥을 찾아 기호를 쓰시오.

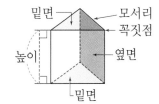

( )

5 전개도를 접었을 때 만들어지는 각기둥의 이름을 쓰시오.

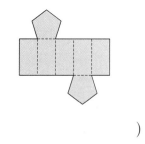

( )

핵심
+
기출
문제

수학

정답과 풀이 **4**쪽

확인 문제

❊ **각뿔**

• 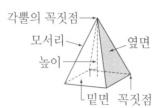 등과 같은 입체도형을 각뿔이라고 합니다.

• 각뿔은 밑면의 모양에 따라 삼각뿔, 사각뿔, 오각뿔……이라고 합니다.

• 각뿔의 꼭짓점: 꼭짓점 중에서도 옆면이 모두 만나는 점

• 높이: 각뿔의 꼭짓점에서 밑면에 수직인 선분의 길이

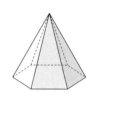

각뿔의 꼭짓점→
모서리→　　　←옆면
높이→
└밑면　꼭짓점

6 각뿔의 이름을 쓰시오.

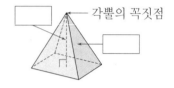

(　　　　　　　　　)

3. 소수의 나눗셈

❊ **(소수)÷(자연수) (1)**

$36 \div 3 = 12 \Rightarrow 3.6 \div 3 = 1.2$

❊ **(소수)÷(자연수) (2)** → 각 자리에서 나누어떨어지지 않는 경우

방법 1 $8.97 \div 3 = \dfrac{897}{100} \div 3$

$= \dfrac{897 \div 3}{100}$

$= \dfrac{299}{100} = 2.99$

방법 2
```
     2.9 9
 3) 8.9 7
    6
    2 9
    2 7
      2 7
      2 7
        0
```
→ 몫의 소수점은 나누어지는 수의 소수점을 올려 찍습니다.

7 각뿔에서 각 부분의 이름을 □ 안에 써넣으시오.

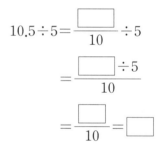

→ 각뿔의 꼭짓점

→ 몫이 1보다 작은 경우

❊ **(소수)÷(자연수) (3)**
```
     0.7 3
 6) 4.3 8
    4 2
    1 8
    1 8
      0
```
→ 나누어지는 수의 소수점을 올려 찍고 일의 자리에 0을 씁니다.

❊ **(소수)÷(자연수) (4)** → 소수점 아래 0을 내려 계산해야 하는 경우
```
     1.2 4
 5) 6.2 0
    5
    1 2
    1 0
      2 0
      2 0
        0
```
→ 나누어떨어지지 않는 경우에는 나누어지는 수의 오른쪽 끝에 0이 계속 있는 것으로 생각하고 0을 내려 계산합니다.

8 □ 안에 알맞은 수를 써넣으시오.

$10.5 \div 5 = \dfrac{\boxed{}}{10} \div 5$

$= \dfrac{\boxed{} \div 5}{10}$

$= \dfrac{\boxed{}}{10} = \boxed{}$

❊ **(소수)÷(자연수) (5)** → 몫의 소수 첫째 자리에 0이 있는 경우

내림한 수가 작아 나눌 수 없으면 몫에 0을 쓰고 수를 하나 더 내려 계산합니다.

❊ **(자연수)÷(자연수)**

몫의 소수점은 자연수 바로 뒤에서 올려서 찍습니다.
소수점 아래에서 받아내릴 수가 없는 경우 0을 받아내려 계산합니다.

9 계산을 하시오.

```
 3) 1 8.9
```

❊ **몫 어림하기** → 몫의 소수점 위치 확인하기

$23.8 \div 4$에서 23.8은 24보다 조금 작은 수이므로 몫은 $24 \div 4 = 6$보다 조금 작은 수입니다.

$23.8 \div 4$의 몫 $\Rightarrow$ $5\boxed{.}9\boxed{}5$

10 $12.15 \div 3$을 어림하여 계산하면 $12 \div 3 = 4$입니다. $12.15 \div 3$의 몫의 소수점 위치를 찾아 소수점을 찍으시오.

$12.15 \div 3 = 4\boxed{}0\boxed{}5$

정답과 풀이 **4쪽**

4. 비와 비율

❋ **비 알아보기**

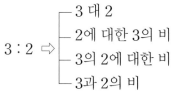

$3 : 2 \Rightarrow$
┌ 3 대 2
├ 2에 대한 3의 비
├ 3의 2에 대한 비
└ 3과 2의 비

❋ **비율 알아보기★**

비율: 기준량에 대한 비교하는 양의 크기

예 7 : 10의 비율: $\dfrac{7}{10}$ 또는 0.7

비교하는 양 ┘　└ 기준량

❋ **백분율 알아보기**

백분율: 기준량을 100으로 할 때의 비율

예 $\dfrac{23}{100}$ $\Rightarrow$ $\dfrac{23}{100} \times 100 = 23$ (%)

5. 여러 가지 그래프

❋ **그림그래프** → 조사한 수를 그림으로 나타낸 그래프

과수원별 사과 수확량

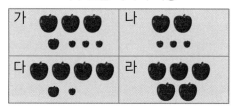

🍎100상자　🍎50상자　●10상자

❋ **띠그래프** → 전체에 대한 각 부분의 비율을 띠 모양에 나타낸 그래프

좋아하는 과목

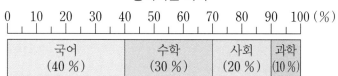

$\Rightarrow$ 국어를 좋아하는 학생 수는 사회를 좋아하는 학생 수의 2배입니다.

❋ **띠그래프로 나타내기**

① 자료를 보고 전체에 대한 각 항목의 백분율을 구합니다.

② 각 항목의 백분율의 합계가 100 %가 되는지 확인합니다.

③ 각 항목이 차지하는 백분율의 크기만큼 띠를 나눈 후 나눈 부분에 각 항목의 내용과 백분율을 쓰고, 띠그래프의 제목을 씁니다.

❋ **원그래프** → 전체에 대한 각 부분의 비율을 원 모양에 나타낸 그래프

받고 싶은 선물

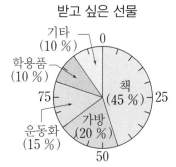

• 가장 많은 학생이 받고 싶은 선물은 책입니다.

• 가방을 받고 싶은 학생 수는 학용품을 받고 싶은 학생 수의 2배입니다.

• 학용품을 받고 싶은 학생이 4명이면 가방을 받고 싶은 학생은 8명입니다.

확인 문제

11 비로 나타내시오.

┌─────────────────┐
│ 15에 대한 8의 비 │
└─────────────────┘

(　　　　　　　　　)

12 5에 대한 2의 비율을 분수와 소수로 각각 나타내시오.

분수 (　　　　　　　　)

소수 (　　　　　　　　)

13 비율을 백분율로 나타내시오.

0.47 $\Rightarrow$ (　　　　　　　)

14 왼쪽 띠그래프에서 수학을 좋아하는 학생은 전체의 몇 % 입니까?

(　　　　　　　　　)

15 □ 안에 알맞은 말을 써넣으시오.

전체에 대한 각 부분의 비율을 띠 모양으로 나타낸 그래프를 □□□□□(이)라고 합니다.

수학 핵심이 한눈에

정답과 풀이 **4**쪽

❊ **원그래프로 나타내기**

① 자료를 보고 전체에 대한 각 항목의 백분율을 구합니다.

② 각 항목의 백분율의 합계가 100 %가 되는지 확인합니다.

③ 각 항목이 차지하는 백분율의 크기만큼 원을 나눈 후 나눈 부분에 각 항목의 내용과 백분율을 쓰고, 원그래프의 제목을 씁니다.

6. 직육면체의 부피와 겉넓이

❊ **직육면체의 부피 비교하기**

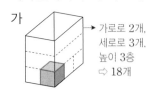 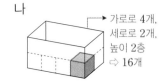

가: 가로로 2개, 세로로 3개, 높이 3층 ⇨ 18개
나: 가로로 4개, 세로로 2개, 높이 2층 ⇨ 16개

⇨ 가의 부피가 더 큽니다.

❊ **$1\ cm^3$ 알아보기**

한 모서리의 길이가 1 cm인 정육면체의 부피를 $1\ cm^3$라 쓰고, 1 세제곱센티미터라고 읽습니다.

❊ **직육면체와 정육면체의 부피**

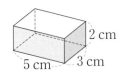

(직육면체의 부피)=(가로)×(세로)×(높이)
$=5×3×2=30\ (cm^3)$

(정육면체의 부피)
=(한 모서리의 길이)×(한 모서리의 길이)
×(한 모서리의 길이)
$=3×3×3=27\ (cm^3)$

❊ **$1\ m^3$ 알아보기**

한 모서리의 길이가 1 m인 정육면체의 부피를 $1\ m^3$라 쓰고, 1 세제곱미터라고 읽습니다.

$$1\ m^3=1000000\ cm^3$$

❊ **직육면체와 정육면체의 겉넓이**

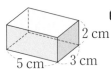

방법 1 여섯 면의 넓이의 합으로 구하기
$5×3+5×3+3×2+3×2+5×2+5×2$
$=62\ (cm^2)$

방법 2 세 쌍의 면이 합동인 성질을 이용하여 구하기
$(5×3+3×2+5×2)×2=62\ (cm^2)$

(정육면체의 겉넓이)=(한 면의 넓이)×6
$=3×3×6=54\ (cm^2)$

16 영호네 반 학생들이 좋아하는 운동을 조사하여 나타낸 원그래프입니다. 가장 많은 학생이 좋아하는 운동을 쓰시오.

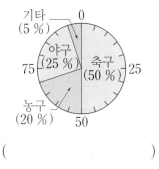

좋아하는 운동

(　　　　　)

17 부피가 $1\ cm^3$인 쌓기나무를 직육면체 모양으로 쌓았습니다. 부피가 더 큰 상자의 기호를 쓰시오.

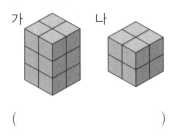

(　　　　　)

18 정육면체의 부피를 구하시오.

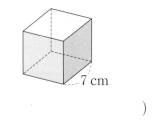

(　　　　　)

19 □ 안에 알맞은 수를 써넣으시오.

$6000000\ cm^3=\square\ m^3$

20 직육면체의 겉넓이를 구하시오.

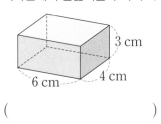

(　　　　　)

수학 핵심이 한눈에

정답과 풀이 **4**쪽

1. 분수의 나눗셈

✳ 분모가 같은 (분수)÷(분수)

$$\frac{9}{11} \div \frac{2}{11} = 9 \div 2 = \frac{9}{2} = 4\frac{1}{2}$$

✳ 분모가 다른 (분수)÷(분수) → 두 분수를 통분하여 분자끼리 나누어 계산합니다.

$$\frac{3}{4} \div \frac{2}{5} = \frac{15}{20} \div \frac{8}{20} = 15 \div 8 = \frac{15}{8} = 1\frac{7}{8}$$

✳ (자연수)÷(분수)

$$6 \div \frac{5}{7} = 6 \times \frac{7}{5} = \frac{42}{5} = 8\frac{2}{5}$$

✳ (가분수)÷(분수)

$$\frac{7}{3} \div \frac{7}{8} = \frac{\cancel{7}^{1}}{3} \times \frac{8}{\cancel{7}_{1}} = \frac{8}{3} = 2\frac{2}{3}$$

✳ (대분수)÷(분수)

대분수를 가분수로 고치고, 분수의 곱셈으로 나타내어 계산합니다.

$$3\frac{1}{2} \div \frac{2}{3} = \frac{7}{2} \div \frac{2}{3} = \frac{7}{2} \times \frac{3}{2} = \frac{21}{4} = 5\frac{1}{4}$$

2. 소수의 나눗셈

✳ 자릿수가 같은 (소수)÷(소수)

$$0.9 \overline{)3.6}$$ → 소수점을 오른쪽으로 한 자리씩 옮겨서 계산합니다.
몫 4, 3 6, 0

$$0.16 \overline{)1.12}$$ → 소수점을 오른쪽으로 두 자리씩 옮겨서 계산합니다.
몫 7, 1 1 2, 0

✳ 자릿수가 다른 (소수)÷(소수)

방법 1 $4.81 \div 3.7 = \frac{48.1}{10} \div \frac{37}{10}$
$= 48.1 \div 37 = 1.3$

또는 $4.81 \div 3.7 = \frac{481}{100} \div \frac{370}{100}$
$= 481 \div 370 = 1.3$

방법 2

$$3.7 \overline{)4.8\,1}$$ → 소수점을 같은 자리만큼 옮겨서 계산합니다.
몫 1.3, 3 7, 1 1 1, 1 1 1, 0

✳ (자연수)÷(소수)

방법 1 $9 \div 1.5 = \frac{90}{10} \div \frac{15}{10}$
$= 90 \div 15 = 6$

방법 2

$$1.5 \overline{)9.0}$$
몫 6, 9 0, 0

확인 문제

1 □ 안에 알맞은 수를 써넣으시오.

$$\frac{6}{13} \div \frac{2}{13} = \boxed{} \div \boxed{}$$
$$= \boxed{}$$

2 계산을 하시오.

$$\frac{6}{7} \div \frac{2}{3}$$

3 □ 안에 알맞은 수를 써넣으시오.

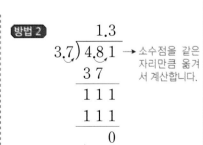

$$10 \div \frac{2}{7} = 10 \times \frac{\boxed{}}{\underset{1}{\cancel{2}}} = \boxed{}$$

4 계산을 하시오.

$$1\frac{2}{3} \div \frac{4}{7}$$

5 □ 안에 알맞은 수를 써넣으시오.

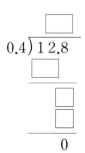

$$0.4 \overline{)1\,2.8}$$

핵심 ➕ 기출 문제

수학

정답과 풀이 **4**쪽

✳ **몫을 반올림하여 나타내기**

몫을 반올림하여 나타내려면 구하려는 자리보다 한 자리 아래에서 반올림해야 합니다.

(예) $8.6 \div 7 = 1.228\cdots$ → 나눗셈의 몫이 소수로 길게 나올 때에는 몫을 반올림하여 나타낼 수 있습니다.

　　몫을 반올림하여 소수 첫째 자리까지 나타내면 $1.2\underline{2}\cdots \Rightarrow 1.2$입니다.

　　몫을 반올림하여 소수 둘째 자리까지 나타내면 $1.22\underline{8}\cdots \Rightarrow 1.23$입니다.

✳ **나누어 주고 남는 양 알아보기**

(예) 끈 26.3 m를 한 사람에 3 m씩 나누어 줄 때 나누어 줄 수 있는 사람 수와 남는 끈의 길이 구하기

나누어 줄 수 있는 사람 수: 8명
남는 끈의 길이: 2.3 m

3. 공간과 입체

✳ **쌓은 모양과 쌓기나무의 개수 알아보기**

위에서 본 모양

몇 개인지 보이지 않는 부분

• 보이지 않는 부분이 1개인 경우
　$\Rightarrow 5+3+3=11$(개)
• 보이지 않는 부분이 2개인 경우
　$\Rightarrow 5+4+3=12$(개)

✳ **위, 앞, 옆에서 본 모양으로 쌓은 모양과 쌓기나무의 개수 알아보기**

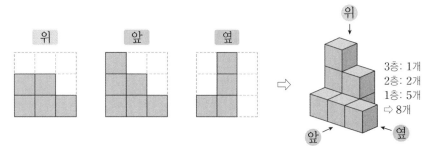

3층: 1개
2층: 2개
1층: 5개
$\Rightarrow$ 8개

① 위에서 본 모양을 보면 1층의 쌓기나무는 5개입니다.
② 앞에서 본 모양을 보면 왼쪽에서부터 3층, 2층, 1층입니다.
③ 옆에서 본 모양을 보면 왼쪽에서부터 1층, 3층입니다.

✳ **위에서 본 모양에 수를 쓰는 방법으로 쌓은 모양과 쌓기나무의 개수 알아보기**

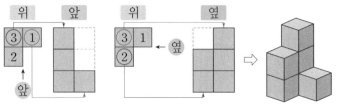

→ 앞과 옆에서 본 모양은 각 방향에서 각 줄의 가장 큰 수를 기준으로 그립니다.

쌓기나무의 개수 $\Rightarrow 3+2+1=6$(개)

확인 문제

6 몫을 반올림하여 소수 둘째 자리까지 나타내시오.

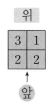

7 대추 26.2 kg을 한 상자에 5 kg씩 나누어 담으려고 합니다. 나누어 담을 수 있는 상자 수와 남는 대추는 몇 kg인지 차례로 구하시오.

　(　　　), (　　　)

[8~10] 쌓기나무로 쌓은 모양을 보고 위에서 본 모양에 수를 썼습니다. 물음에 답하시오.

8 똑같은 모양으로 쌓는 데 필요한 쌓기나무는 몇 개입니까?

　(　　　　　　　)

9 앞에서 본 모양을 그리시오.

앞

10 옆에서 본 모양을 그리시오.

옆

정답과 풀이 **4**쪽

✽ **층별로 나타낸 모양을 보고 쌓은 모양과 쌓기나무의 개수 알아보기**

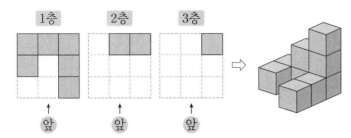

쌓기나무의 개수 ⇨ $6+2+1=9$(개)

✽ **여러 가지 모양 만들기**

쌓기나무 4개로 만들 수 있는 서로 다른 모양은 모두 8가지입니다.

4. 비례식과 비례배분

✽ **비의 성질**

• 비의 전항과 후항에 0이 아닌 같은 수를 곱하여도 비율은 같습니다.

$$1:3 \xRightarrow{\times 3} 3:9$$

• 비의 전항과 후항을 0이 아닌 같은 수로 나누어도 비율은 같습니다.

$$40:52 \xRightarrow{\div 4} 10:13$$

✽ **간단한 자연수의 비로 나타내기**

㉐ 0.2 : 1.5의 전항과 후항에 각각 10을 곱하면 2 : 15가 됩니다.

$$0.2:1.5 \Rightarrow (0.2\times 10):(1.5\times 10) \Rightarrow 2:15$$

✽ **비례식**

비율이 같은 두 비를 기호 '='를 사용하여 나타낸 식을 비례식이라고 합니다.

비 → 2 : 3
전항 후항

2 : 3 = 4 : 6 ← 비례식

외항 / 내항

✽ **비례식의 성질**

★비례식에서 외항의 곱과 내항의 곱은 같습니다.

$$2\times 10 = 20$$
$$2 : 5 = 4 : 10$$
$$5\times 4 = 20$$

✽ **비례배분**

전체를 주어진 비로 배분하는 것을 비례배분이라고 합니다.

㉐ 귤 10개를 진수와 준혁이가 3 : 2로 나누기

진수: $10 \times \dfrac{3}{3+2} = 6$(개), 준혁: $10 \times \dfrac{2}{3+2} = 4$(개)

11 보기의 모양에 쌓기나무 1개를 더 붙여서 만들 수 있는 모양을 찾아 ○표 하시오.

┌보기┐

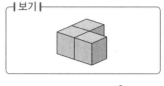

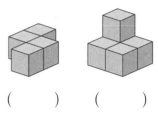

(   )   (   )

12 □ 안에 알맞은 수를 써넣으시오.

외항은 5, ▢

5 : 2 = 20 : 8

내항은 2, ▢

13 비의 성질을 이용하여 □ 안에 알맞은 수를 써넣으시오.

$$\dfrac{5}{6}:\dfrac{1}{8}=20:\boxed{}$$

14 비례식의 성질을 이용하여 □ 안에 알맞은 수를 써넣으시오.

$$3:4=\boxed{}:8$$

15 □ 안의 수를 주어진 비로 배분하여 [,] 안에 쓰시오.

$$\boxed{28} \quad 4:3$$

⇨ [,   ]

5. 원의 넓이

✱ 원주, 원주율

• 원의 둘레를 원주라고 합니다.

• 원의 지름에 대한 원주의 비율을 원주율이라고 합니다.

$$★(원주율)=(원주)÷(지름)$$

$$(원주)=(지름)×(원주율), \ (지름)=(원주)÷(원주율)$$

✱ 원의 넓이

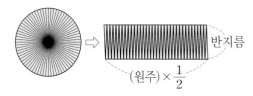

$$(원의 \ 넓이)=(원주)×\frac{1}{2}×(반지름)=(원주율)×(지름)×\frac{1}{2}×(반지름)$$

$$=(반지름)×(반지름)×(원주율)$$

6. 원기둥, 원뿔, 구

✱ 원기둥과 원기둥의 전개도

• 원기둥은 위와 아래에 있는 면이 서로 평행하고 합동인 원이고, 기둥 모양의 입체도형입니다.

• 원기둥의 전개도: 원기둥을 잘라서 펼쳐 놓은 그림

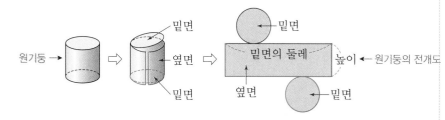

$$★(전개도에서 \ 옆면의 \ 가로)=(원기둥의 \ 밑면의 \ 둘레)$$

$$=(밑면의 \ 지름)×(원주율)$$

$$(전개도에서 \ 옆면의 \ 세로)=(원기둥의 \ 높이)$$

✱ 원뿔

원뿔은 평평한 면이 원이고 옆을 둘러싼 면이 굽은 면인 뿔 모양의 입체도형입니다.

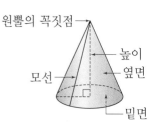

✱ 구

• 구는 공 모양의 입체도형입니다.

• 구의 중심: 구에서 가장 안쪽에 있는 점

• 구의 반지름: 구의 중심에서 구의 겉면의 한
점을 이은 선분

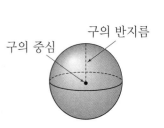

정답과 풀이 **4**쪽

확인 문제

16 원의 지름에 대한 원주의 비율을 무엇이라고 합니까?

(   )

17 원주를 구하는 식입니다. □ 안에 알맞은 수를 써넣으시오.

(원주율: 3.1)

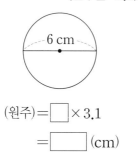

$$(원주)=\boxed{}×3.1$$

$$=\boxed{} \ (cm)$$

18 원의 넓이를 구하시오.

(원주율: 3.1)

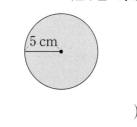

(   )

19 원기둥에서 각 부분의 이름을 □ 안에 써넣으시오.

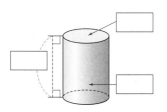

20 원뿔의 모선의 길이를 나타내는 것을 찾아 기호를 쓰시오.

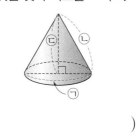

(   )

출제 범위 6학년 전 범위

점수

정답과 풀이 5쪽

1학기 2. 각기둥과 각뿔　　출제율 ●●●●○

1 다음 도형 중 각뿔을 모두 찾아 바르게 짝 지은 것은 어느 것입니까? (　　　)

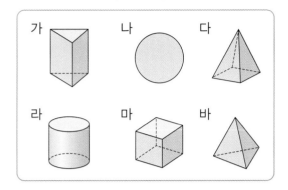

가　나　다
라　마　바

① 가, 나　　② 가, 다　　③ 가, 마
④ 다, 라　　⑤ 다, 바

2학기 3. 공간과 입체　　출제율 ●●●●○

2 주어진 모양과 똑같이 쌓는 데 필요한 쌓기나무의 개수를 구하시오.

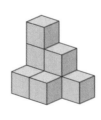

위에서 본 모양

(　　　　　)

2학기 1. 분수의 나눗셈　　출제율 ●●●●○

3 우유가 $3\frac{3}{5}$ L 있습니다. 한 명이 $\frac{3}{10}$ L씩 나누어 마신다면 몇 명이 마실 수 있습니까?

(　　　　　)

2학기 4. 비례식과 비례배분　　출제율 ●●●●◑

4 다음 중 비례식은 어느 것입니까? (　　　)

① $3 \times 9 = 27$　　② $4 : 8 = 9 \times 4$
③ $2 : 7 = 12 : 42$　　④ $1 : 3 < 3 : 6$
⑤ $4 : 6 : 8 : 12$

2학기 1. 분수의 나눗셈　　출제율 ●●●●○

5 ○ 안에 >, =, <를 알맞게 써넣으시오.

$$\frac{2}{5} \div \frac{6}{7} \bigcirc \frac{8}{15} \div \frac{8}{9}$$

2학기 3. 공간과 입체　　출제율 ●●●○○

6 오른쪽 모양에 쌓기나무 1개를 더 붙여서 만들 수 있는 모양이 <u>아닌</u> 것은 어느 것입니까? (　　　)

잘 틀리는 문제

① 　② 　③

④ 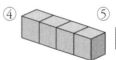　⑤

2학기 4. 비례식과 비례배분　　출제율 ●●●●○

7 $4 : 6$을 간단한 자연수의 비로 나타낸 것은 어느 것입니까? (　　　)

① $9 : 3$　　　② $2 : 3$
③ $15 : 18$　　④ $8 : 18$
⑤ $12 : 12$

1학기 6. 직육면체의 부피와 겉넓이   출제율 ●●●●○

8 다음 정육면체의 겉넓이는 몇 cm²입니까?

(   )

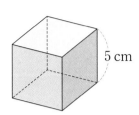

5 cm

① 48 cm²   ② 60 cm²   ③ 96 cm²

④ 120 cm²   ⑤ 150 cm²

2학기 2. 소수의 나눗셈   출제율 ●●●●●

9 쌀 106.7 kg을 한 사람에 8 kg씩 나누어 주려고 합니다. 남는 쌀의 양은 몇 kg입니까? (   )

$$106.7 \div 8$$

① 2.7 kg   ② 8.7 kg   ③ 12.7 kg

④ 15.7 kg   ⑤ 17.7 kg

1학기 6. 직육면체의 부피와 겉넓이   출제율 ●●●●●

10 다음 중 잘못된 것은 어느 것입니까? (   )

잘 틀리는 문제

① 3 m³＝3000000 cm³

② 17 m³＝17000000 cm³

③ 0.08 m³＝800000 cm³

④ 21 m³＝21000000 cm³

⑤ 6.24 m³＝6240000 cm³

2학기 6. 원기둥, 원뿔, 구   출제율 ●●●●○

11 다음 중 원기둥과 원뿔을 각각 찾아 기호를 쓰시오.

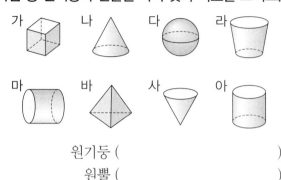

가   나   다   라

마   바   사   아

원기둥 (   )

원뿔 (   )

2학기 6. 원기둥, 원뿔, 구   출제율 ●●●●○

12 다음 중 원기둥의 전개도가 <u>아닌</u> 것은 어느 것입니까? (   )

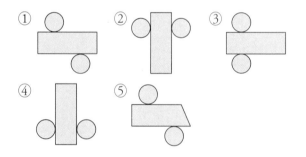

①   ②   ③

④   ⑤

1학기 5. 여러 가지 그래프   출제율 ●●●○○

13 꽃밭에 피어 있는 꽃을 조사하여 나타낸 띠그래프입니다. 작은 눈금 한 칸은 몇 %입니까?

꽃밭에 피어 있는 꽃

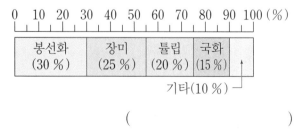

0 10 20 30 40 50 60 70 80 90 100 (%)

| 봉선화
(30 %) | 장미
(25 %) | 튤립
(20 %) | 국화
(15 %) | |

기타(10 %)

(   )

1학기 4. 비와 비율   출제율 ●●●●○

14 우리 반 전체 학생은 26명이고 남학생은 14명입니다. 우리 반 여학생 수에 대한 남학생 수의 비는 어느 것입니까? (   )

① 26 : 14   ② 14 : 26   ③ 14 : 12
④ 12 : 14   ⑤ 12 : 26

1학기 5. 여러 가지 그래프   출제율 ●●●●○

15 상호네 반 학생들이 좋아하는 텔레비전 프로그램을 조사하여 나타낸 원그래프입니다. 스포츠 프로그램을 좋아하는 학생은 전체의 몇 %입니까?
(   )

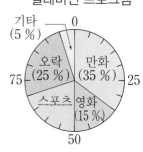

텔레비전 프로그램

① 5 %   ② 10 %   ③ 15 %
④ 20 %   ⑤ 25 %

1학기 6. 직육면체의 부피와 겉넓이   출제율 ●●●●◐

16 직육면체 모양의 양말 상자가 있습니다. 양말 상자의 부피는 몇 cm³입니까? (   )

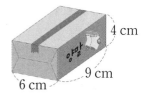

① 114 cm³   ② 168 cm³   ③ 182 cm³
④ 208 cm³   ⑤ 216 cm³

1학기 1. 분수의 나눗셈   출제율 ●●●●○

17 한 병에 $\frac{11}{15}$ L씩 들어 있는 물이 5병 있습니다. 이 물을 3일 동안 똑같이 나누어 사용하려면 하루에 사용할 수 있는 물은 몇 L인지 구하시오.

(   )

1학기 1. 분수의 나눗셈   출제율 ●●●●○

18 수 카드 3장을 모두 사용하여 계산 결과가 가장 작은 나눗셈식을 만들고 계산하시오.

| 2 | 5 | 7 |

$$\frac{\square}{\square} \div \square$$

(   )

1학기 3. 소수의 나눗셈   출제율 ●●●●○

19 휘발유 72 L로 450 km를 가는 자동차가 있습니다. 이 자동차가 휘발유 1 L로 갈 수 있는 거리는 몇 km인지 구하시오.

잘 틀리는 문제

(   )

2학기 5. 원의 넓이   출제율 ●●●●○

20 지름이 25 cm인 원 모양의 굴렁쇠를 몇 바퀴 굴 렸더니 앞으로 471 cm만큼 나아갔습니다. 굴렁 쇠를 몇 바퀴 굴린 것입니까? (원주율: 3.14)

(   )

① 4바퀴   ② 5바퀴   ③ 6바퀴

④ 7바퀴   ⑤ 8바퀴

1학기 3. 소수의 나눗셈   출제율 ●●●●○

21 둘레가 18.4 cm인 정오각형의 한 변의 길이는 몇 cm인지 구하시오.

(   )

1학기 3. 소수의 나눗셈   출제율 ●●●●○

22 16.76을 어떤 수로 나누었더니 몫이 4가 되었습니 다. 어떤 수를 구하시오.

(   )

2학기 5. 원의 넓이   출제율 ●●●●○

23 색칠한 부분의 넓이는 몇 cm²입니까? (원주율: 3)

잘 틀리는 문제

(   )

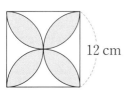

① 57 cm²   ② 72 cm²   ③ 114 cm²

④ 152 cm²   ⑤ 208 cm²

2학기 6. 원기둥, 원뿔, 구   출제율 ●●●●◑

24 원기둥의 전개도에서 옆면의 가로가 12.56 cm, 세로가 5 cm일 때 원기둥의 밑면의 반지름은 몇 cm인지 구하시오. (원주율: 3.14)

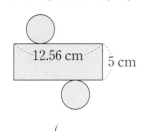

(   )

1학기 5. 여러 가지 그래프   출제율 ●●●○○

25 지현이네 반에 있는 학급 문고를 조사하여 나타낸 띠그래프입니다. 동화책의 비율이 기타의 비율의 2배일 때 동화책의 비율은 몇 %인지 구하시오.

학급 문고

동화책	위인전 (23 %)	과학책 (17 %)	기타

(   )

출제 범위 6학년 전 범위

점수

정답과 풀이 6쪽

2학기 1. 분수의 나눗셈　　　　　　출제율 ●●●○○

1 호떡 한 개를 만드는 데 흑설탕 $\frac{3}{7}$ 컵이 필요합니다. 준비한 흑설탕이 6컵일 때 만들 수 있는 호떡은 몇 개입니까? (　　　)

① 12개　　② 14개　　③ 16개
④ 18개　　⑤ 20개

2학기 3. 공간과 입체　　　　　　출제율 ●●●●○

2 쌓기나무로 쌓은 모양과 위에서 본 모양입니다. 앞과 옆에서 본 모양을 각각 그리시오.

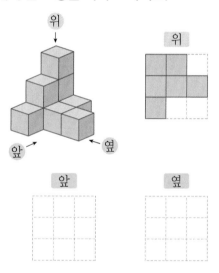

위

앞　　　　옆

1학기 2. 각기둥과 각뿔　　　　　　출제율 ●●●●○

3 다음 중 각기둥에 대한 설명으로 옳지 <u>않은</u> 것은 어느 것입니까? (　　　)

① 밑면은 항상 2개입니다.
② 팔각기둥의 모서리는 24개입니다.
③ 옆면은 항상 3개입니다.
④ 밑면의 모양이 오각형이면 오각기둥입니다.
⑤ 밑면과 옆면은 다각형입니다.

2학기 1. 분수의 나눗셈　　　　　　출제율 ●●●●○

4 ㉠에 알맞은 수는 얼마입니까? (　　　)

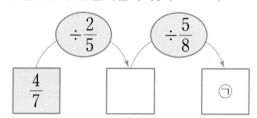

$\frac{4}{7}$

① $\frac{5}{7}$　　② $\frac{21}{40}$　　③ $1\frac{2}{5}$
④ $1\frac{19}{21}$　　⑤ $2\frac{2}{7}$

2학기 6. 원기둥, 원뿔, 구　　　　　　출제율 ●●●●●

5 구는 어느 것입니까? (　　　)

①　　②　　③

④　　⑤

2학기 2. 소수의 나눗셈　　　　　　출제율 ●●●●●

6 나눗셈의 몫이 가장 작은 것은 어느 것입니까?

(　　　)

① $0.69 \div 0.23$　　② $0.69 \div 2.3$
③ $0.69 \div 23$　　④ $6.9 \div 0.23$
⑤ $6.9 \div 2.3$

2학기 4. 비례식과 비례배분   출제율 ●●●○○

7 색종이 21장을 영선이와 경수가 4 : 3으로 나누어 가지려고 합니다. 경수는 전체의 몇 분의 몇을 가지게 됩니까? (   )

① $\dfrac{3}{10}$ ② $\dfrac{3}{4}$ ③ $\dfrac{4}{7}$

④ $\dfrac{3}{7}$ ⑤ $\dfrac{4}{10}$

2학기 6. 원기둥, 원뿔, 구   출제율 ●●●●○

8 두 입체도형의 높이의 차를 구하시오.

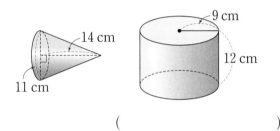

(   )

2학기 5. 원의 넓이   출제율 ●●●●○

9 원주가 42 cm인 원의 반지름은 몇 cm입니까?
(원주율: 3) (   )

① 7 cm   ② 14 cm   ③ 28 cm
④ 35 cm   ⑤ 42 cm

1학기 5. 여러 가지 그래프   출제율 ●●●●○

10 오른쪽은 소라네 학교 학생 300명의 장래 희망을 조사하여 나타낸 원그래프입니다. 선생님이 되고 싶은 학생은 몇 명입니까?

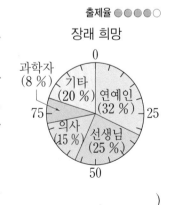

장래 희망

과학자(8 %) 기타(20 %) 연예인(32 %) 의사(15 %) 선생님(25 %)

(   )

2학기 5. 원의 넓이   출제율 ●●●●○

11 다음 중 가장 큰 원은 어느 것입니까? (원주율: 3)
(   )

① 반지름이 4 cm인 원
② 지름이 5 cm인 원
③ 원주가 24 cm인 원
④ 원주가 27 cm인 원
⑤ 넓이가 27 cm²인 원

2학기 6. 원기둥, 원뿔, 구   출제율 ●●●●○

12 원기둥의 전개도에서 옆면인 직사각형의 넓이는 몇 cm²인지 구하시오. (원주율: 3)

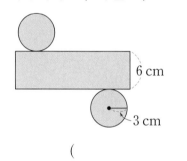

(   )

1학기 6. 직육면체의 부피와 겉넓이   출제율 ●●●●○

13 다음 전개도를 이용하여 직육면체 모양의 상자를 만들었습니다. 만든 상자의 겉넓이는 몇 cm²입니까?

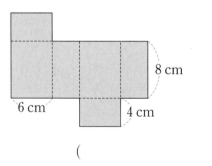

(   )

1학기 1. 분수의 나눗셈   출제율 ●●●●○

14 가장 큰 수를 가장 작은 수로 나눈 몫을 구하시오.

$$\frac{15}{4} \qquad 2\frac{4}{5} \qquad 2$$

(   )

1학기 3. 소수의 나눗셈   출제율 ●●●●○

15 길이가 30.4 m인 거리 한쪽에 9그루의 나무를 일정한 간격으로 심으려고 합니다. 나무와 나무 사이의 거리를 가능한 한 멀게 하려면 나무 사이의 간격을 몇 m로 해야 하는지 구하시오. (단, 나무의 두께는 생각하지 않습니다.)

(   )

2학기 3. 공간과 입체   출제율 ●●●●○

16 위, 앞, 옆에서 본 모양이 다음과 같이 되도록 쌓으려면 쌓기나무는 몇 개 필요한지 구하시오.

잘 틀리는 문제

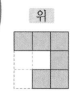 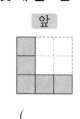 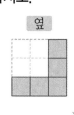

(   )

1학기 4. 비와 비율   출제율 ●●●●○

17 진하기가 14 %인 소금물 300 g이 있습니다. 이 소금물에 녹아 있는 소금은 몇 g입니까? (   )

① 36 g   ② 42 g   ③ 54 g

④ 56 g   ⑤ 58 g

2학기 4. 비례식과 비례배분   출제율 ●●●●◐

18 다음 중에서 □ 안에 들어갈 수 있는 비는 어느 것입니까? (   )

$$6 : 5 = \boxed{}$$

① 18 : 20   ② 24 : 15

③ 30 : 25   ④ 36 : 35

⑤ 42 : 14

2학기 3. 공간과 입체   출제율 ●●●●○

19 두 가지 모양을 사용하여 만들 수 있는 모양은 어느 것입니까? (   )

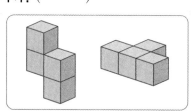

① 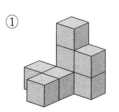   ②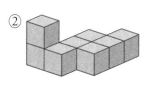

③ 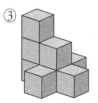   ④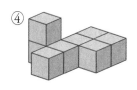

⑤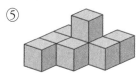

2학기 4. 비례식과 비례배분 출제율 ●●●●●

20 오른쪽 삼각형의 밑변과 높이의 비는 5 : 3입니다. 높이가 21 cm일 때 밑변은 몇 cm입니까? ( )

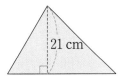

21 cm

① 20 cm   ② 25 cm
③ 30 cm   ④ 35 cm
⑤ 40 cm

1학기 6. 직육면체의 부피와 겉넓이 출제율 ●●●●○

21 다음 전개도를 이용하여 직육면체 모양의 상자를 만들었습니다. 만든 상자의 부피는 몇 cm³입니까? ( )

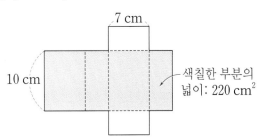

7 cm

10 cm

색칠한 부분의 넓이: 220 cm²

① 140 cm³   ② 280 cm³   ③ 300 cm³
④ 480 cm³   ⑤ 520 cm³

1학기 5. 여러 가지 그래프 출제율 ●●●●○

22 성준이네 반 학생들이 좋아하는 빙수를 조사하여 나타낸 띠그래프입니다. 팥빙수를 좋아하는 학생이 9명일 때 성준이네 반 전체 학생은 몇 명입니까?

잘 틀리는 문제

좋아하는 빙수

0 10 20 30 40 50 60 70 80 90 100 (%)

| 팥빙수 (30 %) | 우유빙수 (30 %) | 망고빙수 (20 %) | 딸기빙수 (20 %) |

( )

1학기 4. 비와 비율 출제율 ●●●○○

23 넓이에 대한 인구의 비율이 가장 낮은 마을은 어느 마을입니까? ( )

	마을	넓이 (km²)	인구(명)
①	가	5	128045
②	나	4	968240
③	다	12	327612
④	라	8	254072
⑤	마	7	412538

1학기 3. 소수의 나눗셈 출제율 ●●●●○

24 모든 모서리의 길이가 같은 사각뿔이 있습니다. 모든 모서리의 길이의 합이 34.4 cm일 때 한 모서리의 길이는 몇 cm인지 구하시오.

( )

1학기 1. 분수의 나눗셈 출제율 ●●●●○

25 □ 안에 들어갈 수 있는 자연수를 모두 구하시오.

$$\frac{8}{9} \div 3 < \square < 5\frac{1}{7}$$

( )

사회 핵심이 한눈에

정답과 풀이 7쪽

우리나라의 정치 발전

❶ 민주주의의 발전과 시민 참여

※ ★**우리나라의 민주화 과정**

▲ 4·19 혁명

① 4·19 혁명 : 이승만 정부의 독재 정치와 3·15 부정 선거를 바로잡고자 전국에서 많은 시민과 학생들이 시위에 참여했습니다.

② 5·18 민주화 운동 : 전라남도 광주에서 대규모 민주화 시위가 일어나자 전두환은 계엄군을 보내 폭력적으로 시위를 진압했습니다. → 수많은 사람이 희생되었습니다.

③ 6월 민주 항쟁

발생	시민들과 학생들은 전두환 정부의 독재에 반대하고 대통령 직선제를 요구하며 전국 곳곳에서 시위를 벌였음.
6·29 민주화 선언	대통령 직선제, 언론의 자유 보장, 지방 자치제 시행, 지역감정 없애기 등의 내용을 담고 있음.

※ **6월 민주 항쟁 이후 민주주의의 발전**

대통령 직선제	국민이 직접 대통령을 뽑는 제도 → 대통령이 독재를 할 수 없습니다.
지방 자치제	지역의 주민이 직접 선출한 지방 의회 의원과 지방 자치 단체장들이 그 지역의 일을 처리하는 제도
주민 소환제	주민이 선출한 공직자가 직무를 잘 수행하지 못할 때 투표해서 그들을 물러나게 하는 제도

※ **오늘날 시민들이 사회 공동의 문제 해결에 참여하는 방법** : 캠페인, 서명 운동, 1인 시위, 누리 소통망 서비스(SNS) 활용, 투표, 공청회 참석, 정당 활동, 시민 단체 활동 등

❷ 일상생활과 민주주의

※ **정치**

① 뜻 : 갈등이나 대립을 조정하고 많은 사람에게 영향을 끼치는 공동의 문제를 해결해 가는 과정입니다.

② 사례 : 가족회의, 학급 회의, 학교에서의 전교 어린이회 선거, 지역에서의 주민 회의 등

※ **민주주의**

① 뜻 : 모든 국민이 나라의 주인으로서 권리를 가지고, 그 권리를 자유롭고 평등하게 행사하는 정치 제도입니다.

확인 문제

1 이승만 정부가 1960년 3월 15일에 실시한 부정 선거를 무엇이라고 합니까?

(   )

2 5·18 민주화 운동이 일어난 지역은 어디입니까?

(   )

3 국민이 직접 대통령을 뽑는 제도를 무엇이라고 합니까?

(   )

4 오늘날 시민들이 사회 공동의 문제 해결에 참여하는 방법을 두 가지 쓰시오.

(   )

5 모든 국민이 나라의 주인으로서 권리를 가지고, 그 권리를 자유롭고 평등하게 행사하는 정치 제도를 무엇이라고 합니까?

(   )

핵심 ➕ 기출 문제

사회

정답과 풀이 7쪽

② 민주주의의 기본 정신

인간의 존엄성	모든 사람이 태어나는 순간부터 인간으로서 존엄과 가치를 존중받아야 할 권리
자유	국가나 다른 사람들에게 구속받지 않고 자신의 의사를 스스로 결정할 수 있는 것
평등	신분, 재산, 성별, 인종 등에 따라 부당하게 차별받지 않고 평등하게 대우받는 것

③ 민주주의를 실천하는 태도 : 관용, 양보와 타협, 비판적 태도 등이 있습니다.

④ 민주적 의사 결정 원리 : 대화와 타협, 다수결의 원칙, 소수 의견 존중 등이 있습니다.
└→ 다수의 의견이 소수의 의견보다 합리적일 것이라고 가정하고 다수의 의견을 채택하는 방법

❸ 민주정치의 원리와 국가기관의 역할

✴ **국민 주권** : 국가의 주인이 국민이고, 국가의 의사를 결정할 수 있는 최고의 권력인 주권이 국민에게 있다는 것입니다.

✴★**국회, 정부, 법원**

국회	• 국민의 대표인 국회의원이 나라의 중요한 일을 의논하고 결정하는 곳 • 하는 일 : 법을 만들고 고치거나 없애기, 예산안 심의·확정하기, 국정감사를 하기 등
정부	• 법에 따라 나라의 살림을 맡아 하는 곳 • 대통령 : 외국에 대해 우리나라를 대표하며, 정부의 최고 책임자로 나라의 중요한 일을 결정함. →5년마다 국민이 직접 뽑습니다. • 국무총리 : 대통령을 도와 행정 각부를 관리하고 감독함. • 각 부 : 장관과 차관, 그리고 많은 공무원이 국민을 위해 일을 하고 있음.
법원	• 법에 따라 재판을 하는 곳 • 하는 일 : 사람들 사이의 다툼을 해결해 주기, 법을 지키지 않은 사람을 처벌하기, 개인과 국가, 지방 자치 단체 사이에서 생긴 갈등을 해결해 주기 등 • 공정한 재판을 위한 제도 : 사법권의 독립, 재판 공개, 3심 제도

✴ **권력 분립**

① 필요성 : 한 사람이나 기관이 국가의 중요한 일을 결정하는 권한을 모두 가진다면, 그 권한을 마음대로 사용하거나 잘못된 결정을 할 수도 있습니다. → 국민의 자유와 권리를 지키기 위해서입니다.

② **삼권 분립** : 민주주의를 실현하고자 국가 권력을 국회, 정부, 법원이 나누어 가지고 서로 감시하는 민주 정치의 원리입니다.

확인 문제

6 국가나 다른 사람들에게 구속받지 않고 자신의 의사를 스스로 결정할 수 있는 것을 무엇이라고 합니까?

( )

7 다수의 의견이 소수의 의견보다 합리적일 것이라고 가정하고 다수의 의견을 채택하는 방법을 무엇이라고 합니까?

( )

8 국민의 대표인 국회의원이 나라의 중요한 일을 의논하고 결정하는 곳은 어디입니까?

( )

9 외국에 대해 우리나라를 대표하며, 정부의 최고 책임자로 나라의 중요한 일을 결정하는 사람은 누구입니까?

( )

10 민주주의를 실현하고자 국가 권력을 국회, 정부, 법원이 나누어 가지고 서로 감시하는 민주 정치의 원리는 무엇입니까?

( )

정답과 풀이 **7**쪽

우리나라의 경제 발전

❶ 경제주체의 역할과 우리나라 경제체제

✱ 가계와 기업이 하는 일

가계	• 기업의 생산 활동에 참여하기, 물건이나 서비스 구입하기 등 • 생산 활동의 대가로 소득을 얻음.
기업	• 가계의 도움을 받아 물건과 서비스를 생산함. → 가계에 일자리를 제공합니다. • 물건을 생산해 판매하거나 서비스를 제공해 이윤을 얻음.

✱ 가계와 기업의 합리적 선택

가계	기업
• 가장 적은 비용으로 큰 만족감을 얻을 수 있도록 선택하는 것 • 선택 기준 : 상표, 가격, 품질, 디자인 등	• 많은 이윤을 얻기 위해 적은 비용으로 많은 수입을 얻을 수 있도록 하는 것 • 선택 기준 : 생산 품목, 생산량, 생산 비용, 홍보 방법 등

✱ 우리나라 경제체제의 특징

① 경제활동의 자유와 경쟁

구분	자유	경쟁
개인	직업 활동의 자유, 직업 선택의 자유, 소득을 자유롭게 사용할 자유 등이 있음.	다른 사람들과 경쟁하며 자신의 능력과 실력을 높이려고 노력함.
기업	무엇을 생산하고 판매할지 정할 수 있음.	가격을 낮추거나 더 좋은 물건과 서비스를 제공하려고 노력함.

② 자유와 경쟁이 우리 생활에 주는 도움 : 개인은 자신의 재능과 능력을 더 잘 발휘할 수 있고, 기업은 자유롭게 경쟁하며 더 좋은 상품을 개발해 많은 이윤을 얻을 수 있습니다.

❷ 우리나라의 경제 성장과 경제생활의 변화

✱ ★우리나라의 경제 발전 과정
예 섬유, 신발, 가발

1950년대	1960년대	1970년대
농업, 소비재 산업 등이 발달함.	경공업 제품을 생산하여 해외에 수출함.	철강, 석유 화학, 조선 산업 등이 발달함.

1980년대	1990년대	2000년대
자동차·기계·전자 산업이 발달함.	반도체 산업, 정보 통신 산업이 발달함.	고도의 기술이 필요한 첨단 산업이 발달함.

✱ 경제 성장으로 변화한 사회 모습 : 해외여행객이 증가하고 우리 문화와 관련한 상품이 해외에서 인기를 끌고 있습니다.

확인 문제

11 생산 활동의 대가로 소득을 얻는 경제주체는 누구입니까?

( )

12 이윤을 얻기 위해 전문적으로 생산 활동을 하는 경제주체는 무엇입니까?

( )

핵심 ➕ 기출 문제

사회

13 기업이 가격을 낮추거나 더 좋은 물건과 서비스를 제공하려고 노력하는 것과 관련 있는 우리나라 경제체제의 특징은 무엇입니까?

( )

14 섬유, 신발, 가발 등의 경공업 제품을 만들어 수출하기 시작한 시기는 언제입니까?

( )

15 2000년대에 발달한 고도의 기술이 필요한 산업은 무엇입니까?

( )

핵심이 한눈에

❋ 경제 성장 과정에서 나타난 문제점과 해결 노력

구분	문제점	해결 노력
빈부 격차	잘사는 사람과 그렇지 못한 사람의 소득 격차가 더욱 커졌음.	복지 정책을 위한 여러 법률 제정, 정부의 생계비, 양육비, 학비 지원 등
노사 갈등	근로자와 경영자 사이의 갈등이 확산되기도 함.	근로 환경 개선, 끊임없는 대화, 새로운 정책 마련 등
환경오염과 자원 부족	급격한 경제 성장으로 환경이 오염되었고, 에너지 자원이 부족해졌음.	정부의 전기 자동차 보급 지원 정책, 환경 보호 운동, 에너지 절약 운동 등

❸ 세계 속의 우리나라 경제

❋ ★무역

① 뜻 : 나라와 나라 사이에 물건과 서비스를 사고파는 것입니다.

② 무역을 하는 까닭 : 나라마다 자연환경과 자본, 기술, 자원 등이 달라 더 잘 생산할 수 있는 물건이나 서비스가 다르기 때문입니다.

③ 무역을 하면 좋은 점 : 소비자는 같은 제품이지만 더 값싸고 질 좋은 것을 살 수 있고, 기업은 생산 비용을 줄여 제품을 생산할 수 있습니다.

❋ 우리나라와 다른 나라와의 경제 관계

의존 관계	우리나라의 기술과 물건은 수출하고, 우리나라에 부족하거나 없는 자원, 물건, 기술, 노동력 등을 수입함.	
경쟁 관계	• 같은 종류의 물건을 생산하는 나라 간에 기술, 가격 등에서 서로 경쟁함. • **경쟁하는 까닭** : 서로 더 많이 수출하고 판매하기 위해서	▲ 도움을 주고받으며 경쟁하는 노트북 생산 기업

❋ 경제 교류가 개인과 기업에 미친 영향

개인	전 세계의 값싸고 다양한 물건을 선택할 수 있는 기회가 늘어남.
기업	제조 비용과 운반 비용을 줄이고, 새로운 기술과 아이디어를 주고받을 수 있게 되었음.

❋ 무역 문제의 원인과 해결 방법

① 무역 문제의 원인 : 서로 자기 나라 경제를 보호하고, 자기 나라의 산업을 더 키우려고 하기 때문입니다.

② 해결 방법 : 무역 문제를 중재하는 국제기구에 가입하거나 세계 여러 나라가 무역 문제를 함께 협상하고 합의하려는 노력이 필요합니다.
→ 세계 무역 기구(WTO)

확인 문제

16 경제 성장 과정에서 근로자와 경영자 사이의 갈등이 확산되어 나타나는 문제는 무엇입니까?

(   )

17 나라와 나라 사이에 물건이나 서비스를 사고파는 것은 무엇입니까?

(   )

18 생산자와 소비자 중 무역을 하면 더 값싸고 질 좋은 것을 살 수 있는 것은 누구입니까?

(   )

19 서로 자기 나라 경제를 보호하고, 자기 나라의 산업을 더 키우려고 하기 때문에 일어나는 문제는 무엇입니까?

(   )

20 무역 문제를 해결하기 위해 가입할 수 있는 국제기구는 무엇입니까?

(   )

사회 핵심이 한눈에

정답과 풀이 7쪽

세계의 여러 나라들

❶ 지구, 대륙 그리고 국가들

❋ ★세계 여러 나라의 지리 정보가 담긴 공간 자료

① 세계지도와 지구본

구분	세계지도	지구본 → 지구의 실제 모습을 작게 줄인 모형
같은 점	경선과 위선이 있음.	
다른 점	세계의 모습을 평면으로 나타냈음.	지구의 실제 모습과 비슷함.

② 디지털 영상 지도

뜻	위성 영상 정보나 항공 사진 등을 바탕으로 다양한 기기에서 이용할 수 있도록 디지털 정보로 표현된 지도
특징	• 세계지도나 지구본에서 찾기 어려운 다양한 정보를 얻을 수 있음. • 스마트폰이나 컴퓨터가 필요하며, 인터넷에 연결되어 있어야 함.

❋ 대륙과 대양

대륙	• 바다로 둘러싸인 큰 땅덩어리를 말함. • 아시아, 아프리카, 유럽, 오세아니아, 북아메리카, 남아메리카 등이 있음. → 대륙 중에서 가장 크며, 우리나라가 속해 있습니다.
대양	큰 바다를 말하며, 태평양, 대서양, 인도양, 북극해, 남극해 등이 있음. → 가장 큰 바다로 우리나라와 인접해 있습니다.

❷ 세계의 다양한 삶의 모습

❋ 세계의 다양한 기후 → 적도 지방에서 극지방으로 갈수록 기온이 점차 낮아집니다.

① 기후 : 일정한 지역에서 여러 해에 걸쳐 나타나는 평균적인 날씨

② 세계 기후의 분포 : 적도 지방에서 극지방으로 가면서 열대 기후, 건조 기후, 온대 기후, 냉대 기후, 한대 기후 등이 분포해 있습니다.

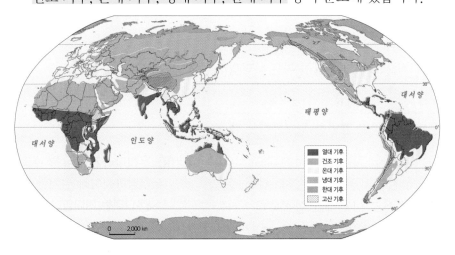

1 둥근 지구를 평면으로 나타낸 것은 무엇입니까?

( )

2 실제 지구의 모습을 작게 줄인 모형은 무엇입니까?

( )

3 아시아, 아프리카와 같이 바다로 둘러싸인 큰 땅덩어리를 무엇이라고 합니까?

( )

4 대양 중 두 가지만 쓰시오.

(,)

5 일정한 지역에서 여러 해에 걸쳐 나타나는 평균적인 날씨를 무엇이라고 합니까?

( )

정답과 풀이 **7**쪽

✱★기후에 따른 사람들의 생활 모습 → 세계 각 지역의 지형, 기후 등 자연환경과 풍습, 종교 등 인문환경은 그곳에 사는 사람들의 생활 모습에 영향을 미칩니다.

기후	자연환경	사람들의 생활 모습
열대 기후	열대 우림, 초원 등	화전 농업, 열대 작물 재배, 생태 관광 산업 발달 등
건조 기후	사막, 초원 등	오아시스나 강 주변의 농업, 유목 생활 등
온대 기후	뚜렷한 사계절, 따뜻한 날씨	다양한 농업이 발달함.
냉대 기후	뚜렷한 사계절, 온대 기후에 비해 긴 겨울	농업, 침엽수림을 이용한 목재, 펄프 공업이 발달함.
한대 기후	매우 낮은 평균 기온	순록 유목, 천연 자원 개발 등

❸ 우리나라와 가까운 나라들

✱ 이웃 나라의 자연환경과 인문환경

중국	• 자연환경 : 영토가 넓어 지역마다 다양한 지형과 기후가 나타남. • 인문환경 : 세계에서 인구가 가장 많고, 여러 가지 산업이 발달했음.
일본	• 자연환경 : 섬으로 이루어졌으며 국토 대부분이 산지이고, 화산, 지진 활동이 활발함. → 섬나라이기 때문에 습하고 비와 눈이 많이 내립니다. • 인문환경 : 원료 수입과 제품 수출에 유리한 태평양 연안을 따라 공업 지역이 발달했음.
러시아	• 자연환경 : 세계에서 영토가 가장 넓은 나라로, 다양한 지형을 볼 수 있으며, 위도가 높아 냉대 기후가 주로 나타남. • 인문환경 : 풍부한 천연자원을 바탕으로 한 산업이 발달했음.

✱ 우리나라와 세계 여러 나라의 교류

① 우리나라와 세계 여러 나라의 교류 모습

미국	우리나라와 군사적·외교적·문화적으로 긴밀한 관계를 맺고 있으며 대표적으로 무역을 많이 하는 나라임.
사우디아라비아	우리나라가 원유를 수입하는 대표적인 나라임.
베트남	우리나라가 수출을 많이 하고 활발하게 교류하는 대표적인 동남아시아 국가임.

② 우리나라는 이웃 나라를 비롯한 세계 여러 나라와 정치·경제·문화 등 다양한 면에서 활발하게 교류하며 서로 의존하고 있습니다.

③ 우리나라는 세계 여러 나라와 서로 이해하고 협력해야 합니다.

확인 문제

6 화전 농업, 사파리 관광 산업과 관련 있는 기후는 무엇입니까?

( )

7 냉대 기후의 침엽수림과 관련하여 발달한 산업을 쓰시오.

( )

8 극지방에 분포하는 일 년 내내 평균 기온이 매우 낮은 기후는 무엇입니까?

( )

9 우리나라의 이웃 나라로 세계에서 인구가 가장 많은 나라는 어디입니까?

( )

10 우리나라가 원유를 수입하는 서남아시아에 위치한 대표적인 나라는 어디입니까?

( )

정답과 풀이 **7**쪽

통일 한국의 미래와 지구촌의 평화

❶ 한반도의 미래와 통일

❀ 독도의 위치와 자연환경 → ^예 탕건봉, 코끼리 바위, 삼형제굴 바위, 한반도 바위, 독립문 바위, 천장굴

① 위치 : 우리나라의 동쪽 끝에 있는 섬으로 동해의 한가운데에 자리잡고 있습니다.

② 자연환경 : 독특한 지형과 경관을 지닌 화산섬이며 생태계의 보고입니다. → 천연기념물 제336호로 지정해 보호하고 있습니다.

▲ 독도

❀ 독도가 우리 영토라는 역사적 자료

옛 지도	「팔도총도」에는 우산도(독도)가 표기되어 있고, 일본이 만든 「대일본전도」에는 독도가 그려져 있지 않음.
옛 기록	『세종실록』「지리지」, 「대한 제국 칙령 제41호」, 「연합국 최고 사령관 각서 제677호」를 통해 독도가 우리나라 영토임을 알 수 있음.

❀ 독도를 지키려는 노력

① 독도에 등대, 선박 접안 시설, 경비 시설 등을 설치했습니다.

② 독도를 잘못 소개한 정보와 자료를 찾아 수정을 요구하는 등의 노력을 계속하고 있습니다. → 사이버 외교 사절단 반크의 단원들은 독도에 관한 사실을 전 세계 사람들에게 알리고 일본의 억지 주장을 바로잡는 데 힘쓰고 있습니다.

❀★남북통일이 필요한 까닭

남북 분단의 어려움	전쟁에 대한 공포, 이산가족의 아픔 등을 겪고 있음.
남북통일의 좋은 점	• 국방비가 줄어서 국민들의 삶의 질을 높이는 곳에 사용할 수 있음. • 분단국가라는 불안감을 해소해 세계 평화에 이바지할 수 있음. • 남북한의 자원을 효율적으로 사용할 수 있음.
남북통일을 위한 노력	정부와 민간단체를 중심으로 정치, 경제, 사회·문화 분야에서 교류하고 협력함.

❷ 지구촌의 평화와 발전

❀ 지구촌에서 일어나는 다양한 갈등

시리아 내전	독재 정치와 종교 문제로 내전이 계속되고 있음.
이스라엘 – 팔레스타인 분쟁	영토, 종교 분쟁, 오랜 분쟁으로 서로 사이가 나빠져 대화할 가능성이 없어졌음.
메콩강 유역 갈등	중국이 메콩강 상류에 거대한 댐을 건설하여 미얀마, 라오스, 타이, 캄보디아, 베트남 간에 갈등이 발생함.

메콩강은 중국, 미얀마, 라오스, 타이, 캄보디아, 베트남을 흐르는 강입니다.

---

11 우리나라의 동쪽 끝에 있는 섬으로 독특한 지형과 경관을 지닌 화산섬은 무엇입니까?

( )

12 독도가 우리 영토라는 사실을 알 수 있는 일본이 만든 지도는 무엇입니까?

( )

핵심 ➕ 기출 문제

사회

13 우리가 전쟁에 대한 공포, 이산가족의 아픔 등을 겪고 있는 까닭은 무엇 때문입니까?

( )

14 남북통일이 되면 줄일 수 있는 비용은 무엇입니까?

( )

15 중국, 미얀마, 라오스, 타이, 캄보디아, 베트남을 흐르는 강으로 댐으로 인해 분쟁이 발생한 강은 무엇입니까?

( )

 **사회** 핵심이 한눈에

정답과 풀이 7쪽

※ **지구촌 갈등의 해결 노력**

① 국제기구의 노력

국제 연합(UN)	지구촌의 평화 유지, 전쟁 방지, 국제 협력 활동 등을 함.
국제 노동 기구(ILO)	전 세계의 노동 문제를 다룸.
국제 연합 난민 기구 (UNHCR)	전쟁 등으로 살 곳을 잃은 난민들을 도움.
국제 연합 아동 기금 (UNICEF)	전 세계 어린이의 권리 향상을 위해 노력함.

② 비정부 기구의 노력 → 뜻이 같은 개인들이 모여 지구촌의 여러 문제를 해결하고자 활동하는 조직

국경 없는 의사회	인종이나 종교, 성별 등과 관계없이 의료 지원을 함.
그린피스	지구 환경과 평화를 지키고자 다양한 방법으로 핵 실험 반대, 자연 보호 운동을 함.
세이브 더 칠드런	아동의 생존과 보호를 돕고 이를 위한 시민들의 참여를 실현하고자 활동함.
해비타트	터전을 잃어버린 사람들에게 집을 지어 줌.

❸ **지속가능한 지구촌**

※ ★**지구촌의 환경문제**

① 환경문제와 해결 노력

환경문제 예	• 지구 온난화 : 지구의 평균 기온이 상승하는 현상 • 열대 우림 파괴 : 열대 기후 지역의 울창한 삼림이 파괴되는 현상
해결 노력	환경 캠페인 참여하기, 일회용품 줄이기, 친환경 제품 사용하기, 에너지 절약하기, 친환경 소재 개발하기 등

↳ 기업에서 하는 일

② 환경에 영향을 미치는 생산과 소비 생활 : 자원을 절약하고 환경오염을 줄임으로써 지속가능한 미래를 이룰 수 있습니다.

※ **빈곤과 기아 문제**

① 문제점 : 계속된 가뭄으로 물이 부족해지고 식량 문제가 생겨 빈곤과 기아 문제가 심각해지고 있습니다. → 분쟁 지역이 늘어나면서 기아 인구가 지속적으로 늘어나고 있습니다.

② 해결 노력 : 모금 활동, 구호 활동, 캠페인, 교육 지원, 농업 기술 지원 등

※ **문화적 편견과 차별 문제**

문제점	문화가 다르다는 이유로 편견과 차별에 고통받는 사람들이 있음.
해결 노력	• 서로의 문화를 존중하는 캠페인 활동하기 • 다양한 역사와 문화를 배우고 체험 행사 개최하기

확인 문제

16 전 세계의 노동 문제를 다루는 국제기구는 무엇입니까?

( )

17 뜻이 같은 개인들이 모여 지구촌의 여러 문제를 해결하려고 활동하는 단체를 무엇이라고 합니까?

( )

18 지구의 평균 기온이 상승하는 현상은 무엇입니까?

( )

19 가뭄과 식량 문제로 인해서 지속적으로 늘어나고 있는 지구촌 문제는 무엇입니까?

( )

20 문화가 다르다는 이유로 차별받는 사람들을 돕기 위한 노력을 한 가지 쓰시오.

( )

11종 공통

1학기 ❶ 민주주의의 발전과 시민 참여   출제율 ●●●○○

1 다음 ☐ 안에 공통으로 들어갈 사람은 누구입니까? (   )

> 우리나라의 첫 번째 대통령으로 선출된 ☐☐☐은/는 헌법을 바꿔 가며 계속 대통령이 되어 독재 정치를 이어 나갔습니다. 이러한 상황에서 ☐☐☐ 정부는 1960년 3월 15일에 정부통령 선거에서 부정 선거를 실행했고, 그 결과 선거에서 이겼습니다.

① 장면
② 전두환
③ 노태우
④ 박정희
⑤ 이승만

11종 공통

1학기 ❶ 민주주의의 발전과 시민 참여   출제율 ●●●●○

2 오른쪽 신문 기사에 실린 선언의 내용을 한 가지만 쓰시오.

▲ 6·29 민주화 선언 내용이 게시된 신문 기사

(   )

11종 공통

1학기 ❷ 일상생활과 민주주의   출제율 ●●●●○

3 다음 중 생활 속 정치의 사례로 알맞지 <u>않은</u> 것은 어느 것입니까? (   )

① 지역에서 주민 회의하기
② 시장에서 싼값에 채소 구매하기
③ 학교에서 전교 어린이회 선거하기
④ 학급 회의를 통해 청소 당번 정하기
⑤ 집안일을 분담하기 위해 가족회의 열기

11종 공통

1학기 ❷ 일상생활과 민주주의   출제율 ●●●○○

4 다음에서 설명하는 정치 제도는 무엇인지 쓰시오.

> 모든 국민이 나라의 주인으로서 권리를 갖고, 그 권리를 자유롭고 평등하게 행사하는 정치 제도입니다.

(   )

11종 공통

1학기 ❸ 민주정치의 원리와 국가기관의 역할   출제율 ●●●●○

5 국민의 대표인 국회의원이 나라의 중요한 일을 의논하고 결정하는 다음 사진 속 국가기관은 어디입니까? (   )

① 국회
② 법원
③ 정부
④ 헌법 재판소
⑤ 선거 관리 위원회

11종 공통

1학기 ❸ 민주정치의 원리와 국가기관의 역할   출제율 ●●●●○

잘 틀리는 문제

6 다음 중 권력 분립에 대한 설명으로 알맞지 <u>않은</u> 것은 어느 것입니까? (   )

① 민주정치의 원리이다.
② 국민의 자유와 권리를 지키기 위해 실시한다.
③ 국가기관이 권력을 나누어 가지고 서로 감시한다.
④ 우리나라는 국가 권력을 국회와 정부가 나누어 맡는다.
⑤ 우리나라에서는 민주주의를 실현하기 위해 실시하고 있다.

핵심 ➕ 기출 문제

사회

11종 공통

1학기 ❶ 경제주체의 역할과 우리나라 경제체제 출제율 ●●●○○○

7 다음과 같은 경제 활동을 하는 경제주체는 어느 것입니까? (   )

▲ 생산 활동에 참여하고 소득을 얻음.

① 가계   ② 기업   ③ 정부
④ 시장   ⑤ 시민 단체

11종 공통

1학기 ❶ 경제주체의 역할과 우리나라 경제체제 출제율 ●●●●○○

8 기업이 합리적인 선택을 해야 하는 이유로 알맞은 것은 어느 것입니까? (   )

잘 틀리는 문제

① 만족감을 얻기 위해서
② 제품을 적게 팔기 위해서
③ 생산 비용을 늘리기 위해서
④ 이윤을 많이 남기기 위해서
⑤ 다른 기업과 경쟁을 하지 않기 위해서

11종 공통

1학기 ❷ 우리나라의 경제 성장과 경제생활의 변화 출제율 ●●○○○○

9 다음 밑줄 친 정부의 노력으로 알맞지 <u>않은</u> 것은 어느 것입니까? (   )

> 1962년에 정부는 경제 개발 5개년 계획을 세우고 기업의 수출을 돕기 위해 노력했습니다.

① 정유 시설을 건설했다.
② 고속 국도와 항만을 많이 건설했다.
③ 한 가지 제품만 수출하도록 하였다.
④ 수출하는 기업의 세금을 내려 주었다.
⑤ 발전소를 건설해 기업에 에너지를 공급했다.

11종 공통

1학기 ❷ 우리나라의 경제 성장과 경제생활의 변화 출제율 ●●●●○○

10 다음은 어떤 문제를 해결하기 위한 노력입니까? (   )

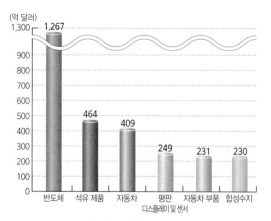

▲ 무료 급식소 운영하기   ▲ 복지 정책을 위한 법률 제정하기

① 환경오염   ② 노사 갈등
③ 빈부 격차   ④ 자원 부족
⑤ 주차 공간 부족

11종 공통

1학기 ❸ 세계 속의 우리나라 경제 출제율 ●●●●○○

11 다음 그래프를 통해 알 수 있는 우리나라의 주요 수출품이 <u>아닌</u> 것은 어느 것입니까? (   )

(억 달러)

반도체	석유 제품	자동차	평판 디스플레이및센서	자동차 부품	합성수지
1,267	464	409	249	231	230

▲ 우리나라의 주요 수출품

① 석탄   ② 자동차
③ 반도체   ④ 석유 제품
⑤ 자동차 부품

11종 공통

1학기 ❸ 세계 속의 우리나라 경제 출제율 ●●●○○

12 다음 중 자기 나라 경제를 보호하려는 까닭으로 알맞지 <u>않은</u> 것은 어느 것입니까? (   )

① 국가의 안정적 성장을 위해서
② 국민의 실업을 방지하기 위해서
③ 외국산 물건의 수입을 늘리기 위해서
④ 경쟁력이 낮은 산업을 보호하기 위해서
⑤ 다른 나라의 불공정 거래에 대응하기 위해서

[13~14] 다음 자료를 보고, 물음에 답하시오.

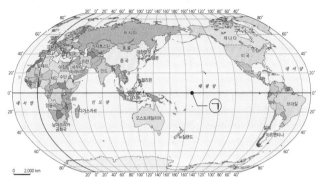

11종 공통

2학기 **❶** 지구, 대륙 그리고 국가들　　출제율 ●●●●○

13 위와 같이 둥근 지구를 평면으로 나타낸 것을 무엇이라고 하는지 쓰시오.

(　　　　　　　　　)

11종 공통

2학기 **❶** 지구, 대륙 그리고 국가들　　출제율 ●●●●○

14 위 자료의 ㉠에 대한 설명으로 알맞은 것은 어느 것입니까? (　　　　)

① 본초 자오선이다.
② 경도 0°의 선이다.
③ 위선의 기준이 된다.
④ 경선의 기준이 된다.
⑤ 넓이를 나타내기 위해 쓰인다.

11종 공통

2학기 **❷** 세계의 다양한 삶의 모습　　출제율 ●●●○○

15 다음에서 설명하는 기후는 어느 것입니까?

(　　　　)

> 일 년 내내 기온이 높고 강수량이 많으며, 건기와 우기가 나타나는 곳도 있습니다.

① 한대 기후　　　　② 건조 기후
③ 온대 기후　　　　④ 열대 기후
⑤ 냉대 기후

11종 공통

2학기 **❷** 세계의 다양한 삶의 모습　　출제율 ●●●●○

16 다음 생활 모습과 관련 있는 기후에 대한 설명으로 알맞은 것은 어느 것입니까? (　　　　)

▲ 울창한 침엽수림

① 사계절이 뚜렷하지 않다.
② 일 년 내내 비가 많이 내린다.
③ 온대 기후에 비해 겨울이 짧다.
④ 주민들은 주로 화전 농업을 한다.
⑤ 북반구의 중위도와 고위도 지역에 널리 분포한다.

11종 공통

2학기 **❸** 우리나라와 가까운 나라들　　출제율 ●●●●○

17 다음에서 설명하는 우리나라의 이웃 나라는 어디인지 쓰시오.

> • 네 개의 큰 섬과 3,000개가 넘는 작은 섬들로 이루어졌습니다.
> • 원료 수입과 제품 수출에 유리한 태평양 연안을 따라 공업 지역이 발달했습니다.

(　　　　　　　　　)

천재교육, 천재교과서, 동아출판

2학기 **❸** 우리나라와 가까운 나라들　　출제율 ●●●●○

18 한국, 중국, 일본의 비슷한 문화로 알맞지 <u>않은</u> 것은 어느 것입니까? (　　　　)

① 식사할 때 젓가락을 사용한다.
② 한자의 영향을 받은 문화가 있다.
③ 식사 문화로 코스 요리 문화가 나타난다.
④ 유교 문화의 영향으로 웃어른을 공경한다.
⑤ 불교문화의 영향으로 만들어진 절이 있다.

핵심 **+** 기출 문제

사회

11종 공통
2학기 ❶ 한반도의 미래와 통일　　　출제율 ●●●○○

19 독도에 대한 설명으로 알맞은 것은 어느 것입니까? (　　　)

① '울릉도'라고도 불린다.
② 사람이 살지 않는 섬이다.
③ 옛날에는 일본의 영토였다.
④ 다양한 동식물이 서식한다.
⑤ 우리나라의 남쪽 끝에 있는 섬이다.

11종 공통
2학기 ❶ 한반도의 미래와 통일　　　출제율 ●●●●●

20 다음과 같은 어려움을 겪는 원인으로 알맞은 것은 어느 것입니까? (　　　)

잘 틀리는 문제

북에 계신 어머니를 만나러 갈 수가 없어서 너무 슬퍼.

① 기아 문제　　　　② 남북 분단
③ 인종 차별　　　　④ 종교 분쟁
⑤ 경제 위기

11종 공통
2학기 ❶ 한반도의 미래와 통일　　　출제율 ●●●○○

21 남북통일을 위한 노력을 보기 에서 모두 찾아 기호를 쓰시오.

┌─ 보기 ──────────────┐
│ ㉠ 한라산 관광
│ ㉡ 개성 공업 지구 운영
│ ㉢ 남북 정상 회담 개최
│ ㉣ 유명 가수 해외 공연
└──────────────────┘

(　　　,　　　)

11종 공통
2학기 ❷ 지구촌의 평화와 발전　　　출제율 ●●●○○

22 다음 어린이가 겪고 있는 지구촌 갈등의 주된 원인은 어느 것입니까? (　　　)

아무리 눈을 감고 손으로 귀를 막아도 폭격 소리가 계속 들려. 너무 무서워.

① 기아　　　　② 전쟁
③ 차별　　　　④ 편견
⑤ 환경오염

11종 공통
2학기 ❷ 지구촌의 평화와 발전　　　출제율 ●●●○○

23 다음 　 안에 들어갈 국제기구는 무엇입니까?

(　　　)

┌────────────────────┐
│ 　세계는 평화로운 방법으로 갈등을 해결하는
│ 것이 중요하다는 점을 깨닫게 되었고 1945년에
│ [　　　　]을/를 만들었습니다.
└────────────────────┘

① 그린피스　　　　② 유럽 연합
③ 국제 연합(UN)　④ 세계 자연 기금
⑤ 국경 없는 의사회

11종 공통
2학기 ❸ 지속가능한 지구촌　　　출제율 ●●●●○

24 지구촌 곳곳에서 발생하고 있는 문제가 <u>아닌</u> 것은 어느 것입니까? (　　　)

① 지구 온난화
② 빈곤과 기아 문제
③ 아마존 열대 우림의 파괴
④ 메탄 하이드레이트의 증가
⑤ 플라스틱 쓰레기로 인한 해양 오염

11종 공통
2학기 ❸ 지속가능한 지구촌　　　출제율 ●●○○○

25 환경을 생각하는 생산과 소비 생활을 바르게 말한 어린이를 쓰시오.

┌────────────────────┐
│ 다현 : 환경에 미치는 영향을 최대화해야 해.
│ 진우 : 환경을 위해 자원의 소비량을 늘려야 해.
│ 태호 : 자원을 절약하면 환경오염을 줄일 수
│ 　　　있어.
└────────────────────┘

(　　　　　)

점수

11종 공통

1학기 ❶ 민주주의의 발전과 시민 참여 　　출제율 ●●●○○

1 다음에서 설명하는 사건은 어느 것입니까? (　　　)

> 1980년 전라남도 광주에서 대규모 민주화 시위가 일어나자 전두환은 시위를 진압할 계엄군을 보냈습니다.

① 4·19 혁명
② 6월 민주 항쟁
③ 3·15 부정 선거
④ 5·16 군사 정변
⑤ 5·18 민주화 운동

11종 공통
1학기 ❶ 민주주의의 발전과 시민 참여 　　출제율 ●●●●○

2 다음 보기 에서 대통령 직선제의 내용으로 알맞은 것을 찾아 기호를 쓰시오.

> 보기
> ㉠ 대통령을 국민이 직접 뽑는 제도입니다.
> ㉡ 지역 주민이 직접 선출한 사람이 그 지역의 일을 처리하는 제도입니다.
> ㉢ 직무를 잘 수행하지 못한 지역의 대표자를 주민들이 투표를 통해 자리에서 물러나게 하는 제도입니다.

(　　　　　)

11종 공통
1학기 ❷ 일상생활과 민주주의 　　출제율 ●●●●○

3 다음 그림과 관련 있는 민주주의의 기본 정신은 어느 것입니까? (　　　)

> 우리 모두는 인간으로서 소중한 가치를 지니고 있기 때문에 태어날 때부터 존중받을 권리가 있어요.

① 자유
② 평등
③ 편견
④ 주권
⑤ 인간의 존엄성

11종 공통
1학기 ❷ 일상생활과 민주주의 　　출제율 ●●●●○

4 다음에서 설명하는 민주 선거의 기본 원칙은 어느 것입니까? (　　　)

> 누구에게 투표했는지 다른 사람이 알 수 없습니다.

① 자유 선거
② 평등 선거
③ 보통 선거
④ 직접 선거
⑤ 비밀 선거

11종 공통
1학기 ❸ 민주정치의 원리와 국가기관의 역할 　　출제율 ●●●●○

5 다음 중 정부가 하는 일로 알맞은 것은 어느 것입니까? (　　　)

① 법을 고치거나 없앤다.
② 법을 만드는 일을 한다.
③ 법을 지키지 않은 사람을 처벌한다.
④ 법에 따라 나라의 살림을 맡아 한다.
⑤ 사용한 예산이 잘 쓰였는지를 검토한다.

핵심 ➕ 기출 문제

사회

11종 공통
1학기 ❸ 민주정치의 원리와 국가기관의 역할 　　출제율 ●●●●○

6 다음 ㉠, ㉡ 중 법원에서 하는 일을 나타낸 것의 기호를 쓰시오.

㉠ 초등학교 주변에 과속 방지 시설을 의무적으로 설치하는 법을 제안합니다.

㉡ □□ 씨를 폭행한 것이 인정되어 징역 ○년을 선고합니다.

(　　　　　)

1학기 ❶ 경제주체의 역할과 우리나라 경제체제 출제율 ●●●○○○

7 다음 소현이가 더 비싼 물건을 선택한 까닭으로 알맞은 것은 어느 것입니까? (　　　　)

> 소현이는 다른 물건보다 가격이 더 비싸지만 생산자에게 정당한 대가를 지불해 생산한 공정 무역 초콜릿을 구입했습니다.

① 유행에 따르기 위해서
② 좋은 서비스를 받기 위해서
③ 맛이 좋은 것을 사기 위해서
④ 값이 비싼 것을 사기 위해서
⑤ 자신이 추구하는 가치를 지키기 위해서

1학기 ❶ 경제주체의 역할과 우리나라 경제체제 출제율 ●●●●○

8 경제 활동의 자유와 경쟁이 우리 생활에 주는 도움으로 옳지 않은 것은 어느 것입니까? (　　　　)

① 소비자는 좋은 서비스를 받을 수 있다.
② 기업은 기술 개발을 하지 않아도 된다.
③ 우리나라 전체의 경제가 발전할 수 있다.
④ 소비자는 원하는 조건의 물건을 살 수 있다.
⑤ 자신의 재능과 능력을 더 잘 발휘할 수 있다.

1학기 ❷ 우리나라의 경제 성장과 경제생활의 변화 출제율 ●●●●○

9 1980년대에 우리나라의 자동차 산업이 발달하게 된 배경은 어느 것입니까? (　　　　)

① 천연자원이 풍부했기 때문이다.
② 산업 구조가 경공업으로 바뀌었기 때문이다.
③ 생활에 필요한 물품을 만드는 산업이었기 때문이다.
④ 본격적으로 세계 시장에 제품을 수출하였기 때문이다.
⑤ 제품을 만드는 데 필요한 재료를 만드는 산업이었기 때문이다.

11종 공통
1학기 ❷ 우리나라의 경제 성장과 경제생활의 변화 출제율 ●●●●○

10 다음 문제를 해결하기 위한 노력으로 알맞은 것은 어느 것입니까? (　　　　)

잘 틀리는 문제

> 급격한 경제 성장으로 환경이 급속도로 오염되었고 에너지 자원이 부족해졌습니다.

① 인권 보장
② 학비 지원
③ 양육비 지원
④ 친환경 에너지 생산
⑤ 안정적인 일자리 마련

11종 공통
1학기 ❸ 세계 속의 우리나라 경제 출제율 ●●●●○

11 나라 간에 무역이 발생하는 까닭으로 알맞은 것을 두 가지 고르시오. (　　,　　)

① 나라마다 자연환경이 다르기 때문에
② 나라마다 자본, 기술이 다르기 때문에
③ 나라마다 영토 크기가 다르기 때문에
④ 나라마다 믿고 있는 종교가 다르기 때문에
⑤ 나라마다 생산하는 물건과 서비스가 같기 때문에

11종 공통
1학기 ❸ 세계 속의 우리나라 경제 출제율 ●●●●○

12 무역 문제가 일어나는 원인으로 알맞은 것은 어느 것입니까? (　　　　)

① 국제기구에 가입되어 있지 않기 때문에
② 서로 자기 나라 경제를 보호하기 위해서
③ 다른 나라의 산업을 더 키우려 하기 때문에
④ 제품을 수입하는 기업이 줄어들고 있기 때문에
⑤ 경쟁력이 낮은 산업만 보호하려고 하기 때문에

[13~14] 다음 지도를 보고, 물음에 답하시오.

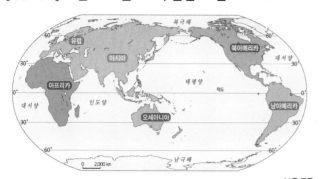

11종 공통
2학기 ❶ 지구, 대륙 그리고 국가들　　　출제율 ●●●●●○

13 세계 육지 면적의 약 30%를 차지하는 가장 큰 대륙을 위 지도에서 찾아 쓰시오.

(　　　　　　　　　)

11종 공통
2학기 ❶ 지구, 대륙 그리고 국가들　　　출제율 ●●●○○

14 위 지도에서 아프리카, 유럽, 아메리카 등에 둘러싸인, 두 번째로 큰 대양은 무엇입니까? (　　　　)

① 북극해　　　　　② 태평양
③ 남극해　　　　　④ 대서양
⑤ 인도양

11종 공통
2학기 ❷ 세계의 다양한 삶의 모습　　　출제율 ●●●○○

15 다음 보기 에서 세계의 기후에 대한 설명으로 알맞은 것을 찾아 기호를 쓰시오.

보기
㉠ 위도와는 관련이 없습니다.
㉡ 인구에 따라 다르게 나타납니다.
㉢ 적도 지방에서 극지방으로 갈수록 기온이 낮아집니다.

(　　　　　　　　　)

11종 공통
2학기 ❷ 세계의 다양한 삶의 모습　　　출제율 ●●●●◐

16 다음 주거 형태에 영향을 미친 환경 요인으로 알맞은 것은 어느 것입니까? (　　　　)

▲ 몽골의 게르

① 북극 지방에 살고 있다.
② 초원에서 유목 생활을 한다.
③ 옥수수 농사를 대규모로 짓는다.
④ 땅에서 열기와 습기가 올라온다.
⑤ 사람들이 힌두교를 많이 믿는다.

[17~18] 다음 지도를 보고, 물음에 답하시오.

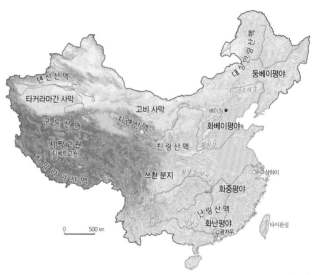

11종 공통
2학기 ❸ 우리나라와 가까운 나라들　　　출제율 ●●●●○

17 위의 지도에 나타난 우리나라의 이웃 나라는 어디 입니까? (　　　　)

① 타이　　　　　② 일본
③ 미국　　　　　④ 중국
⑤ 러시아

11종 공통
2학기 ❸ 우리나라와 가까운 나라들　　　출제율 ●●●●○

18 위 지도에서 중국과 몽골에 걸쳐 있는 사막을 찾아 쓰시오.

(　　　　　　　　　)

11종 공통

2학기 ❶ 한반도의 미래와 통일　　출제율 ●●●○○

19 다음 지형들을 볼 수 있는 우리나라의 영토는 어디 입니까? (　　　)

▲ 코끼리 바위　　　　▲ 탕건봉

① 독도　　　　② 송도
③ 울릉도　　　④ 제주도
⑤ 이어도

11종 공통

2학기 ❶ 한반도의 미래와 통일　　출제율 ●●●○○

20 다음과 같은 노력을 하는 단체는 어디입니까?
(　　　)

> 인터넷에서 우리나라와 관련된 잘못된 사실을 바로잡는 데 노력하고 있습니다.

① 그린피스　　　　　② 해비타트
③ 독도 경비대원　　　④ 국제 앰네스티
⑤ 사이버 외교 사절단 '반크'

11종 공통

2학기 ❶ 한반도의 미래와 통일　　출제율 ●●●●○

21 남북통일이 된다면 달라질 점으로 알맞은 것을 두 가지 고르시오. (　　,　　)

잘 틀리는 문제

① 국방비가 늘어날 것이다.
② 남북한의 인구가 줄어들 것이다.
③ 전쟁의 공포에서 벗어날 수 있다.
④ 전쟁에 대한 두려움이 커질 것이다.
⑤ 북한 지역의 풍부한 지하자원을 이용할 수 있다.

천재교육, 금성출판사, 김영사, 동아출판, 미래엔, 비상교육, 지학사

2학기 ❷ 지구촌의 평화와 발전　　출제율 ●●●○○

22 다음 지구촌 갈등이 발생하는 까닭에서 (　　) 안의 알맞은 말에 ○표를 하시오.

> 시리아에서는 독재 정치와 종교 문제로 국내에 크고 작은 (전쟁 / 교류)이/가 계속되고 있습니다.

11종 공통

2학기 ❷ 지구촌의 평화와 발전　　출제율 ●●●●○

23 지구촌 갈등 해결을 위해 우리나라가 하는 노력으로 알맞지 <u>않은</u> 것은 어느 것입니까? (　　　)

① 국제기구 활동에 참여한다.
② 국가의 평화 외교를 위해 힘쓴다.
③ 국제 연합의 평화 유지군을 파견한다.
④ 한국 국제 협력단이 봉사 활동을 한다.
⑤ 군대 비용을 줄이기 위해 군대를 만들지 않는다.

11종 공통

2학기 ❸ 지속가능한 지구촌　　출제율 ●●●○○

24 다음은 □ 안에 들어갈 알맞은 말은 어느 것입니까? (　　　)

> 지속가능한 미래를 위해 우리는 일상생활에서 에너지와 자원을 절약하는 등 □□□을/를 지키고 보존해야 할 책임이 있습니다.

① 법　　　　② 환경　　　　③ 재산
④ 영토　　　⑤ 종교

11종 공통

2학기 ❸ 지속가능한 지구촌　　출제율 ●●●○○

25 다음 어린이가 겪고 있는 지구촌 문제를 두 가지 고르시오. (　　,　　)

> 친구들에게 제가 믿는 종교를 이야기 했더니 무섭다고 이야기해요.

① 기아　　　　② 편견
③ 빈곤　　　　④ 오염
⑤ 차별

정답과 풀이 9쪽

1. 과학 탐구

✳ **탐구 과정** : 탐구 문제를 정하고 가설 세우기 → 실험 계획 세우기 → 실험하기 → 실험 결과를 변환하고 해석하기 → 결론 내리기

> 실험에서 같게 해야 할 조건과 다르게 해야 할 조건을 찾고, 그 방법을 정해 봅니다.

✳ **실험을 할 때 주의할 점**

① 실험을 하는 동안 관찰하거나 측정한 내용은 바로 기록합니다.

② 실험 결과를 사실 그대로 기록하고, 실험 결과가 예상과 다르더라도 고치거나 빼지 않습니다.

2. 지구와 달의 운동

✳ **지구의 자전**

① 지구의 자전 : 지구가 자전축을 중심으로 하루에 한 바퀴씩 서쪽에서 동쪽(시계 반대 방향)으로 회전하는 것

> 지구의 북극과 남극을 이은 가상의 직선

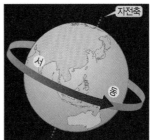

② 지구의 자전으로 나타나는 현상

• 하루 동안 태양, 달, 별이 동쪽 하늘에서 남쪽 하늘을 지나 서쪽 하늘로 움직이는 것처럼 보입니다.

• 낮과 밤이 하루에 한 번씩 번갈아 반복됩니다.

✳ **지구의 공전** → 지구는 자전과 함께 공전을 합니다.

① 지구의 공전 : ★지구가 태양을 중심으로 일 년에 한 바퀴씩 서쪽에서 동쪽(시계 반대 방향)으로 회전하는 것

② 지구의 공전으로 나타나는 현상 : 계절에 따라서 지구가 위치한 곳이 달라지므로 계절마다 보이는 별자리가 달라집니다.

✳ **여러 날 동안 달의 모양과 위치 변화**

① 달의 모양 : 약 30일을 주기로 모양 변화를 반복합니다.

달의 모양과 이름	초승달	상현달	보름달	하현달	그믐달
볼 수 있는 때	음력 2~3일 무렵	음력 7~8일 무렵	음력 15일 무렵	음력 22~23일 무렵	음력 27~28일 무렵

② 달의 위치

• 같은 장소에서 태양이 진 직후에 관측하면 초승달은 서쪽 하늘, 상현달은 남쪽 하늘, 보름달은 동쪽 하늘에서 보입니다.

• 여러 날 동안 같은 장소에서 같은 시각에 달을 관측하면 달은 서쪽에서 동쪽으로 날마다 조금씩 위치를 옮겨 가며 그 모양도 달라집니다.

확인 문제

1 실험 결과가 예상과 다르면 어떻게 기록해야 합니까?

(   )

2 지구는 무엇을 중심으로 하루에 한 바퀴씩 자전합니까?

(   )

3 낮과 밤이 생기는 까닭은 지구의 자전과 지구의 공전 중 무엇 때문입니까?

(   )

핵심
➕
기출
문제

과학

4 지구가 태양을 중심으로 일 년에 한 바퀴씩 서쪽에서 동쪽으로 회전하는 것을 무엇이라고 합니까?

(   )

5 하현달은 음력 며칠 무렵에 볼 수 있습니까?

(   )

정답과 풀이 9쪽

3. 여러 가지 기체

✽ 산소의 성질과 이용

성질	• 색깔과 냄새가 없음. • 철이나 구리와 같은 금속을 녹슬게 함. • 스스로 타지 않지만 다른 물질이 타는 것을 도움.
이용	우리가 숨을 쉴 때 필요하므로 잠수부나 소방관이 사용하는 압축 공기통, 응급 환자의 산소 호흡 장치, 산소 캔 등에 이용함.

> 산소가 든 집기병에 향불을 넣으면 불꽃이 커집니다.

✽ 이산화 탄소의 성질과 이용

성질	• 색깔과 냄새가 없음. • 물질이 타는 것을 막는 성질이 있음. • 석회수를 뿌옇게 만드는 성질이 있음.
이용	소화기, 드라이아이스, 탄산음료의 재료로 이용함.

✽ 압력과 온도 변화에 따른 기체의 부피 변화

> 액체는 압력을 가해도 부피가 거의 변하지 않습니다.

① 압력 변화에 따른 기체의 부피 변화 : 압력을 약하게 가하면 기체의 부피는 조금 작아지고, 압력을 세게 가하면 기체의 부피는 많이 작아집니다.

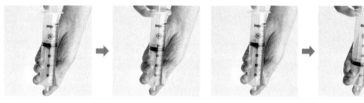

▲ 공기가 든 주사기 피스톤을 약하게 누르면 피스톤이 조금 들어감. ▲ 공기가 든 주사기 피스톤을 세게 누르면 피스톤이 많이 들어감.

② 온도 변화에 따른 기체의 부피 변화 : 온도가 높아지면 기체의 부피는 커지고, 온도가 낮아지면 기체의 부피는 작아집니다.

✽ 공기를 이루는 기체와 쓰임새

① 공기를 이루는 기체 : 공기는 대부분 질소와 산소로 이루어져 있으며, 이 밖에도 여러 가지 기체가 섞여 있습니다.

② 기체의 쓰임새

질소	식품의 내용물을 보존하거나 신선하게 보관하는 데 이용
수소	청정 연료로 전기를 만드는 데 이용
네온	특유의 빛을 내는 조명 기구나 네온 광고에 이용
헬륨	비행선이나 풍선을 공중에 띄우는 용도로 이용
산소	응급 환자의 호흡 장치, 잠수부의 압축 공기통 등에 이용
이산화 탄소	소화기, 드라이아이스, 탄산음료를 만드는 재료로 이용

> 탈 때 오염 물질이 나오지 않습니다.

6 산소는 고무와 금속 중 무엇을 녹슬게 합니까?

( )

7 산소와 이산화 탄소 중 물질이 타는 것을 막는 성질이 있는 것은 무엇입니까?

( )

8 압력을 세게 가하면 기체의 부피는 어떻게 됩니까?

( )

9 온도가 높아질 때와 낮아질 때 중 기체의 부피가 커지는 때는 언제입니까?

( )

10 공기를 이루는 기체 중 식품의 내용물을 보존하는 데 이용하는 기체는 무엇입니까?

( )

정답과 풀이 **9**쪽

4. 식물의 구조와 기능

❋ **세포** → 대부분 크기가 매우 작아 맨눈으로는 볼 수 없습니다.

① 세포 : 생물을 이루는 기본 단위로, 모든 생물은 세포로 이루어져 있습니다.

② 식물 세포의 생김새 : 세포벽과 세포막으로 둘러싸여 있고, 그 안에는 핵이 있습니다.

핵
세포막
세포벽
▲ 식물 세포

❋ **뿌리의 생김새와 하는 일**

① 뿌리의 생김새 : 뿌리털이 있습니다.

② 뿌리가 하는 일 : 땅속의 물을 흡수하고 식물이 쓰러지지 않도록 지지하며 잎에서 만든 양분을 저장하기도 합니다.

❋ **줄기의 생김새와 하는 일**

① 줄기의 생김새 : 껍질은 해충, 세균 등의 침입을 막고, 추위, 더위로부터 식물을 보호합니다.

② 줄기가 하는 일 : 뿌리에서 흡수한 물과 잎에서 만든 양분을 식물 전체로 보냅니다.

❋ **잎이 하는 일**

① 광합성 : ★식물이 빛, 이산화 탄소, 뿌리에서 흡수한 물을 이용하여 스스로 양분을 만드는 것

② 증산 작용 : 잎에 도달한 물이 기공을 통해 식물 밖으로 빠져나가는 것

• 식물의 온도를 조절하며, 뿌리에서 흡수한 물을 식물의 꼭대기까지 끌어 올릴 수 있도록 돕습니다.

꽃
잎 → 빛을 받은 잎에서만 녹말이 만들어집니다.
열매
줄기
뿌리
물을 흡수하는 역할을 합니다.
▲ 식물의 구조와 기능

❋ **꽃의 생김새와 하는 일**

① 꽃의 구조 : 대부분 암술, 수술, 꽃잎, 꽃받침으로 이루어져 있습니다.

② 꽃이 하는 일 : 꽃가루받이(수분)을 거쳐 씨를 만듭니다.

③ 꽃가루받이(수분) : ★수술에서 만든 꽃가루를 암술로 옮기는 것

❋ **열매의 생김새와 하는 일**

① 열매의 구조 : 씨와 씨를 둘러싼 껍질로 되어 있습니다.

② 열매가 하는 일 : 어린 씨를 보호하고, 씨가 익으면 멀리 퍼뜨립니다.

③ 식물이 씨를 퍼뜨리는 다양한 방법 : 가벼운 솜털이 있어 바람에 날려서 퍼집니다. 열매껍질이 터지며 씨가 튀어 나갑니다. 날개가 있어 빙글빙글 돌며 날아갑니다. 갈고리가 있어 동물의 털이나 사람의 옷에 붙어서 퍼집니다. 동물에게 먹힌 뒤 소화되지 않은 씨가 똥과 함께 나와 퍼집니다.

→ 열매가 생기는 과정 : 꽃가루받이가 됩니다. → 암술 속에서 씨가 생겨 자랍 니다. → 씨가 자라는 동안 씨를 싸고 있는 암술이나 꽃받침 등이 함께 자라 서 열매가 됩니다.

핵심 ⊕ 기출 문제

과학

정답과 풀이 **9**쪽

5. 빛과 렌즈

❋ **프리즘을 통과한 햇빛 관찰하기**

① 프리즘 : 유리나 플라스틱 등으로 만든 투명한 삼각기둥 모양의 기구
② 햇빛을 프리즘에 통과시키면 여러 가지 빛깔로 나타납니다.
→ 햇빛은 여러 가지 빛깔로 이루어져 있습니다.

❋ **빛의 굴절**

① 빛의 굴절 : 서로 다른 물질의 경계에서 빛이 꺾여 나아가는 현상
② 빛을 수면에 수직으로 비추면 공기와 물의 경계에서 꺾이지 않고 그대로 나아가지만, 수면에 비스듬하게 비추면 공기와 물의 경계에서 꺾여 나아갑니다.

▲ 빛의 굴절

❋ **물속에 있는 물체의 모습 관찰하기**

① 물속에 있는 물체의 모습은 실제와 다른 위치에 있는 것처럼 보입니다.
➡ 까닭 : 빛이 공기와 물의 경계에서 굴절하기 때문입니다.
② 물고기가 실제 위치보다 떠올라 있는 것처럼 보이는 까닭 : 물고기에 닿아 반사된 빛은 물속에서 공기 중으로 나올 때 물과 공기의 경계에서 굴절해 사람의 눈으로 오지만, 사람은 눈으로 들어온 빛의 연장선에 물고기가 있다고 생각하기 때문입니다.

❋ **볼록 렌즈로 물체의 모습 보기**

① 볼록 렌즈 : 가운데 부분이 가장자리보다 두꺼운 렌즈
② 볼록 렌즈는 빛을 굴절시키기 때문에 볼록 렌즈로 물체를 보면 실제 모습과 다르게 보입니다.

돋보기

가까이 있는 물체　멀리 있는 물체

▲ 실제 물체보다 크게　▲ 상하좌우가 다르게
　보일 수 있음.　　　　보일 수 있음.

간이 사진기

▲ 실제 모습　　　▲ 상하좌우가 다르게
　　　　　　　　　보임.

❋ **우리 생활에서 볼록 렌즈의 이용**

① 볼록 렌즈를 이용해 만든 기구의 이름과 쓰임새

기구의 이름	현미경	망원경	사진기	휴대 전화	의료용 장비
쓰임새	작은 물체를 확대함.	멀리 있는 물체를 확대함.	빛을 모아 사진을 촬영함.	빛을 모아 사진이나 영상을 촬영함.	물체를 확대함.

② 볼록 렌즈를 사용했을 때 좋은 점 : 시력 교정, 물체의 모습 확대 등

16 햇빛을 프리즘에 통과시키면 어떻게 됩니까?

(　　　　　　　　)

17 서로 다른 물질의 경계에서 빛이 꺾여 나아가는 현상을 무엇이라고 합니까?

(　　　　　　　　)

18 가운데 부분이 가장자리보다 두껍고, 가까이 있는 물체가 크게 보이는 렌즈는 무엇입니까?

(　　　　　　　　)

19 간이 사진기로 물체를 보면 실제 물체와 어떻게 다르게 보입니까?

(　　　　　　　　)

20 볼록 렌즈를 이용해 만든 기구를 한 가지 쓰시오.

(　　　　　　　　)

과학 핵심이 한눈에

정답과 풀이 **9**쪽

1. 전기의 이용

❋ **전기 회로** : 전지, 전선, 전구 등 전기 부품을 서로 연결해 전기가 흐르도록 한 것

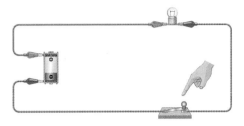

❋ **전지의 직렬연결과 전지의 병렬연결** 천재교과서, 금성

전지의 직렬연결	• 전지 두 개 이상을 서로 다른 극끼리 연결하는 방법 • 전지 두 개를 직렬연결한 전기 회로의 전구가 전지 두 개를 병렬연결한 전기 회로의 전구보다 밝음.
전지의 병렬연결	전지 두 개 이상을 서로 같은 극끼리 연결하는 방법.

❋ **전구의 직렬연결과 전구의 병렬연결** → 전구의 밝기가 밝을수록 전지가 더 빨리 소모됩니다.

전구의 직렬연결	• 전구 두 개 이상을 한 줄로 연결하는 방법 • 한 전구 불이 꺼지면 나머지 전구 불도 꺼짐.
전구의 병렬연결	• 전구 두 개 이상을 여러 개의 줄에 나누어 한 개씩 연결하는 방법 • 한 전구 불이 꺼져도 나머지 전구 불은 꺼지지 않음.

❋ **전선 주위에 놓인 나침반 바늘이 움직이는 까닭** : 전류가 흐르는 전선 주위에 자석의 성질이 나타나기 때문입니다.

❋ **전자석의 성질**
① **전자석** : 전류가 흐르는 전선 주위에 자석의 성질이 나타나는 것을 이용해 만든 자석
② **전자석의 성질** → 직렬로 연결된 전지의 개수를 다르게 하여 전자석의 세기를 조절할 수 있습니다.
 ★전류가 흐를 때에만 자석의 성질이 나타납니다.
 • 전류의 방향이 바뀌면 전자석의 극도 바뀝니다.
③ **전자석의 이용** : 전자석 기중기, 자기 부상 열차, 선풍기, 스피커 등

❋ **전기를 안전하게 사용하고 절약하는 방법** 예
① **안전하게 사용하는 방법** : 물 묻은 손으로 전기 제품을 만지지 않습니다. 플러그를 뽑을 때에는 전선을 잡아당기지 않습니다. 등
② **절약하는 방법** : 사용하지 않는 전등을 끕니다. 에어컨을 켤 때는 문을 닫습니다. 컴퓨터나 텔레비전을 사용하는 시간을 줄입니다. 등

확인 문제

1 전지, 전선, 전구 등 전기 부품을 서로 연결해 전기가 흐르도록 한 것을 무엇이라고 합니까?

(   )

2 전지 두 개 이상을 서로 다른 극끼리 연결하는 방법을 무엇이라고 합니까?

(   )

3 전구 두 개 이상을 여러 개의 줄에 나누어 한 개씩 연결하는 방법을 무엇이라고 합니까?

(   )

4 전구 두 개를 직렬연결한 전기 회로에서 전구 한 개의 불이 꺼지면 나머지 전구의 불은 어떻게 됩니까?

(   )

5 전류가 흐르는 전선 주위에 자석의 성질이 나타나는 것을 이용해 만든 자석은 무엇입니까?

(   )

핵심
➕
기출
문제

과학

정답과 풀이 **9**쪽

2. 계절의 변화

→ 기온이 가장 높게 나타나는 시각은 태양이 남중한 시각보다 약 두 시간 정도 뒤입니다.

✳ **하루 동안 태양 고도, 그림자 길이, 기온의 관계**

① 태양 고도 : 태양이 지표면과 이루는 각

② 태양 고도 측정 방법 : 실을 연결한 막대기를 지표면에 수직으로 세우고 그림자 끝과 막대기의 실이 이루는 각을 측정합니다.

③ 태양의 남중 고도 : 태양이 남중했을 때의 고도

④ 태양 고도와 그림자 길이, 기온의 관계 : 태양 고도가 높아지면, 그림자 길이가 짧아지고, 기온은 높아집니다.

✳ **계절에 따른 태양의 남중 고도와 낮의 길이**

① 태양의 남중 고도가 높아질수록 낮의 길이도 길어집니다.

② 계절에 따른 태양의 남중 고도와 낮의 길이

• 여름에는 태양의 남중 고도가 높고, 낮의 길이가 깁니다.

• 겨울에는 태양의 남중 고도가 낮고, 낮의 길이가 짧습니다.

③ 태양의 남중 고도가 높아지면 낮의 길이가 길어지고, 태양의 남중 고도가 낮아지면 낮의 길이가 짧아집니다.

✳ **계절에 따라 기온이 달라지는 까닭** : 계절에 따라 태양의 남중 고도가 달라지기 때문입니다.

✳ **계절의 변화가 생기는 까닭**

① 지구의 자전축이 수직일 때와 기울어져 있을 때

지구의 자전축이 수직일 때	태양의 남중 고도는 변하지 않음.
지구의 자전축이 기울어져 있을 때	태양의 남중 고도가 변함.

② 계절이 변하는 까닭 : ★지구의 자전축이 공전 궤도면에 대해 기울어진 채 태양 주위를 공전하기 때문입니다.

3. 연소와 소화

✳ **물질이 탈 때 나타나는 현상**

① 빛과 열이 발생합니다.

② 물질의 양이 변하기도 합니다.

③ 물질을 태워 어두운 곳을 밝히거나 주변을 따뜻하게 합니다.

✳ **물질이 탈 때 필요한 것**

① 물질이 타려면 온도가 발화점 이상이 되어야 합니다.

② 연소 → 어떤 물질이 불에 직접 닿지 않아도 타기 시작하는 온도입니다.

• 뜻 : 물질이 산소와 빠르게 반응하여 빛과 열을 내는 현상

• 연소가 일어나기 위해 필요한 것 : 탈 물질, 산소, 발화점 이상의 온도

✳ **물질이 연소한 후에 생기는 물질** : 물과 이산화 탄소가 생깁니다.

확인 문제

6 태양이 남중했을 때의 고도를 무엇이라고 합니까?

( )

7 태양의 남중 고도가 높아질수록 낮의 길이는 어떻게 되는지 쓰시오.

( )

8 계절에 따라 기온이 달라지는 까닭은 계절에 따라 무엇이 달라지기 때문입니까?

( )

9 지구의 자전축이 공전 궤도면에 대해 기울어진 채 태양 주위를 공전하기 때문에 나타나는 현상은 무엇입니까?

( )

10 물질이 산소와 빠르게 반응하여 빛과 열을 내는 현상을 무엇이라고 합니까?

( )

정답과 풀이 **9**쪽

※ **불을 끄는 다양한 방법**

① 소화 : 연소의 조건 중에서 한 가지 이상의 조건을 없애 불을 끄는 것

② 소화 방법 : 탈 물질 없애기(예 연료 조절 밸브 잠그기), 산소 공급 막기(예 알코올램프의 뚜껑 덮기), 발화점 미만으로 온도 낮추기 (예 물 뿌리기)

③ 소화기 사용 방법

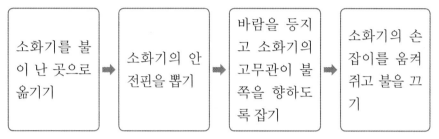

※ **화재 안전 대책** 예 : 비상벨을 누르고 119에 신고합니다. 승강기 대신에 계단을 이용합니다. 나무로 된 가구 밑에 들어가지 않습니다. 등

4. 우리 몸의 구조와 기능

※ **뼈와 근육이 하는 일**

① 뼈 : 우리 몸의 형태를 만들고 몸을 지지하는 역할을 합니다. → 심장이나 폐, 뇌 등을 보호합니다.

② 근육 : 길이가 늘어나거나 줄어들면서 뼈를 움직이게 합니다.

③ 팔이 구부러지고 펴지는 원리 : 팔 안쪽 근육이 줄어들면 뼈가 따라 올라와 팔이 구부러집니다. 팔 안쪽 근육이 늘어나면 뼈가 따라 내려가 팔이 펴집니다.

※ **소화 기관의 종류와 하는 일**

① 소화 기관 → 우리 몸에 필요한 영양소가 들어 있는 음식물을 잘게 쪼개 몸에 흡수될 수 있는 형태로 분해하는 과정입니다.

입	음식물을 이로 잘게 부수고, 혀로 섞은 뒤 침으로 물러지게 하여 삼킬 수 있도록 함.
식도	음식물이 위로 이동하는 통로임.
위	소화를 돕는 액체를 분비하여 음식물과 섞고 더 잘게 쪼갬.
작은창자	음식물을 잘게 분해하고 영양소를 흡수함.
큰창자	음식물 찌꺼기의 수분을 흡수함.
항문	소화되지 않은 음식물 찌꺼기를 배출함.

② 소화를 도와주는 기관 : 간, 쓸개, 이자 등

③ 소화 과정 : 입 ➡ 식도 ➡ 위 ➡ 작은창자 ➡ 큰창자 ➡ 항문

※ **호흡 기관의 종류와 하는 일**

① 호흡 기관 : 코, 기관, 기관지, 폐 등

② 숨을 들이마실 때 공기의 이동 : 코 ➡ 기관 ➡ 기관지 ➡ 폐

③ 숨을 내쉴 때 공기의 이동 : 폐 ➡ 기관지 ➡ 기관 ➡ 코

확인 문제

11 연소의 조건 중에서 한 가지 이상의 조건을 없애 불을 끄는 것을 무엇이라고 합니까?

( )

12 소화기를 사용할 때 소화기를 불이 난 곳으로 옮긴 다음에 해야 할 일은 무엇인지 쓰시오.

( )

13 우리 몸의 형태를 만들고 몸을 지지하는 것은 뼈와 근육 중 어느 것입니까?

( )

핵심 ➕ 기출 문제

과학

14 소화 기관 중에서 음식물을 잘게 분해하고 영양소를 흡수하는 일을 하는 기관은 무엇입니까?

( )

15 우리 몸의 호흡 기관 중 산소를 받아들이고 이산화 탄소를 내보내는 일을 하는 기관은 무엇입니까?

( )

정답과 풀이 **9**쪽

✹ 순환 기관의 종류와 하는 일 → 심장이 빨리 뛰면 혈액이 이동하는 빠르기가 빨라지고 이동량이 많아집니다.

심장	• 자신의 주먹만 하고 몸통 가운데에서 왼쪽으로 약간 치우쳐 있음. • 펌프 작용으로 혈액을 순환시킴.
혈관	• 가늘고 긴 관처럼 생겼고 온몸에 퍼져 있음. • 혈액이 이동하는 통로임.

✹ 배설 기관의 종류와 하는 일

① 콩팥 : 등허리 쪽에 두 개 있으며 혈액이 있는 노폐물을 걸러 냅니다.

② 방광 : 콩팥에서 걸러 낸 노폐물을 모아 두었다가 몸 밖으로 내보냅니다.

✹ 자극과 반응

① 감각 기관 : 눈, 귀, 코, 혀, 피부 등

② 자극이 전달되고 반응하는 과정 : 감각 기관 ➡ 자극을 전달하는 신경계 ➡ 행동을 결정하는 신경계 ➡ 명령을 전달하는 신경계 ➡ 운동 기관

✹ 운동할 때 우리 몸에서 나타나는 변화 : 운동을 할 때는 평소보다 더 많은 영양소와 산소가 필요하므로 맥박과 호흡이 빨라집니다. → 체온이 올라가고 땀이 나기도 합니다.

5. 에너지와 생활 → 식물은 햇빛을 받아 광합성을 하여 양분을 만들어 냄으로써 에너지를 얻고, 동물은 다른 생물을 먹어 얻은 양분으로 에너지를 얻습니다.

✹ 에너지의 형태

운동 에너지	움직이는 물체가 가진 에너지
빛에너지	어두운 곳을 밝게 비춰 주는 에너지
전기 에너지	전기 기구들을 작동시켜 주는 에너지
위치 에너지	높은 곳에 있는 물체가 중력에 의해 가지는 에너지
화학 에너지	생명 활동에 필요하며, 물질이 가진 잠재적인 에너지
열에너지	물체의 온도를 높여 주거나, 음식이 익게 해 주는 에너지

✹ 에너지 전환

① 뜻 : 에너지가 다른 형태의 에너지로 바뀌는 것

② 에너지 전환의 예 : 폭포는 위치 에너지가 운동 에너지로 전환됩니다. 전등에 불이 켜질 때 전기 에너지가 빛에너지와 열에너지로 전환됩니다. 등

✹ 우리 주변의 에너지 전환 : 생물은 태양으로부터 온 에너지를 여러 가지 형태로 전환해 생활에 활용하고 있습니다.

✹ 에너지를 효율적으로 이용하는 방법

① 건축 : 이중창을 설치하기, 건물의 외벽을 두껍게 만들기, 단열재를 넣어 외부 온도의 영향을 적게 받도록 만들기 등

② 식물이나 동물 : 식물 겨울눈의 비늘은 추운 겨울에 열에너지가 빠져 나가는 것을 줄여 주고, 곰, 다람쥐 등의 동물은 겨울 동안 자신의 화학 에너지를 더 효율적으로 이용하고자 겨울잠을 잡니다.

확인 문제

16 순환 기관 중에서 펌프 작용으로 혈액을 순환시키는 일을 하는 기관은 무엇입니까?

( )

17 배설 기관 중에서 혈액에 있는 노폐물을 걸러 내는 일을 하는 기관은 무엇입니까?

( )

18 뛰어다니는 강아지와 같이 움직이는 물체가 가진 에너지는 무엇입니까?

( )

19 에너지가 다른 형태의 에너지로 바뀌는 것을 무엇이라고 합니까?

( )

20 곰이나 다람쥐가 겨울 동안 자신의 화학 에너지를 효율적으로 이용하고자 하는 행동은 무엇입니까?

( )

1학기 1. 과학 탐구　　　　　　9종 공통
출제율 ●●●○○

1 다음 중 관찰한 내용이나 측정한 결과에서 얻은 자료를 표나 그래프, 그림 등으로 바꾸는 것을 무엇이라고 합니까? (　　　　)

① 가설 설정　　　② 결론 도출
③ 변인 통제　　　④ 자료 변환
⑤ 자료 해석

1학기 2. 지구와 달의 운동　　　　9종 공통
출제율 ●●●●○

2 다음과 같이 지구가 자전축을 중심으로 하루에 한 바퀴씩 서쪽에서 동쪽으로 회전하는 것을 무엇이라고 하는지 쓰시오.

(　　　　　　　)

1학기 2. 지구와 달의 운동　　　　9종 공통
출제율 ●●●●○

3 다음 중 지구의 공전에 대한 설명으로 옳은 것은 어느 것입니까? (　　　　)

① 지구는 달을 중심으로 회전한다.
② 지구는 하루에 한 바퀴씩 회전한다.
③ 지구는 동쪽에서 서쪽으로 회전한다.
④ 지구는 자전축을 중심으로 회전한다.
⑤ 지구는 일 년에 한 바퀴씩 회전한다.

1학기 2. 지구와 달의 운동　　　　9종 공통
출제율 ●●●●○

4 다음은 여러 날 동안 달의 모양 변화에 대한 설명입니다. □ 안에 들어갈 알맞은 말을 쓰시오.

> 여러 날 동안 달의 모양 변화는 약 30일을 주기로 초승달, □□□, 보름달, 하현달, 그믐달의 순서로 변합니다.

(　　　　　　　)

1학기 3. 여러 가지 기체　　　　9종 공통
출제율 ●●●●●

5 다음과 같이 기체 발생 장치를 이용하여 산소를 발생시킬 때 필요한 것을 두 가지 고르시오.

잘 틀리는 문제

(　　　,　　　)

① 석회수　　　　② 진한 식초
③ 이산화 망가니즈　　④ 탄산수소 나트륨
⑤ 묽은 과산화 수소수

1학기 3. 여러 가지 기체　　　　9종 공통
출제율 ●●●●○

6 기체 발생 장치를 꾸며 집기병에 기체를 모은 뒤 석회수를 넣고 흔들었더니 다음과 같은 결과가 나타났습니다. 집기병에 들어 있는 기체는 무엇인지 쓰시오.

흔들기

← 석회수

▲ 흔들기 전 : 투명함.　　▲ 흔든 뒤 : 뿌옇게 됨.

(　　　　　　　)

1학기 4. 식물의 구조와 기능　　　9종 공통
출제율 ●●●●○

7 다음 보기 에서 식물 줄기에 대한 설명으로 옳지 않은 것을 골라 기호를 쓰시오.

> **보기**
> ㉠ 녹말을 만듭니다.
> ㉡ 물이 이동하는 통로 역할을 합니다.
> ㉢ 껍질은 추위와 더위로부터 식물을 보호합니다.

(　　　　　　　)

핵심 ➕ 기출문제

과학

1학기 4. 식물의 구조와 기능   출제율 ●●●○○○

8 다음 중 식물이 빛, 이산화 탄소, 뿌리에서 흡수한 물을 이용하여 스스로 양분을 만드는 것을 무엇이라고 합니까? (   )

① 광합성   ② 저장 기능
③ 증산 작용   ④ 흡수 기능
⑤ 꽃가루받이(수분)

9종 공통
1학기 5. 빛과 렌즈   출제율 ●●●●●○

9 다음 중 레이저 지시기의 빛이 공기 중에서 물로 나아가는 모습으로 옳은 것을 골라 기호를 쓰시오.

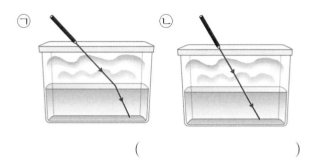

(   )

천재교과서, 금성, 김영사, 동아, 미래엔, 비상, 지학사
1학기 5. 빛과 렌즈   출제율 ●●●●●○

10 다음과 같이 장치하고 볼록 렌즈의 가장자리에 레이저 지시기의 빛을 비추었습니다. 곧게 나아가던 빛이 볼록 렌즈를 통과하면 어떻게 됩니까?

(   )

① 빛이 사라진다.
② 빛의 색깔이 변한다.
③ 빛이 사방으로 흩어진다.
④ 빛이 계속 곧게 나아간다.
⑤ 빛이 볼록 렌즈의 두꺼운 가운데 부분으로 꺾여 나아간다.

9종 공통
2학기 1. 전기의 이용   출제율 ●●●●○○

11 다음과 같이 전지, 전선, 전구 등 전기 부품을 서로 연결해 전기가 흐르도록 한 것을 무엇이라고 하는지 쓰시오.

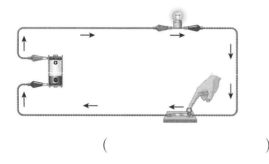

(   )

9종 공통
2학기 1. 전기의 이용   출제율 ●●●●●

12 다음 용어와 그 의미를 줄로 바르게 이으시오.

잘 틀리는 문제

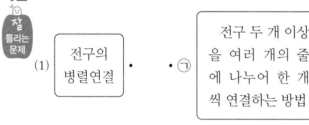

(1) 전구의 병렬연결   •   • ㉠ 전구 두 개 이상을 여러 개의 줄에 나누어 한 개씩 연결하는 방법

(2) 전구의 직렬연결   •   • ㉡ 전구 두 개 이상을 한 줄로 연결하는 방법

9종 공통
2학기 1. 전기의 이용   출제율 ●●●●○

13 다음 중 전자석에 대한 설명으로 옳은 것을 두 가지 고르시오. (,   )

① 자석의 극이 일정하다.
② 세기를 조절할 수 없다.
③ 막대자석은 전자석이다.
④ 자석의 극을 바꿀 수 있다.
⑤ 자기 부상 열차, 선풍기, 스피커 등에 이용한다.

9종 공통

2학기 2. 계절의 변화　　　　출제율 ●●●○○

14 다음과 같이 태양이 지표면과 이루는 각인 ㉠을 무엇이라고 하는지 쓰시오.

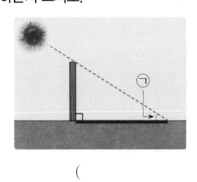

(　　　　　　　　)

9종 공통

2학기 2. 계절의 변화　　　　출제율 ●●●●○

15 다음은 하루 동안의 태양 고도와 기온의 그래프입니다. ㉠, ㉡ 중 태양 고도와 기온은 각각 어느 것인지 쓰시오.

잘 틀리는 문제

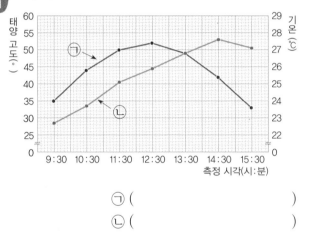

㉠ (　　　　　　　　)
㉡ (　　　　　　　　)

9종 공통

2학기 2. 계절의 변화　　　　출제율 ●●●●◐

16 다음 보기 에서 계절에 따라 기온이 달라지는 까닭으로 옳은 것을 골라 기호를 쓰시오.

보기
㉠ 지구가 자전하기 때문입니다.
㉡ 약 30일을 주기로 달의 모양이 변하기 때문입니다.
㉢ 계절에 따라 태양의 남중 고도가 달라지기 때문입니다.

(　　　　　　　　)

9종 공통

2학기 3. 연소와 소화　　　　출제율 ●●●●○

17 다음 중 초와 알코올이 탈 때 공통으로 나타나는 현상으로 옳은 것은 어느 것입니까? (　　　　)

▲ 초가 타는 모습

▲ 알코올이 타는 모습

① 불꽃 주변이 어둡다.
② 불꽃 주변이 차갑다.
③ 물질의 양은 변하지 않는다.
④ 물질이 빛과 열을 내면서 탄다.
⑤ 물질의 무게나 길이에 변화가 없다.

9종 공통

2학기 3. 연소와 소화　　　　출제율 ●●●●○

18 다음 설명에서 ☐ 안에 공통으로 들어갈 알맞은 말을 쓰시오.

• 물질이 산소와 빠르게 반응하여 빛과 열을 내는 현상을 ☐☐(이)라고 합니다.
• ☐☐이/가 일어나려면 탈 물질과 산소가 있어야 하고, 발화점 이상의 온도가 되어야 합니다.

(　　　　　　　　)

핵심 ➕ 기출 문제

과학

9종 공통

2학기 3. 연소와 소화　　　　출제율 ●●●●○

19 다음 중 우리 생활 속에서 탈 물질을 없애 불을 끄는 예로 옳은 것은 어느 것입니까? (　　　　)

① 불이 난 곳에 물을 뿌린다.
② 알코올램프의 뚜껑을 덮는다.
③ 불이 난 곳을 물수건으로 덮는다.
④ 불이 난 곳에 흙이나 모래를 뿌린다.
⑤ 가스레인지의 연료 조절 밸브를 잠근다.

2학기 4. 우리 몸의 구조와 기능   9종 공통 출제율 ●●●●●○

20 다음 중 소화 기관에 대한 설명으로 옳지 <u>않은</u> 것은 어느 것입니까? (   )

① 식도는 긴 관 모양이다.

② 위에서는 소화를 돕는 액체가 나온다.

③ 큰창자는 입에서 삼킨 음식물을 위로 이동시킨다.

④ 항문은 소화되지 않은 음식물 찌꺼기를 배출한다.

⑤ 작은창자는 음식물을 잘게 분해하고 영양소를 흡수한다.

2학기 4. 우리 몸의 구조와 기능   9종 공통 출제율 ●●●●●○

21 다음은 호흡 기관의 모습입니다. ㉠, ㉡ 기관의 이름을 각각 쓰시오.

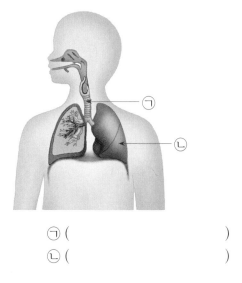

㉠ (   )

㉡ (   )

2학기 4. 우리 몸의 구조와 기능   9종 공통 출제율 ●●●●●○

22 다음 배설 기관과 배설 기관이 하는 일을 줄로 바르게 이으시오.

(1) 방광 •

(2) 콩팥 •

• ㉠ 혈액에 있는 노폐물을 걸러 냄.

• ㉡ 노폐물을 모아 두었다가 몸 밖으로 내보냄.

2학기 4. 우리 몸의 구조와 기능   9종 공통 출제율 ●●●●●○

23 다음은 자극이 전달되고 반응하는 과정을 나타낸 것입니다. ☐ 안에 들어갈 알맞은 말을 쓰시오.

감각 기관 ➡ 자극을 전달하는 신경계 ➡ 행동을 결정하는 신경계 ➡ ☐ ➡ 운동 기관

(   )

2학기 5. 에너지와 생활   9종 공통 출제율 ●●●●○

24 다음 중 에너지의 형태에 대한 설명으로 옳지 <u>않은</u> 것은 어느 것입니까? (   )

① 움직이는 물체가 가진 에너지는 운동 에너지이다.

② 어두운 곳을 밝게 비춰 주는 에너지는 빛에너지이다.

③ 여러 전기 기구들을 작동시켜 주는 에너지는 위치 에너지이다.

④ 물체의 온도를 높여 주거나, 음식이 익게 해 주는 에너지는 열에너지이다.

⑤ 식물이나 사람 등의 생명 활동에 필요하며, 물질이 가진 잠재적인 에너지는 화학 에너지이다.

2학기 5. 에너지와 생활   천재교육, 천재교과서, 비상 출제율 ●●●○○

25 다음 중 전기 에너지가 빛에너지로 전환되는 비율이 높은 것을 골라 기호를 쓰시오.

▲ 백열등

▲ 발광 다이오드[LED]등

(   )

1학기 1. 과학 탐구
9종 공통
출제율 ●●●○○

1 다음 중 탐구할 문제를 정하고 탐구의 결과를 예상하는 것을 무엇이라고 합니까? (   )

① 변인 통제
② 가설 설정
③ 자료 변환
④ 결론 도출
⑤ 자료 해석

1학기 2. 지구와 달의 운동
9종 공통
출제율 ●●●●●

2 다음 중 지구의 자전으로 일어나는 현상으로 옳지 <u>않은</u> 것은 어느 것입니까? (   )

잘 틀리는 문제

① 낮과 밤이 생긴다.
② 계절에 따라 보이는 별자리가 달라진다.
③ 하루 동안 달이 동쪽에서 서쪽으로 움직이는 것처럼 보인다.
④ 하루 동안 별이 동쪽에서 서쪽으로 움직이는 것처럼 보인다.
⑤ 하루 동안 태양이 동쪽에서 서쪽으로 움직이는 것처럼 보인다.

1학기 2. 지구와 달의 운동
9종 공통
출제율 ●●●●○

3 다음 중 우리나라에서 봄철에 볼 수 <u>없는</u> 별자리는 어느 것입니까? (   )

① 목동자리
② 사자자리
③ 오리온자리
④ 독수리자리
⑤ 페가수스자리

1학기 2. 지구와 달의 운동
9종 공통
출제율 ●●●●○

4 다음 중 음력 7~8일 무렵에 볼 수 있는 달은 어느 것입니까? (   )

① 초승달
② 상현달
③ 보름달
④ 하현달
⑤ 그믐달

1학기 3. 여러 가지 기체
9종 공통
출제율 ●●●●●

5 오른쪽과 같이 산소를 모은 집기병에 향불을 넣었더니 향불의 불꽃이 커졌습니다. 이것을 통해 알 수 있는 점으로 옳은 것은 어느 것입니까? (   )

① 산소는 냄새가 없다.
② 산소는 공기보다 무겁다.
③ 산소는 금속을 녹슬게 한다.
④ 산소는 다른 물질이 타는 것을 돕는다.
⑤ 산소는 석회수를 뿌옇게 흐려지게 한다.

1학기 3. 여러 가지 기체
9종 공통
출제율 ●●●○○

6 다음 □ 안에 들어갈 알맞은 기체를 쓰시오.

> 공기를 이루는 기체 중 [   ]은/는 식품의 내용물을 보존하거나 신선하게 보관하는 데 이용합니다.

(   )

1학기 4. 식물의 구조와 기능
천재교육, 천재교과서, 금성, 동아, 미래엔, 비상, 아이스크림
출제율 ●●●●●

7 다음 중 양분을 뿌리에 저장하고 있는 것은 어느 것입니까? (   )

①
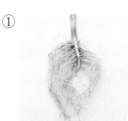
▲ 고추 뿌리

②
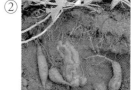
▲ 고구마 뿌리

③
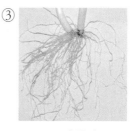
▲ 파 뿌리

④
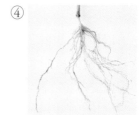
▲ 강아지풀 뿌리

1학기 4. 식물의 구조와 기능   9종 공통 출제율 ●●●●○

8 다음 사과꽃의 구조에서 꽃가루를 만드는 일을 하는 부분은 어느 것입니까? (   )

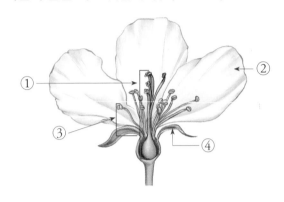

1학기 5. 빛과 렌즈   김영사, 미래엔, 지학사 출제율 ●●●●○

9 다음은 젓가락을 넣은 컵에 물을 붓지 않았을 때와 물을 부었을 때의 모습입니다. 물을 부었을 때 컵 안의 젓가락이 꺾여 보이는 것과 관련된 빛의 성질을 쓰시오.

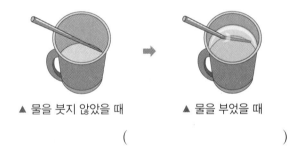

▲ 물을 붓지 않았을 때   ▲ 물을 부었을 때

(   )

1학기 5. 빛과 렌즈   천재교육, 금성, 김영사, 미래엔, 지학사 출제율 ●●●●○

10 다음 중 간이 사진기에서 볼록 렌즈가 하는 역할에 대한 설명으로 옳은 것은 어느 것입니까? (   )

잘 틀리는 문제

볼록 렌즈   겉 상자   속 상자

① 물체를 작게 보이게 한다.
② 물체에서 나온 빛을 모은다.
③ 물체가 뿌옇게 보이게 한다.
④ 물체에서 나온 빛을 퍼지게 한다.
⑤ 범위를 넓혀 더 많은 것을 보이게 한다.

2학기 1. 전기의 이용   9종 공통 출제율 ●●●●○

11 다음과 같이 전지, 전선, 전구를 연결하였을 때 전구에 불이 켜지는 것끼리 바르게 짝지은 것은 어느 것입니까? (   )

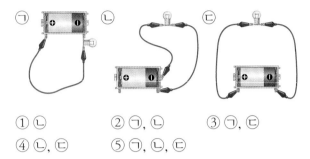

① ㉡
② ㉠, ㉡
③ ㉠, ㉢
④ ㉡, ㉢
⑤ ㉠, ㉡, ㉢

2학기 1. 전기의 이용   천재교과서, 금성 출제율 ●●●●●

12 다음 전기 회로에 대한 설명으로 옳은 것은 어느 것입니까? (   )

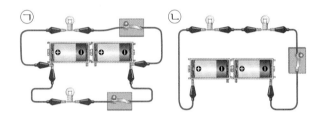

① ㉠은 전구가 직렬로 연결되어 있다.
② ㉡은 전구가 병렬로 연결되어 있다.
③ ㉠은 전지가 직렬로 연결되어 있다.
④ ㉡은 전지가 병렬로 연결되어 있다.
⑤ 스위치를 닫았을 때 ㉠과 ㉡ 전기 회로의 전구의 밝기는 같다.

2학기 1. 전기의 이용   9종 공통 출제율 ●●●○○

13 다음 중 막대자석을 나침반에 가까이 가져갔을 때 나침반 바늘이 가리키는 방향으로 옳은 것은 어느 것입니까? (   )

① 나침반 바늘의 N극 : 항상 남쪽을 가리킨다.
② 나침반 바늘의 S극 : 항상 북쪽을 가리킨다.
③ 나침반 바늘의 S극 : 막대자석의 S극을 가리킨다.
④ 나침반 바늘의 N극 : 막대자석의 N극을 가리킨다.
⑤ 나침반 바늘의 S극 : 막대자석의 N극을 가리킨다.

2학기 1. 전기의 이용   9종 공통   출제율 ●●●●○

14 다음 중 전자석의 극을 바꾸는 방법으로 옳은 것은 어느 것입니까? (   )

① 전자석을 종이로 감싼다.
② 전자석에 전선을 더 많이 감는다.
③ 전자석에 전선을 더 적게 감는다.
④ 전자석에 전류가 흐르지 않게 한다.
⑤ 전자석에 흐르는 전류의 방향을 바꾼다.

2학기 2. 계절의 변화   9종 공통   출제율 ●●●●○

15 다음 중 하루 동안의 태양 고도와 기온의 변화에 대한 설명으로 옳지 <u>않은</u> 것은 어느 것입니까?

(   )

잘 틀리는 문제

① 태양 고도가 높아지면 기온도 높아진다.
② 기온이 가장 높은 때는 14시 30분 무렵이다.
③ 태양 고도가 가장 높은 때 기온이 가장 높다.
④ 하루 동안 태양 고도와 기온은 계속 달라진다.
⑤ 태양 고도가 가장 높은 때는 낮 12시 30분 무렵이다.

2학기 2. 계절의 변화   금성, 미래엔   출제율 ●●●●○

16 다음과 같이 장치하고 태양의 남중 고도에 따른 기온 변화를 비교하는 실험을 할 때 다르게 해야 할 조건은 어느 것입니까? (   )

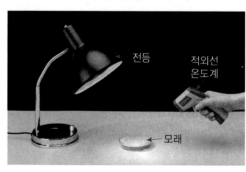

① 전등의 종류
② 전등을 켠 시간
③ 페트리 접시의 크기
④ 전등과 모래가 이루는 각
⑤ 전등과 모래 사이의 거리

2학기 2. 계절의 변화   9종 공통   출제율 ●●●●◐

17 다음 중 지구의 자전축이 공전 궤도면에 대해 기울어진 채 태양 주위를 공전하기 때문에 나타나는 현상은 어느 것입니까? (   )

① 계절의 변화가 생긴다.
② 기온이 항상 일정하다.
③ 낮의 길이가 항상 일정하다.
④ 그림자 길이가 항상 일정하다.
⑤ 태양의 남중 고도가 항상 일정하다.

2학기 3. 연소와 소화   9종 공통   출제율 ●●●○○

18 다음 중 열을 가했을 때 가장 먼저 연소하기 시작하는 물질은 어느 것입니까? (   )

① 발화점이 30 ℃인 물질
② 발화점이 50 ℃인 물질
③ 발화점이 65 ℃인 물질
④ 발화점이 78 ℃인 물질
⑤ 발화점이 85 ℃인 물질

핵심 ⊕ 기출 문제

과학

2학기 3. 연소와 소화   9종 공통   출제율 ●●●●○

19 다음 중 탈 물질을 없애서 촛불을 끄는 경우는 어느 것입니까? (   )

①
▲ 촛불에 분무기로 물 뿌리기

②
▲ 초의 심지를 핀셋으로 집기

③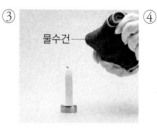
▲ 촛불을 물수건으로 덮기

④
▲ 촛불을 집기병으로 덮기

2학기 3. 연소와 소화   9종 공통   출제율 ●●●●○

20 다음 중 화재가 발생했을 때의 대처 방법으로 옳지 않은 것은 어느 것입니까? (   )

① 문손잡이가 뜨거우면 문을 열지 않는다.
② 승강기 대신에 계단을 이용하여 대피한다.
③ 나무로 된 책상 밑으로 들어가 몸을 피한다.
④ 젖은 수건으로 코와 입을 막고 몸을 낮춰 이동한다.
⑤ 아래층에서 불이 나면 옥상이나 높은 곳으로 올라가 구조를 요청한다.

2학기 4. 우리 몸의 구조와 기능   9종 공통   출제율 ●●●●○

21 다음 중 우리 몸의 뼈가 하는 일로 옳은 것은 어느 것입니까? (   )

① 혈액에 있는 노폐물을 거른다.
② 음식물을 잘게 쪼개고 분해한다.
③ 몸을 지지하고 심장, 폐, 뇌 등을 보호한다.
④ 주변으로부터 전달된 자극을 느끼고 받아들인다.
⑤ 몸 밖에서 들어온 산소를 받아들이고, 몸 안에서 생긴 이산화 탄소를 몸 밖으로 내보낸다.

2학기 4. 우리 몸의 구조와 기능   9종 공통   출제율 ●●●●◐

22 잘 틀리는 문제 다음 중 호흡 기관을 통해 숨을 들이마실 때 공기의 이동 과정으로 옳은 것은 어느 것입니까? (   )

① 코 → 폐 → 기관 → 기관지
② 코 → 기관 → 기관지 → 폐
③ 폐 → 코 → 기관 → 기관지
④ 폐 → 기관 → 기관지 → 코
⑤ 폐 → 기관지 → 기관 → 코

2학기 4. 우리 몸의 구조와 기능   9종 공통   출제율 ●●●●○

23 다음은 우리 몸의 기관 중 무엇에 대한 설명입니까? (   )

> • 주먹 모양으로 크기도 자신의 주먹만 하고 몸통 가운데에서 왼쪽으로 약간 치우쳐 있습니다.
> • 펌프 작용으로 혈액을 온몸으로 순환시킵니다.

① 코   ② 심장   ③ 콩팥
④ 방광   ⑤ 큰창자

2학기 5. 에너지와 생활   9종 공통   출제율 ●●●○○

24 다음 중 살아가는 데 필요한 에너지를 태양의 빛에너지로부터 직접 얻는 생물은 어느 것입니까? (   )

▲ 다람쥐

▲ 개

▲ 단풍나무

▲ 사슴

2학기 5. 에너지와 생활   9종 공통   출제율 ●●●●○

25 다음 중 돌아가는 선풍기에서 나타나는 에너지 전환 과정으로 옳은 것은 어느 것입니까? (   )

① 열에너지 → 빛에너지
② 전기 에너지 → 빛에너지
③ 빛에너지 → 위치 에너지
④ 운동 에너지 → 전기 에너지
⑤ 전기 에너지 → 운동 에너지

영어 핵심이 한눈에

정답과 풀이 12쪽

Lesson 1 What Grade Are You In?

(1) 학년 묻고 답하기

> A: What grade are you in? 너는 몇 학년이니?
> B: I'm in the sixth grade. 저는 6학년이에요.

- "너는 몇 학년이니?"라는 뜻으로 상대방의 학년을 물을 때는 '몇, 무슨'이라는 뜻의 what을 사용하여 What grade are you in?이라고 말합니다.
- 자신의 학년을 말할 때는 'I'm in the+학년에 해당하는 수+grade.'로 하고, 학년에 해당하는 수는 순서를 나타내는 말인 ★서수를 사용합니다.
  - ┗▸ 대부분 기수 뒤에 -th를 붙여 만듭니다.
  - (예외) first, second, third

(2) 이름의 철자 묻고 답하기

> ┏▸ I(나)의 소유격입니다.
> A: My name is Somi Han. 내 이름은 한소미야.
> ┏▸ you(너)의 소유격입니다.
> B: How do you spell your name? 네 이름의 철자는 어떻게 되니?
> A: S-O-M-I H-A-N. s, o, m, i h, a, n이야.

- 상대방 이름의 철자를 물을 때는 방법을 묻는 의문사 how를 사용하여 How do you spell your name?으로 말합니다. spell은 '철자를 말하다〔쓰다〕'라는 뜻입니다.
- 이름의 철자를 말할 때는 알파벳을 한 글자씩 순서대로 말하고, 문자로 제시할 때는 알파벳을 대문자로 써서 붙임표로 연결합니다.

Lesson 2 I Have a Headache

(1) 아픈 곳 묻고 답하기

> ┏▸ '일, 문제'를 뜻합니다.
> A: What's the matter? 무슨 일이니?〔어디가 아프니?〕
> B: I have a stomachache. 나는 배가 아파.
> ┏▸ 유감을 표현하는 말로 I'm sorry to hear
> A: Oh, that's too bad. 오, 그것 참 안됐구나. that.(그 말을 들으니 유감이야.)으로 말할 수도 있습니다.

- 상대방에게 어디가 아픈지 물을 때는 What's the matter?라고 말합니다. "무슨 일이니?" 또는 "어디가 아프니?"라는 뜻입니다. What's wrong?, What's the problem?으로 물을 수도 있습니다.
- 아픈 곳을 말할 때는 'I have a(n)+증상/병명.'으로 합니다. have는 뒤에 증상이나 병명이 올 때는 '~가 아프다, (병이) 있다'라는 뜻을 나타냅니다.
  〈증상이나 병명〉
  headache(두통), stomachache(복통), toothache(치통), cold(감기), fever(열)

확인 문제

1 다음 문장이 묻는 것은 무엇입니까? (우리말로)

> What grade are you in?

(   )

2 밑줄 친 부분을 바르게 고쳐 쓰시오.

> I'm in the five grade.

(   )

3 다음 대화의 빈칸에 알맞은 말은 무엇입니까?⋯⋯⋯⋯(   )

> A: _____
> B: B-O-R-A-M.

ⓐ What's your name?
ⓑ How do you spell your name?

4 다음 대화의 빈칸에 알맞은 낱말을 순서대로 쓰시오.

> A: What's the _____?
> B: I _____ a cold.

(   )

5 I의 증상을 우리말로 쓰시오.

> I have a headache.

(   )

핵심 + 기출 문제

영어

정답과 풀이 12쪽

(2) 아픈 증상에 대해 조언하기

증상으로 쓰일 때는 관사 a를 붙여 줍니다.

A: I have a <u>cold</u>. 저는 감기에 걸렸어요.
B: Take this medicine and get some rest. 이 약을 먹고 휴식을 좀 취해라.

● 아픈 증상에 대한 조언으로 상대방에게 어떤 행동을 하라고 말할 때는 주어인 You를 생략하고 동사원형으로 문장을 시작합니다.
● 두 문장을 한 문장으로 연결하여 말할 때는 '그리고'라는 뜻의 and를 문장과 문장 사이에 넣어 줍니다.

Lesson 3 When Is Your Birthday?

(1) 날짜 묻고 답하기

A: When is your birthday? 네 생일이 언제니?
B: <u>It's</u> on September 4th. 9월 4일이야.
→My birthday is로 쓸 수도 있습니다.

● 특별한 날이나 행사의 날짜를 물을 때는 '언제'라는 뜻의 의문사 when을 사용하여 'When is+특별한 날/행사?'로 말합니다.
● 이에 대한 응답으로 날짜를 말할 때는 'It's on+월+일(서수).'로 합니다. It 대신에 It이 가리키는 것을 넣어 말할 수도 있습니다. 날짜 앞에는 전치사 on을 쓰고, 달 앞에는 in을 씁니다.
예 It's in May.

(2) 기대 표현하기

A: When is the talent show? 학예회가 언제니?
B: It's on June 17th. I can't <u>wait</u>. 6월 17일이야. 난 기다릴 수 없어.
→'기다리다'라는 뜻이고, can't 뒤에 오는 동사는 원형으로 씁니다.

● 어떤 것에 대한 기대를 표현할 때는 "난 기다릴 수 없어." 즉, 몹시 기다려진다는 뜻으로 I can't wait.라고 말합니다. can't는 '~할 수 없다'라는 뜻입니다.

Lesson 4 Will You Come to My Birthday Party?

(1) 초대하고 이를 수락하거나 거절하기 / (2) 거절의 이유 말하기

→'너는 ~할래?'라는 뜻으로 제의할 때 쓰는 표현입니다.
A: <u>Will you</u> come to my birthday party? 너는 내 생일 파티에 올래?
B: Of course. 물론이지.
→'~해야 한다'라는 뜻으로 의무를 나타냅니다.
C: Sorry, I can't. I <u>have to</u> visit my uncle.
미안하지만 안 돼. 나는 삼촌 댁을 방문해야 해.

● '너는 ~에 올래?'라는 뜻으로 상대방을 행사나 파티에 초대할 때는 'Will you come to ~?'라고 말합니다.
● 이에 대한 응답으로 초대를 수락할 때는 Of course.(물론이지.)나 Okay.(알겠어.)라고 말합니다. 초대를 거절할 때는 Sorry, I can't.(미안하지만 안 돼.)라고 말한 뒤에 거절의 이유를 덧붙이는 것이 자연스럽습니다.

---

6 "휴식을 좀 취해라."라는 뜻이 되도록 문장을 고쳐 쓰시오.

> Let's take some rest.

(   )

7 다음 문장의 빈칸에 알맞은 낱말은 무엇입니까?

> Drink warm water
> _____ take this
> medicine.

(   )

8 괄호 안에서 알맞은 낱말을 골라 동그라미 하시오.

> A: (When / Where)
>   is the festival?
> B: It's (on / in) March
>   10th.

9 기대를 표현하는 말이 되도록 빈칸에 알맞은 낱말을 쓰시오.

> I can't _____.

(   )

10 다음 대화의 빈칸에 어색한 말은 무엇입니까? ············ (   )

> A: Will you come to
>   my concert?
> B: _____

ⓐ Of course.
ⓑ That's too bad.
ⓒ Sorry, I can't. I'm tired.

정답과 풀이 **12쪽**

Lesson 5 It's Next to the Restaurant

(1) 위치 묻고 답하기 / (2) 반복 요청하기

→'어디에'라는 뜻의 의문사입니다.
A: <u>Where</u> is the zoo? 동물원이 어디에 있나요?
B: Go straight two blocks and turn right. 곧장 두 구역 가다 오른쪽으로 도세요.
A: <u>Could you</u> say that again, please? 다시 한 번 말해 주시겠어요?
B: Go straight two blocks and turn right. It's next to the park.
곧장 두 구역 가다 오른쪽으로 도세요. 그것은 공원 옆에 있어요.
└→'~해 주실래요?'라는 뜻으로 요청할 때 쓰는 표현입니다.

● 가려는 곳의 위치를 물을 때는 '~은 어디에 있나요?'라는 뜻으로 'Where is+장소/건물 이름?'으로 말합니다.

● 이에 대한 응답으로 위치를 말할 때는 'It's+위치를 나타내는 말+장소/건물 이름.'으로 합니다.
★〈위치를 나타내는 말〉
next to(~ 옆에), behind(~ 뒤에), in front of(~ 앞에), between(~ 사이에)

● 상대방에게 한 말을 다시 한 번 말해 달라고 요청할 때는 Could you say that again, please?라고 말합니다. 간단히 Pardon (me)?, Come again?, (I'm) Sorry?, Excuse me?라고 말할 수도 있습니다.
└→반복을 요청할 때는 끝을 올려 말합니다.

Lesson 6 I'm Going to Visit My Uncle

(1) 계획이 무엇인지 묻고 답하기

→What will you do를 쓸 수도 있습니다.
A: What are you going to do this weekend?
너는 이번 주말에 무엇을 할 거니?
→'go+-ing'는 '~하러 가다'라는 뜻을 나타냅니다.
B: I'm going to go camping. 나는 캠핑하러 갈 거야.

● 상대방에게 무엇을 할 것인지 계획을 물을 때는 What are you going to do?라고 말합니다. 문장 뒤에 때를 나타내는 표현을 넣어 물을 수도 있습니다.

● 이에 대한 응답으로 '나는 ~할 거야.'라고 | 미래의 계획을 말할 때는 'I'm going to+동사원형 ~.'으로 합니다.
└→예 this vacation(이번 방학), tomorrow(내일), next week(다음 주)

(2) 교통수단 묻고 답하기

→예 by car(자동차로), by ship(배로), by train(기차로), on foot(걸어서)
A: Are you going to get there by plane? 너는 그곳에 비행기를 타고 갈 거니?
B: No, by train. 아니, 기차를 타고 갈 거야.

● '너는 그곳에 ~을 타고 갈 거니?'라는 뜻으로 교통수단을 물을 때는 'Are you going to get there by+교통수단?'으로 말합니다.

● 이에 대한 응답은 Yes(, I am).이나 'No, by+교통수단.'으로 하며, by는 '~로, ~을 타고'라는 뜻으로 교통수단을 표현할 때 씁니다.

---

11 다음 문장이 묻는 것은 무엇입니까? (우리말로)

> Where is the library?

( )

12 우리말 뜻이 되도록 문장을 완성하시오.

(1) 그것은 공원 뒤에 있어.
→ It is _____ the park.

(2) 곧장 가서 왼쪽으로 돌아라.
→ Go _____ and _____ left.

13 반복을 요청할 때 할 수 없는 말은 무엇입니까? ⋯⋯ ( )
ⓐ Excuse me?
ⓑ Sorry, I can't.
ⓒ Could you say that again, please?

14 다음 대화의 빈칸에 공통으로 알맞은 낱말은 무엇입니까?

> A: What are you _____ to do tomorrow?
> B: I'm _____ to go hiking.

( )

15 밑줄 친 부분 중 어색한 곳을 찾아 바르게 고쳐 쓰시오.

> Are you <u>going</u> to <u>get</u> there <u>on</u> plane?

(→)

정답과 풀이 **12쪽**

Lesson 7 Who's Calling, Please?

(1) 전화 대화하기

┌─▶ Can (May) I speak to Somi?라고 말할 수도 있습니다.
A: <u>Is Somi there?</u> 소미 있나요?
B: Who's calling, please? 누구세요?
A: This is Ray. 저는 레이예요. ─▶ I'm Ray.라고 말하지 않습니다.
B: Hold on, please. 잠깐만 기다리세요.

● 전화를 건 사람이 '~ 있나요?'라는 뜻으로 찾는 사람이 있는지 물을 때는 'Is+이름+there?'라고 말합니다.

● "누구세요?"라는 뜻으로 전화를 건 사람이 누구인지 물을 때는 ★Who's calling, please?라고 말합니다. 이에 대한 응답으로 '저는 ~예요.'라고 자신이 누구인지 말할 때는 'This is+자신의 이름.'으로 합니다. ┌─▶ 전화상에서는 I'm ~.으로 말하지 않습니다.

● 전화를 건 사람에게 찾는 사람을 바꿔 줄 테니 끊지 말고 잠깐만 기다리라는 뜻으로 말할 때는 Hold on, please.라고 합니다.

(2) 약속 제안하는 말 하기

┌─▶ '~하자'라는 뜻입니다.
A: <u>Let's go</u> to the zoo. 동물원에 가자.
┌─▶ 장소나 시간 앞에 쓰는 전치사입니다.
B: Sounds good. Let's meet <u>at</u> the bus stop. 좋아. 버스 정류장에서 만나자.
A: Okay. Let's meet at one. 그래. 1시에 만나자.

● 만날 장소나 시간을 제안할 때는 'Let's meet at+장소/시간.'으로 말합니다. 응답은 제안에 동의할 때는 Sounds good.(좋아.), Okay.(그래.)로, 제안을 거절할 때는 Sorry, I can't.(미안하지만 안 돼.)로 말합니다.

● 만날 장소와 시간을 함께 제안할 때는 장소를 먼저 써서 'Let's meet at+장소+at+시간.'으로 말합니다.
예 Let's meet at the theater at four. 4시에 극장에서 만나자.

Lesson 8 I'm Faster than You

(1) 비교하기

┌─▶ How old ~?는 나이를 묻는 표현입니다.
A: <u>How old</u> is your dog? 너의 개는 몇 살이니?
B: He's nine years old. 그는 9살이야.
A: Wow, he's <u>older</u> than my dog. 와, 그는 내 개보다 나이가 더 많구나.
└─▶ '나이가 더 많은'이라는 뜻의 비교급입니다. ⟶ younger(나이가 더 어린)

● 두 대상을 비교하여 'A는 B보다 더 ~하다.'라고 말할 때는 'A+be 동사+비교급+than+B.'로 합니다. 비교급은 '더 ~한'이라는 뜻으로 형용사 뒤에 -(e)r을 붙여서 만듭니다. than 뒤에는 주어와 비교하는 대상이 옵니다.

1 다음 전화 대화의 빈칸에 알맞은 말은 무엇입니까?

> A: Who's calling, please?
> B: _____ _____ John.

(   )

2 다음 내용이 옳으면 ○ 표, 옳지 않으면 × 표 하시오.

> 전화 대화에서 상대방에게 끊지 말고 잠깐만 기다리라고 할 때는 Hold on, please.라고 말한다.

(   )

3 다음 문장을 만날 장소를 제안하는 말로 바꿔 쓰시오.

> We meet at the park.

(   )

4 빈칸에 공통으로 알맞은 낱말은 무엇입니까?

> Let's meet _____ the school _____ two.

(   )

5 "밥(Bob)은 톰(Tom)보다 더 무거워."라는 뜻이 되도록 문장을 완성하시오.

> _____ is heavier _____.

정답과 풀이 12쪽

★〈비교급 만들기〉
① 대부분의 형용사는 - er을 붙입니다. 예 tall(키가 큰) – taller(키가 더 큰)
② e로 끝나는 형용사는 - r을 붙입니다. 예 cute(귀여운) – cuter(더 귀여운)
③ '단모음+단자음'으로 끝나는 형용사는 자음을 한 번 더 쓰고 - er을 붙입니다.
　　예 big(크기가 큰) – bigger(크기가 더 큰)
④ y로 끝나는 형용사는 y를 i로 바꾸고 - er을 붙입니다.
　　예 heavy(무거운) – heavier(더 무거운)

(2) 부인하기

→ strong+-er
A: I'm stronger than Ray.　나는 레이보다 힘이 더 세.
B: That's not right.　그건 그렇지 않아.
　　　　　　　　└ '옳은, 올바른'이라는 뜻입니다.

● "그건 그렇지 않아."라는 뜻으로 상대방이 한 말을 부인할 때는 That's not right.이라고 말합니다. That's[You're] wrong.(그건[너는] 틀렸어.)이나 I don't think so.(난 그렇게 생각하지 않아.)로 말할 수도 있습니다.

● 반대로 상대방이 한 말을 인정할 때는 That's right.(그건 맞아.)이나 You're right.(네가 맞아.), I think so.(그럴 것 같아.)라고 말합니다.

Lesson ·9· I Think It's Beautiful

(1) 알고 있는지 묻고 답하기

　　　　　　　　　　→ '~에 대한'이라는 뜻입니다.
A: Do you know about Jeju-do?　너는 제주도에 대해 알고 있니?
B: Yes, I do. It's a big island in Korea.
　　응, 그래. 그것은 한국에 있는 큰 섬이야.

● '너는 ~에 대해 알고 있니?'라는 뜻으로 상대방에게 어떤 것에 대해 알고 있는지 물을 때는 'Do you know about ~?'으로 말합니다.

● 이에 대한 응답은 묻고 있는 것에 대해 알고 있을 때는 Yes, I do.로, 모르고 있을 때는 No, I don't.로 합니다.

(2) 자신의 의견 표현하기

　　　　　　→ think 뒤에 that이 생략되어 있습니다.
A: I think this mountain is beautiful.　나는 이 산이 아름답다고 생각해.
B: Yes, it is. I want to go there.　응, 그래. 나는 그곳에 가고 싶어.
　　　　　　└ '~하고 싶다'라는 뜻으로 to 뒤에는 동사원형이 옵니다.

● '나는 ~라고 생각해.'라는 뜻으로 자신의 의견을 표현할 때는 'I think+주어 +동사 ~.'로 말합니다. think 뒤에는 'that+주어+동사 ~'가 오는데 that은 생략할 수 있습니다.
　　예 I think *bibimbap* is delicious. 나는 비빔밥이 맛있다고 생각해.
　　　I think *yunnori* is fun. 나는 윷놀이가 재미있다고 생각해.

6 다음 낱말의 비교급을 쓰시오.
(1) big → _____
(2) fast → _____
(3) strong → _____

7 괄호 안에서 알맞은 말을 골라 동그라미 하시오.

> 상대방이 한 말을 부인할 때는 That's (right / not right).이라고 말하고, 인정할 때는 That's (right / not right).이라고 말한다.

8 우리말 뜻에 알맞게 다음 대화를 완성하시오.

> A: _____ you _____ about it? (너는 그것에 대해 알고 있니?)
> B: Yes, I _____ .
> (응, 그래.)

9 주어진 낱말을 바르게 배열하여 문장을 완성하시오.

> think / this / is / movie

→ I _____ _____ fun.

10 I가 인형에 대해 어떻게 생각하는지 우리말로 쓰시오.

> I think the doll is cute.

(　　　　　　　　　　)

정답과 풀이 12쪽

Lesson 10 We Should Save the Earth

(1) 의견 묻고 답하기

→ '무엇'이라는 뜻의 의문사입니다.

A: <u>What</u> can we do for the Earth? 우리가 지구를 위해 무엇을 할 수 있니?

B: We can plant trees. 우리는 나무를 심을 수 있어.

● 우리가 무엇을 할 수 있는지 의견을 물을 때는 What can we do?라고 말합니다. 뒤에 '~을 위해'라는 뜻의 'for+명사'를 붙여 '우리가 ~을 위해 무엇을 할 수 있니?'라는 뜻으로 표현할 수도 있습니다.

  ⑩ What can we do for the school? 우리가 학교를 위해 무엇을 할 수 있니?

● 이에 대한 응답으로 할 수 있는 것을 말할 때는 '~할 수 있다'라는 뜻의 조동사 can을 사용하여 'We can+동사원형 ~.'으로 합니다.

  ⑩ We can recycle bottles. 우리는 병을 재활용할 수 있다.

(2) 의무 표현하기

→ '~을 끄다'라는 뜻입니다. ↔ turn on(~을 켜다)

A: Let's <u>turn off</u> the lights. 불을 끄자.

B: That's a good idea. We should <u>save</u> energy.

그거 좋은 생각이다. 우리는 에너지를 절약해야 해. → '절약하다'라는 뜻입니다.

● '우리는 ~해야 해.'라고 의무를 표현할 때는 'We should+동사원형 ~.'으로 말합니다. ★should는 '~해야 한다'라는 뜻으로 의무를 나타내며, 뒤에는 동사원형이 옵니다.

● That's a good idea.는 "좋은 생각이야."라는 뜻으로 상대방의 말에 동의할 때 씁니다. Good idea.나 What a good idea! 등으로 바꿔 쓸 수 있습니다.

Lesson 11 When Did You Go There?

(1) 과거에 한 일 묻고 답하기

→ 일반동사의 과거 의문문을 만들 때 쓰고, 뒤에 오는 동사는 원형으로 씁니다.

A: Where <u>did</u> you meet Alice? 너는 앨리스를 어디에서 만났니?

B: I <u>met</u> her at the library. 나는 그녀를 도서관에서 만났어.

→ meet(만나다)의 과거형입니다.

● 상대방에게 과거에 한 일을 물을 때는 did를 사용하여 '의문사+did you+동사원형 ~?'으로 말합니다. 무엇을 ~했는지 물을 때는 What did you ~?로, 어디에서 ~했는지 물을 때는 Where did you ~?로, 언제 ~했는지 물을 때는 When did you ~?로 말합니다.

  ⑩ What did you make? 너는 무엇을 만들었니?

    When did you go there? 너는 그곳에 언제 갔니?

● 이에 대한 응답으로 과거에 한 일을 말할 때는 동사의 과거형을 써서 'I+동사의 과거형 ~.'으로 말합니다.

확인 문제

11 다음 대화의 빈칸에 알맞은 낱말을 차례대로 쓰시오.

> A: _____ can we do?
>
> B: We _____ save energy.

(   )

12 의무를 표현하는 말은 무엇입니까? ·············(   )

ⓐ We can plant trees.

ⓑ We should recycle paper.

13 다음 문장의 우리말 뜻을 쓰시오.

> We should save the Earth.

(   )

14 우리말 뜻이 되도록 문장을 완성하시오.

⑴ 너는 무엇을 먹었니?

→ What _____ you eat?

⑵ 너는 그것을 언제 만들었니?

→ _____ did you _____ it?

15 괄호 안에서 알맞은 낱말을 골라 동그라미 하시오.

> A: What did you (buy / bought) yesterday?
>
> B: I (buy / bought) a doll.

(2) 과거에 한 일 말하기

→ '지난'이라는 뜻입니다.
A: I went to Italy <u>last</u> vacation. 나는 지난 방학에 이탈리아에 갔어.
B: What did you do there? 너는 그곳에서 무엇을 했니?
A: I <u>ate</u> pizza. 나는 피자를 먹었어.
└→ eat(먹다)의 과거형입니다.

● 과거에 한 일을 말할 때는 동사의 과거형을 씁니다.★동사의 과거형은 대부분
의 동사 뒤에 -(e)d를 붙여 만들지만 형태가 변하는 동사도 있습니다.
예) drink(마시다) – drank, go(가다) – went, make(만들다) – made
meet(만나다) – met, ride(타다) – rode, see(보다) – saw

● 과거에 한 일을 말할 때는 yesterday(어제), last night(어젯밤), last
weekend(지난 주말), last vacation(지난 방학)과 같은 과거의 때를 나타내
는 표현을 덧붙여 말할 수 있습니다.

Lesson 12 What Do You Want to Be?

(1) 장래 희망 묻고 답하기

→ '~이 되고 싶다'라는 뜻입니다.
A: I <u>want to be</u> a singer. What do you want to be?
나는 가수가 되고 싶어. 너는 무엇이 되고 싶니?
B: I want to be a drummer. 나는 드럼 연주자가 되고 싶어.

● "너는 무엇이 되고 싶니?"라는 뜻으로 상대방에게 장래 희망을 물을 때는
What do you want to be?라고 말합니다.

● 이에 대한 응답으로 '나는 ~이 되고 싶어.'라는 뜻으로 자신의 장래 희망을
말할 때는 'I want to be+a(n)+직업 이름.'으로 합니다.
〈직업 이름〉
actor(배우), designer(디자이너), painter(화가), firefighter(소방
관), police officer(경찰관), tour guide(여행 안내원), reporter(기자),
writer(작가), zookeeper(사육사)

(2) 좋아하는 것 표현하기

→ to 뒤에 오는 동사는 원형으로 씁니다.
A: I <u>like to draw</u> pictures. 나는 그림을 그리는 것을 좋아해.
→ '너는 ~이 되고 싶니?'라는 뜻의 표현입니다.
B: Then, <u>do you want to be</u> a painter? 그러면 너는 화가가 되고 싶니?
A: Yes. I want to draw pictures for children.
응. 나는 아이들을 위한 그림을 그리고 싶어.

● '나는 ~하는 것을 좋아해.'라고 자신이 좋아하는 것을 말할 때는 'I like to+
동사원형 ~.'으로 합니다. like to는 '~하는 것을 좋아하다'라는 뜻이고, 주어
가 3인칭 단수(She, He, 이름)일 때는 like 뒤에 -s를 붙여 줍니다.
예) She likes to make food. 그녀는 음식을 만드는 것을 좋아한다.

확인 문제

16 다음 낱말의 과거형을 쓰시오.

(1) meet → _____

(2) see → _____

(3) ride → _____

17 장래 희망을 묻는 표현을 완성
하시오.

What _____
you _____ to
_____ ?

18 주어진 낱말로 문장을 만들 때
필요 없는 낱말 하나는 무엇입
니까?

be / I / want / am
to / teacher / a / .

(_____)

19 우리말 뜻에 해당하는 표현은
무엇입니까?··················( )

나는 축구하는 것을 좋아해.

ⓐ I like to play soccer.
ⓑ I want to play soccer.
ⓒ I am going to play soccer.

20 빈칸에 공통으로 알맞은 낱말
은 무엇입니까?

• I want _____
be a writer.
• I like _____
read books.

(_____)

1 1학기 Lesson 2   출제율 ●●●○○
그림에 알맞은 낱말을 고르시오.·············· (   )

① cold   ② fever   ③ headache
④ toothache   ⑤ stomachache

2 1학기 Lesson 1   출제율 ●●●●◐
빈칸에 들어갈 수 <u>없는</u> 것을 고르시오.···· (   )

> I'm in the _____ grade.

① first   ② second   ③ third
④ four   ⑤ sixth

3 2학기 Lesson 10   출제율 ●●●●○
다음 문장에 알맞은 그림을 고르시오. ····· (   )

> We should save water.

①    ②   ③

④    ⑤

4 2학기 Lesson 7   출제율 ●●●●◐
 잘 틀리는 문제
다음 문장에서 'at'이 들어갈 곳을 <u>모두</u> 고르시오.
··· (   )

> Let's ① meet ② the ③ bus stop ④ one ⑤.

5 2학기 Lesson 8   출제율 ●●●●○
다음 문장이 그림과 일치하면 ○ 표, 일치하지
<u>않으면</u> × 표 하시오.

> Jake is taller than Ted.

(   )

6 2학기 Lesson 7   출제율 ●●●●○
다음 문장은 언제 하는 말인지 고르시오. (   )

> Is Kevin there?

① 과거에 한 일을 물을 때
② 몇 학년인지 물을 때
③ 날짜를 물을 때
④ 상대방을 초대할 때
⑤ 전화 통화하려는 사람을 찾을 때

7 1학기 Lesson 6   출제율 ●●●○○
그림에 알맞은 문장을 고르시오.·············· (   )

① I'm going to ride a bike.
② I'm going to play soccer.
③ I'm going to go camping.
④ I'm going to do my homework.
⑤ I'm going to swim in the sea.

8 1학기 Lesson 5 　　　　　출제율 ◎◎◎◎○

그림을 보고, 응답에 알맞은 질문을 고르시오.
.... (　　)

> A: _____
> B: Go straight and turn left. It's next to the fire station.

① Where is the bakery?
② Where is the hospital?
③ Where is the park?
④ Where is the bank?
⑤ Where is the bus stop?

9 2학기 Lesson 9 　　　　　출제율 ◎◎◎○○

다음 질문에 알맞은 응답을 고르시오. ..... (　　)

> Do you know about *tuho*?

① I can't wait.
② That's too bad.
③ Yes, I do. It's a traditional Korean game.
④ No, by plane.
⑤ I think this painting is beautiful.

10 2학기 Lesson 11 　　　　　출제율 ◎◎◎◎○

괄호 안의 우리말을 참고하여 <u>잘못된</u> 부분을 바르게 고쳐 문장을 다시 쓰시오.

> I go to the museum last weekend.
> (나는 지난 주말에 박물관에 갔어.)

11 2학기 Lesson 7 　　　　　출제율 ◎◎◎◎○

대화의 빈칸에 들어갈 말이 순서대로 짝지어진 것을 고르시오. .... (　　)

> A: Hello. Is Jina _____?
> B: Who's calling, please?
> A: _____ is Jack.

① this − There
② there − This
③ that − There
④ there − That
⑤ this − This

12 2학기 Lesson 12 　　　　　출제율 ◎◎◎◎○

대화를 읽고, 유리의 장래 희망을 고르시오.
.... (　　)

> Yuri: Do you want to be a singer?
> Peter: Yes. What do you want to be?
> Yuri: I want to be a reporter.

① 　② 　③

④ 　⑤

13 1학기 Lesson 3 　　　　　출제율 ◎◎◎◎○

대화를 읽고, 오늘 날짜를 고르시오. .... (　　)

> A: When is your birthday?
> B: It's on March 12th.
> A: Oh, it's tomorrow.

① 3월 11일
② 3월 12일
③ 5월 11일
④ 5월 12일
⑤ 7월 11일

핵심
➕
기출
문제

영어

1학기 Lesson 4 · 출제율 ●●●●○

14 대화를 읽고, 루시가 초대를 거절한 이유를 고르시오. ··················· (   )

> Sam: Will you come to the pizza party?
> Lucy: Sorry, I can't. I have to see a dentist.

①    ②   ③

④    ⑤

1학기 Lesson 2 · 출제율 ●●●○○

15 대화를 읽고, 에이미의 증상과 엄마가 조언한 것을 우리말로 쓰시오.

> Mom: What's the matter?
> Amy: I have a toothache.
> Mom: Take the medicine and get some rest.

(1) 증상: _____

(2) 조언한 것: _____

2학기 Lesson 10 · 출제율 ●●●●○

16 대화를 읽고, 지구를 위해 할 수 있는 일로 언급된 것을 고르시오. ··················· (   )

> A: What can we do for the Earth?
> B: We can turn off the lights.
> A: That's a good idea. We should save energy.

① 물 절약하기　　　② 재활용하기
③ 에너지 절약하기　④ 나무 심기
⑤ 자전거 이용하기

2학기 Lesson 9 · 출제율 ●●●●○

17 다음 중 자연스러운 대화를 고르시오. ····· (   )

① A: How do you spell your name?
　 B: My name is Minho.
② A: I think *bibimbap* is delicious.
　 B: Yes, it is. That's my favorite food.
③ A: Did you buy this cap?
　 B: No, I don't.
④ A: When is the talent show?
　 B: Of course.
⑤ A: Who's calling, please?
　 B: I'm Sera.

2학기 Lesson 11 · 출제율 ●●●●○

18 대화를 읽고, 알맞은 그림에 기호를 쓰시오.

> ⓐ A: What did you do last summer?
> 　 B: I read many books.
> ⓑ A: I made a big snowman.
> 　 B: Great.
> ⓒ A: Where did you go last vacation?
> 　 B: I went to Jeju-do.

(1) 　(2) 　(3)

(　　　)　(　　　)　(　　　)

2학기 Lesson 8 · 출제율 ●●●●○

19 대화를 읽고, 가장 빠른 사람의 이름을 영어로 쓰시오.

잘 틀리는 문제

> A: Junho is faster than Steve.
> B: That's right. David is faster than Junho.
> A: That's not right. Junho won the race last year.

_____

20

대화를 읽고, 다음 문장이 들어갈 곳을 고르시오.

.... (　　　)

> Sorry, I can't.

> A: When is your birthday? (　①　)
> B: (　②　) It's this Saturday. (　③　) Will you come to my birthday party? (　④　)
> A: (　⑤　) I have to visit my grandma.

21

자연스러운 대화가 되도록 문장을 바르게 배열하시오.

> ⓐ I'm going to visit Busan.
> ⓑ Are you going to get there by train?
> ⓒ What are you going to do this vacation?
> ⓓ No, by bus.

(　　　) → (　　　) → (　　　) → (　　　)

22

미나의 일기를 읽고, 대화의 빈칸에 알맞은 말을 쓰시오.

잘 틀리는 문제

> ○○월 ○○일 일요일 맑음
>
> 오늘 엄마와 경주에 갔다. 나는 거기서 사진을 많이 찍었다. 정말 즐거운 하루였다.

> Teddy: Did you have a good weekend?
> Mina: Yes, I _____. I _____ to Gyeongju with my mom.
> Teddy: What did you _____ there?
> Mina: I _____ many pictures.

23

대화를 읽고, 내용과 일치하지 않는 것을 고르시오.

.... (　　　)

> Tom: Where is the flower shop?
> Man: Go straight two blocks and turn right.
> Tom: Could you say that again, please?
> Man: Go straight two blocks and turn right. It's behind the hospital.
> Tom: Thank you.

① 톰은 꽃집을 찾고 있다.
② 남자는 톰에게 곧장 두 구역 가다 오른쪽으로 돌라고 했다.
③ 톰은 남자에게 다시 말해 달라고 요청했다.
④ 톰이 찾는 곳은 병원 옆에 있다.
⑤ 톰은 남자에게 감사 인사를 했다.

[24~25] 대화를 읽고, 질문에 답하시오.

> Yuna: I like to draw pictures.
> Mike: Do you want to be a painter?
> Yuna: Yes, I do. 너는 무엇이 되고 싶니?
> Mike: I want to be a baseball player.

24

괄호 안의 낱말을 사용하여 밑줄 친 우리말을 영어로 바꿔 쓰시오.

_____ (be)

25

내용과 일치하면 ○ 표, 일치하지 않으면 × 표 하시오.

(1) 유나는 그림 그리는 것을 좋아한다. (　　　)
(2) 유나는 사진작가가 되고 싶어 한다. (　　　)
(3) 마이크는 야구 선수가 되고 싶어 한다.
(　　　)

핵심 ➕ 기출 문제

영어

1학기 Lesson 2　　　　　　출제율 ●●○○○

1 다음 낱말의 밑줄 친 부분과 발음이 같은 것을 고르시오. ……………………………… (　)

> b<u>a</u>d

① f<u>a</u>st　　② r<u>a</u>ce　　③ pl<u>a</u>ne
④ m<u>a</u>ke　　⑤ head<u>a</u>che

1학기 Lessons 1, 6　　　　　출제율 ●●●●◐

2 빈칸에 들어갈 낱말이 순서대로 짝지어진 것을 고르시오. ……………………………… (　)

> • I'm _____ the sixth grade.
> • I'm going to visit my uncle _____ Daegu.

① in – on　　　　② on – on
③ in – in　　　　④ at – in
⑤ on – at

1학기 Lesson 5　　　　　　출제율 ●●●●○

3 그림에 알맞은 것을 고르시오. …………… (　)

① in　　　　② between　　③ behind
④ on　　　　⑤ at

2학기 Lesson 8　　　　　　출제율 ●●●○○

4 다음 중 짝지어진 관계가 나머지와 다른 것을 고르시오. …………………………… (　)

잘
틀리는
문제

① food – pizza　　② clothes – shirt
③ color – yellow　　④ fast – slow
⑤ animal – lion

1학기 Lesson 6　　　　　　출제율 ●●●○○

5 다음 어구에 알맞은 그림을 고르시오. ……(　)

> play soccer

[6~7] 다음 문장이 그림과 일치하면 ○ 표, 일치하지 <u>않으면</u> × 표 하시오.

1학기 Lesson 2　　　　　　출제율 ●●●●○

6
> I have a headache.

(　)

1학기 Lesson 6　　　　　　출제율 ●●●●○

7
> I'm going to get there by bus.

(　)

2학기 Lesson 8   출제율 ●●●●○

8 그림에 알맞은 문장을 고르시오. ·········· (   )

① Hojin is stronger than Jack.
② Hojin is younger than Jack.
③ Jack is stronger than Hojin.
④ Jack is older than Hojin.
⑤ Jack is faster than Hojin.

2학기 Lesson 11   출제율 ●●●○○

9 그림을 보고, 빈칸에 알맞은 것을 고르시오.
·· (   )

I _____ hiking with my dad yesterday.

① go   ② do   ③ went
④ come   ⑤ had

2학기 Lesson 12   출제율 ●●●●○

10 다음 질문에 알맞은 응답을 고르시오. ····· (   )

What do you want to be?

① I want to be a dancer.
② My mom made it.
③ I went there last week.
④ Yes, I am.
⑤ I like to sing.

1학기 Lesson 6   출제율 ●●●●○

11 다음 중 어법상 어색한 것을 고르시오. ···· (   )

① What did you do yesterday?
② I think it's beautiful.
③ I'm going visit Seoul tomorrow.
④ How do you spell your name?
⑤ I'm faster than Mary.

2학기 Lesson 11   출제율 ●●●●○

12 대화의 밑줄 친 낱말을 알맞은 형태로 고쳐 쓰시오.

A: What did you buy?
B: I buy a cap for my brother.

(   )

1학기 Lesson 3   출제율 ●●●●●

13 그림을 보고, 대화의 빈칸에 들어갈 말이 순서대로 짝지어진 것을 고르시오. ·················· (   )

A: _____ is the school festival?
B: It's on _____.

① When – May 5th   ② When – April 20th
③ Where – June 6th   ④ How – January 14th
⑤ When – May 14th

핵심
➕
기출
문제

영어

[14~15] 대화의 빈칸에 알맞은 말을 고르시오.

2학기 Lesson 10   출제율 ●●●●○

14 .... (   )

> A: We should save the Earth.
> B: Right. Let's plant trees.
> A: _____

① Yes, it is.
② It's behind the bookstore.
③ That's a good idea.
④ Go straight and turn right.
⑤ I think he's a great painter.

2학기 Lesson 7   출제율 ●●●●○

15 .... (   )

> A: Hello. Is Ann there?
> B: _____
> A: This is Jiho.

① Right.   ② Bye.
③ Sorry, I can't.   ④ No, he isn't.
⑤ Who's calling, please?

2학기 Lesson 12   출제율 ●●●●○

16 대화의 빈칸에 알맞은 직업 이름을 주어진 알파벳으로 시작하여 쓰시오.

> A: I like to write stories.
> B: Do you want to be a w_____?
> A: Yes. I want to write stories for children.

2학기 Lesson 9   출제율 ●●●●○

17 다음 중 자연스러운 대화를 고르시오. ..... (   )

잘 틀리는 문제

① A: When did you go there?
   B: It's Friday.
② A: Do you know about *samulnori*?
   B: Yes, I do. It's a traditional Korean music.
③ A: What do you want to be?
   B: Yes, I do.
④ A: My name is Jake.
   B: I'm in the fifth grade.
⑤ A: How do you spell your name?
   B: I have a cold.

1학기 Lesson 5   출제율 ●●●●○

18 대화의 빈칸에 알맞은 말을 쓰시오.

> A: _____ is the bank?
> B: Go straight one block and turn right.
>   It's _____ front of the park.

2학기 Lesson 9   출제율 ●●●●○

19 자연스러운 대화가 되도록 문장을 바르게 배열한 것을 고르시오. .... (   )

> ⓐ Yes, I do. He's a great musician.
> ⓑ Do you know about Mozart?
> ⓒ Yes, he is. I like his music.

① ⓐ – ⓑ – ⓒ   ② ⓑ – ⓒ – ⓐ
③ ⓑ – ⓐ – ⓒ   ④ ⓒ – ⓐ – ⓑ
⑤ ⓒ – ⓑ – ⓐ

20 2학기 Lesson 11   출제율 ●●●●◑

대화를 읽고, 내용과 일치하지 <u>않는</u> 것을 고르시오.
·····················( )

> Jiho: I went to Yeosu last Saturday.
> Emily: What did you do there?
> Jiho: I swam and took many pictures.
>   I visited my aunt there, too.

① 지호는 지난주 토요일에 여수에 갔다.
② 에밀리는 지호가 여수에서 무엇을 했는지 물었다.
③ 지호는 여수에서 수영을 했다.
④ 지호는 여수에서 사진을 많이 찍었다.
⑤ 지호는 여수에서 삼촌 댁을 방문했다.

[21~22] 대화를 읽고, 질문에 답하시오.

> Minho: (we / can / what / do) for the Earth?
> Jane: We can recycle paper.
> Kevin: We should save energy, too.
> Minho: Right. We should turn off the computers.

21 2학기 Lesson 10   출제율 ●●●●○

괄호 안의 말을 바르게 배열하여 쓰시오.

_____

22 2학기 Lesson 10   출제율 ●●●○○

제인이 한 말에 알맞은 그림을 고르시오. ( )

23 2학기 Lesson 9   출제율 ●●●●○

대화를 읽고, 그림에 대한 두 사람의 의견을 우리말로 쓰시오.

> Mina: Look at this painting.
> Eric: I think it's scary.
> Mina: Really? I think it's funny.

(1) 에릭: _____

(2) 미나: _____

[24~25] 그림을 보고, 대화의 빈칸에 알맞은 말을 쓰시오.

24 1학기 Lesson 5   출제율 ●●●●◑

> A: Where is the bus stop?
> B: Go straight and turn _____.
>   It's next to the _____.

25 1학기 Lesson 4   출제율 ●●●●○

> Ann: Will you _____ to my birthday party?
> Jiho: Sorry, I can't. I have to see a _____.

핵심 ➕ 기출 문제

영어

1학기 1. 비유하는 표현

1 다음 시에서 대상을 무엇에 비유하였는지 찾아 쓰시오.
중

봄비

해님만큼이나
큰 은혜로
내리는 교향악

이 세상
모든 것이 다
악기가 된다.

달빛 내리던 지붕은
두둑 두두득
큰북이 되고

아기 손 씻던
세숫대야 바닥은

도당도당 도당당
작은북이 된다.

대상	비유적 표현
(1) 지붕	
(2) 세숫대야 바닥	

1학기 2. 이야기를 간추려요

2 다음 이야기에서 가장 중요한 사건의 기호를 쓰시오.
하

'어차피 내 쌀이 아니니 좋은 일에 쓰도록 하자.'
그리하여 덕진은 쌀을 팔아서 마을 앞을 가로지르는 강가에 다리를 놓기로 했다. 마을 사람들 모두가 그곳에 다리가 없어서 불편을 겪던 참이었다. 이렇게 해서 돌다리를 놓자, 사람들은 그 다리를 '덕진 다리'라고 했다.

㉠ 덕진이 쌀을 팔았다.
㉡ 다리가 없어서 마을 사람들이 불편을 겪었다.
㉢ 덕진이 마을 앞을 가로지르는 강가에 다리를 놓았다.

( )

1학기 3. 짜임새 있게 구성해요

3 다음 상황에서 활용하면 좋은 자료의 종류는 무엇인지 ○표 하시오.
중

여행지의 축제 모습에 대하여 반 친구들에게 소개할 때

(표 / 도표 / 동영상)

1학기 4. 주장과 근거를 판단해요

4 논설문의 내용이 타당한지 판단하는 방법으로 알맞지 않은 것은 어느 것입니까? ( )
중

① 주장이 실천 가능한지 판단한다.
② 주장이 가치 있고 중요한지 판단한다.
③ 근거가 주장과 관련 있는지 판단한다.
④ 근거가 주장을 뒷받침하는지 판단한다.
⑤ 근거의 수가 주장의 수보다 많은지 판단한다.

1학기 4. 주장과 근거를 판단해요

5 논설문을 쓸 때 적절한 표현은 어느 것입니까?
중
( )

① 건강하려면 밖으로 나가 걸읍시다.
② 건강하려면 반드시 밖으로 나가 걸어야 한다.
③ 건강하려면 밖으로 나가 걸어도 되고 걷지 않아도 된다.
④ 내 생각에 건강하려면 밖으로 나가 걷는 것이 좋을 것 같다.
⑤ 건강하려면 밖으로 나가 걷는 것이 좋겠지만, 힘들 것이다.

1학기 5. 속담을 활용해요

6 **중** 다음 상황에 어울리는 속담은 무엇입니까? ( )

> 만 원을 주고 산 장난감이 고장 나서 고치러 갔더니 수리비가 만오천 원이라고 할 때

① 고생 끝에 낙이 온다.
② 바늘 가는 데 실 간다.
③ 배보다 배꼽이 더 크다.
④ 쥐구멍에도 볕 들 날이 있다.
⑤ 낮말은 새가 듣고 밤말은 쥐가 듣는다.

1학기 6. 내용을 추론해요

7 **상** 다음 글에서 추론할 수 있는 사실은 무엇입니까?

( )

> 수원 화성은 정조 임금의 원대한 꿈이 담긴 곳으로 볼거리가 많아. 건물 하나만 보는 것 보다는 주변 경치를 함께 감상하는 것이 더 좋 아. 정조 임금이 엄격하게 고른 좋은 자리에 지었으니까.

① 수원 화성은 여러 위기를 거쳤다.
② 정조 임금은 욕심이 많은 성격이다.
③ 수원 화성은 짧은 시간에 만들어졌다.
④ 정조 임금은 백성을 위한 제도를 많이 만들었다.
⑤ 정조 임금은 수원 화성을 건축하는 데 많은 관심 을 가졌다.

1학기 7. 우리말을 가꾸어요

8 **중** 다음과 같은 말을 들은 솔연이의 마음은 어떠했겠 습니까? ( )

> 솔연아, 너희 모둠은 그 정도밖에 못하니? 그냥 기권하지 그래.

① 고맙다. ② 미안하다. ③ 재미있다.
④ 속상하다. ⑤ 흐뭇하다.

1학기 8. 인물의 삶을 찾아서

9 **중** 다음 글에서 버들이가 추구하는 가치는 무엇입니 까? ( )

> **가** "버들이가 이번에는 샘을 기와집 뒤란으로 옮겨 달라고 하잖아. 그러면 집에서 샘물을 긷게 될 거라고."
> "이제 보니 버들이는 욕심쟁이구나. 샘을 옮 기다니! 그러면 다른 동물들은 샘물을 못 마 시잖아?"
> **나** "버들이가 묻더군. 도깨비가 제일 무서워 하는 게 뭐냐고."
> "무서운 거?"
> "말 머리와 말 피를 무서워한다고 했지. 그랬 더니 그걸로 도깨비들이 집 안에 얼씬거리지 못하도록 수를 써야 한다고 했어. 내가 샘물 줄기를 바꾸고 나면 틀림없이 도깨비들이 노 여워할 거라고 말이야."

① 현실적인 이익을 추구한다.
② 동물을 사랑하는 삶을 추구한다.
③ 다른 사람을 배려하는 것을 추구한다.
④ 이웃과 친하게 지내는 삶을 추구한다.
⑤ 진심을 담아 상대를 대하는 것을 추구한다.

1학기 9. 마음을 나누는 글을 써요

10 **중** 다음은 어떤 마음을 나누는 글입니까? ( )

> 지효야, 아까 내가 네 책상 옆에서 미역국을 엎질렀지? 너는 네 가방이 더러워져서 많이 속 상했을 텐데 나에게 "괜찮아?" 하면서 걱정을 해 주었어. 그리고 미역국 치우는 것을 도와주 었어.
> 나는 미역국을 엎지르고 너에게 미안하다는 말도 못 하고 멍하니 서 있었어. 너무 당황스 러워서 어떻게 해야 할지 생각이 나지 않았어. 그런데 네가 오히려 나를 걱정해 주고 같이 치 워 주어서 감동했단다.

① 기쁜 마음 ② 고마운 마음 ③ 그리운 마음
④ 서운한 마음 ⑤ 원망하는 마음

적중 예상 문제

1 회

[11~12] 다음 글을 읽고 물음에 답하시오.

"자네는 종요라는 사람을 아는가?"

"예, 해서체의 대가로 알고 있습니다."

"그는 잠을 잘 때도 이불에다 손가락으로 글씨를 써 대서 이불이 너덜너덜해졌다고 하더군."

"예. 그만큼 연습을 해야 대가가 되는군요."

"뭐든 미친 듯이 하지 않고서는 큰 성취를 얻을 수 없네."

허련은 깊이 알아듣고 고개를 숙였다.

"붓을 천 개쯤은 뭉뚝하게 만들어 봐야 그림이 뭔가를 알게 될 걸세."

추사 선생이 흘리듯 말하고는 돌아서 갔다. 허련은 몽당붓을 들고 물끄러미 보았다. 이제 겨우 한 걸음을 더 뗀 것 같았다.

'천 개 넘어 붓이 닳으면……'

허련은 쓰고 또 썼다. 그리고 또 그렸다.

2학기 1. 작품 속 인물과 나

11 이 글에 나타난 허련의 행동은 무엇입니까?
하
( )

① 붓을 깨끗하게 씻었다.

② 그림을 그리고 또 그렸다.

③ 종요에게 그림을 가르쳐 달라고 했다.

④ 추사 선생에게 그림 그리는 법을 가르쳤다.

⑤ 잠을 잘 때 이불에다 손가락으로 글씨를 썼다.

2학기 1. 작품 속 인물과 나

12 허련이 추구하는 삶과 관련 있는 가치는 무엇입니
중 까? ( )

① 끈기　　② 봉사　　③ 배려

④ 안전　　⑤ 사랑

2학기 2. 관용 표현을 활용해요

13 다음은 무엇에 대한 설명인지 쓰시오.
중

- 둘 이상의 낱말이 합쳐져 그 낱말의 원래 뜻과는 다른 새로운 뜻으로 굳어져 쓰이는 표현이다.
- 관용어와 속담 따위가 있다.

( )

2학기 2. 관용 표현을 활용해요

14 빈칸에 들어갈 말로 알맞은 것은 어느 것입니까?
중
( )

"　　　　　"라는 말이 있습니다. 내가 남에게 말이나 행동을 좋게 해야 남도 나에게 좋게 한다는 뜻입니다. 우리 반 친구들도 고운 말을 사용하면 좋겠습니다.

① 백지장도 맞들면 낫다.

② 소 잃고 외양간 고친다.

③ 낫 놓고 기역 자도 모른다.

④ 가는 말이 고와야 오는 말이 곱다.

⑤ 낮말은 새가 듣고 밤말은 쥐가 듣는다.

2학기 3. 타당한 근거로 글을 써요

15 다음 주장에 대하여 타당하지 <u>않은</u> 근거의 기호를
중 쓰시오.

| 주장 | 공정 무역 제품을 사용하자. |

ㄱ 아이들을 위험에서 보호할 수 있다.

ㄴ 생산자에게 돌아갈 정당한 이익을 지켜 준다.

ㄷ 자연을 보호하고 생산자의 건강을 지키는 방법이 된다.

ㄹ 공정 무역 인증 표시는 국제기구가 생산지에서 공정 무역의 주요 원칙이 잘 지켜졌는지를 점검한 물건들에 붙일 수 있다.

( )

2학기 3. 타당한 근거로 글을 써요

16 논설문에서 자료의 적절성을 판단하는 방법으로
중 알맞지 **않은** 것은 어느 것입니까? (   )

① 최신 자료인지 살펴본다.

② 주관적인 자료인지 살펴본다.

③ 출처를 믿을 수 있는지 살펴본다.

④ 정확한 숫자를 사용했는지 살펴본다.

⑤ 근거의 내용과 관련 있는지 살펴본다.

[17~18] 다음을 보고 물음에 답하시오.

> 진아: 폴란드의 민속춤을 소개할 때 ⟨ ㉠ ⟩을/
> 를 보여 줘야지.
>
> 별이: 베트남의 전통 의상을 소개하고 싶어. 베트남
> 의 옷 ⟨ ㉡ ⟩을/를 찾아봐야겠어.

2학기 4. 효과적으로 발표해요

17 진아와 별이가 소개하려는 내용은 각각 무엇인지
중 쓰시오.

(1) 진아: (   )

(2) 별이: (   )

2학기 4. 효과적으로 발표해요

18 ㉠과 ㉡에 들어갈 매체 자료의 종류로 가장 알맞은
중 것에 ○표 하시오.

(1) ㉠: (표 / 그림 / 영상)

(2) ㉡: (도표 / 사진 / 지도)

[19~20] 다음 글을 읽고 물음에 답하시오.

> **가** ㉠로봇을 소유한 기업이나 로봇에게 세금을 부
> 과하자는 주장이 나오고 있다. 로봇이 인간의 일
> 거리를 대신 할 수 있기 때문에 인간에게 필요
> 한 비용을 로봇세로 보충하려는 것이다. 하지만
> ㉡로봇세 도입은 로봇 산업의 발전과 국가의 미
> 래 경쟁력에 부정적인 영향을 끼칠 수 있다.
>
> **나** ㉢로봇에게 성급하게 세금을 부과한다면 로봇
> 산업 발전을 더디게 할 것이다. 특히 로봇 개발자
> 는 개발 비용에 세금까지 더하여 마음의 부담을
> 느낄 수 있다. 로봇 개발자가 느끼는 마음의 부담
> 은 로봇을 개발하는 과정에서 혁신적인 생각을
> 발전시키거나 과감한 투자를 하는 데에 걸림돌이
> 될 수 있다. ㉣로봇세는 이제 발전하려는 로봇
> 산업에 방해가 된다.
>
> **다** 지금은 로봇 산업 발전에 투자해야 할 때이다.
> 특히 로봇 개발에 필요한 원천 기술에 더 집중해
> 야 한다. 그래야 우리나라의 재산을 지키고 국내
> 로봇 산업을 이끌 수 있는 힘을 기를 수 있다. 따
> 라서 ㉤우리나라의 미래 경쟁력인 로봇 산업을
> 키울 수 있도록 로봇세 도입을 늦추어야 한다.

2학기 5. 글에 담긴 생각과 비교해요

19 ㉠~㉤ 중 글쓴이가 이 글을 통해 전하려는 생각
중 이 드러난 부분이 **아닌** 것은 어느 것입니까?

(   )

① ㉠   ② ㉡   ③ ㉢

④ ㉣   ⑤ ㉤

2학기 5. 글에 담긴 생각과 비교해요

20 이 글의 제목으로 가장 알맞은 것은 어느 것입니
상 까? (   )

① 로봇세란 무엇인가

② 로봇세 도입은 꼭 필요하다

③ 로봇세 도입을 늦추어야 한다

④ 로봇세를 도입해야 하는 까닭

⑤ 로봇세 도입, 더 이상 미룰 수 없다

적중
예상
문제

1회

2학기 6. 정보와 표현 판단하기

21 뉴스를 보고 타당성을 판단할 때 살펴볼 점이 <u>아닌</u>
중 것은 어느 것입니까? (　　　)

① 자료의 출처가 명확한가?
② 가치 있고 중요한 뉴스인가?
③ 뉴스 관점과 보도 내용이 서로 관련 있는가?
④ 뉴스의 내용이 내가 이미 알고 있는 내용인가?
⑤ 활용한 자료들이 뉴스의 관점을 뒷받침하는가?

[22~23] 다음 글을 읽고 물음에 답하시오.

> **건강을 해치는 불량 식품**
>
> ⊙여러분, 불량 식품을 먹지 맙시다. ⓛ불량 식
> 품을 먹고 나서 쓰레기를 버리는 사람이 많습니다.
> ⓒ불량 식품에는 무엇이 들어갔는지, 그리고 유
> 통 기한은 언제까지인지 정확히 적혀 있지 않습니
> 다. ⓔ불량 식품을 먹으면 해로운 물질이 몸에 들
> 어가 병에 걸리기 쉽습니다. ⓜ그리고 유통 기한을
> 알 수 없어 신선하지 않은 식품을 먹게 될 수도 있
> 습니다. ㉮불량 식품은 아무리 맛있어서 먹으면 안
> 됩니다.

2학기 7. 글 고쳐 쓰기

22 ⊙~ⓜ 중 삭제하는 것이 좋은 문장은 무엇입니
중 까? (　　　)

① ⊙　　　　② ⓛ　　　　③ ⓒ
④ ⓔ　　　　⑤ ⓜ

2학기 7. 글 고쳐 쓰기

23 ㉮를 알맞게 고쳐 쓴 문장은 어느 것입니까?
상 (　　　)

① 불량 식품은 아무리 맛있고 먹지 말아야 합니다.
② 불량 식품은 아무리 맛있어도 먹지 말아야 합니
다.
③ 불량 식품은 아무리 맛있어서 먹지 말아야 합니
다.
④ 불량 식품은 아무리 맛있기 때문에 먹지 말아야
합니다.
⑤ 불량 식품은 아무리 맛있을 것이므로 먹지 말아
야 합니다.

2학기 8. 작품으로 경험하기

24 영화 감상문을 쓰는 방법으로 알맞지 <u>않은</u> 것은 어
중 느 것입니까? (　　　)

① 영화를 보게 된 까닭을 쓴다.
② 영화의 줄거리를 정리해서 쓴다.
③ 영화를 함께 본 사람에 대해 자세히 쓴다.
④ 영화를 본 뒤의 전체적인 느낌이나 주제를 쓴다.
⑤ 영화 내용과 비슷한 내용의 영화나 책을 함께 떠올
려 쓴다.

2학기 8. 작품으로 경험하기

25 다음은 영화 감상문에 들어갈 내용 중 무엇에 해당
상 합니까?

> 융의 장난만큼은 아니지만 나도 가끔은 친
> 구나 동생에게 심한 장난을 한다. 하지만 융
> 의 행동이 주위의 관심과 사랑을 받고 싶고 자
> 신이 누구인지를 찾으려는 몸부림이라는 것을
> 알았을 때 마음이 많이 아팠다.

• 영화를 보며 떠오른 (　　　　　　　　)

출제 범위 6학년 전 범위

정답과 풀이 **16**쪽

2학기 1. 분수의 나눗셈

1
하
㉠과 ㉡에 알맞은 수를 바르게 짝 지은 것은 어느 것입니까? (   )

$$\frac{3}{7} \div \frac{2}{3} = \frac{㉠}{21} \div \frac{㉡}{21}$$

① ㉠ 12, ㉡ 14   ② ㉠ 9, ㉡ 14
③ ㉠ 21, ㉡ 21   ④ ㉠ 4, ㉡ 2
⑤ ㉠ 8, ㉡ 4

2학기 4. 비례식과 비례배분

2
하
비례식은 어느 것입니까? (   )

① $4:5=5:4$ ② $0.5:\frac{2}{3}=3:10$

③ $\frac{1}{6}:\frac{1}{7}=6:7$ ④ $0.9:0.8=18:16$

⑤ $6:24=2:6$

1학기 1. 분수의 나눗셈

3
중
나눗셈의 몫을 비교하여 ○ 안에 >, =, <를 알맞게 써넣으시오.

$$3\frac{3}{5} \div 14 \bigcirc 4\frac{1}{5} \div 21$$

1학기 2. 각기둥과 각뿔

4
하
다음 각기둥에 대한 설명으로 **틀린** 것은 어느 것입니까? (   )

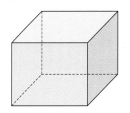

① 사각기둥입니다.
② 옆면이 4개입니다.
③ 밑면이 2개입니다.
④ 꼭짓점이 6개입니다.
⑤ 두 밑면이 합동입니다.

1학기 2. 각기둥과 각뿔

5
하
밑면이 오각형인 입체도형을 모두 고르시오.
(   )

①   ②

③   ④

⑤

2학기 3. 공간과 입체

6 쌓기나무로 쌓은 모양과 위에서 본 모양입니다. 가
중 와 나 중에서 똑같이 쌓는 데 쌓기나무가 더 많이
필요한 것은 어느 것입니까?

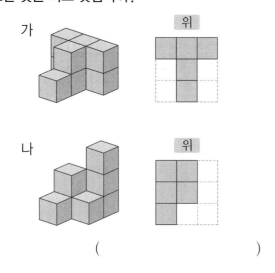

가   위

나   위

( )

2학기 2. 소수의 나눗셈

7 테니스공 1개의 무게는 54.7 g이고, 탁구공 1개의
중 무게는 2.3 g입니다. 테니스공 1개의 무게는 탁구공
1개의 무게의 몇 배인지 반올림하여 소수 첫째 자리
까지 나타낸 것은 어느 것입니까? ( )

① 21.7배 　② 21.8배 　③ 21.9배
④ 23.7배 　⑤ 23.8배

1학기 4. 비와 비율

8 비율이 가장 큰 것을 찾아 쓰시오.
중

$$67\ \%,\ \frac{13}{20},\ 0.71$$

( )

1학기 3. 소수의 나눗셈

9 어림셈하여 몫의 소수점 위치를 찾아 소수점을 찍
중 으시오.

$$48.2 \div 4 = 1\square2\square0\square5$$

1학기 3. 소수의 나눗셈

10 유진이가 살고 있는 25층짜리 아파트의 높이는
중 60 m입니다. 각 층의 높이가 똑같을 때 아파트 한
층의 높이는 몇 m인지 구하시오.

( )

2학기 3. 공간과 입체

11 쌓기나무를 9개씩 쌓은 모양입니다. 앞에서 본 모
중 양이 다른 하나는 어느 것입니까? (　　　)

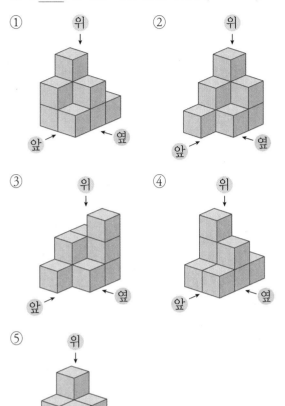

1학기 6. 직육면체의 부피와 겉넓이

12 직육면체의 겉넓이는 몇 m²입니까? (　　　)
중

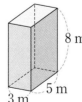

① 122 m²
② 142 m²
③ 146 m²
④ 152 m²
⑤ 158 m²

1학기 5. 여러 가지 그래프

13 수희네 반 학생들이 좋아하는 과일을 조사하여 나
중 타낸 띠그래프입니다. 포도를 좋아하는 학생은 전
체의 몇 %입니까?

좋아하는 과일

(　　　　　　　　)

2학기 4. 비례식과 비례배분

14 재상이와 동생은 어머니 생신에 6500원짜리 선
중 물을 사려고 합니다. 재상이와 동생이 8 : 5로 돈
을 낸다면 재상이와 동생은 각각 얼마를 내야 합니
까? (　　　)

① 재상: 3500원, 동생: 3000원
② 재상: 4000원, 동생: 2500원
③ 재상: 4500원, 동생: 2000원
④ 재상: 4800원, 동생: 1700원
⑤ 재상: 5000원, 동생: 1500원

1학기 1. 분수의 나눗셈

15 넓이가 $\dfrac{18}{7}$ cm²이고 가로가 6 cm인 직사각형이
중 있습니다. 이 직사각형의 세로는 몇 cm인지 구하
시오.

(　　　　　　　　)

2학기 5. 원의 넓이

16 넓이가 111.6 cm²인 원이 있습니다. 이 원의 지
중 름은 몇 cm입니까? (원주율: 3.1)

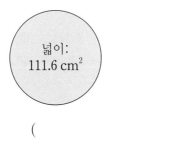

넓이:
111.6 cm²

(   )

1학기 3. 소수의 나눗셈

17 밑변이 5 cm인 삼각형의 넓이가 20.6 cm²일 때
중 삼각형의 높이는 몇 cm인지 구하시오.

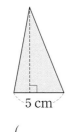

5 cm

(   )

2학기 2. 소수의 나눗셈

18 수 카드 3 , 4 , 6 을 한 번씩만 사용하여 몫이
중 가장 크게 되도록 나눗셈식을 만들었을 때 몫을 반
올림하여 소수 첫째 자리까지 나타낸 것은 어느 것
입니까? (   )

0.)

① 213.1   ② 213.3   ③ 213.4
④ 223.3   ⑤ 223.4

2학기 3. 공간과 입체

19 다음 모양에 쌓기나무 1개를 더 붙여서 만들 수 없
중 는 모양은 어느 것입니까? (   )

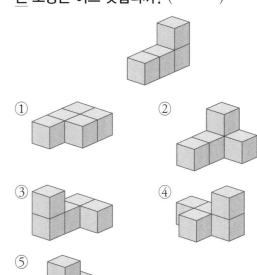

①   ②

③   ④

⑤

2학기 6. 원기둥, 원뿔, 구

20 다음 원기둥의 전개도를 그렸을 때 옆면의 넓이가
중 432 cm²였습니다. 원기둥의 높이는 몇 cm인지
구하시오. (원주율: 3)

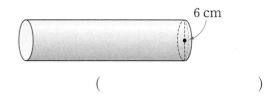

6 cm

(   )

2학기 6. 원기둥, 원뿔, 구

21 직각삼각형을 한 변을 기준으로 한 바퀴 돌려 만
상 든 입체도형입니다. 처음 직각삼각형의 넓이는 몇 cm²입니까? ( )

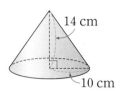

14 cm
10 cm

① 35 cm² ② 42 cm²
③ 70 cm² ④ 140 cm²
⑤ 280 cm²

1학기 1. 분수의 나눗셈

22 설탕 $4\frac{1}{2}$ kg 중 $\frac{5}{6}$ kg을 사용한 후 남은 설탕을
상 5통에 똑같이 나누어 담으려고 합니다. 한 통에 몇 kg씩 담아야 하는지 구하시오.

( )

2학기 6. 원기둥, 원뿔, 구

23 높이가 9 cm인 원기둥을 3바퀴 굴렸더니 원기둥
상 이 지나간 부분의 넓이가 648 cm²이었습니다. 원 기둥의 밑면의 반지름은 몇 cm인지 구하시오.

(원주율: 3)

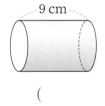

9 cm

( )

2학기 5. 원의 넓이

24 어느 피자 가게에서 반지름이 16 cm인 원 모양의
상 피자를 만들려고 합니다. 다음과 같이 치즈 안쪽으 로 토핑을 놓는다고 할 때 토핑을 놓아야 할 부분 의 넓이를 구하시오. (원주율: 3) ( )

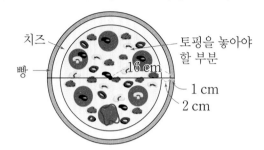

치즈
빵
16 cm
토핑을 놓아야 할 부분
1 cm
2 cm

① 169 cm² ② 304 cm²
③ 507 cm² ④ 675 cm²
⑤ 768 cm²

1학기 4. 비와 비율

25 어느 야구 선수가 지난해 400타수 중 안타를 136개
상 쳤습니다. 이 선수의 지난해 타율을 소수로 나타내 시오. (단, 타율은 전체 타수에 대한 안타 수의 비율 입니다.)

( )

출제 범위 6학년 전 범위

정답과 풀이 17쪽

1학기 ❶ 민주주의의 발전과 시민 참여   11종 공통

1 4·19 혁명 과정을 전개된 순서에 따라 기호를 쓰시오.
중

> ㉠ 3·15 부정 선거가 실시되었습니다.
> ㉡ 이승만은 대통령 자리에서 물러났습니다.
> ㉢ 4월 19일에 전국에서 시위가 발생했습니다.
> ㉣ 대학 교수들이 학생들을 지지하며 정부에 항의했습니다.

(   ) → (   ) → (   ) → (   )

1학기 ❶ 민주주의의 발전과 시민 참여   11종 공통

2 6월 민주 항쟁의 결과로 알맞은 것은 어느 것입니
중 까? (   )

① 계엄령이 확대되었다.
② 6·29 민주화 선언이 발표되었다.
③ 박정희가 대통령직에서 물러났다.
④ 유신 헌법에 따른 통치가 끝나게 되었다.
⑤ 신군부가 정변을 일으켜 군대를 장악했다.

1학기 ❶ 민주주의의 발전과 시민 참여   11종 공통

3 다음에서 설명하는 오늘날 시민들이 사회 공동의
중 문제 해결에 참여하는 방식은 무엇인지 쓰시오.

> 정책 결정 전에 관련된 사람들과 전문가의 의견을 듣는 공개 회의입니다.

(   )

1학기 ❷ 일상생활과 민주주의   11종 공통

4 다음 사례와 관련 있는 정치 제도는 무엇인지 쓰시오.
중

▲ 학생 자치회   ▲ 지방 의회

(   )

1학기 ❷ 일상생활과 민주주의   11종 공통

5 다음 그림과 관련 있는 민주 선거의 기본 원칙은
중 어느 것입니까? (   )

> 누구나 한 사람이 한 표씩만 행사할 수 있어요.

① 자유 선거   ② 평등 선거
③ 보통 선거   ④ 직접 선거
⑤ 비밀 선거

1학기 ❸ 민주정치의 원리와 국가기관의 역할   11종 공통

6 다음 헌법 조항의 □ 안에 들어갈 알맞은 말을 쓰
중 시오.

> 제1조 제1항
> 대한민국은 민주 공화국이다.
> 제1조 제2항
> 대한민국의 [   ]은 국민에게 있고, 모든 권력은 국민으로부터 나온다.

(   )

[7~8] 다음 자료를 보고, 물음에 답하시오.

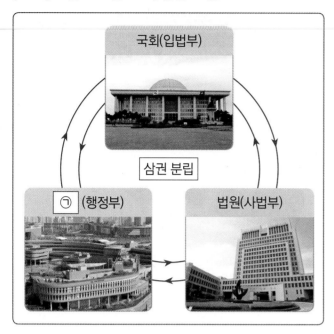

국회(입법부)

삼권 분립

㉠ (행정부)   법원(사법부)

1학기 ❸ 민주정치의 원리와 국가기관의 역할　11종 공통

7 위의 ㉠에 들어갈 국가기관을 쓰시오.
하
(　　　　)

1학기 ❸ 민주정치의 원리와 국가기관의 역할　11종 공통

8 위와 같이 우리나라에서 권력 분립이 이루어지는
상 까닭으로 알맞은 것은 어느 것입니까? (　　)

① 공정하게 선거를 치르기 위해서
② 대통령의 권한을 강화하기 위해서
③ 다른 기관과 권력을 합치기 위해서
④ 국민의 자유와 권리를 지키기 위해서
⑤ 국회가 나라의 모든 일을 결정하기 위해서

1학기 ❶ 경제주체의 역할과 우리나라 경제체제　11종 공통

9 가계 구성원이 합리적 소비를 하기 위해 고려해야
중 할 점이 **아닌** 것은 어느 것입니까? (　　)

① 환경을 고려해 선택한다.
② 유행이 지났는지 확인한다.
③ 다양한 기능이 있는지 확인한다.
④ 품질이 같으면 가격이 저렴한 것을 선택한다.
⑤ 무상 관리 서비스를 받을 수 있는지 확인한다.

1학기 ❶ 경제주체의 역할과 우리나라 경제체제　11종 공통

10 가계와 기업의 경제 활동과 관련 있는 설명으로 알
하 맞지 **않은** 것은 어느 것입니까? (　　)

① 기업은 생산품을 시장에 제공한다.
② 가계는 시장에서 생산품을 구입한다.
③ 가계와 기업이 만나는 시장은 정부가 운영한다.
④ 가계는 필요한 물건을 더 싸게 사려고 노력한다.
⑤ 기업은 더 큰 이윤을 얻으려고 다양한 물건을 만든다.

적중
예상
문제

1회

1학기 ❷ 우리나라의 경제 성장과 경제생활의 변화　11종 공통

11 1960년대에 경공업이 발달한 까닭을 [보기]에서
중 찾아 기호를 쓰시오.

[보기]
㉠ 선진국보다 자원이 풍부했기 때문에
㉡ 우리나라는 노동력이 풍부했기 때문에
㉢ 다른 나라에 비해 기술력이 뛰어났기 때문에
㉣ 수출액과 국민 소득이 빠르게 증가했기 때문에

(　　　　)

1학기 ❷ 우리나라의 경제 성장과 경제생활의 변화　11종 공통

12 1980년대 우리나라의 산업 구조 변화로 알맞은 것은
상 어느 것입니까? (　　)

① 농업 → 서비스업
② 경공업 → 첨단 산업
③ 경공업 → 중화학 공업
④ 중화학 공업 → 서비스업
⑤ 중화학 공업 → 첨단 산업

1학기 ❷ 우리나라의 경제 성장과 경제생활의 변화　　11종 공통

13 기업과 노동자 간의 갈등 해결을 위한 정부의 노력
중 으로 알맞은 것은 어느 것입니까? (　　　)

① 무료 급식을 운영한다.

② 안정적인 일자리를 마련한다.

③ 생계비, 양육비 등을 지원한다.

④「국민 기초 생활 보장법」을 만든다.

⑤ 친환경 자동차를 개발하도록 지원한다.

1학기 ❸ 세계 속의 우리나라 경제　　11종 공통

14 다음은 세계 시장에서 다른 나라와 어떤 경쟁을 하
하 는 모습입니까? (　　　)

① 가격 경쟁　　　② 기술 경쟁

③ 자원 경쟁　　　④ 디자인 경쟁

⑤ 서비스 경쟁

1학기 ❸ 세계 속의 우리나라 경제　　11종 공통

15 무역을 하면서 생기는 문제가 아닌 것은 어느 것입
상 니까? (　　　)

① 한국산 물건에 높은 관세를 매긴다.

② 다른 나라가 특정 제품의 수입을 거부한다.

③ 외국 제품에 한국산 반도체를 넣어 만든다.

④ 다른 나라의 수입 제한으로 수출이 감소한다.

⑤ 외국산에 의존해야 하는 물건의 수입에 문제가
　생긴다.

[16~17] 다음 지도를 보고, 물음에 답하시오.

2학기 ❶ 지구, 대륙 그리고 국가들　　11종 공통

16 위와 같이 위성 영상 정보나 항공 사진 등을 이용해
하 만든 공간 자료를 무엇이라고 하는지 쓰시오.

（　　　　　　　　　　）

2학기 ❶ 지구, 대륙 그리고 국가들　　11종 공통

17 위 공간 자료의 특징으로 알맞은 것은 어느 것입니
중 까? (　　　)

① 생김새가 둥글다.

② 종이로 만들어졌다.

③ 지구의 실제 모습과 비슷하다.

④ 인터넷을 연결해야 다양한 기능을 사용할 수 있다.

⑤ 인터넷 사용이 불가능한 곳에서 사용하기 편리
　하다.

2학기 ❶ 지구, 대륙 그리고 국가들　　11종 공통

18 다음 대륙에 속한 나라로 알맞지 않은 곳은 어디입
중 니까? (　　　)

① 영국

② 프랑스

③ 벨기에

④ 베트남

⑤ 에스파냐

▲ 유럽

[19~20] 다음 기후를 나타낸 지도를 보고, 물음에 답하시오.

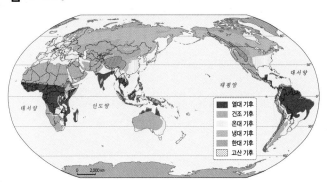

2학기 ❷ 세계의 다양한 삶의 모습　　11종 공통

19 위 지도에 대한 설명으로 알맞은 것을 보기 에서
중　모두 찾아 기호를 쓰시오.

> 보기
> ㉠ 세계는 다양한 기후가 나타납니다.
> ㉡ 세계의 기후는 경도에 따라 다르게 나타납니다.
> ㉢ 적도 지방에서 극지방으로 갈수록 기온이 점차 낮아집니다.

(　　　　,　　　　)

2학기 ❷ 세계의 다양한 삶의 모습　　11종 공통

20 극지방 부근에서 주로 나타나는 기후를 지도에서
하　찾아 쓰시오.

(　　　　　　　　)

2학기 ❸ 우리나라와 가까운 나라들　　11종 공통

21 다음과 관련 있는 우리나라의 이웃 나라는 어디입
중　니까? (　　　　)

> 세계에서 영토가 가장 넓은 나라이며, 위도가 높아 냉대 기후가 널리 나타납니다. 대부분의 인구가 서부 지역에 집중해 있습니다.

① 일본　　② 몽골　　③ 중국
④ 러시아　　⑤ 오스트레일리아

2학기 ❸ 우리나라와 가까운 나라들　　11종 공통

22 사우디아라비아에 대한 설명으로 알맞은 것은 어느
상　것입니까? (　　　　)

① 덥고 습한 기후이다.
② 세계적인 쌀 수출국이다.
③ 노동력이 풍부한 나라이다.
④ 북아메리카 대륙에 위치해 있다.
⑤ 우리나라가 원유를 수입하는 대표적인 나라이다.

2학기 ❶ 한반도의 미래와 통일　　11종 공통

23 다음 독도의 위치에 대한 설명에서 □ 안에 들어
중　갈 알맞은 말은 어느 것입니까? (　　　　)

> 독도에서 [　　　　]까지의 거리가 일본 오키 섬까지의 거리보다 약 70 km 더 가깝습니다.

① 송도　　　　② 마라도
③ 제주도　　　④ 강화도
⑤ 울릉도

2학기 ❶ 한반도의 미래와 통일　　11종 공통

24 다음과 같은 현상이 나타나는 까닭으로 알맞은 것은
중　어느 것입니까? (　　　　)

북에 계신 어머니를 만나러 갈 수가 없어서 너무 슬퍼.

① 남과 북이 분단되었기 때문이다.
② 북으로 가는 길이 멀기 때문이다.
③ 부모 형제를 알아볼 수 없기 때문이다.
④ 북으로 가는 길을 알지 못하기 때문이다.
⑤ 북으로 가는 데 시간이 오래 걸리기 때문이다.

2학기 ❶ 한반도의 미래와 통일　　　　　　11종 공통

25
중

남북통일을 위한 우리나라의 노력으로 알맞지 <u>않은</u> 것은 어느 것입니까? (　　　　)

① 국방비 절감
② 남북 정상 회담 개최
③ 남북 기본 합의서 채택
④ 남북 예술단 합동 공연
⑤ 남북 철도 및 도로 연결 사업

2학기 ❷ 지구촌의 평화와 발전　　　　　　천재교육

26
상

다음 어린이가 말하는 지구촌 갈등 사례와 관련 있는 나라는 어디입니까?　　　　(　　　　)

80여 개의 민족이 한 나라에 묶여 살고 있었는데 민족 간 종교와 언어 차이, 경제적·정치적 차별 등으로 끊이지 않은 갈등이 발생하면서 내전이 일어나게 되었어.

① 영국　　　　　② 베트남
③ 미얀마　　　　④ 시리아
⑤ 에티오피아

2학기 ❷ 지구촌의 평화와 발전　　　　　　11종 공통

27
하

다음은 세이브 더 칠드런의 활동 내용입니다. ☐ 안에 들어갈 알맞은 말을 쓰시오.

세이브 더 칠드런은 ☐☐☐의 생존과 보호를 돕고 이를 위한 시민들의 참여를 실현하고자 활동합니다.

(　　　　　　　　)

2학기 ❷ 지구촌의 평화와 발전　　비상교과서, 비상교육, 아이스크림 미디어, 지학사

28
중

다음과 같은 일을 하는 단체는 어디입니까?

(　　　　)

가난, 전쟁, 자연재해 등으로 터전을 잃어버린 사람들에게 집을 지어주고 있어요.

① 그린피스　　　　② 해비타트
③ 국제 연합(UN)　　④ 국경 없는 의사회
⑤ 세계 자연 기금(WWF)

2학기 ❸ 지속가능한 지구촌　　　　　　11종 공통

29
중

다음 사진과 관련 있는 지구촌 문제는 어느 것입니까? (　　　　)

▲ 세계 여러 공장에서 내뿜는 오염 물질

① 홍수　　　　　② 범죄
③ 빈곤과 기아　　④ 초미세 먼지
⑤ 열대 우림 파괴

2학기 ❸ 지속가능한 지구촌　　　　　　11종 공통

30
중

문화적 편견과 차별 문제를 해결하기 위해 우리가 할 수 있는 일은 어느 것입니까? (　　　　)

① 국제 사회의 분쟁을 조정한다.
② 전염병에 대한 대책을 마련한다.
③ 서로의 문화를 배우고 체험해 본다.
④ 전쟁이 일어난 곳에 파견을 나간다.
⑤ 우리와 종교가 다른 나라의 친구를 피한다.

1학기 1. 과학 탐구   9종 공통

1 다음 중 가설을 세울 때 생각할 점으로 옳은 것은
중 어느 것입니까? (   )

① 길고 복잡하게 표현해야 한다.

② 이해하기 어렵게 표현해야 한다.

③ 내가 모르는 내용으로 표현해야 한다.

④ 탐구를 하여 알아보려는 내용이 분명하게 드러
나지 않아도 된다.

⑤ 내가 관찰한 사실이나 경험에서 알게 된 내용을
바탕으로 세울 수 있다.

1학기 2. 지구와 달의 운동   9종 공통

2 다음 중 지구의 자전에 대한 설명으로 옳지 않은
중 것은 어느 것입니까? (   )

① 지구는 하루에 한 바퀴씩 자전한다.

② 달이 지구를 중심으로 회전하는 것이다.

③ 지구의 자전 방향은 시계 반대 방향이다.

④ 지구가 자전하면서 태양 빛을 받는 쪽과 받지
못하는 쪽이 생겨 지구에 낮과 밤이 생긴다.

⑤ 지구가 자전하면 태양이 동쪽 하늘에서 남
쪽 하늘을 지나 서쪽 하늘로 움직이는 것처럼
보인다.

1학기 2. 지구와 달의 운동   9종 공통

3 다음 중 봄철 저녁 9시 무렵에 하늘에서 볼 수 있는
중 별자리를 골라 기호를 쓰시오.

(   )

4 다음 중 상현달이 보인 날부터 15일 뒤에 볼 수 있는
중 달의 모양으로 옳은 것은 어느 것입니까? (   )

① ▲ 그믐달

② ▲ 보름달

③ ▲ 하현달

④ ▲ 초승달

1학기 3. 여러 가지 기체   천재교과서, 금성, 김영사, 미래엔,
비상, 아이스크림, 지학사

5 다음과 같은 기체 발생 장치를 이용하여 이산화
하 탄소를 발생시킬 때 필요한 물질끼리 바르게 짝지은
것은 어느 것입니까? (   )

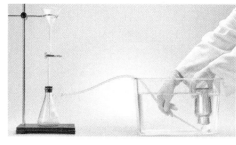

① 진한 식초, 이산화 망가니즈

② 진한 식초, 탄산수소 나트륨

③ 진한 식초, 묽은 과산화 수소수

④ 묽은 과산화 수소수, 탄산수소 나트륨

⑤ 묽은 과산화 수소수, 이산화 망가니즈

1학기 3. 여러 가지 기체　　　　　　　　9종 공통

6 다음 과자 봉지에 쓰인 기체에 대한 설명으로 옳은
상 것은 어느 것입니까? (　　　)

① 물질의 연소에 꼭 필요하다.
② 전기를 만드는 데 이용된다.
③ 풍선을 공중에 띄우는 데 이용된다.
④ 특유의 빛을 내는 조명 기구에 이용된다.
⑤ 식품의 내용물을 보존하거나 신선하게 보존
　하는 데 이용된다.

1학기 4. 식물의 구조와 기능　　　　　　　　미래엔

7 동물 세포의 ㈎ 부분의 이름과 그 역할이 바르게
하 짝지어진 것을 다음 **보기** 에서 골라 기호를 쓰시오.

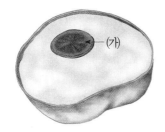

> **보기**
> ㉠ 핵 : 각종 유전 정보를 포함하고 있으며
> 　　　생명 활동을 조절해 줍니다.
> ㉡ 세포벽 : 세포의 모양을 일정하게 유지하고
> 　　　　　세포를 보호합니다.
> ㉢ 세포막 : 세포 내부와 외부를 드나드는
> 　　　　　물질의 출입을 조절해 줍니다.

(　　　　　　　)

1학기 4. 식물의 구조와 기능　　천재교과서, 금성, 김영사, 비상, 지학사

8 다음 중 씨가 동물의 털이나 사람의 옷에 붙어서
중 퍼지는 식물을 골라 기호를 쓰시오.

㉠ 　　㉡

▲ 봉숭아　　　　▲도깨비바늘

(　　　　　　　)

1학기 5. 빛과 렌즈　　　　　　　　9종 공통

9 다음은 빛의 성질에 대한 설명입니다. ☐ 안에 공통
중 으로 들어갈 알맞은 말을 쓰시오.

> • 서로 다른 물질의 경계에서 빛이 꺾여 나아
> 　가는 현상을 빛의 ☐☐(이)라고 합니다.
> • 빛은 공기 중에서 물로 비스듬히 나아갈 때
> 　뿐만 아니라 물에서 공기 중으로 비스듬히
> 　나아갈 때에도 ☐☐합니다.

(　　　　　　　)

1학기 5. 빛과 렌즈　　천재교육, 금성, 김영사, 미래엔, 지학사

10 다음의 간이 사진기를 만들 때 사용하는 렌즈의 모양
중 으로 옳은 것의 기호를 쓰시오.

렌즈　　겉 상자　　속 상자

㉠ 　　㉡

(　　　　　　　)

2학기 1. 전기의 이용   천재교과서, 금성

11 다음 중 스위치를 닫았을
중 때 오른쪽 전기 회로의
전구와 밝기가 비슷한
것을 골라 기호를 쓰시오.

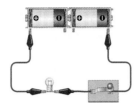

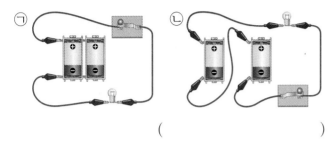

(   )

2학기 1. 전기의 이용   9종 공통

12 다음의 전기 회로 중 전구의 밝기가 가장 어두운
중 것은 어느 것입니까? (   )

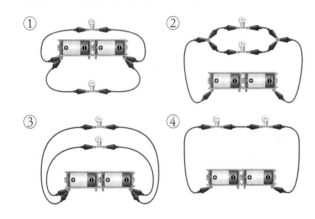

2학기 1. 전기의 이용   9종 공통

13 다음 중 나침반 바늘이 가리키는 방향을 바꾸려면
하 나침반 주위에 무엇을 놓아야 합니까? (   )

① 지우개   ② 색종이
③ 막대자석   ④ 유리 막대
⑤ 나무젓가락

2학기 1. 전기의 이용   9종 공통

14 다음의 전자석 기중기에 이용된 전자석의 성질로
상 옳은 것은 어느 것입니까? (   )

① N극과 S극의 위치가 변하지 않는다.
② 전류가 흐를 때에만 자석의 성질이 나타난다.
③ 전류가 오래 흐를수록 전자석의 세기가 점점
    강해진다.
④ 전자석과 영구 자석의 같은 극끼리 서로 밀고
    당기는 힘이 작용한다.
⑤ 전자석에 흐르는 전류의 방향이 바뀌면 전자
    석의 세기가 점점 약해진다.

2학기 2. 계절의 변화   9종 공통

15 다음 보기 에서 하루 동안 태양 고도와 그림자
중 길이에 대한 설명으로 옳은 것을 골라 기호를 쓰시오.

> **보기**
> ㉠ 태양 고도는 시간이 지날수록 계속 높아집
>   니다.
> ㉡ 태양 고도가 높을수록 그림자 길이는 짧아
>   집니다.
> ㉢ 그림자의 길이는 시간이 지날수록 계속
>   짧아집니다.

(   )

2학기 2. 계절의 변화　　　　　　　　9종 공통

16 다음은 계절별 태양의 남중 고도를 나타낸 그래프
상 입니다. 이 그래프에 대한 설명으로 옳지 않은
것은 어느 것입니까? (　　　)

① 태양의 남중 고도는 여름에 가장 높다.
② 태양의 남중 고도는 겨울에 가장 낮다.
③ 태양의 남중 고도는 봄보다 여름에 더 높다.
④ 태양의 남중 고도는 가을보다 겨울에 더 낮다.
⑤ 태양의 남중 고도는 가을까지 높아지다가
겨울에 갑자기 낮아진다.

2학기 2. 계절의 변화　　　　　　　　9종 공통

17 다음과 같이 지구의의 자전축을 수직으로 하여
중 공전할 때 지구의의 각 위치에서 측정한 태양의
남중 고도에 대한 설명으로 옳은 것은 어느 것입니
까? (　　　)

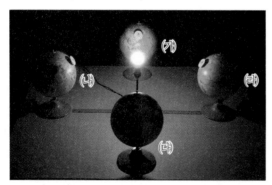

① 모든 위치에서 같다.
② (나) 위치일 때 가장 높다.
③ (라) 위치일 때 가장 높다.
④ (가)에서 (나)로 갈 때 점점 높아진다.
⑤ (다)에서 (라)로 갈 때 점점 낮아진다.

2학기 3. 연소와 소화　　　금성, 김영사, 동아, 미래엔, 아이스크림

18 다음과 같이 성냥의 머리 부분(㉠)과 나무 부분(㉡)
중 을 올려놓고 철판 가운데 부분을 가열했습니다. 불
이 먼저 붙는 것을 골라 기호를 쓰시오.

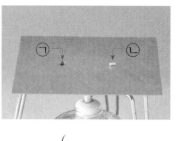

(　　　　　　　)

2학기 3. 연소와 소화　　　　　　　　9종 공통

19 다음은 초가 연소한 후에 생기는 물질에 대한 설명
하 입니다. □ 안에 들어갈 알맞은 말은 어느 것입니까?
(　　　)

> 　물질이 연소하면 연소 전의 물질과는 다른
> 새로운 물질이 만들어집니다. 초가 연소한 후에
> 아크릴 통 속의 벽면에 붙여 놓은 푸른색 염화
> 코발트 종이와 초를 덮었던 집기병에 석회수를
> 넣어 석회수의 색깔 변화를 관찰하면 □
> 이/가 생긴다는 것을 알 수 있습니다.

① 질소
② 산소
③ 물과 산소
④ 물과 이산화 탄소
⑤ 질소와 이산화 탄소

2학기 3. 연소와 소화　　　　　　　　9종 공통

20 다음 중 뚜껑을 덮어 알코올램프의 불을 끄는 것과
상 같은 방법으로 불을 끈 예는 어느 것입니까?
(　　　)

① 촛불을 입으로 불기
② 촛불을 집기병으로 덮기
③ 초의 심지를 핀셋으로 집기
④ 촛불에 분무기로 물 뿌리기
⑤ 가스레인지의 연료 조절 밸브를 잠그기

2학기 4. 우리 몸의 구조와 기능 　　　　　9종 공통

21 다음 보기 에서 우리 몸의 뼈가 하는 일로 옳지 <u>않은</u>
하 것을 골라 기호를 쓰시오.

> 보기
>
> ㉠ 심장과 폐 등을 보호합니다.
> ㉡ 뼈의 모양은 모두 같고, 위치에 따라 기능이
> 　달라집니다.
> ㉢ 팔뼈와 다리뼈의 아래쪽 뼈는 긴뼈 두 개로
> 　이루어져 있습니다.

(　　　　　)

2학기 4. 우리 몸의 구조와 기능 　　　　　9종 공통

22 다음은 우리 몸속의 소화 기관을 나타낸 것입니다.
상 각 기관에 대한 설명으로 옳은 것은 어느 것입니까?

(　　　)

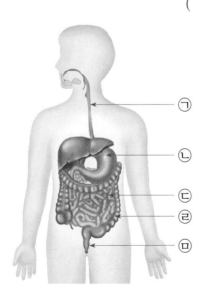

① ㉠ : 음식 찌꺼기의 수분을 흡수한다.
② ㉡ : 소화를 돕는 액체를 분비한다.
③ ㉢ : 침으로 물러지게 하여 삼킬 수 있게 한다.
④ ㉣ : 소화되지 않은 음식물 찌꺼기를 배출한다.
⑤ ㉤ : 음식물을 잘게 분해하고 영양소를 흡수
　　한다.

2학기 4. 우리 몸의 구조와 기능 　　天재교육, 天재교과서, 김영사, 지학사

23 다음은 우리 몸에서 노폐물을 걸러 내는 과정을
중 세 가지 색깔의 화살표로 나타낸 것입니다. 노폐물이
많은 혈액을 나타내는 것의 기호를 쓰시오.

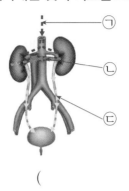

(　　　　　)

2학기 5. 에너지와 생활 　　　　　9종 공통

24 다음 중 광합성으로 스스로 양분을 만들어 냄으로써
중 에너지를 얻는 것은 어느 것입니까? (　　　)

①  ②
▲ 사자　　　　　　　　▲ 사과나무
③  ④
▲ 자동차　　　　　　　▲ 다람쥐

2학기 5. 에너지와 생활 　　　　　9종 공통

25 오른쪽의 움직이는 범퍼카에
중 서 나타나는 에너지 전환
과정으로 옳은 것은 어느 것
입니까? (　　　)

① 열에너지 → 빛에너지
② 전기 에너지 → 빛에너지
③ 빛에너지 → 위치 에너지
④ 운동 에너지 → 위치 에너지
⑤ 전기 에너지 → 운동 에너지

출제 범위 6학년 전 범위   정답과 풀이 **19**쪽

2학기 Lesson 12

1 다음 중 직업을 나타내는 낱말이 <u>아닌</u> 것을 고르시오.
하 .... (   )

① scientist   ② doctor   ③ reporter
④ fever   ⑤ musician

1학기 Lesson 6

2 괄호 안의 우리말을 참고하여 빈칸에 알맞은 낱말
하 을 고르시오. .... (   )

> I'm going to visit Gyeongju _____
> bus. (나는 경주에 버스를 타고 갈 거야.)

① in   ② by   ③ at
④ on   ⑤ behind

2학기 Lesson 8

3 다음 문장이 그림과 일치하면 ○ 표, 일치하지
하 <u>않으면</u> × 표 하시오.

> Amy is faster than Sumi.

(   )

1학기 Lesson 6

4 다음 문장에 알맞은 그림을 골라 V 표 하시오.
하

> I'm going to visit my uncle.

ⓐ    ⓑ

2학기 Lesson 11

5 빈칸에 들어갈 수 <u>없는</u> 것을 고르시오. ···· (   )
하

> I _____ yesterday.

① made a card   ② go hiking
③ wrote a letter   ④ ate pizza
⑤ bought shoes

2학기 Lesson 10

6 다음 우리말을 영어로 바르게 옮긴 것을 고르시오.
중 .... (   )

> 우리는 물을 아껴야 한다.

① We need clean air.
② We can walk to school.
③ We should save water.
④ We can take the elevator.
⑤ We should ride a bike.

1학기 Lesson 1

7 다음 질문에 알맞은 응답을 고르시오. ····· (   )
중

> What grade are you in?

① Yes, I am.
② I'm in the sixth grade.
③ Let's meet at two.
④ I want to be a teacher.
⑤ It's in front of the bookstore.

1학기 Lesson 4

8 그림을 보고, 남자아이가 할 말로 알맞은 것을 고
중 르시오. ·· (   )

> Will you come to my movie party?

① Okay.

② I can't wait.

③ This is for you.

④ Let's meet at the bus stop.

⑤ Sorry, I can't. I have to go to a violin lesson.

[9~10] 대화의 빈칸에 알맞은 말을 **보기**에서 골라
기호를 쓰시오.

보기

ⓐ I think it's beautiful.

ⓑ I went there last Sunday.

ⓒ I like to take pictures.

ⓓ Take this medicine and get some rest.

1학기 Lesson 2

9
중 ·· (   )

A: I have a headache.

B: _____

2학기 Lesson 11

10
중 ·· (   )

A: When did you go to the Robot Museum?

B: _____

2학기 Lesson 12

11 그림을 보고, 대화의 빈칸에 알맞은 말을 쓰시오.
중

A: What _____ you want to be?

B: I want to be a _____.

1학기 Lesson 2

12 대화를 읽고, 알맞은 그림을 고르시오. ···· (   )
중

A: What's the matter?

B: I have a toothache.

①  ②

③  ④

⑤

1학기 Lesson 5

13 대화를 읽고, 괄호 안에서 알맞은 말을 골라 동그
중 라미 하시오.

Ann: Where is the bakery?

Man: Go straight two blocks and turn right
at the bank. It's next to the bookstore.

빵집은 곧장 두 구역을 가서 (은행 / 소방서)에
서 오른쪽으로 돌면 서점 (뒤 / 옆)에 있다.

적중
예상
문제

1회

2학기 Lesson 8

14 대화를 읽고, 키가 큰 순서대로 이름을 영어로 쓰
중 시오.

> A: Jisu is taller than Lucy and Dian.
> B: Yes. And Dian is taller than Lucy.

> _____ ⟩ _____ ⟩ _____

2학기 Lesson 9

15 대화를 읽고, 빈칸에 들어갈 말이 순서대로 짝지어
중 진 것을 고르시오. ·································· (   )

> A: Do you know _____ *jegi*?
> B: Yes, I do. I _____ it's fun.

① about − think ② of − know
③ about − have ④ on − think
⑤ in − know

2학기 Lesson 10

16 대화를 읽고, 민수의 생각으로 알맞은 그림을 고르
중 시오. ································ (   )

> 선생님: What can we do for the Earth?
> Minsu: We can plant trees.
> Mark: We can recycle paper and cans, too.

①  ②   ③

④   ⑤

2학기 Lesson 7

17 자연스러운 대화가 되도록 문장을 바르게 배열하
상 시오.

> ⓐ Hold on, please.
> ⓑ This is James.
> ⓒ Hello. Is Emma there?
> ⓓ Who's calling, please?

(   ) → (   ) → (   ) → (   )

1학기 Lesson 4

18 초대장을 보고, 대화의 빈칸에 알맞은 말을 쓰시오.
중

> 미미의 생일 파티에 초대합니다!
> 언제: 이번 주 토요일
> 몇 시에: 3시
> 어디에서: 우리 집

> Mimi: _____ you come to my
>   _____ party this Saturday?
> Tim: Of course. What time is the party?
> Mimi: It's _____ o'clock.

2학기 Lesson 7

19 대화를 읽고, 두 사람이 만날 장소와 시각을 쓰시오.
중

> A: Let's go to the zoo.
> B: Good. Let's meet at the bus stop at two.
> A: Okay. See you there.

(1) 장소: _____ (우리말로)

(2) 시각: _____ 시 (숫자로)

2학기 Lesson 12

20 대화를 읽고, 앤디와 나리의 장래 희망을 우리말로
중 쓰시오.

> Nari: What do you want to be?
> Andy: I want to be a tour guide. How about you?
> Nari: I want to be a police officer.

(1) 앤디: _____

(2) 나리: _____

2학기 Lesson 11

21 대화를 읽고, 밑줄 친 부분 중 어법상 어색한 것을
상 고르시오. ····························· ( )

> A: What did you ① do last vacation?
> B: I ② went to Busan.
> A: ③ Did you ④ go to Haeundae?
> B: Sure. I ⑤ have a great time.

1학기 Lesson 5

22 대화를 읽고 루크가 가려는 곳의 이름을 우리말로
중 쓴 후, 그림에서 기호를 골라 쓰시오.

> Luke: Where is the hospital?
> Somi: Go straight and turn left at the bus stop. It's between the bookstore and the park.

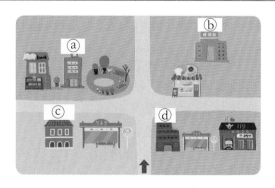

(,)

1, 2학기 Lessons 1, 3, 6, 8, 12

23 다음 중 어색한 대화를 고르시오. ············ ( )
상
① A: When is the talent show?
　 B: It's on April 6th. I can't wait.
② A: Mike is faster than Jiho.
　 B: That's not right. Jiho won the race last year.
③ A: How do you spell your name?
　 B: J-A-S-O-N P-A-R-K-E-R.
④ A: What are you going to do this vacation?
　 B: I'm going to learn *baduk*.
⑤ A: What do you like to do?
　 B: I want to be a dentist.

[24~25] 대화를 읽고, 질문에 답하시오.

> Suji: Do you know about this book?
> Jack: Of course. It's a story about Tom Sawyer.
> Suji: Yes, it is. (I / is / think / it / interesting /.)
> 　　　Tom Sawyer is very brave.
> Jack: He's smart, too.

2학기 Lesson 9

24 괄호 안의 말을 바르게 배열하여 쓰시오.
상

_____

2학기 Lesson 9

25 내용과 일치하지 않는 것을 고르시오. ····· ( )
중
① 두 사람은 책에 대해 이야기하고 있다.
② 잭은 수지가 묻는 책에 대해 알고 있다.
③ 수지는 책이 지루하다고 생각한다.
④ 수지는 톰 소여가 매우 용감하다고 생각한다.
⑤ 잭은 톰 소여가 영리하다고 생각한다.

출제 범위 6학년 전 범위   정답과 풀이 20쪽

1학기 1. 비유하는 표현

1
상
비유하는 표현 방법이 나머지와 다른 하나는 어느 것입니까? (　　　)

① 내 마음은 호수처럼 고요하다.
② 자전거가 바람처럼 쌩쌩 달린다.
③ 어머니 품속이 난로같이 따뜻하다.
④ 맑은 호수는 내 마음을 비추는 거울이다.
⑤ 부모님의 사랑은 아낌없이 주는 나무 같다.

[2~3] 다음 이야기를 읽고 물음에 답하시오.

> **가** 덕진은 마당에 나와 원님 앞에 다소곳이 섰다.
> "너에게 빚진 쌀 삼백 석을 갚으러 왔느니라."
> 그러자 덕진은 어리둥절해하며 원님을 쳐다보았다.
> "하여튼 받아 두어라. 먼 훗날, 너도 알게 될 것이니라."
> 덕진이 받을 수 없다고 하자 원님은 강제로 쌀을 떠맡겼다.
> **나** 그날 밤, 덕진은 이리저리 몸을 뒤척이며 고민하다가 결론을 내렸다.
> '어차피 내 쌀이 아니니 좋은 일에 쓰도록 하자.'
> 그리하여 덕진은 쌀을 팔아서 마을 앞을 가로지르는 강가에 다리를 놓기로 했다. 마을 사람들 모두가 그곳에 다리가 없어서 불편을 겪던 참이었다. 이렇게 해서 돌다리를 놓자, 사람들은 그 다리를 '덕진 다리'라고 했다.

1학기 2. 이야기를 간추려요

2
하
원님이 덕진을 찾아온 까닭은 무엇입니까?
(　　　)

① 덕진의 죄를 알아보려고
② 덕진에게 쌀을 더 빌리려고
③ 덕진에게 큰 상을 내리려고
④ 덕진의 고민을 해결해 주려고
⑤ 덕진에게 빚진 쌀을 갚으려고

1학기 2. 이야기를 간추려요

3
중
글 **나**를 알맞게 간추린 것에 ○표 하시오.

(1) 덕진이 잠을 이루지 못하고 고민하였다.
(　　　)

(2) 마을 사람들은 다리가 없어서 불편을 겪었다.
(　　　)

(3) 덕진은 고민 끝에 원님한테 받은 쌀을 팔아서 강가에 다리를 놓았다. (　　　)

1학기 3. 짜임새 있게 구성해요

4
중
자료를 활용하여 발표할 때 주의할 점이 <u>아닌</u> 것은 어느 것입니까? (　　　)

① 자료의 출처를 정확하게 밝힌다.
② 발표 내용과 관련된 자료를 활용한다.
③ 자료를 만든 사람에게 미리 허락을 구한다.
④ 발표 시간을 고려하여 꼭 필요한 자료만 쓴다.
⑤ 다른 사람이 만든 자료를 사용하기 전에 만든 사람의 이름을 지운다.

1학기 4. 주장과 근거를 판단해요

5
중
다음 글을 쓴 사람의 주장은 무엇이겠습니까?
(　　　)

> 동물원은 동물의 자유를 구속하고, 동물에게 사람의 구경거리가 되는 고통을 줍니다. 동물원에서 동물은 제한된 공간에 갇혀 수많은 관람객과 마주해야 합니다. 이러한 상황에서 동물은 극심한 스트레스를 받습니다. 동물은 사람의 눈요깃거리가 아니라 그 자체로 존중받아야 하는 소중한 생명체입니다.

① 동물원을 늘려야 합니다.
② 동물원은 없애야 합니다.
③ 동물원 입장료를 내려야 합니다.
④ 동물원 입장료를 없애야 합니다.
⑤ 동물원을 더 멋지게 지어야 합니다.

[6~7] 다음 글을 읽고 물음에 답하시오.

> **가** 사랑하는 영수야!
>   처음에는 어렵다고 느껴지는 책도 두세 번씩 읽다 보면, 어느덧 담긴 뜻을 생각하며 쉽게 읽을 수 있단다. 그러니 힘든 일이 있더라도 꿋꿋하게 견디며 희망을 가졌으면 좋겠다.
> **나** 아무리 어려운 일이 계속되어 고생이 심해도 언젠가는 좋은 날이 올 수 있다는 뜻으로, 희망을 가지라는 말을 할 때 쓸 수 있는 속담입니다.
> **다** 지난주에 내 자랑 발표 대회가 있었습니다. 그런데 친구들과 놀고 싶은 마음에 말할 내용을 준비하지 않아서 더듬거리며 발표했습니다. 좀 더 노력하지 않은 제 모습에 후회가 됩니다.
> **라** 모든 일은 근본에 따라 거기에 걸맞은 결과가 나타난다는 속담으로, 자신이 뿌리고 노력한 만큼 거두게 된다는 뜻을 나타냅니다.

1학기 5. 속담을 활용해요

6 글 **가**, **나**와 관련이 있는 속담은 무엇입니까?
중
(   )

① 바늘 가는 데 실 간다
② 배보다 배꼽이 더 크다
③ 천 리 길도 한 걸음부터
④ 쥐구멍에도 볕 들 날이 있다
⑤ 가는 말이 고와야 오는 말이 곱다

1학기 5. 속담을 활용해요

7 글 **다**, **라**와 관련된 속담입니다. 빈칸에 들어갈 알
하 맞은 말은 어느 것입니까? (   )

> 콩 심은 데 콩 나고 팥 심은 데 □ 난다

① 벼   ② 콩
③ 팥   ④ 밀
⑤ 보리

1학기 6. 내용을 추론해요

8 다음 글을 읽고 알 수 <u>없는</u> 내용은 어느 것입니까?
상
(   )

> 궁궐에는 왕과 왕비뿐만 아니라 왕실의 가족과 관리, 군인, 내시, 나인 등 많은 사람이 살았다. 이 사람들은 각자 자신의 신분에 알맞은 건물에서 생활했고, 건물의 명칭 또한 주인의 신분에 따라 달랐다. 예컨대 궁궐에는 강녕전이나 교태전과 같이 '전' 자가 붙는 건물이 있는데, 이러한 건물에는 궁궐에서 가장 신분이 높은 왕과 왕비만 살 수 있었다. 왕실 가족이나 후궁들은 주로 '전'보다 한 단계 격이 낮은 '당' 자가 붙는 건물을 사용했다. 그 밖의 궁궐 사람들은 주로 '각', '재', '헌'이 붙는 건물에서 생활했다. 그러나 경우에 따라서는 왕도 '전'이 아닌 다른 건물을 사용했다.

① 궁궐에는 많은 사람이 살았다.
② 가장 신분이 높은 사람은 왕과 왕비였다.
③ 왕은 '당' 자가 붙는 건물에서만 살 수 있었다.
④ 왕은 경우에 따라 '전' 자가 붙지 않는 다른 건물을 사용했다.
⑤ '전' 자가 붙는 건물에는 가장 신분이 높은 사람만 살 수 있었다.

1학기 7. 우리말을 가꾸어요

9 ㉠을 우리말로 알맞게 고쳐 쓴 것은 무엇입니까?
중
(   )

> 추석 때 고향에 내려가 있는 동안 반려견을 ㉠펫시터에게 맡겨야겠어!

① 반려동물 보호소
② 반려동물 미용사
③ 반려동물 돌봄이
④ 반려동물 장난감
⑤ 반려동물 이동 장

1학기 9. 마음을 나누는 글을 써요

10 정약용이 두 아들에게 쓴 글입니다. 정약용이 전하
중 고 싶은 마음은 무엇이겠습니까?

> 다른 사람을 위해 먼저 베풀어라. 그러나 뒷날 너희가 근심 걱정할 일이 있을 때 다른 사람이 보답해 주지 않더라도 부디 원망하지 마라.

• 아들들이 (   ) 삶을 살았으면 좋겠다.

[11~12] 다음 글을 읽고 물음에 답하시오.

> **가** "그렇게 아무것도 안 하고 피아노만 치면 재미있니?"
> "아니요, 당연히 힘들죠. 정말 어떨 땐 너무 힘들어서 다 그만두고 싶어질 때도 있어요. 그래도 꾹 참고 연습해요. 열심히 연습해야 훌륭한 피아니스트가 될 수 있잖아요."
> 이모는 고개를 끄덕거리며 크게 한숨을 내쉬었다.
> **나** 상수리는 피아노 건반을 살포시 어루만졌다.
> "피아노야, 넌 내가 훌륭한 피아니스트가 되길 바란 게 아니었지? 넌 아마 내가 행복한 피아니스트가 되길 꿈꾸었을 거야. 근데 나는 그것도 모르고 너와 함께하는 시간이 지긋지긋해지도록 연습만 하는 게 최선인 줄 알았으니……. 그동안 네가 얼마나 힘들었을까? 미안해. 정말 미안해."

2학기 1. 작품 속 인물과 나

11 상수리는 커서 무엇이 되려고 합니까? (   )
하

① 성악가   ② 작곡가
③ 피아노 조율사   ④ 피아노 연주자
⑤ 바이올린 연주자

2학기 1. 작품 속 인물과 나

12 글 **나**와 같이 깨닫기 전에, 상수리가 추구하는 가
상 치는 무엇이었겠습니까? (   )

① 자유   ② 평등   ③ 노력
④ 봉사   ⑤ 평화

2학기 2. 관용 표현을 활용해요

13 관용 표현의 알맞은 뜻을 찾아 기호로 쓰시오.
중

> ㉠ 용기 있고 담대하다.
> ㉡ 두드러지게 드러나다.
> ㉢ 널리 아는 사람이 많다.
> ㉣ 남의 말을 쉽게 받아들인다.

(1) 간이 크다 (   )
(2) 귀가 얇다 (   )
(3) 눈에 띄다 (   )

2학기 2. 관용 표현을 활용해요

14 빈칸에 들어갈 관용 표현으로 알맞은 것은 어느 것
중 입니까? (   )

> "　　　　　　　　."(이)라는 말이 있습니다. 모둠 과제를 열심히 준비했으니 반드시 좋은 결과가 있을 것입니다.

① 공든 탑이 무너지랴
② 소 잃고 외양간 고친다
③ 닭 쫓던 개 지붕 쳐다보듯
④ 닭 잡아먹고 오리 발 내놓기
⑤ 말 한마디에 천 냥 빚도 갚는다

2학기 3. 타당한 근거로 글을 써요

15 논설문을 쓰기 전에 만든 표입니다. ㉠~㉤ 중, 알
중 맞지 <u>않은</u> 내용은 어느 것입니까?

내 주장	누리 소통망을 올바르게 사용하자.
근거	㉠ 개인 정보가 쉽게 유출된다. ㉡ 잘못된 정보가 쉽게 퍼진다. ㉢ 누리 소통망에 중독되어 시간을 낭비하게 된다.
수집할 자료	㉣ 누리 소통망으로 개인 정보가 유출된 사례(인터넷 기사) ㉤ 누리 소통망으로 좋은 소식이 전달된 사례(한자사전)

(   )

2학기 3. 타당한 근거로 글을 써요

16 논설문을 쓰고 나서 점검할 내용으로 알맞지 **않은** 것은 어느 것입니까? ( )

① 근거가 주장과 관련 있는가?
② 근거가 주장을 뒷받침하는가?
③ 믿을 만한 자료를 활용하였는가?
④ 글쓴이가 겪은 일이 잘 드러나는가?
⑤ 활용한 자료가 내용을 뒷받침하는가?

2학기 4. 효과적으로 발표해요

17 빈칸에 공통으로 들어갈 알맞은 말은 무엇입니까?
( )

• 영상 자료의 주제를 정할 때에는 발표를 듣는 사람들이 [ ]을/를 가질 만한 것으로 정합니다.
• '맨발 걷기'가 새로운 주제라서 [ ]롭다는 의견이 많았습니다. 따라서 우리 반은 맨발 걷기를 주제로 영상 자료를 만들어 봅시다.
---

① 정의   ② 명예   ③ 흥미
④ 수고   ⑤ 은혜

2학기 4. 효과적으로 발표해요

18 다음은 영상 자료를 만드는 과정 중 무엇에 해당합니까? ( )

• 알맞은 영상 편집 프로그램 정하기
• 촬영한 영상에서 발표에 사용할 필요한 장면 고르기
• 발표 효과를 높이는 다른 매체 자료 준비하기(표, 도표, 신문 기사 등)
• 장면을 차례에 맞게 편집하기
• 제목, 자막, 배경 음악 넣기
---

① 촬영하기   ② 편집하기
③ 발표하기   ④ 장면 정하기
⑤ 내용 정하기

[19~20] 다음 글을 읽고 물음에 답하시오.

가 우리도 로봇세를 도입하여 인간과 로봇이 함께 살아가는 방법을 찾아야 한다.
　세계 경제 포럼은 로봇이나 인공 지능이 이끄는 4차 산업 혁명으로 수많은 사람이 일자리를 잃을 것이라고 전망했다. 로봇 때문에 일자리를 잃고 소득을 얻지 못하는 사람들은 새로운 일자리를 찾기 위해 재교육을 받아야 한다. 로봇세를 도입하면 그 세금으로 일자리를 잃은 사람들에게 진로 상담이나 적성 검사, 기술 교육 등을 할 수 있다. 또 로봇세를 활용하면 일자리를 잃은 사람들이 재교육을 받고 새로운 일자리를 찾는 데 도움을 줄 수 있다.

나 현행법으로는 기계인 로봇에게 세금을 부과할 수 없다. 그래서 2017년에 유럽 의회는 장기적으로 로봇에게 '특수한 권리와 의무를 가진 전자 인간'으로 법적 지위를 부여하는 입법을 집행 위원회가 추진하도록 결의했다. 이는 로봇을 소유하고 이용하는 사람뿐만 아니라 로봇에게도 세금을 부과할 수 있는 근거가 된다. 또 로봇세를 활용하면 소득을 재분배함으로써 국민의 복지 향상에 도움을 줄 수 있다.

2학기 5. 글에 담긴 생각과 비교해요

19 글쓴이는 로봇세를 어떤 목적으로 쓸 수 있다고 하였는지 두 가지를 고르시오. (,)

① 지능형 로봇 개발 비용
② 가난한 학생들을 위한 장학금
③ 일반 국민들을 위한 복지 향상
④ 로봇들의 권익을 지키기 위한 기금
⑤ 일자리를 잃은 사람들을 위한 재교육 비용

2학기 5. 글에 담긴 생각과 비교해요

20 글쓴이가 이 글을 통해 전하려는 생각은 무엇입니까? ( )

① 4차 산업 혁명을 피해야 한다.
② 로봇세 도입을 미루어야 한다.
③ 우리도 로봇세를 도입해야 한다.
④ 로봇에게도 사람처럼 권리를 주어야 한다.
⑤ 로봇에게 일자리를 빼앗기지 말아야 한다.

적중
예상
문제

2회

[21~22] 다음 광고를 보고 물음에 답하시오.

2학기 6. 정보와 표현 판단하기

21 그림 **1**에 대한 설명으로 알맞은 것은 무엇입니
중 까? ( )

① 자전거의 무게가 가볍다는 것을 알 수 있다.
② '소비자 만족도 1위'라는 말은 믿을 수 있다.
③ 자전거의 가격이 저렴하다는 것을 알 수 있다.
④ 소비자 만족도 1위를 하지 않았는데 허위로 광
고하고 있다.
⑤ 언제, 어디에서 소비자 만족도 1위를 하였는지
관련 있는 정보가 감추어져 있다.

2학기 6. 정보와 표현 판단하기

22 ㉠~㉤ 중, 과장하는 표현은 어느 것입니까?
중
( )

① ㉠   ② ㉡   ③ ㉢
④ ㉣   ⑤ ㉤

[23~24] 다음 글을 읽고 물음에 답하시오.

아침밥은 장수의 필수 조건이다. 날마다 아침밥
을 거르면 밤새 분비된 위산이 중화되지 않아 위가
㉠불편해졌다. 이런 습관이 오래 지속되면 위염이
나 위궤양으로 진행될 수 있다. ㉡또 밤새 써 버린
수분을 물을 보충하기 어렵고 체내에 저장해 두었
던 영양소가 소모된다. 그래서 피부는 푸석푸석해
지고 주름에 빈혈까지 생겨 건강이 나빠진다.
아침밥을 먹으면 몸도 건강해지고 하루를 활기차
게 시작할 수 있다. 우리 모두 아침밥을 거르지 말
고 꼭 먹자.

2학기 7. 글 고쳐 쓰기

23 ㉠을 알맞게 고쳐 쓴 것은 무엇입니까? ( )
하

① 불편했고   ② 불편했다
③ 불편하졌다   ④ 불편해진다
⑤ 불편했을까

2학기 7. 글 고쳐 쓰기

24 ㉡에 대한 알맞은 설명은 어느 것입니까? ( )
상

① 고칠 부분이 없는 문장이다.
② '밤새'를 '밤 새'로 띄어 써야 한다.
③ '수분을'과 '물을' 중 하나를 빼야 한다.
④ '써 버린'을 '써버린'으로 붙여 써야 한다.
⑤ '어렵고' 대신에 '쉽고'를 넣어 고쳐 써야 한다.

2학기 8. 작품으로 경험하기

25 다음은 영화 감상문에 들어갈 내용 중 무엇에 해당
중 합니까? ( )

융은 다섯 살에 해외로 입양된다. 하지만 융
은 벨기에의 가족과 자신의 피부색이 다르다
는 사실과 한국에 친부모님이 있을지도 모른
다는 생각에 잘 적응하지 못하고 힘들어한다.

① 영화의 주제   ② 영화의 줄거리
③ 영화를 본 느낌   ④ 영화에 대한 감상
⑤ 영화와 관련된 경험

적중 예상문제 2회

출제 범위 6학년 전 범위

정답과 풀이 21쪽

2학기 6. 원기둥, 원뿔, 구

1 원뿔의 밑면의 지름은 몇 cm입니까?

하

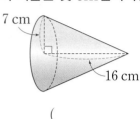

( )

1학기 3. 소수의 나눗셈

2 328÷4=82를 이용하여 계산하시오.

하

(1) 32.8÷4

(2) 3.28÷4

2학기 1. 분수의 나눗셈

3 밀가루 6 kg을 $\frac{2}{3}$ kg씩 나누어서 봉지에 담으려

하 고 합니다. 몇 봉지가 필요합니까? ( )

① 3봉지   ② 4봉지   ③ 5봉지

④ 6봉지   ⑤ 9봉지

2학기 2. 소수의 나눗셈

4 넓이가 15.2 cm²인 평행사변형이 있습니다. 높이

하 가 3.8 cm일 때 밑변은 몇 cm입니까?

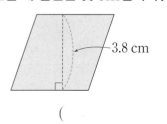

( )

1학기 2. 각기둥과 각뿔

5 밑면의 모양이 오른쪽과 같은 각

하 기둥의 면은 몇 개입니까?

( )

① 4개   ② 5개

③ 6개   ④ 7개

⑤ 8개

1학기 3. 소수의 나눗셈

6 나눗셈의 몫이 가장 큰 것부터 차례로 기호를 쓰시오.

중

> ㉠ 59.4÷9
> ㉡ 2.46÷6
> ㉢ 7.36÷8

( )

1학기 1. 분수의 나눗셈

7 □ 안에 알맞은 수를 구하시오.

중

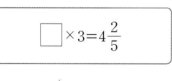

( )

2학기 6. 원기둥, 원뿔, 구

8 원기둥의 전개도에서 선분 ㄱㄹ의 길이는 몇 cm
중 입니까? (원주율: 3.14) (   )

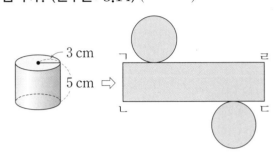

① 9.2 cm   ② 12.24 cm

③ 18.84 cm   ④ 20.56 cm

⑤ 24.2 cm

1학기 3. 소수의 나눗셈

9 ㉠과 ㉡의 몫의 합을 구하시오.
중

| ㉠ 37.68÷6   ㉡ 67.2÷15 |

(   )

1학기 4. 비와 비율

10 민수네 반은 남학생이 13명, 여학생이 12명입니
중 다. 민수네 반 전체 학생 수에 대한 여학생 수의 비
율을 소수로 나타내시오.

(   )

2학기 3. 공간과 입체

11 쌓기나무를 4개씩 사용하여 만든 모양입니다. 돌
중 리거나 뒤집었을 때 같은 모양 2개를 바르게 짝 지
은 것은 어느 것입니까? (   )

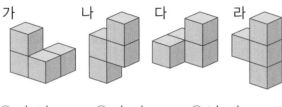

가   나   다   라

① 가, 나   ② 가, 다   ③ 나, 다

④ 나, 라   ⑤ 가, 라

1학기 5. 여러 가지 그래프

12 정희네 학교 학생들의 한 달 동안의 독서량을 조사
중 하여 나타낸 띠그래프입니다. 책을 21권 이상 읽은
학생은 전체의 몇 %입니까? (   )

독서량

| 0 | 10 | 20 | 30 | 40 | 50 | 60 | 70 | 80 | 90 | 100 (%) |

| 10권 이하
(35 %) | 11권 이상
20권 이하(45 %) | 21권 이상 |

① 10 %   ② 15 %   ③ 20 %

④ 25 %   ⑤ 30 %

2학기 4. 비례식과 비례배분

13 지선이네 집에 있는 태극기의 가로는 90 cm, 세
중 로는 60 cm입니다. 태극기의 가로와 세로의 비
를 간단한 자연수의 비로 나타낸 것은 어느 것입니
까? (   )

① 3:4   ② 3:1   ③ 3:2

④ 4:3   ⑤ 5:2

2학기 6. 원기둥, 원뿔, 구

14 직사각형 모양의 종이를 한 변을 기준으로 돌려 만
중 든 입체도형의 옆면의 넓이는 몇 cm²인지 구하시
오. (원주율: 3)

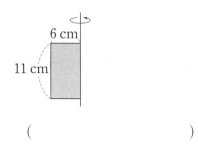

(   )

2학기 2. 소수의 나눗셈

15 선물 상자 하나를 묶는 데 끈이 2.7 m 필요하다면
중 길이가 45.8 m인 끈으로 선물 상자를 몇 개까지
묶을 수 있습니까? (   )

① 13개   ② 14개   ③ 15개
④ 16개   ⑤ 17개

1학기 4. 비와 비율

16 이자율은 예금한 돈에 대한 이자의 비율입니다. 민
중 정이는 가 은행과 나 은행에 다음과 같이 1년 동안
예금하였습니다. 민정이가 받을 이자가 더 많은 은
행은 어느 은행입니까? (단, 세금은 생각하지 않습
니다.)

은행	예금한 돈	이자율
가	80000원	3 %
나	60000원	5 %

(   )

1학기 6. 직육면체의 부피와 겉넓이

17 부피가 132 cm³인 직육면체입니다. □ 안에 알맞
중 은 수는 얼마입니까? (   )

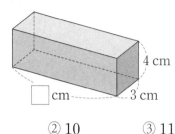

① 9   ② 10   ③ 11
④ 12   ⑤ 13

2학기 3. 공간과 입체

18 쌓기나무로 쌓은 모양에서 1층에 쌓인 쌓기나무가
중 7개일 때 사용한 쌓기나무는 몇 개입니까?

(   )

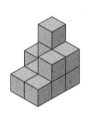

① 8개   ② 9개   ③ 10개
④ 11개   ⑤ 12개

1학기 6. 직육면체의 부피와 겉넓이

19 은수는 한 모서리의 길이가 2 cm인 정육면체 모
중 양의 쌓기나무를 가로로 7개, 세로로 5개, 높이는
6층으로 쌓았습니다. 쌓은 직육면체의 부피는 몇
cm³인지 구하시오.

(   )

2학기 6. 원기둥, 원뿔, 구

20 한 밑면의 반지름이 5 cm이고 높이가 7 cm인 원
중 기둥이 있습니다. 이 원기둥을 잘라서 전개도를 만
들었을 때 옆면의 가로와 세로의 차는 몇 cm인지
구하시오. (원주율: 3.1)

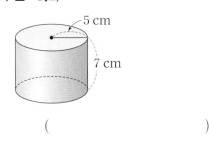

(   )

2학기 3. 공간과 입체

21 위, 앞, 옆에서 본 모양이 각각 다음과 같이 되도록
상 쌓으려면 쌓기나무는 적어도 몇 개가 필요합니까?

(   )

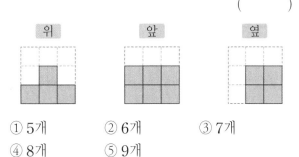

① 5개   ② 6개   ③ 7개
④ 8개   ⑤ 9개

2학기 5. 원의 넓이

22 원 모양인 두 종이의 지름의 비는 1 : 3입니다. 작
상 은 종이의 둘레가 12.56 cm일 때 큰 종이의 넓이
는 몇 cm²입니까? (원주율: 3.14) (   )

① 25.14 cm²   ② 37.68 cm²
③ 50.24 cm²   ④ 75.36 cm²
⑤ 113.04 cm²

1학기 6. 직육면체의 부피와 겉넓이

23 정육면체 모양의 쌓기나무 4개를 쌓아 부피가
상 256 cm³인 입체도형을 만들었습니다. 쌓기나무
의 한 모서리의 길이는 몇 cm입니까? (   )

① 3 cm   ② 4 cm   ③ 5 cm
④ 6 cm   ⑤ 7 cm

2학기 1. 분수의 나눗셈

24 윤서는 할머니께서 만드신 매실액 $6\frac{5}{8}$ L를 한 사
상 람에 $1\frac{3}{5}$ L씩 나누어 주려고 합니다. 최대 몇 명에
게 나누어 줄 수 있습니까? (   )

① 4명   ② 5명   ③ 8명
④ 9명   ⑤ 10명

1학기 5. 여러 가지 그래프

25 민경이네 학교 학생의 남녀 비율을 조사하여 나타
상 낸 원그래프와 이 학교 여학생의 거주지를 조사하
여 나타낸 원그래프입니다. 민경이네 학교 학생 중
㉠ 동네에 사는 여학생이 77명일 때 민경이네 학
교 남학생은 몇 명입니까?

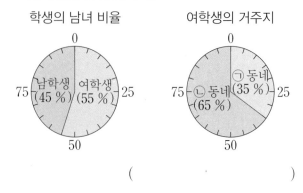

(   )

정답과 풀이 22쪽

1학기 ❶ 민주주의의 발전과 시민 참여　　　11종 공통

1
중
다음 보기 에서 4·19 혁명이 일어난 원인으로 알맞은 것을 찾아 기호를 쓰시오.

> **보기**
> ㉠ 5·16 군사 정변이 일어났습니다.
> ㉡ 지방 자치 제도가 실시되었습니다.
> ㉢ 이승만 정부가 부정 선거를 실행했습니다.

(　　　　　　　　)

1학기 ❶ 민주주의의 발전과 시민 참여　　　11종 공통

2
중
유신 헌법에 대한 설명으로 알맞은 것은 어느 것입니까? (　　　)

① 민주주의를 발전시켰다.
② 대통령 직선제가 실시되었다.
③ 대통령의 권한을 크게 강화하였다.
④ 대통령을 두 번까지 할 수 있게 되었다.
⑤ 풀뿌리 민주주의를 정착시키는 계기가 되었다.

1학기 ❶ 민주주의의 발전과 시민 참여　　　11종 공통

3
상
다음 선언이 담고 있는 내용으로 알맞지 <u>않은</u> 것은 어느 것입니까? (　　　)

> 대통령 후보였던 노태우는 6·29 민주화 선언을 발표했습니다.

① 지역감정 없애기
② 주민 소환제 폐지
③ 지방 자치제 시행
④ 언론의 자유 보장
⑤ 대통령 직선제 시행

1학기 ❷ 일상생활과 민주주의　　　11종 공통

4
중
다음 그림과 관련 있는 민주주의의 기본 정신은 어느 것입니까? (　　　)

책은 누구나 똑같이 일주일에 다섯 권씩만 빌릴 수 있어요.

① 존엄　　② 평등　　③ 자유
④ 주권　　⑤ 선거

1학기 ❷ 일상생활과 민주주의　　　11종 공통

5
중
다음 중 민주 선거의 기본 원칙으로 알맞지 <u>않은</u> 것은 어느 것입니까? (　　　)

① 비밀 선거　　② 직접 선거
③ 보통 선거　　④ 평등 선거
⑤ 차등 선거

1학기 ❸ 민주정치의 원리와 국가기관의 역할　　　11종 공통

6
하
국민의 대표인 국회의원이 나라의 중요한 일을 의논하고 결정하는 국가기관은 어디입니까? (　　　)

① 정부　　　　② 법원
③ 국회　　　　④ 기상청
⑤ 해양수산부

1학기 ❸ 민주정치의 원리와 국가기관의 역할　　　11종 공통

7
하
다음에서 설명하는 사람은 누구인지 쓰시오.

> 외국에 대해 우리나라를 대표하며, 정부의 최고 책임자로 나라의 중요한 일을 결정합니다.

(　　　　　　　　)

1학기 ❶ 경제주체의 역할과 우리나라 경제체제 　　11종 공통

8 다음 가계의 합리적인 선택의 필요성과 관련하여
중 　⊙, ⓒ에 들어갈 말이 알맞게 짝 지어진 것은 어느
　　것입니까? (　　　　)

> 가계는 　⊙　의 범위 안에서 적은 비용
> 으로 가장 큰 만족을 얻도록 합리적으로
> 　ⓒ　하는 것이 필요합니다.

	⊙	ⓒ		⊙	ⓒ
①	소득	생산	②	소득	소비
③	기후	소비	④	지역	생산
⑤	법률	분배			

1학기 ❶ 경제주체의 역할과 우리나라 경제체제 　　11종 공통

9 가계와 기업이 만나는 곳으로 물건을 사고파는 장
하 　소가 아닌 곳은 어디입니까? (　　　　)

① 학교　　　　　② 홈 쇼핑
③ 전통 시장　　　④ 대형 할인점
⑤ 인터넷 쇼핑

1학기 ❷ 우리나라의 경제 성장과 경제생활의 변화 　　11종 공통

10 다음 ⊙에 들어갈 산업에 대한 설명으로 알맞은 것은
중 　어느 것입니까? (　　　　)

1960년대	1970~1980년	1990년대
경공업	⊙	정보 통신 산업

① 자연에서 직접 필요한 것을 얻는 산업이다.
② 노동력이 부족해야 발전할 수 있는 산업이다.
③ 기계에 들어가는 정밀한 반도체를 생산하는 산
　 업이다.
④ 경공업보다 많은 돈과 높은 기술력이 필요한 산
　 업이다.
⑤ 사람들 간의 유용한 정보를 쉽고 빠르게 주고받을
　 수 있는 산업이다.

1학기 ❷ 우리나라의 경제 성장과 경제생활의 변화 　　11종 공통

11 다음 그래프와 같이 우리나라의 해외여행객이 점차
하 　증가하는 까닭으로 알맞은 것은 어느 것입니까?
　　　　　　　　　　　　　　　　(　　　　)

① 가계의 소득이 늘었기 때문이다.
② 1인당 국민 총소득이 줄어들었기 때문이다.
③ 여가를 즐기려는 사람들이 줄었기 때문이다.
④ 휴대 전화로도 영화나 방송을 볼 수 있게 되었기
　 때문이다.
⑤ 우리나라가 다른 나라에 돈을 많이 빌려주었기
　 때문이다.

1학기 ❸ 세계 속의 우리나라 경제 　　11종 공통

12 다음 ⊙, ⓒ에 들어갈 알맞은 말을 **보기** 에서 각각
중 　찾아 쓰시오.

> 무역을 할 때 다른 나라에 물건을 파는 것을
> 　⊙　, 다른 나라에서 물건을 사 오는 것을
> 　ⓒ　이라고 합니다.

보기
• 수입　　　　• 수출　　　　• 관세

⊙ (　　　　　　　), ⓒ (　　　　　　　)

1학기 ❸ 세계 속의 우리나라 경제 　　11종 공통

13 외국에서 값싼 농산물이 수입되면 생길 수 있는 일
중 　은 어느 것입니까? (　　　　)

① 실업자 수가 줄어든다.
② 소비자의 선택권이 좁아진다.
③ 국가가 안정적으로 성장한다.
④ 경쟁력이 낮은 산업을 보호할 수 있다.
⑤ 국가 유지의 기본이 되는 농업이 흔들린다.

[14~15] 다음 지도를 보고, 물음에 답하시오.

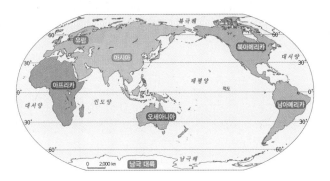

2학기 ❶ 지구, 대륙 그리고 국가들　　　　　　　11종 공통

14 위의 지도에서 남극 대륙을 둘러싸고 있는 대양을
중　찾아 쓰시오.

（　　　　　　　　　　　）

2학기 ❶ 지구, 대륙 그리고 국가들　　　　　　　11종 공통

15 위 지도의 대륙에 대한 설명으로 알맞지 <u>않은</u> 것은
중　어느 것입니까? （　　　　）

① 육지의 면적은 약 30%이다.
② 아프리카는 가장 큰 대륙이다.
③ 오세아니아는 가장 작은 대륙이다.
④ 남아메리카의 대부분은 남반구에 속해 있다.
⑤ 아시아는 세계 육지 면적의 약 30%를 차지한다.

2학기 ❷ 세계의 다양한 삶의 모습　　　　　　　11종 공통

16 다음 생활 모습과 관련 있는 기후는 어느 것입니
중　까? （　　　　）

① 열대 기후
② 건조 기후
③ 온대 기후
④ 고산 기후
⑤ 한대 기후

▲ 순록을 기르는 유목 생활

2학기 ❷ 세계의 다양한 삶의 모습　　　천재교육, 김영사, 비상교과서, 비상교육,
　　　　　　　　　　　　　　　　　　　　　아이스크림미디어

17 햇빛을 가리기 위해 다음 모자를 쓰는 나라는 어디
중　입니까? （　　　　）

① 인도
② 터키
③ 멕시코
④ 러시아
⑤ 뉴질랜드

▲ 솜브레로

2학기 ❸ 우리나라와 가까운 나라들　　　　　　11종 공통

18 다음 나라의 특징으로 알맞은 것은 어느 것입니까?
중　　　　　　　　　　　　　　　　　（　　　　）

① 세계에서 인구가 가장 적다.
② 50개의 주로 이루어져 있다.
③ 서쪽에는 고원과 산지가 나타난다.
④ 화산이 많고 지진 활동이 활발하다.
⑤ 북부 지역에 항구, 대도시가 발달했다.

2학기 ❸ 우리나라와 가까운 나라들　　천재교육, 동아출판, 미래엔, 비상교과서

19 중국, 일본, 러시아 중
중　오른쪽 문자를 사용하
　는 나라를 쓰시오.

▲ 그리스 문자에 바탕을 둔
키릴 문자가 변형된 것

（　　　　　　　　　　　）

2학기 ❶ 한반도의 미래와 통일　　　천재교육, 김영사

20 다음에서 설명하는 옛 자료로 알맞은 것은 어느 것
중　입니까? (　　　)

> 일본이 자국의 영토 전체를 표기해 만든 지도
> 로, 일본 영토를 자세히 그려 놓았지만, 독도가
> 표기되어 있지 않습니다.

① 「팔도총도」
② 「대일본전도」
③ 『세종실록지리지』
④ 「대한 제국 칙령 제41호 제2조」
⑤ 「연합국 최고 사령관 각서 제677호」

2학기 ❶ 한반도의 미래와 통일　　　11종 공통

21 다음 그림과 관련하여 남북통일이 되면 좋은 점은
중　어느 것입니까? (　　　)

① 경쟁력 있는 제품을 만들 수 있다.
② 높은 기술력을 해외에 수출할 수 있다.
③ 다른 나라와의 전쟁에서 이길 수 있다.
④ 국방비를 줄여서 다른 곳에 쓸 수 있다.
⑤ 외국의 지하자원을 쉽게 수입할 수 있다.

2학기 ❷ 지구촌의 평화와 발전　　　11종 공통

22 지구촌 평화와 발전을 위해 우리가 실천할 수 있는
중　일은 어느 것입니까? (　　　)

① 국제기구 만들기
② 사용하지 않는 물건 기증하기
③ 아픈 사람들에게 의료 지원하기
④ 가난한 사람들에게 집을 지어 주기
⑤ 유엔 핵무기 금지 협약에 서명하기

2학기 ❷ 지구촌의 평화와 발전　　　11종 공통

23 비정부 기구에 대한 설명으로 알맞은 것은 어느 것
중　입니까? (　　　)

① 국가들이 중심이 되어 만들었다.
② 국제 연합(UN)의 산하 기구이다.
③ 다른 국제기구와 협력하지 않는다.
④ 주로 개인의 이익을 위해서 활동한다.
⑤ 뜻이 같은 개인들이 모여 만든 단체이다.

2학기 ❸ 지속가능한 지구촌　　　11종 공통

24 기업이 다음과 같은 노력을 하는 까닭은 어느 것입
중　니까? (　　　)

> 세탁소 비닐, 일회용 비닐장갑, 식품을 포장할
> 때 사용하는 랩 등을 생산하는 업체는 재활용
> 업체를 지원하는 금액을 내야 합니다.

① 환경 보호　　　　② 인권 존중
③ 경제 성장　　　　④ 비용 절감
⑤ 열대 우림 파괴

2학기 ❸ 지속가능한 지구촌　　　11종 공통

25 다음 지도에 나타난 지구촌 문제를 해결하려는 노력
중　으로 알맞지 <u>않은</u> 것은 어느 것입니까? (　　　)

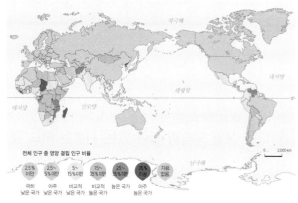

▲ 세계 기아 지도

① 캠페인　　　　② 구호 활동
③ 모금 활동　　　　④ 교육 지원
⑤ 플라스틱 사용

출제 범위 6학년 전 범위

정답과 풀이 23쪽

1학기 1. 과학 탐구 · 9종 공통

1 효모의 발효 조건을 알아보기 위하여 각각 효모액을 넣은 시험관 두 개를 다음과 같이 장치하였습니다. 다음 중 이에 대한 설명으로 옳은 것은 어느 것입니까?
중 ( )

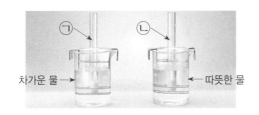

차가운 물 ← → 따뜻한 물

① ㉠ 시험관에서 기포가 올라온다.
② ㉡ 시험관 속 효모액의 부피는 변하지 않는다.
③ 두 시험관 속 효모액의 온도를 다르게 해 준다.
④ 시험관에 넣을 효모액을 만들 때 효모의 양을 같게 해 준다.
⑤ 15분 뒤에 효모액의 부피를 측정하면 ㉠ 시험관 속 효모액의 부피가 더 많이 늘어난다.

1학기 2. 지구와 달의 운동 · 9종 공통

2 다음 보기 에서 지구의 자전에 대한 설명으로 옳은
중 것을 골라 기호를 쓰시오.

보기
㉠ 지구는 동쪽에서 서쪽으로 자전합니다.
㉡ 지구가 일 년에 한 바퀴씩 회전합니다.
㉢ 지구의 자전축은 지구의 북극과 남극을 이은 가상의 직선입니다.

( )

1학기 2. 지구와 달의 운동 · 9종 공통

3 다음은 계절에 따라 보이는 별자리가 달라지는
상 까닭을 알아보기 위한 실험입니다. 지구의가 (나) 위치에 있을 때 우리나라에서 볼 수 없는 별자리의 기호를 쓰시오.

( )

1학기 2. 지구와 달의 운동 · 9종 공통

4 다음은 여러 날 동안 태양이 진 직후 같은 장소에서
중 본 달의 위치와 모양을 관측한 결과입니다. ㉠과 ㉡에 들어갈 알맞은 말을 각각 쓰시오.

• 태양이 진 직후, 초승달은 서쪽 하늘에서 보입니다.
• 달의 모양은 초승달 → 상현달 → 보름달로 변합니다.
• 달의 위치는 ㉠ 쪽에서 ㉡ 쪽으로 날마다 조금씩 옮겨 갑니다.

㉠ ( ) ㉡ ( )

1학기 3. 여러 가지 기체 · 9종 공통

5 다음은 기체 발생 장치의 모습입니다. 이 장치를
상 이용하여 산소를 발생시킬 때 가지 달린 삼각 플라스크 안에 넣어야 할 것은 어느 것입니까? ( )

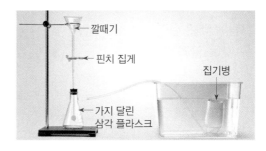

깔때기
핀치 집게
집기병
가지 달린 삼각 플라스크

① 석회수
② 진한 식초
③ 이산화 망가니즈
④ 탄산수소 나트륨
⑤ 묽은 과산화 수소수

1학기 3. 여러 가지 기체 · 천재교과서, 동아, 미래엔, 아이스크림

6 다음은 고무풍선을 씌운 삼각 플라스크를 뜨거운
하 물과 얼음물이 든 비커에 넣었을 때의 모습입니다. 뜨거운 물이 든 비커에 넣었을 때 고무풍선의 결과로 옳은 것을 골라 기호를 쓰시오.

㉠ ㉡

( )

1학기 4. 식물의 구조와 기능   9종 공통

7 잎에서 만든 물질을 알아보기 위하여 다음과 같이
(중) 크기가 비슷한 고추 모종 두 개를 빛이 잘 드는 곳에
두고 한 개에만 어둠상자를 씌웠습니다. 다음 중 이에
설명으로 옳지 <u>않은</u> 것은 어느 것입니까? (   )

① 잎은 광합성을 통해 양분을 만든다.
② 두 실험에서 다르게 한 조건은 빛이다.
③ 빛을 받은 잎에서만 녹말이 만들어진다.
④ ㉡의 고추 모종에서만 녹말이 만들어진다.
⑤ ㉠ 잎에 아이오딘-아이오딘화 칼륨 용액을
떨어뜨리면 청람색으로 변한다.

1학기 4. 식물의 구조와 기능   9종 공통

8 다음 보기 에서 오른쪽
(하) 사과꽃의 구조를 나타낸
그림에 대한 설명으로 옳
은 것을 골라 기호를 쓰
시오.

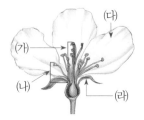

> ㉠ (가)는 수술로 꽃가루를 만듭니다.
> ㉡ (라)는 꽃받침으로 꽃가루받이를 합니다.
> ㉢ (다)는 꽃잎으로 암술과 수술을 보호합니다.
> ㉣ (나)는 암술로 꽃가루받이를 거쳐 씨를 만듭니다.

(   )

1학기 5. 빛과 렌즈   천재교과서, 동아

9 다음은 물속에 있는 물고기가 실제 위치보다 떠올라
(중) 있는 것처럼 보이는 현상에 대한 설명입니다. ㉠과
㉡에 들어갈 알맞은 말을 각각 쓰시오.

> 물고기에 닿아 반사된 빛은 물속에서 공기
> 중으로 나올 때 물과 공기의 경계에서 ㉠
> 해 사람의 눈으로 오지만, 사람은 눈으로 들어
> 온 빛의 ㉡ 에 물고기가 있다고 생각하기
> 때문입니다.

㉠ (   ) ㉡ (   )

1학기 5. 빛과 렌즈   9종 공통

10 다음 중 볼록 렌즈로 가까이 있는 물체를 관찰한
(하) 모습의 기호를 쓰시오.

(   )

2학기 1. 전기의 이용   9종 공통

11 다음 보기 에서 전구에 불이 켜지는 조건으로
(하) 옳지 <u>않은</u> 것을 골라 기호를 쓰시오.

> **보기**
> ㉠ 전기 부품의 도체끼리 연결해야 합니다.
> ㉡ 전구는 전지의 (+)극에 모두 연결해야 합니다.
> ㉢ 전지, 전선, 전구를 연결해 전기 회로를
> 만듭니다.

(   )

2학기 1. 전기의 이용   9종 공통

12 다음 중 스위치를 닫았을
(중) 때 오른쪽 전기 회로의
전구와 밝기가 비슷한
것의 기호를 쓰시오.

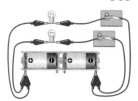

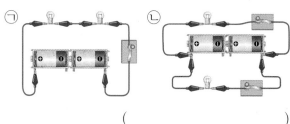

(   )

2학기 1. 전기의 이용   9종 공통

13 다음 전기 회로의 전선에 나침반 바늘이 나란히
(하) 되도록 장치하고 전류를 흘렸을 때의 결과로 옳은
것의 기호를 쓰시오.

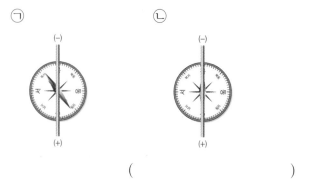

(   )

2학기 1. 전기의 이용　　　　　　　9종 공통

14 다음은 전자석의 끝부분을 시침바늘에 가까이 가져
중　갔을 때 시침바늘이 붙은 개수를 나타낸 것입니다. 이에
　　대한 설명으로 옳은 것은 무엇입니까? (　　　　)

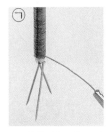 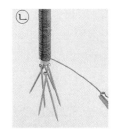

　　▲ 시침바늘이 3개　　　▲ 시침바늘이 6개
　　　붙음.　　　　　　　　　붙음.

① 전자석의 세기는 조절할 수 없다.
② 전자석의 세기는 ㉡이 ㉠보다 세다.
③ ㉠에 연결한 전지의 개수가 ㉡보다 많다.
④ 전자석의 크기를 크게 할수록 세기가 더 세다.
⑤ 전지를 병렬로 연결하여 전자석의 세기를
　조절한다.

2학기 2. 계절의 변화　　　　　　　9종 공통

15 다음은 하루 동안 태양 고도와 그림자 길이, 기온
중　변화 그래프를 겹쳐 붙인 것입니다. 이 그래프에
　　대한 설명으로 옳은 것은 무엇입니까? (　　　　)

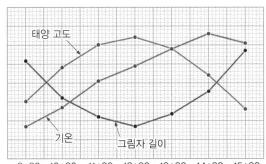

① 태양 고도와 기온 변화는 관계가 있다.
② 기온은 낮 12시 30분 무렵에 가장 높다.
③ 그림자 길이는 오후 2시 30분 무렵에 가장 짧다.
④ 태양 고도가 가장 높을 때 기온이 가장 높다.
⑤ 기온 변화 그래프와 그림자 길이의 그래프는
　모양이 비슷하다.

2학기 2. 계절의 변화　　　　　　　9종 공통

16 다음은 계절별 태양의 위치 변화를 나타낸 것입니다.
상　이에 대한 설명으로 옳은 것은 어느 것입니까?

　　　　　　　　　　　　　　　(　　　　)

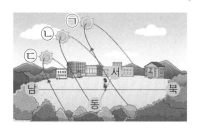

① 태양의 남중 고도는 ㉢이 가장 높다.
② ㉠일 때 태양이 늦게 뜨고 일찍 진다.
③ 태양이 ㉡에 있을 때 계절은 봄·가을이다.
④ ㉠은 겨울, ㉢은 여름일 때 태양의 위치이다.
⑤ 해가 뜨고 지는 시각은 계절에 관계없이 일정
　하다.

2학기 2. 계절의 변화　　　　　　　9종 공통

17 다음과 같이 지구의의 자전축이 기울어진 채 공전할
중　때 지구의의 각 위치에서 남중 고도는 변하는지,
　　변하지 않는지 쓰시오.

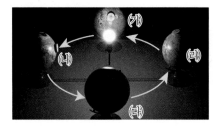

(　　　　　　　　　　　　　　　)

2학기 3. 연소와 소화　　　　　　　9종 공통

18 초와 알코올이 타는 현상을 다음 표와 같이 비교
하　했을 때 ㉠과 ㉡에 들어갈 알맞은 말을 각각 쓰시오.

구분	초가 타는 현상	알코올이 타는 현상
불꽃색	노란색, 붉은색을 띰.	㉠ , 붉은색을 띰.
무게 변화	촛불을 끈 후 무게가 ㉡ .	알코올램프의 불을 끈 후 무게가 줄어듦.

㉠ (　　　　　　　) ㉡ (　　　　　　　)

2학기 3. 연소와 소화　　　　　　금성, 김영사, 동아, 미래엔, 아이스크림

19 성냥의 머리 부분과 나무 부분에 불이 붙는 데
하 걸리는 시간이 다른 까닭은 물질마다 무엇이 다르
기 때문입니까? (　　　)

① 온도　　　　② 무게　　　　③ 부피
④ 길이　　　　⑤ 발화점

2학기 3. 연소와 소화　　　　　　　　　　9종 공통

20 다음은 초가 연소한 후 생기는 물질을 알아보는
상 실험의 결과입니다. ㉠과 ㉡의 실험으로 알 수 있는
연소 후 물질의 이름을 각각 쓰시오.

㉠

▲ 푸른색 염화
코발트 종이가
붉게 변함.

㉡

▲ 석회수가
뿌옇게
흐려짐.

㉠ (　　　　　) ㉡ (　　　　　　　　)

2학기 4. 우리 몸의 구조와 기능　　　　　9종 공통

21 다음 보기 에서 우리 몸의 뼈와 근육에 대한 설명
중 으로 옳은 것을 골라 기호를 쓰시오.

> **보기**
> ㉠ 근육 주변을 뼈가 둘러싸고 있습니다.
> ㉡ 뼈의 종류와 생김새는 모두 같습니다.
> ㉢ 근육의 길이가 늘어나거나 줄어들면서 뼈를
> 움직입니다.

(　　　　　　　　)

2학기 4. 우리 몸의 구조와 기능　　　　　9종 공통

22 다음은 배설 과정을 설명한 것입니다. □ 안에
중 들어갈 알맞은 말을 쓰시오.

> 혈액에 있는 노폐물을 □에서 걸러 내고,
> 걸러진 노폐물은 방광에 저장되었다가 관을
> 통해 몸 밖으로 나갑니다.

(　　　　　　　　)

2학기 4. 우리 몸의 구조와 기능　　천재교육, 천재교과서, 동아, 비상, 지학사

23 오른쪽은 주입기의 펌프
상 를 눌러 붉은 색소 물을
이동시키는 실험입니다.
이에 대한 설명으로 옳은
것은 어느 것입니까?
(　　　)

① 붉은 색소 물은 심장을 의미한다.
② 주입기의 관은 혈액을 의미한다.
③ 주입기의 펌프는 혈관을 의미한다.
④ 주입기를 빠르게 누르면 붉은 색소 물이 빠르게
이동한다.
⑤ 주입기를 느리게 누르면 붉은 색소 물의 이동
량이 많아진다.

2학기 5. 에너지와 생활　　　　　　　　9종 공통

24 다음 중 에너지를 얻는 방법이 나머지와 <u>다른</u> 하나는
하 어느 것입니까? (　　　)

① 사람　　　② 개구리　　　③ 잠자리
④ 다람쥐　　⑤ 사과나무

2학기 5. 에너지와 생활　　　　　　　　9종 공통

25 다음 중 ㉠~㉤에서 에너지 전환을 옳게 설명한 것은
중 어느 것입니까? (　　　)

㉠ 떨어지는 낙하 놀이 기구
㉡ 비탈을 오르는 롤러코스터
㉢ 떠오르는 열기구
㉣ 움직이는 범퍼카
㉤ 반짝이는 전광판

① ㉠ : 운동 에너지 → 위치 에너지
② ㉡ : 위치 에너지 → 운동 에너지
③ ㉢ : 위치 에너지 → 화학 에너지
④ ㉣ : 운동 에너지 → 전기 에너지
⑤ ㉤ : 전기 에너지 → 빛에너지

출제 범위 6학년 전 범위

정답과 풀이 24쪽

1학기 Lesson 2

1 낱말에 알맞은 그림을 연결하시오.
하

(1) headache   (2) stomachache

ⓐ   ⓑ   ⓒ

2학기 Lesson 10

2 다음 중 낱말과 뜻이 잘못 짝지어진 것을 고르시오.
하 .... (　　　)

① walk – 걷다   ② recycle – 재활용하다
③ throw – 던지다   ④ use – 사용하다
⑤ plant – 끄다

1학기 Lesson 5

3 다음 문장에 대해 바르게 말한 사람을 고르시오.
하 .... (　　　)

Could you say that again, please?

① 혜미: 아픈 곳을 묻는 말이야.
② 자영: 기대를 표현하는 말이야.
③ 보선: 반복해서 말해 달라고 요청하는 말이야.
④ 원재: 상대방이 한 말을 부인하는 말이야.
⑤ 경아: 전화를 건 사람이 누구인지 묻는 말이야.

2학기 Lesson 10

4 다음 우리말과 일치하도록 빈칸에 알맞은 낱말을
하 주어진 알파벳으로 시작하여 쓰시오.

우리는 에너지를 절약해야 한다.

→ We s_____ save energy.

1학기 Lesson 2

5 다음 문장에 알맞게 행동한 사람을 <u>모두</u> 고르시오.
하 .... (　　　)

Take this medicine and go to bed early.

①   ②   ③

④   ⑤

2학기 Lesson 12

6 다음 응답에 알맞은 질문을 고르시오. ·····(　　　)
중

I want to be a drummer.

① What's the matter?
② Will you come to the party?
③ Where is the theater?
④ What do you want to be?
⑤ What do you like to do?

2학기 Lesson 8

7 다음 표를 보고, 빈칸에 알맞은 말을 쓰시오.
상

(1) 키	(2) 몸무게	(3) 나이
나리 〈 보라	나리 〈 보라	나리 〉 보라

(1) Nari is _____ than Bora.
(2) Bora is _____ than Nari.
(3) Nari is _____ than Bora.

1학기 Lesson 5

8 그림에 알맞은 문장을 고르시오. ·········· (　　)
중

① The bank is next to the library.
② The police station is behind the hospital.
③ The hospital is in front of the police station.
④ The park is between the bank and the bakery.
⑤ The bakery is between the park and the bank.

1학기 Lessons 1, 6

9 빈칸에 공통으로 들어갈 것을 고르시오. (　　)
중

> • _____ grade are you in?
> • _____ are you going to do?

① Who　　② How　　③ Where
④ When　　⑤ What

1학기 Lesson 6

10 대화를 읽고, 수호가 이번 주말에 할 일을 고르시오.
중 ·· (　　)

> A: What are you going to do this weekend, Suho?
> B: I'm going to go to the museum.

[11~12] 그림을 보고, 대화의 빈칸에 알맞은 말을 쓰시오.

1학기 Lesson 3

11
중

	5월				내 생일
Mon	Tue	Wed	Thur	Fri	Sat	Sun
			1	2	3	4
5	6	7	8	9	⑩	11
12	13	14	15	16	17	18

> A: When is your birthday?
> B: It's on _____ _____.

2학기 Lesson 8

12
중

> A: Jiho is _____ _____ _____.
> B: That's right. Jiho is very strong.

1학기 Lesson 1

13 대화의 빈칸에 알맞은 말을 고르시오. ····· (　　)
중

> A: My name is Cathy Smith.
> B: _____
> A: C-A-T-H-Y S-M-I-T-H.

① What's your name?
② How do you spell your name?
③ What do you like to do?
④ When did you go there?
⑤ When is the school festival?

14 대화를 읽고, 관련 있는 그림을 <u>모두</u> 고르시오.

중 .... (   )

2학기 Lesson 10

> A: What can we do for the Earth?
> B: We can turn off the lights.
> C: We can recycle paper, too.

15 대화를 읽고, 빈칸에 알맞은 말을 쓰시오.

중

2학기 Lesson 9

> Tom: Do you know about this music?
> Sumi: Yes, I do. I think it's great. How about you?
> Tom: I think it's beautiful.

> 수미는 이 음악이 _____고 생각하고, 톰은 _____고 생각한다.

16 대화를 읽고, 두 사람이 만날 장소와 시각으로 알맞은 것을 고르시오. .... (   )

중

2학기 Lesson 7

> Tina: Hi, Paul. Let's go to the movies.
> Paul: Sounds good. Let's meet at the theater at two.

①  ② ③

④  ⑤

17 대화를 읽고, 내용과 일치하면 ○ 표, 일치하지 <u>않으면</u> × 표를 하시오.

중

2학기 Lesson 7

> Mike: Hello. This is Mike. Is Suji there?
> Suji's mom: Hold on, please.
> Suji: Hello.
> Mike: Hi, Suji. Let's play basketball.
> Suji: Okay. Let's meet at the park at one.

(1) 마이크가 전화를 걸었다. (   )
(2) 처음에 수지가 전화를 받았다. (   )
(3) 두 사람은 공원에서 만날 것이다. (   )

18 대화를 읽고, 밑줄 친 부분 중 흐름상 어색한 것을 고르시오. .... (   )

중

2학기 Lesson 11

> A: ① I went to the Snow Festival.
> B: I went there, too. ② When did you go there?
> A: ③ Last weekend. ④ Did you make a snowman?
> B: ⑤ No, I didn't. I made a big snowman.

19 대화를 읽고, 내용과 일치하는 것을 고르시오.

중 .... (   )

1학기 Lesson 6

> Dave: What are you going to do this weekend?
> Miso: I'm going to visit Jeju-do.
> Dave: Are you going to get there by plane?
> Miso: No, by ship.

① 데이브는 지난 주말에 한 일에 대해 묻고 있다.
② 미소는 할머니 댁에 갈 것이다.
③ 데이브는 제주도에 갈 것이다.
④ 미소는 제주도에 비행기를 타고 갈 것이다.
⑤ 미소는 제주도에 배를 타고 갈 것이다.

2학기 Lesson 12

20 대화를 읽고, 각 장래 희망에 해당하는 사람의 이
중 름을 영어로 쓰시오.

> Sora: I want to be a photographer.
> Matt: I want to be a cook. What do you
> want to be, Kate?
> Kate: I want to be a singer.

2학기 Lesson 11

21 다음을 읽고, 괄호 안의 낱말을 알맞은 형태로 바
상 꿔 쓰시오.

> Yesterday was my mom's birthday. I
> _____ (buy) some flowers for her.
> My brother _____ (write) a birthday
> card to her.

2학기 Lesson 9

22 대화를 읽고, 다음 문장이 들어갈 곳을 고르시오.
상 ....( )

> It's Hallasan.

> Minji: (①) Do you know about this
> mountain? (②)
> Jack: (③) No, I don't. (④) What is
> it?
> Minji: (⑤) I think it's beautiful.

1학기 Lesson 4

23 그림에 알맞은 대화를 고르시오. ....( )
상

① A: Do you want to be an actor?
   B: No, I don't.
② A: Will you come to the pajama party?
   B: Of course.
③ A: Do you know about Van Gogh?
   B: Yes, I do.
④ A: Will you come to the snack party?
   B: Sorry, I can't. I have to see a doctor.
⑤ A: Are you going to get there by bus?
   B: No, by train.

[24~25] 에이미의 일기를 읽고, 질문에 답하시오.

> Sunday, December 3rd
> I ①visited my grandma in Busan. I
> ②met my cousin, Judy. We ③went
> to the park. We ④rided a bike there.
> We ⑤had a good time.

2학기 Lesson 11

24 밑줄 친 ①~⑤ 중 어법상 어색한 것을 찾아 바르
상 게 고쳐 쓰시오.

_____ → _____

2학기 Lesson 11

25 다음 응답에 대한 질문이 되도록 빈칸에 알맞은 말
중 을 쓰시오.

> They went to the park.

→ _____ _____ Amy and Judy
go?